Clari:

Te quiero muchísimo!!!

Con todo mi cariño

Caro

(Alias MAFALDA)

COMO VIVIDO CIEN VECES

Diseño de tapa: María L. de Chimondeguy / Isabel Rodrigué

CRISTINA BAJO

COMO VIVIDO CIEN VECES

EDITORIAL SUDAMERICANA
BUENOS AIRES

Bajo, Cristina
    Como vivido cien veces. - 1ª ed. – Buenos Aires : Sudamericana, 2004.
    416 p. ; 23x16 cm.- (Biblioteca Cristina Bajo)

    ISBN 950-07-2508-8

    1. Narrativa Argentina I. Título
    CDD A863

IMPRESO EN LA ARGENTINA

Queda hecho el depósito
que previene la ley 11.723.
© *2004, Editorial Sudamericana S.A.®*
Humberto I 531, Buenos Aires.

www.edsudamericana.com.ar

ISBN 950-07-2508-8

Para Silvina y Javier,
sin cuyo amor y fe en el proyecto
este libro hubiera seguido ignorado.

Para todos aquellos que colaboraron
con buena voluntad en sacarlo adelante.

Y para Jerónimo Bajo, autor del mapa
de las estancias.

a Catamarca

a Santiago del Estero

Santa Catalina

Jesús María

La Antigua

Candonga

N

Córdoba

Alta Gracia

Los Algarrobos

a San Luis

Las Tolderías

Río Cuarto

Jeronimo F. Bajo · M M I V ·

La influencia de los jesuitas en Córdoba fue tanto cultural como económica; así lo prueban sus estancias, hoy Patrimonio de la Humanidad. Cerca de ellas se ubican las de los Osorio: Los Algarrobos, en las planicies del sur, amenazada por los malones, y La Antigua, en las sierras del N.O., a merced de las tropas unitarias y federales que tomaban el Camino Real.

1. EL TIGRE EN LA AGUADA

"En honor a la justicia y la verdad debe confesarse que
en los principios de la legislación española relativa a las Américas,
siempre los indios han debido ser libres."

Deán Gregorio Funes

LOS ALGARROBOS
DEPARTAMENTO TERCERO ARRIBA (CÓRDOBA)
OCTUBRE DE 1828

El resplandor de los grandes fogones de la cocina iluminaba la cara
de la negra, volviéndola misteriosa y sin edad.

—El primer Osorio —señaló a Luz con el dedo— llegó con el Fundador, don Jerónimo Luis de Cabrera, mártir —y la jovencita contuvo el aliento en la pausa que siempre hacía Severa ante la palabra "mártir".

El cabello desteñido y los ojos grises, Luz, sentada a los pies de su nodriza, escuchaba con avidez la historia de su familia.

—Aquel Osorio se llamaba Damián y venía en buena compañía: los Cabrera, los Tejeda, los Luna, los Figueroa y un montón más. Dicen las misias eran toditos gente de prosapia en España y lo que es más importante —dicen ellas— es que venían con sus mujeres: no se mezclaron con indias, como en otras partes.

Quedó pensativa y continuó:

—Y el Osorio que levantó esta casa se llamaba Ignacio —cómo no habría de ser, si eran devotos de la Compañía— y ya andaban emparentados con los Tejeda.

—¿Es verdad que desorejó indios para conseguir las tierras?

—Dicen, pero el padre Ferdinando, de la Merced, que siempre anda escarbando papelotes, asegura que eso no se hizo en esta provincia. Y aunque se hubiera —contra las leyes del Rey, dice—, los Osorio no tenían que andar en tantos trabajos, ya que don Jerónimo y después Suárez de Figueroa les concedieron tantas mercedes como se hartaron de pedir.

—¿Y qué pasó entonces?

—Don Ignacio tomó mujer. La primera no viene a cuento, ya que la pobrecita se ahorcó cuando la invasión —malón ando por decir— de los infieles, al ver morir a todos sus hijos y caer cautiva a su única hija. De ahí les viene a ustedes tanto rencor contra el indio, pues de entrada nomás se debieron sangre y ofensas.

Aunque Luz sabía la respuesta, inquirió:

—¿Y nosotros, entonces, de quién descendemos?

—Don Ignacio, que se salvó porque andaba juntando ganado cimarrón, se casó lueguito nomás de enterrar sus difuntos con una huérfana de convento. Era de apellidos la niña pero se había quedado sola su alma, así que las monjitas la cuidaban mientras los curas le guardaban las propiedades. Ésa se llamaba Blanca y emparentaba de primer agua con los Luna. Por eso ustedes firman hasta hoy "de Osorio y Luna". Con ella el patrón tuvo muchos hijos y uno de ellos, el maestre de campo Alfonso Nuño —decía tu abuelo era nombre de reyes de allá, de donde ustedes vienen…

—Asturias.

—Dicho; y ese Alfonso murió ahí clavado, en uno de los algarrobos del frente, a lanza seca —chuza sin fierro viene a ser— a manos de los ranqueles. Eso fue para el segundo malón, pero ya la casa era así, ¿ves? Como un puño cerrado… y los salvajes no pudieron entrar. Amagaron prender fuego a la puerta mayor, pero San Ignacio mandó lluvia grande que apagó el incendio y desbordó el río Tercero —de Nuestra Señora le decían añares— y el tajamar y las acequias y todos los arroyos que duermen bajo tierra pero asoman la cabeza en cuanto llueve lindo. Así que los infieles se contentaron con degollarnos unas yeguas, embadurnarse la cabeza con su sangre y martirizar a tu tío-tatarabuelo, el maestre de campo. Que no pidió clemencia pero se cansó de insultarlos… en latín, porque era latinista el mozo, igual que su primo don Luis de Tejeda, también maestre de campo pero, para mayor gloria, poeta.

Apoyó las manos en las fuertes rodillas cubiertas por una falda de tela burda y se echó hacia atrás:

—Y bueno, que los indios se aburrieron de mojarse y se largaron al sur con mala suerte, porque los atajó la crecida y ahicito los alcanzó otro Osorio —de los de Gonzalo era, también llegado con los fundadores—, que al ver el estropicio los persiguió y mató a mansalva. Y dirás vos —empleó la negra el modismo de los criados—: ¿por qué a mansalva? ¿Acaso no iban armados? Iban, pero venían maloqueando desde la Punta de San Luis, ¿no?, donde se habían robado unos barrilitos —y no precisamente de agua bendita— y cuando pegaron la vuelta yo calculo que andaban más "alumbrados" que procesión de Ánimas.

—¿Y el indio aquel…?

—¿El que se volvió tigre y cada cincuenta años se come un Osorio?.

La puerta se abrió, sobresaltándolas, y la hermana mayor de Luz, Inés, las miró con reprobación.

—Dice mamá que si no han oído la campana, que las espera para empezar el rosario.

Luz suspiró, dejó que Severa se quitara el delantal y luego siguieron a Inés al oratorio.

Aquella noche Luz soñó con el tigre: estaba parada al lado de la aguada cuando lo que ella había tomado por un glorioso crepúsculo se convirtió en un voraz incendio. De las entrañas del fuego —sólo separados por el espejo de agua— surgió un jaguar enorme que la inmovilizó con el aliento. Contraída de espanto, sintiendo que el corazón le estallaría, vio emerger de las profundidades de la laguna un ánima-halcón que hizo retroceder a la fiera. Pero ya era tarde: el corazón de Luz se había roto y su alma, convertida en paloma, volaba sobre el fuego…

Despertó con un grito en el tranquilizador amanecer, todavía gris pero ya prendido al canto de cientos de pájaros.

Cuando Severa subió a vestirla la encontró de espaldas en la cama, el rostro tapado con la almohada.

—Y qué ha de ser, pichoncita —preguntó, cosquilleándole los pies. Luz se incorporó, acudiendo al mundo de presagios que gobernaba la esclava.

—He vuelto a soñar con el tigre, yaya —se quejó y la mujer, sentándose a su lado, la escuchó sosteniéndole la mano. Esta vez no pudo tranquilizarla, porque ella misma estaba impresionada. Hizo la señal de la cruz sobre la frente, la boca y el pecho de la jovencita, persignándose luego ella repetidas veces, negándose a decir más.

Y fue la tarde de aquel día —¡cómo olvidarlo! pensaría después Severa— que llegaron las Milicias de Frontera, tropa de gauchos vestidos con los restos de antiguos uniformes y armados con lanzas; traían cuatro indios cautivos y se detuvieron bajo los centenarios algarrobos que daban nombre a la estancia.

Desde la sala doméstica, donde Severa la peinaba, Luz observó a su padre bajar la escalinata del frente, la mano tendida al oficial que los comandaba.

—¡Pero si es Luis Allende! —lo reconoció—. Para la fiesta de San Jerónimo no le quitó los ojos de encima a Inés.

—Retírate de la ventana. A tu viejo no le parecerá que esos hombres te vean —rezongó la negra.

—Traen indios prisioneros.

—Para el fortín del río Cuarto los han de arrear.

—¿Van a fusilarlos? —se impresionó la joven.

—¡Qué! Ni balita gastarán en ésos. Estaca o garrote, eso será —murmuró Severa desprendiendo rizos con un palito de naranjo alrededor de las sienes de Luz. Y como la notara inquieta, desconfió—: ¿Qué será que andás por hacer?

—Quiero verlos de más cerca. A los indios.

—Se me hace que no está bien.

—¡Oh, Seve, ni me dejaré ver! —y dándole un beso, salió a la galería y bajó corriendo la escalera que daba al patio principal.

Era la casa —levantada sobre un primitivo rancherío— más al plano romano que español, como gustaba a los cordobeses. Tenía mucho de fortaleza: altos muros de metro de espesor, pocas puertas externas, muy sólidas, y en las ventanas, las rejas enclavadas profundamente en las paredes.

Con el paso del tiempo, un antepasado le había agregado un piso superior, trasladándose entonces los dormitorios al piso de arriba, lo mismo que la sala doméstica, los baños —ya que el plano era de un arquitecto jesuita— y otros cuartos de uso incierto. Todas las habitaciones, tanto las del piso inferior como del superior, daban a galerías de arcos que miraban hacia el "patio de honor" —el primero— donde, rodeado de tinajas, macetones, jazmines y hortensias, el aljibe lucía la gracia de sus líneas curvas, el brocal de piedra labrada y el coronamiento de hierro forjado.

La planta alta sólo comunicaba con aquel patio por una escalera de bóveda y éste comunicaba, a su vez, separadamente, con el segundo, donde se desarrollaba la vida doméstica: allí daban las cocinas, los cuartos de servicio, de herramientas y monturas, los de telares y despensas; allí se reunían las mujeres —amas y siervas— en ritos inalterables: cardar la lana, manejar el telar, orear colchones, preparar dulces y conservas, pulir la plata.

Un pozo surgente, hermoso en su sencillez, embellecía el lugar con su poyo y sus macetas de hierbas aromáticas.

En la planta baja que daba al patio principal, se distribuían dos comedores, dos salas de recibo —la mayor, con clavicordio—, el despacho del hacendado, la sala de labores, la sacristía —que comunicaba con el oratorio— y otras habitaciones destinadas a huéspedes.

Al igual que Santa Catalina de Ascochinga, la casa trepaba con el terreno —aunque mirando al poniente— y Luz, sabiendo que su padre y el oficial estarían en el despacho, buscó una de las salas que, favorecida por la elevación, le permitiría observar desde más cerca a los recién llegados.

Había atraído su atención un prisionero: maniatado a la montura de un caballo, lo había visto correr sin esfuerzo a la par del animal; una proeza, ya que los indios, acostumbrados a vivir sobre sus potros, eran torpes de a pie.

Sigilosamente abrió el postigo: el hombre destacaba tanto de la chusma —indios del montón— como de los soldados. Usaba el pelo largo sostenido por una ancha faja arrollada a la cabeza, algo levantada sobre la frente, despejando un rostro sombrío y vigoroso. Conservaba el collar y las muñequeras de tiento y plata, así como las botas de potro —overas, al gusto pampa—, y Luz sospechó que debían haberlo capturado muy cerca y aún no se habían tomado el trabajo de despojarlo: todo aquello era codiciado por la tropa.

"Es el capitanejo que iba a encontrarse con Fernando", comprendió. Su hermano Fernando, por quien ella sentía devota admiración, le había confiado aquello a modo de secreto.

Y mientras calculaba la ira de su padre si llegaba a enterarse, el ocaso alcanzó un apogeo absurdo y las ventanas estallaron en luz. Paralizada por la claridad que la delataba, vio al indio clavar los ojos en los cristales encendidos; se miraron largamente, ella conmovida hasta lo indecible ante la desdicha, el coraje y la dignidad que emanaban de aquel hombre.

La voz de su padre, afuera, la obligó a cerrar los postigos y esperar en la penumbra hasta que la tropa se movió hacia las barracas —lugar de laboreo, de recolección y también de amparo de los peones— y recién entonces se atrevió a salir y correr hacia la cocina, donde las criadas comenzaban a avivar los fogones mientras bromeaban con una mulata alta, hermosa y desenfadada, que acomodada en la puerta exterior comentaba las maniobras de los soldados.

—Calandria.

La morena giró, haciéndole llegar el aroma a especias de su ropa.

—Dejá de presumir —le advirtió Luz.

—¿Y quién lo manda? —replicó la otra y tanteando el mortero con el pie, descubrió la pierna larga y torneada.

Se hizo un silencio de misa entre los mirones —al agacharse, los pechos de la muchacha amenazaron desbordar la blusa— y se oyó un expresivo "Ay de mi almita" que soltó la risa de las criadas.

—Cubrite, descarada —la riñó Luz, cuando uno de los cautivos, aprovechando la distracción, dio un cabezazo al guardián y corrió hacia los caballos. No llegó lejos: uno de los soldados le sacudió las corvas con la tacuara y lo arrojó de boca al suelo.

El intento terminó en patadas e improperios sobre el caído y cuando el sargento mostró la mano que se había llevado al riñón, brilló un puñal de cuatro palmos.

"Misericordia", gritaron las muchachas, mientras Luz se cubría la boca al ver al capitanejo sortear las lanzas y arrojarse sobre el del cuchillo, volteándolo entre los bebederos.

—Ay, Diosito —advirtió Calandria—. Qué desperdicio de mozo; le van a quebrar los huesos por retobado.

Encendida de coraje, Luz se adelantó hacia los soldados.

—¡Un momento, ustedes! —gritó con el tono de una casta que no discutía sus privilegios—. En esta casa no se maltrata a impedidos. Esos hombres están atados.

El oficial llegaba en aquel momento; largó dos órdenes tajantes y luego, malhumorado, se descubrió ante Luz.

—Lo siento, Luz María, pero sería prudente que ustedes entraran.

—¿Que no conoce la ley, don Luis? —lo interpeló ella—. Mi abuelo solía quejarse que ordenaba "y no posar mano, azote ni garrote sobre los prisioneros" —y sin dar lugar a réplicas, entró en la cocina seguida de las morenas.

—¡Ah, carajo, si parecés alguacil! —se burló Calandria—. Mejor haría tu mamá en mandarte para doctora, visto que de bordadora vas muerta.

—No soporto las injusticias —alardeó ella.

—... y malhaya no le pasen el parte a tu vieja, o nos tendrá culo al norte por tu grandísima culpa —terminó zafadamente la mulata, señalando la salida—. Hacete humo, que no me gusta el jaleo en mi cocina.

—Siendo que vos empezaste... —retrucó Luz, pero regresó al patio principal y se entretuvo regando, con agua del aljibe, la infinidad de plantas que cultivaba Severa.

Al rato, su madre e Inés, que por alguna intriga se habían encerrado en la salita de labores, la encontraron en aquel menester. Mientras Inés, sonrojada, se dirigía a la sacristía del oratorio, doña Carmen se acercó a Luz.

Once vástagos —cuatro enterrados en el cercano camposanto— no la habían doblegado. De los sobrevivientes, Sebastián —ausente— Isabel y Carlitos se le parecían: altos, morenos y enjutos. Inés, Luz y Anita salían a los Osorio y Luna: rubios de ojos claros y regular estatura. Fernando, en cambio, teniendo la apariencia de un Osorio, había sobrepasado la altura de los Núñez del Prado, la rama materna.

—Para la cena —dijo la matrona— te pones el vestido marrón. Y quítate esos rulos: en una niña de tu edad, cara lavada y pelo tirante —dictaminó.

Luz, que nunca se sentía cómoda con ella, sintió alivio cuando el patio se llenó con la risa de los más pequeños —Carlitos, Ana e Isabel iban de los cuatro a los diez años— que regresaban del río. Los acompañaba Simón Viejo, un negro anciano que solía hacerles de niñero, y Simón Chico, un morenito avispado, entenado de los Osorio.

Doña Carmen consultó el relojito prendido al peto:

—En diez minutos tocamos a rosario —les advirtió, y a Luz—: No quiero excusas por tus llegadas tarde.

Más que molesta, la joven subió al dormitorio donde Severa ya había preparado el vestido.

—Así que mi madre se ha encaprichado en que me vista de beata —rabió, manoteando la prenda que la negra alcanzó a rescatar.

—Tranquila. ¿No ves que está temiendo que don Luis cambie la mirada? Anda detrás de esa bragueta para la Inés.

—¿Tan linda soy? —dijo Luz colgándosele del cuello.

—Un solcito, mi guagua.

—¿Como para que un hombre se fije en mí?

—¡Pero véanle la pretensión! —le amagó la mujer.

La campana llamando a oración las interrumpió.

Al terminar el rosario, como los demás rodearan al oficial en el pequeño atrio del oratorio, Luz atravesó la sacristía y alcanzó a su hermano, recién llegado del campo, cerca del aljibe.

—Ese cautivo, ¿es tu amigo?

—Sí; por desgracia, Luis lo encontró antes que yo —y como el joven viera venir a Calandria con sábanas para la pieza del huésped, arrancó una flor y se la metió en el escote, intentando robarle un beso; la mulata le tiró un tarascón y lo esquivó meneando provocativamente las nalgas.

—Si mamá te pilla… —dijo Luz.

—Cuándo —se jactó Fernando, subiendo las escaleras con ella detrás.

—¿Cómo lo conociste?

—Vende tiento y platería entre el río Cuarto y el Quinto. Se llama Enmanuel y no es ningún alzado —usó el título que designaba al indio en armas— como pretende ese pendejo con galones.

Cerró la puerta con el pie mientras se quitaba la camisa, aclarando:

—Tiene el grado de capitanejo entre la gente del cacique Cayuqueo; andamos en tratos —y que no se te escape— con el general Quiroga. Pretendemos formar una brigada de lanceros ranqueles para el ejército de La Rioja.

Agachándose sobre la jofaina dejó que ella le derramara agua sobre la cabeza y los hombros; enjuagándose concienzudamente, siguió:

—Allende se pasó por el traste mis explicaciones y yo no estoy para aguantarle desafueros a ese venido a menos. No tiene ni diez vacas allá en sus campos, sin contar que la tierra es puro salitre...

—Luis no va a entregarte los prisioneros. Es muy terco.

—Ni falta que me hace —replicó Fernando desprendiéndose los borceguíes— porque estoy antojado en darle un escarmiento. —Y metiendo los pies en la palangana con agua, protestó—: Es por enconados como Luis, como papá y tío Martín que continúa la matanza entre infieles y cristianos. Es necesario hacer las paces. Los mejores hombres de Mayo lo dijeron y hasta el Viejo Cara de Vinagre —se refería al Deán Funes—, con todos los abolengos que carga, está por los derechos civiles de los indios. Además, si Lavalle se subleva, como se teme, mejor tenemos las tribus de aliadas y no chuceándonos el trasero mientras combatimos a los unitarios.

—Pero... si papá llegara a saber que andas en tratos con los ranqueles...

Como Fernando hiciera un gesto de desentenderse, Luz intentó justificar a don Carlos:

—Bueno, qué esperas de él. Va para doscientos años que vienen atacándonos sin piedad, han muerto a muchos de los nuestros y hasta nos han robado mujeres...

—¿Ah, sí? Y aparte de que nos apropiamos de su territorio, ¿qué me dices de los indios que desorejó nuestro muy linajudo don Ignacio?

—Eso es cuento de fogón —se estremeció Luz, alcanzándole la camisa de lazo.

—Seguro —respondió él con sarcasmo.

—De cualquier forma, ¿cómo será que vas a impedir que sigan maloqueando, aun cuando los nuestros dejaran de atacarlos?

—En Buenos Aires, algunos terratenientes han llegado a un acuerdo con las tolderías vecinas. Los Rosas han dado el ejemplo. Y aquí nomás, tu padrino y vecino nuestro, don Quebracho López, anda en los mejores términos con las tribus de la zona.

Al incorporarse, semidesnudo, Luz admiró la recia estampa de su hermano: el rubio desteñido de la melena le había valido el mote de Payo y llevaba la marca de sus antepasados en la frente, la nariz y la quijada. A los veintitrés años, había llegado al apogeo de su virilidad.

Luz recordó lo que el abuelo Lorenzo les metiera en la cabeza como artículo de fe: "Somos godos y astures, gente del Cantábrico, que es tierra de borrascas y montañas, de osos y lobos. A duras penas nos doblegaron los romanos, pero los moros no pudieron con nosotros. Jamás lo olviden: venimos de un pueblo que no conoce el yugo". Severa se había encargado, a su muerte, de seguir avivando aquella llama.

Con un suspiro, alcanzó a Fernando las botas de "paquetear" y se subió a la banqueta para armarle el lazo de la camisa mientras él maldecía las ropas de salón que, por contentar a su madre, debía usar aquella noche.

Complacido por la atención de su hermana, el muchacho bromeó:

—Y habrá que casarte pronto…

—Ni lo pienses. No quiero dejar el solar de Córdoba y mucho menos Los Algarrobos.

—Hagamos un trato: te quedas soltera y entre los dos llevamos el campo.

—Mendaz —remedó ella a la más anciana de sus tías—. Te casarás bien rápido y yo quedaré dando lástima.

—¿Casarme? ¡Con quién! —y sentándose para que Luz le trenzara la coleta—: No soporto las niñas remilgadas; a mí me tiran otras hembras y con ésas uno no se casa… mientras pretenda seguir de señorito.

Luz ajustó la cinta y él, poniéndose de pie, la llevó en vilo hasta la puerta.

—¿Ayudarás a los cautivos? —preguntó ella con intención de ruego.

—¿Que no? —fanfarroneó el joven antes de que Severa, que subía con la palmatoria encendida, los alcanzara.

—Vos, sinvergüenza, que me la metés en líos —achacó al joven y tironeando de Luz—: Vamos, chinita, hay que cambiarte.

Y camino al dormitorio, bufó:

—¿Qué tenés que andar de rabo del Payo, eh? ¡Buen sinvergüenza que es ése! ¡Tu madre está que trina! Sabés que no aguanta que se anden secreteando…

—Así que pronto tendremos a Sebastián con nosotros —dijo Allende embriagando el ojo en el vino que servía Simón—. Y… ¿qué estudiaba allá? —no recordaba de qué país de las Europas regresaba el primogénito de don Carlos.

—Arte —aclaró éste, arrogante en sus casi cincuenta años, de barba y pelo canoso recortados a lo hidalgo. No escapó a Luz el dejo despectivo que puso en la palabra.

—Ocho años le tomó —se burló Fernando.

—Mi tribulación es que se haya infestado con las herejías de las cortes de Francia. Hoy lo comentábamos con Inesita… ¿verdad, hija? —la instó a intervenir doña Carmen.

La joven, a pesar de sus casi veinte años, asintió con timidez.

—¿Y qué opina *El Republicano Federal* sobre la presunta revolución de Lavalle? —intervino don Carlos, sospechando que no era la casualidad la que había llevado al militar hasta su puerta.

Allende contestó estiradamente:

—No suelo leer pasquines.

"Unitario" transmitió Luz con la mirada a Fernando, pero su padre, por cortesía, dejó el tema y pasó a pedirle al oficial:

—Podría usted darse una vuelta por los campos de Lezama. Mis sobrinos han dado con una rastrillada y recelamos que andan ranqueles merodeando.

—Cómo no. De paso para entregar los prisioneros, rodearemos Las Corzas.

—Se agradece.

—No lo mencione, por favor.

—Pruebe las morcillitas, don Luis. Calandria tiene un secreto para adobarlas que…

Luz se aburría: por mujer y de las menores, le estaba vedado hablar si no le dirigían la palabra. Además, tanta gentileza con el oficial la tenía relajada. Fernando le hizo un guiño y sorprendió a todos levantando la copa.

—Bomba, teniente —brindó—. Por una carrera sembrada de éxitos como el de hoy.

Sólo Luz y don Carlos captaron el sarcasmo; doña Carmen se mostró aliviada de que el hijo no soltara una impertinencia que estropeara sus planes.

—Prefiero dedicarlo a la virtud soberana de este hogar —declamó Allende en babia y alzó la copa—: Hago votos para que se me considere merecedor de frecuentarlo.

18

Sus ojos se demoraron en su pretendida mientras don Carlos, pensativo, fruncía el ceño.

"Está calculando la miseria de campos que tienen los Allende Paz en el Totoral", se regocijó Luz.

Las criadas retiraron la vajilla y el mantel de arriba —era cena de dos manteles— y sobre el impecable hilo del de abajo Simón depositó la bandeja con el Málaga y las frutas secas para entretener la sobremesa.

Doña Carmen mandó los niños a dormir —incluida Luz— y los expulsados, después de reclamar la bendición, siguieron a Fe y Gracia a los dormitorios. Una vez allí, Luz las ayudó a desvestir a sus hermanos, se les unió en las plegarias y luego, cuando empezaron los bostezos y las criaditas a cuchichearse en las sombras, se retiró a su pieza. Echando cerrojo, fue hasta un nicho de postigos labrados y lo abrió, dejando a la vista una talla magnífica.

Decía la tradición que aquel Cristo —un Señor de la Paciencia— había sido tallado por un indio enviado por los jesuitas, hábil imaginero entre otras artes, a quien se le había confiado el maderaje de la estancia. El desdichado se había enamorado de la segunda esposa del fundador —casi una niña— y don Ignacio, advertido, le había propinado una feroz golpiza, arrojándolo luego a una barranca del río donde los perros cimarrones completaron su obra.

Contaban que por días, en el silencio nocturno, se oyeron los lamentos; que doña Blanca encaneció prematuramente, arrastrando por años una melancolía perniciosa. Aseguraban que ella no había correspondido al amor culpable, pero Luz se preguntaba por qué, después, ninguna mujer de la familia había llevado su nombre.

Años después, al agregarse el piso alto, se trasladó la talla a aquel cuarto, permaneciendo la habitación sin uso por más de un siglo, hasta que Luz, en un rapto de independencia, la había reclamado para sí.

Apoyando la vela en el candelabro, la joven miró largamente la imagen lacera y como si un soplo de fuego la hubiera tocado, cayó sobre el reclinatorio y posando los labios sobre la llaga de la divina palma, rogó por el ranquel llamado Enmanuel.

Con el corazón haciéndose oír sobre su plegaria, oyó el clavicordio —Inés tocando para don Luis—, las risas de las criadas y, lejos, el apagado mugido de una res. La voz de la guitarra, en las barracas, la volvió en sí.

Quitó la traba de la puerta por si a su madre se le ocurría pasar, apagó la vela y se desvistió; miró su cuerpo desnudo en el espejo de la pared y se sostuvo los senos con las manos; ya tenía vello en el pubis, espeso, ensortijado y algo más oscuro que su cabellera: se sentía satisfecha de él.

Con renuencia, buscó el camisón y lo deslizó sobre su cabeza. Le hubiera gustado acostarse desnuda, abrir la ventana y dejar que la luna le diera en el cuerpo. Por fin se acostó en cruz sin poder dejar de pensar en el capitanejo. Con el peso de un fatal presentimiento, se durmió sin darse cuenta.

Pero la Historia no dormía, acercándose a una crisis que, en el interior de la república, era un malestar nebuloso: las noticias se demoraban y todo llegaba como el eco lejano de un banquete o una batalla.

Entre 1818 y 1825, las divisiones administrativas en que se constituía el territorio se separaron formando las provincias; sus gobiernos en manos de caudillos, éstas proclamaron, junto con el sistema de Federación, el principio de unidad, reclamando la organización inmediata del país.

Juan Bautista Bustos, caudillo de Córdoba, presentó la primera —y más importante— propuesta, hablando textualmente de un "Congreso de Federación", idea aquella que había prendido vigorosamente en todo el Interior.

Entre celos, intrigas y dilaciones, aquel congreso, más los propuestos por otras provincias, quedaron en los papeles.

Y algo sucedió entonces que alteró profundamente la situación: el ministro de gobierno fue reemplazado por don Bernardino Rivadavia, quien consideraba al federalismo sinónimo de anarquía, propiciando el llamado "sistema representativo" —léase unitario— que repugnaba a los pueblos del Interior.

Fue en aquella coyuntura política que quedaron delimitados los dos partidos que desgarrarían al país por décadas: unitarios y federales.

Los seguidores de Rivadavia eran hombres de ideas liberales y progresistas, pero que desconocían en absoluto las necesidades del pueblo. Reformistas teóricos, exigían de la "masa ignorante" un acatamiento ciego para facilitar su obra. Prestaban atención preferentemente a la cultura —teniendo de modelo a la europea—, descuidando el malestar diario: la defensa de las fronteras ante el indio, la falta de vías de comunicación, el desenvolvimiento del comercio en una economía rudimentaria.

Rivadavia fue elegido presidente a principios de 1826.

Para entonces, la rebeldía interna se había agravado por la guerra que la Argentina sostenía con Brasil, guerra a la que los caudillos se negaban a contribuir.

Extenuado el país, bloqueada su economía y el tesoro público agotado, el Ejército Argentino quedó paralizado y abandonado en medio de sus victorias: habiendo ganado todas las batallas, la Argentina pierde la guerra con Brasil —y con ella los territorios de la Banda Oriental— en la mesa de negociaciones. Esto trae un enorme descrédito al gobierno central; Rivadavia presenta su renuncia y después de un presidente provisorio, se llama a elecciones y gana el coronel Manuel Dorrego.

Lavalle retorna a su patria con un ejército de hombres indignados.

Despertó pensando en los cautivos y pronto se desmoralizó: los ruidos de la casa eran abrumadoramente cotidianos.

Salió a la galería superior y tropezó con su madre, las llaves tintineándole en la cintura y el pelo recogido prietamente.

—Regresa a la cama, ya suben a vestirte. Y no debes andar descalza: los pies de una señorita son tan importantes como sus manos.

Luz obedecía cuando la señora agregó:

—Quédate arriba con los chicos; los cautivos han huido y he mandado trancar la casa, ya que los soldados han salido a campear a esos demonios.

Luz cerró la puerta y saltando de alegría giró en un remedo de danza, dejándose caer sobre la estera.

Marginada por la edad, se aburría con las cosas (tapicería, música, devociones) en que pretendían ocuparla; sólo la lectura la redimía del tedio y era bien poco lo que el confesor le permitía leer.

Para empeorarlo, su madre había decretado que era "crecidita" en sus dieciséis años para cabalgar con su padre, vagabundear con Fernando y bañarse en el río con los más pequeños. Y, seguramente, demasiado joven para bailes o tertulias cuando, pasado el verano, regresara a la ciudad.

Boca abajo en el suelo, el mentón en las manos y el rostro velado por la cabellera rizada, imaginó a Enmanuel corriendo por la pradera como un jaguar en libertad.

Días después, uno de los Lezama regresó de la ciudad de Córdoba con la noticia de que Sebastián, ya en Buenos Aires, había escrito a la abuela Adelaida anunciando su llegada a Córdoba para fines de octubre.

Como las milicias seguían patrullando y en los últimos cincuenta años, exterminadas las tolderías cercanas, el río Tercero constituía una barrera que los malones raras veces cruzaban, don Carlos y doña Carmen decidieron viajar a Córdoba y regresar con el hijo mayor.

Y una de aquellas siestas odiosas, ausentes ya los padres, Luz burló a Severa con la intención de ir hasta Las Corzas y darse un chapuzón a modo de picardía.

No había alma levantada, con Fernando y los peones rodeando las mulas que se enviarían a Chile y Perú en noviembre, así que ensilló el petiso y galopó a campo abierto, gloriosamente libre, como años atrás cuando su padre o Fernando la llevaban hasta los "puestos".

Hacia el oeste, el llano se interrumpía con las primeras estribaciones de las Sierras de los Cóndores —dejando ver otras más altas que los separaban de los valles de Traslasierra— cubiertas de bosques, de peñascos y helechos. Era un territorio de increíble hermosura que se abría hasta el poniente en profundas quebradas, algunas con caídas de cientos de metros, valles secretos, multitud de arroyuelos y surgentes, infinidad de animales silvestres.

La llanura, en cambio, reptaba hacia el sudeste entre montes, esteros y lagunillas; ya se insinuaban los primeros salitres y hacia allí cabalgó Luz. Al llegar a Las Corzas —límite con los campos de su tío—, una aguada extensa pero poco profunda, ató las riendas a un arbusto y de bruces bebió el agua levemente salobre.

Después de empaparse la cabeza se sumergía vestida, dejándose flotar hasta el islote empenachado de juncos, dándose a la ensoñación de imaginar la vida de Enmanuel, en quien no podía dejar de pensar. ¿Tendría mujer, hijos? ¿Sería un guerrero solitario, un artesano de bondadoso corazón?

En algún momento hubo una mínina discordancia entre los mil susurros naturales; sobresaltada, recordó las advertencias de Severa: a la siesta, los pumas, además del Sombrerudo —duende que acechaba con sus groseros apetitos a las niñas desaprensivas—, bajaban por agua.

Se incorporó hacia el juncal y vio un indio agachado, pasmosamente quieto. El instinto le ordenó correr y aunque las ropas mojadas se lo entorpecían, llegó al caballito y manoteó las riendas. El animal bellaqueó arrastrándola unos metros y como Luz oyera al indio venir tras ella, rodó sobre sí, logró ponerse de pie y volvió a la laguna buscando perderse en la maraña de la islita.

Tenía el agua a la rodilla cuando él la alcanzó, capturándola por los cabellos. Al aflojársele las rodillas por el tirón, sintió la mano del hombre

22

sobre la nuca un momento antes que le sumergiera la cabeza, permitiéndole apenas respirar entre una y otra inmersión.

Le arañó los brazos, desesperada, hasta que de pronto fue arrojada a la arena; aspirando con desesperación, abrió los ojos para encontrarse mirando a Enmanuel.

El hechizo que la tuviera atontada por días se quebró ante aquel desconocido violento que, con una expresión impenetrable, se alzaba sobre ella cubriéndola con su sombra. Despojado de los adornos, lucía temible. Cuando la levantó por los hombros —sin miramientos— notó que era apenas más alto que ella. Podía tener cualquier edad entre los veinte y los treinta años.

Se miraron y como algo presentido, Luz tuvo conciencia de su pueblo cruzando océanos para encontrarse, tras siglos de odio, con aquel hombre de otra raza, inevitablemente enfrentados en la contienda por la tierra.

El capitanejo la soltó y Luz retrocedió hasta el caballito que esta vez se dejó montar, alejándola de allí en una encarada de veinte metros; el sol la cegaba, sentía náuseas y le dolía respirar. Miró sobre el hombro: Enmanuel la observaba con ladina curiosidad mientras se lamía la sangre de los arañazos.

Se llevó la mano al escapulario y pidió protección al Sagrado Corazón, no de aquel hombre, sino de sí misma, ya que sentía por él una atracción irresistible, que parecía licuarle los huesos mientras una vocecita insidiosa le prestaba argumentos: "Si es amigo de tu hermano, ¿por qué habría de hacerte daño?".

Atrapada nuevamente en el sortilegio, recogió las riendas y trotó nuevamente hacia él, que le tendió una mano morena y caliente mientras acariciaba el cogote del animal, hablándole en una lengua incomprensible.

Horas después, Luz entró en la casa furtivamente, aunque su recelo estaba de más ya que todos dormían.

Con una dulzura perversa en el cuerpo, disimuló las ropas mojadas, se calzó la bata y desarmó la cama; ovillada entre las sábanas, recordó a doña Blanca y, ganada por aquel mal presentimiento que no la abandonaba, fue hasta el espejo y se miró detenidamente: no reconoció las pupilas dilatadas, no se hizo cargo de las ojeras y mucho menos del aura que la envolvía en el resplandor de la pasión. Estremecida, comprendió que había penetrado en un paraje vedado por religión, por crianza y por linaje: estaba predestinada a la tragedia.

Se cubrió el rostro sabiendo, no obstante, que algo salvaje, incontrolable como la sangre, la volvía inmune a todo arrepentimiento.

Severa entró en aquel momento, bostezando, y exclamó:

—¡Virgen Santa, si parecés insolada! ¿Acaso no has dormido?

Esquivándole los ojos, Luz se inclinó sobre la jofaina y se mojó la cara dejando que el agua corriera entre sus senos.

—Si recién me despierto, yaya...

A partir de aquel día, cuando todos descansaban, galopaba hasta donde Enmanuel, atento el oído de cazador al secreto retumbar de los cascos, la aguardaba.

Embriagada de audacia, consiguió que Fernando la autorizara a cabalgar.

—Ya se acabará el changüí apenas vuelvan tus viejos —protestaba Severa, indignada porque el hermano le permitía montar, festejando la temeridad, un moro de gran alzada y con los bríos de un toruno.

Pronto aprendió las mañas del fugitivo: nunca usar el mismo camino, atar famas a la cola del caballo para borrar las huellas, descubrir signos vivientes a distancia usando la fusta de vertical, permanecer inmóvil ante la duda.

Escondía la montura en el soto y cruzaba hilos de agua dando un rodeo por las quebradas hasta llegar a un valle minúsculo donde Enmanuel se había acomodado. Llegaba empapada y oliendo a vegetación, el pelo enmarañado —que él trenzaría con morosa solicitud—, llevándole la ofrenda de alguna golosina.

Hablaban interminablemente de sueños que compartían con Fernando: una patria justa, que tratara con igualitaria equidad a cristianos —por blancos—, morenos e infieles.

Todo parecía ahora mágico a Luz. Hasta la áspera eufonía de las palabras indígenas (Cayupán, su nombre, significaba Seis Leones, el potro de guerra era Yafú-Cahuelo y Pillahuenú, el Gran Espíritu del Cielo). Guardaba secretamente —para que nunca la abandonara— un pañuelo con algo de semen junto a la sangre de su virginidad. Porque un hado innominado la protegía, su amor se volvería leyenda.

A pesar de que sus padres y Sebastián estaban de regreso, nadie llegó a sorprenderla, tal era el rigor de las costumbres domésticas.

Severa se maliciaba algo: "Pero, ¿con quién?", se preguntaba sin hallar la respuesta.

2. POR EL RESTO DE SU VIDA

"No se sabía si Rosas apoyaría al Gobernador o entraría en tratos con el general Lavalle. De esta alternativa dependía que hubiera paz o guerra civil."

H. S. Ferns
Gran Bretaña y Argentina en el siglo XIX

LOS ALGARROBOS
DICIEMBRE DE 1828

Dorrego, después de restablecer los vínculos con las provincias, propició rápidamente la formación de un Congreso Constituyente que legalizara la forma federal de gobierno mediante el voto de los pueblos.

Desgraciadamente, esto no fue suficiente para afianzar su posición en Buenos Aires, donde la campaña, aunque federal, estaba bajo la influencia de don Juan Manuel de Rosas.

En la ciudad le era adicta la masa popular, pero no lograba vencer la animadversión de los unitarios y de la gente "distinguida", que lo señalaba como aliado de las montoneras.

La prensa lo atacaba ferozmente y tuvo que dictar una ley restringiendo la libertad de prensa, cosa que le desagradaba: había vivido un tiempo en los Estados Unidos y admiraba las libertades civiles.

El Tratado de Paz con el Imperio desprestigiaba su figura. El país desangrado, arruinado, se sumergía en la desorientación y el temor.

Mientras tanto, regresaban del Brasil, cubiertas de gloria, las divisiones del ejército.

La desconfianza y el desagrado se habían instalado entre los militares, pues ya sabían cuál era el destino que les esperaba: serían licenciados en su mayoría, pues una pequeña tropa bastaría para cubrir la guarnición de la capital.

Los antiguos "directoriales" no perdían el tiempo: preparaban una revolución que nucleaba a reconocidos rivadavistas —Julián S. de Agüero,

Salvador María del Carril, Juan Cruz Varela y otros—, que se encargaron de tomar contacto con los descontentos del Ejército.

El de mayor prestigio era el general Juan Lavalle, quien tomó sobre sí la responsabilidad de llevar adelante aquella "trasnochada", llamada a desalojar a los federales del poder.

La noticia de la sublevación de Lavalle —el 1 de diciembre— llegó rápidamente al Interior.

En Los Algarrobos, don Carlos expresó amargamente:

—La paz internacional va a terminar costándonos una guerra civil.

Estaban de sobremesa, Luz martirizada en un tapiz y observando de reojo al recién regresado hermano, un mozo alto, algo mayor que Fernando, descarnado y con las facciones aquilinas de los Núñez del Prado. Hablaba con raro acento y vestía ropas exóticas: Luz no decidía aún si le escandalizaba o le repugnaba verlo levantarse a media mañana vestido con ropas "a la turca", calzado con babuchas de raso y cuando pintaba, hasta con un gorro del mismo tenor.

El concepto que ella tenía del hombre indicaba que debía levantarse al alba y regresar del campo al atardecer, sudado, cansado y con un toque de malhumor. Hambreado preferentemente; había algo en aquel apetito después de un día de faena que le resultaba inexplicablemente atractivo en los varones.

Sebastián parecía mantenerse a cigarrillos turcos, café, calvados y alguna que otra delicadeza. Sólo por contentar a su madre picoteaba de los suculentos platos que le presentaban.

En aquel momento, después de lo dicho por su padre, Sebastián enfatizaba:

—La pregunta que debemos hacernos es: ¿a quién apoyará Rosas?

—Al gobernador Dorrego, por supuesto —aseguró Fernando, que cascaba nueces para sus hermanas.

—¿Estás seguro? Don Juan Manuel viene haciéndole zancadillas desde tiempo atrás. ¿No supieron de las concentraciones de gauchos —por cierto impresionantes— que le hizo en Laguna del Sartén? Son varios y no todos unitarios los que quieren a Dorrego muerto.

Fernando, ofuscado, le advirtió:

—Si a Dorrego le tocan un pelo, un pelo, ¿oyes?, ¡todo el interior se alzará en armas!

Don Carlos lo apaciguó con un ademán mientras encendía un puro de la caja que le había obsequiado el viajero.

—La campaña y las masas ciudadanas —explicó el mayor— no responderán a Lavalle. Quedará aislado y sin recursos y entonces los rivadavistas, que intentan recuperar el poder a través de él, le quitarán su apoyo. Fin de la trasnochada.

—¿Es usted federal, padre? —se sorprendió Sebastián.

—Federalista, hijo, que no es lo mismo. Y dejo sentado que anhelo el día que se dicte constitución y nuestros gobernantes sean hombres de leyes y no de sables.

—Pero aquí se trata de que gobierne Lavalle y la Ilustración o esa plebe indisciplinada que…

—A los unitarios porteños les importa un ardite lo que suceda más allá del Carcarañá —acotó Fernando y, expeditivo—: Ojalá Buenos Aires se abriera de las Provincias Unidas y ya nos encargaríamos los de "arriba" —así nombraban los cordobeses al país que subía hacia la cordillera— de ganarles la salida al mar.

—Absurdo, sin mencionar que ya hemos perdido demasiado territorio —lo frenó su padre, resentido aún por la pérdida de la Banda Oriental—. Pero a ti, Bastián, te recuerdo que este país, por extensión y naturaleza, debe ser gobernado por un sistema representativo y federal. No hay otro camino.

—Teorías —desechó el joven—. No debemos permitir que el gauderío ignorante…

—Gracias a esos gauderios, como se te antoja llamarlos, no hablamos inglés —le recordó Fernando.

Su hermano suspiró: —Otro sería nuestro destino si estuviéramos bajo el signo de la Francia o la Gran Bretaña.

—Cuando Rosas tome el poder hará volar en pedazos semejante majadería.

—Oh, ya pensarás distinto cuando vuelvas a los claustros, en otoño.

—Dejé la universidad —dijo Fernando— porque el día que falte nuestro padre, no serán tus Bellas Artes de París las que nos saquen de la estacada.

Sebastián enrojeció y doña Carmen los obligó a dejar el tema. Fernando, exasperado, abandonó la reunión y el mayor, más compuesto, interrogó a Inés sobre su pretendiente.

Rato después, mientras se acomodaban los cestos de labores y los criados retiraban la vajilla del café, Sebastián se acercó a Luz y le preguntó en son de broma:

—¿Es idea mía o hay una jovencita que me rehúye?

Luz vaciló antes de sincerarse.

—Te desconozco, Bastián. Hablas raro y… y no me agradan tus ideas, tus costumbres ni tus ropas.

Él levantó las cejas, divertido:

—Mon Dieu, para ser que apenas te permiten expresarte, lo has sintetizado maravillosamente. Y concedió—: Algo de razón llevas. Me siento… no francés en realidad, más bien europeo.

—Eso me temía —dijo Luz con desaliento.

—Mamá, son apenas unas leguas hasta Las Corzas. Luz siempre nos ha acompañado. ¿Por qué no ahora? —se impacientó Fernando.

Doña Carmen no levantó la vista del encaje a bolillo. —Ya es una señorita; no puede andar por esos campos de Dios como si fuese una cimarrona.

—Por las musas, madre —intervino Sebastián, de pie detrás de Luz que fingía arreglar su cesto. Se lo veía elegante en su traje de montar. Dónde lo lucía se supo enseguida—: En París, las hijas de las mejores familias pasean a caballo por el Bois de Boulogne y en Londres he visto a la Princesa Real…

—Estamos en Córdoba, hijo.

Don Carlos cerró con fuerza la carpeta de la estancia, ató las cintas y salió de su mutismo dirigiéndose al capataz, que aguardaba órdenes:

—Que ensillen el moro para Luz, Oroncio. —Y a su hija—: Lleva sombrero y velo; el sol está fuerte hoy.

Doña Carmen apretó los labios como planeando —pensó Luz— una doble sesión de tapicería para cuando regresara.

Con una escolta armada —considerando la campaña insegura después de la asonada de Lavalle— se dirigieron a la estancia de los Lezama.

El entusiasmo de Luz se volvió sobresalto cuando al bordear un monte de chañares tropezaron con la gente de Allende; algunos, apeados, parecían vigilar algo que se retorcía en el suelo.

—¿Habrán cazado un puma? —se interesó Sebastián.

—No traen perros —hizo notar Fernando y espoleó el caballo hacia el grupo.

Luz lo vio desmontar con un grito de indignación; hubo empujones e insultos. Varios soldados manotearon las armas y, en respuesta, los hombres de los Osorio calzaron las tacuaras en los sobacos, dispuestos a embestir.

Don Carlos y Allende vocearon sus órdenes, pero en el mediodía caliente, con el sol a plomo, nadie tenía ganas de obedecer. Hasta los caballos tascaban el freno pidiendo rienda.

Sacudida por un presentimiento, Luz maldijo ir montada a mujeriegas. Fustigó impetuosamente al moro, que arremetió con un salto. Su padre y Sebastián arrancaron tras ella, aunque tarde: la joven ya había visto al indio despanzurrado que tiritaba en inacabable agonía. Sudando frío, Luz creyó, por un momento eterno, que era Enmanuel.

Detrás de ella, un soldado escupió:

—... son duros los brutos.

Fuera de sí pero la mano firme, Fernando hizo la señal de la cruz cerrando los ojos del ranquel y desenvainando el facón cortó misericordiosamente —despenar llamaban a aquello— la vida del desgraciado.

—Llévate a Luz, Bastián, ¡llévatela! —vociferó don Carlos, pero ella se desmayó en brazos del mayor, que alcanzó a sostenerla antes de que resbalara de la montura.

Fernando, sordo a las recriminaciones de su padre, arrancó un manojo de cortaderas y limpió la hoja del cuchillo.

—Se acabó la diversión, señores.

Calzó el arma en el refajo, montó sin mirar a nadie y se perdió al galope hacia Pampayasta.

Mientras en el Interior los caudillos se mantenían expectantes, entre los ciudadanos se afianzaba la idea de que el gobernador de Buenos Aires sería desterrado a los Estados Unidos, como él mismo lo solicitara.

En Los Algarrobos, Inés fue pedida en matrimonio, don Carlos dio un gruñido por asentimiento y Allende tomó licencia para viajar al Totoral a enterar a sus padres.

Luz respiró: las tropas, bajo las órdenes de López "Quebracho", jefe de milicias de la zona, se desplazaron al sur del río Cuarto. Era sabido que el caudillo tenía buenas relaciones con los indios pacíficos.

Ya muy cerca de la Navidad, los niños no se despegaban de Simón Viejo, quien tallaba animalitos que año tras año agregaba al antiguo pesebre, enriquecido con ñandúes, quirquinchos y hasta una zarigüeya con la cría colgada de la cola.

Al atardecer, Inés los reunía alrededor del clavicordio y mientras Simón Chico le pasaba las hojas, ensayaban lobitas y villancicos.

Luz y Calandria entonaban:

> La Virgen lavaba
> los ricos pañales.
> José los tendía
> en los romerales.
> El niño lloraba
> Del frío que hacía,
> le pide a María
> que hiciera buen día.
> María, afligida,
> recortó su manto...

Las tres criaditas contestaban arrastrando las voces de los niños:

> Así, las pastoras
> Debemos llevar
> una, la mantilla
> y otra, el pañal.

El padre Iñaki, consejero de la familia, llegaría a oficiar la Misa del Gallo; permanecería un mes, confesando a medio mundo, casando amancebados, bautizando a los nacidos en los últimos meses y, después de los festejos, seguramente administrando alguna extremaunción.

Las costumbres de la casa trastornadas dificultaban a Luz reunirse con Enmanuel, quien la había convencido para que, después de la festividad, huyeran a La Rioja: Quiroga le había ofrecido tierra para que se estableciera allí con sus parciales. Luz, tironeada entre sus afectos, comprendía que no podían permanecer en Córdoba, salvo internándose muy al sur, donde los cristianos no se atrevían porque las tribus pampas, ranqueles y boroganas dominaban. Aquello hubiera significado hundirse en el más despiadado salvajismo.

Llena de ideas sombrías —¡cómo podían amarse debiéndose tanta sangre!—, renunció al escapulario y se lo impuso, esperando que lo librara de la muerte. Todavía tenía pesadillas con aquel ranquel que Fernando despenara.

Y una de esas mañanas anteriores a la Nochebuena, llegó un jinete al galope agitando el poncho sobre la cabeza. "¡Desgracia, desgracia!", gri-

30

taba; era el chasque de los Quintana, de Arroyito, con el parte del fusilamiento de Dorrego. La noticia se extendía cual incendio llevada por sucesivos mensajeros a los puntos más distantes del país.

Al atardecer se supo que el gobernador de Córdoba, don Juan Bautista Bustos, había mandado parte a las provincias vecinas instando a sus caudillos a unirse contra Lavalle. Éste había designado para ocupar la provincia a uno de sus más brillantes oficiales: el general José María Paz, encargado de extender la revolución por el Interior.

Era la guerra civil.

Luz no olvidaría aquel día: iba a signar el resto de su vida.

Don Carlos y Fernando partieron a dar personalmente la noticia a parientes y amigos; Sebastián, que apenas ocultaba la satisfacción, tuvo el tino de encerrarse en la sala que usaba de estudio, dedicándose a escribir varias cartas.

Las mujeres quedaron alarmadas y los niños preguntando sin que nadie respondiera. Luz se refugió en su cuarto y sin elección tomó la *Vida de los Mártires Primeros,* cayendo en una especie de estupor.

La sacó del trance un temblor como de trueno acercándose. Temiendo fueran las Milicias, se prendió a la reja. No se veía nada, así que entendió venían del sur y corrió a la galería.

Severa, que subía con los niños, le gritó:

—¡A tu pieza, Luz, y no te movás de ahí!

Abajo se oían voces destempladas y el estruendo de las trancas asegurando las aberturas como si se esperase una invasión.

Anonadada, retrocedió ante la orden de la negra:

—¡Y cerrá los postigos, caracho!

Obedeció y la penumbra se volvió asfixiante: oyó la tropa en las barracas, corridas, más gritos. Miró el nicho, pero un temor supersticioso le impidió acudir al Cristo. Distinguió los aullidos de una jauría.

—Tiene mi escapulario, que dice: "Detente, el Corazón de Jesús está conmigo". —Uniendo las manos, murmuró—: Pésame, Dios mío, y me arrepiento de todo corazón de haberos ofendido (¡sólo quería amarlo!); pésame por el cielo que perdí, por el infierno que merecí (¿serán los perros de tío Martín?), pero mucho más me pesa por...

Distinguió la voz de Calandria atiplada de rabia, salió a la galería y le hizo señas de que subiera. Cuando la mulata entró en el dormitorio, vio que le sangraba la nariz.

—¿Qué... qué ha pasado, Cali? —jamás había sabido que se golpeara a un criado en su familia.

—Me metí entre el Payo y tu primo, el Gonzalo —balbuceó la muchacha secándose las lágrimas con el puño.

—¿Por qué peleaban? ¿De quién es la tropa?

—... peones de tu padre, de don Martín... Se han liado con el Payo por el indio ese, el que trajo don Luis, dicen.

—¿Lo han agarrado?

—¡Lo han muerto y el Fernando está como loco! ¡Casi trompea a tu viejo! —sollozó, intentando detener la hemorragia con el delantal.

Luz apoyó la frente en la pared, las manos junto al corazón, repitiendo: ¡que no sea él, Madre de Dios! ¡Que no sea él! (pero he pecado y la puerta y los oidores del cielo se han cerrado para mí).

Enajenada, salió al corredor; en el patio, su primo Martín socorría a Gonzalo que, escupiendo sangre, vociferaba: —¿Qué mierda le pasa a éste ahora, eh? Era un infiel, carajo; ¡estaba en nuestros campos! Siempre los hemos matado, ¿o no?

Luz sintió que algo se rompía en su vientre y le bajaba quemando entre los muslos. Una gran claridad, un sordo vacío la envolvieron. "Me muero", suspiró, aliviada.

Pero como separada del cuerpo, se vio correr por la galería; Severa intentó detenerla, pero ella la mordió ferozmente y se lanzó por la escalera. Cuando Martín, al pie, se interpuso, lo pateó en la cintura, volteándolo sin esfuerzo. Alguien la tomó de la manga, la tela se desgarró y ella siguió escapando, escapando por el túnel de voces distorsionadas donde manos incontables pretendían sujetarla. Sabía que iba envuelta en un solo alarido (¡qué asustados están!) y entonces apareció el rostro de su madre, desencajado. Un temor más atávico que real la hizo vacilar. La matrona le descargó una bofetada, pero cuando iba a repetir el castigo ella juntó los puños como maza y golpeó despiadadamente el pecho de su madre, estrellándola contra la pared. A su lado, Inés se cubrió la cabeza, se encogió, la dejó ir.

Y mientras los demás socorrían a doña Carmen, cruzó patios, galerías y cocina hasta salir al terreno que daba a las barracas. Acezando, la ropa desgarrada, la sangre evidenciándose sobre la falda, miró sin saber adónde acudir.

Y como algo vivido cien veces, vio el círculo de hombres, los caballos inquietos, oyó a Fernando rugir azotando la perrada para separarla de la presa tirada en el suelo.

Nadie la descubrió al principio, nadie se atrevió a detenerla después.

Su hermano cubrió los despojos cuando ella cayó de rodillas y arrebató el poncho: era Enmanuel.

Bañado en sangre, descoyuntado, los lazos mordiendo hasta el hueso en muñecas y tobillos. Atacado por la jauría, arrastrado por los jinetes, lanceado y mutilado. ¡Tan parecido al Cristo Indiano!

Sebastián, que venía tras ella, alcanzó a sostenerla cuando, incorporándose como perdida, se desplomó hacia atrás.

Fernando, con un juramento terrible: "¡Me cago en Dios y en mi puta sangre!", manoteó el alazán, montó de un salto y le cerró las piernas atropellando la zanja de protección.

Calandria corrió tras él aullando:

—¡Payo, Payo, llevame! —hasta que le faltó la voz.

Doña Carmen, sostenida por Severa y Martín, vio venir a Sebastián con Luz en brazos; la sangre empapaba los escarpines infantiles dejando un reguero carmesí en el suelo. Cuando la señora levantó la vista, Fernando obligaba al caballo encabritado a saltar la zanja y Calandria, de rodillas, se golpeaba la cabeza contra el polvo. Comprendió que no entendía nada, salvo que, como siempre, Fernando y Luz tendrían la culpa de lo que fuere.

3. EN UN SUEÑO SIN TIEMPO

"Y ellos, con sus mejores caballos, sus armas, sus pinturas
corporales y el luciente hilado de sus ponchos, llegaban
al Mapú-Cahuelo, después de haberse dormido en un sueño
sin tiempo y sin espacio."

Guillermo A. Terrera
Caciques y capitanejos

LOS ALGARROBOS
ENERO DE 1829

En medio del cataclismo familiar —Luz sumida en profundo delirio, Fernando desaparecido—, el dominico llegó como agua bendita y doña Carmen, de rodillas y bañada en lágrimas, le suplicó que expulsara el Mal de su hija.

—¡Pero eso no la curará! —protestó Sebastián—. Es urgente que la asista un facultativo.

—Después del exorcismo —se plantó la señora—, cuando el espíritu maligno la abandone.

—¡Fantástico! —exclamó Sebastián abriendo los brazos—. Y si los demonios se niegan a dejarla, podemos recurrir a la hoguera, como hicieron en Loudum.

—¡Cállese la boca! —explotó don Carlos—. ¿No hay bastantes desdichas en esta familia para que a más usted se ponga insolente?

—Tiene razón, señor —aceptó el hijo demudado—. Pero me aflige la condición de Luz. Necesita asistencia…

Severa se atrevió a intervenir:

—Cerca de Tegua hay una médica india muy nombrada. Yo podría…

—¡Una curandera! —Y viendo aquiescencia en sus mayores, el joven protestó—: Por favor, padre, no lo permita. No son prácticas civilizadas.

Ninguno de ellos, por otra parte, entendía los lazos que habían unido a Luz, al ranquel y a Fernando. Don Carlos ignoraba que su hija había sufrido un aborto. Doña Carmen prefería no saberlo. Severa y Calandria hablaban de ello en las noches en vela, mientras la mulata mordía la almohada, enferma de rabia y amor por el que se había ido sin una palabra.

—¡No volverá el muy guacho, me lo dicen las tripas! —gemía la morena y, a escondidas, robó una bota de Fernando que Severa enterró, según ritual, para que el ingrato regresara.

Como pasaban los días sin noticias de Fernando, Lezama propuso un rastreador que don Carlos rechazó: su patriarcal concepción de la familia le impedía aceptar que el hijo no volviera por su propia voluntad.

Mientras tanto, Sebastián recordó al médico francés que había viajado con él hasta Santa Fe, donde pasaría una temporada. Pidió a su padre unos peones de lanza y partió decidido a convencerlo de que auxiliara a su hermana.

Días después, al anochecer, llegó un paisano de porte altivo y rostro de nazareno.

—Antenor Vallejo —se presentó a don Carlos sin bajarle la mirada—; me manda el patrón de Las Corzas. Soy rastreador.

Conversaron largamente, rodeando el tajamar. Esa noche, Vallejo se unió a la peonada que, con la consideración debida a los "prácticos" —rastreadores, ojeadores, guías—, le hizo sitio de respeto junto al asador. Antes de aclarar había partido con una remuda de caballos.

Viéndolo perderse hacia el río, Oroncio, el capataz, profetizó:

—Será al cuete. Ese perdulario del Payo no piensa darse vuelta.

Luz perdía peso a ojos vistas, extraviada en monólogos inentendibles sobre tigres, indios desorejados y el Cristo Indiano.

Un día Severa se plantó ante doña Carmen y, aprovechando que el cura andaba lejos, le soltó:

—Con su merced la señora, pero lo que tiene la niña es gualicho; decir, un hechizo indio… Yo me voy por la Melchora, a Tegua. Silverio me ha de llevar.

Quedó implícito que lo haría con su consentimiento o sin él, así que la matrona soslayó comprometerse, aunque después rezó los misterios completos del rosario, especulando que los demonios ranqueles parecían inmunes a los latines cristianos.

Severa regresó días después en el cochecito en que había partido con Cepeda, trayendo un bulto cubierto por un poncho andrajoso.

Inés, que se había adelantado a recibirla, se echó atrás, repugnada: aquel ser parecía haber burlado el poder de la muerte y, en su rostro momificado, los ojos se veían cubiertos por telarañas. Despedía un fuerte olor a guano, a yuyos, a heces humanas. Un sonido ominoso —¿cascabeles, huesecillos?— precedía sus movimientos.

Severa entregó a Simón las muletas y cargó el cuerpo centenario, que apenas pesaba, al cuarto de Luz. Doña Carmen permaneció en la sala hasta que la cólera del dominico cayó sobre ella.

—¿Es que vais a permitir un acto de hechicería? —tronó el vasco y amenazó—: O tomáis medidas o regresaré a poner en la sabiduría del obispo lo que he presenciado. Seréis expulsada de la grey católica, se hará pública vuestra falta, se os impedirá la entrada a los templos, no tendréis derecho a los sacramentos redentores… y no seréis enterrada en lugar consagrado.

Doña Carmen se puso de pie, espantada pero sin vislumbrar cómo impedir que la negra hiciera su voluntad; seguida del fraile subió al dormitorio de la posesa, de donde niños y criadas, apostados en la puerta, huyeron al verlos.

Era notable el silencio y al trasponer el umbral, encontraron a Severa arrodillada ante el Cristo rodeado de candelas encendidas mientras Calandria, agachada junto al brasero, desmenuzaba sobre él ramitas que odorizaban el aire.

Y aquella reliquia humana, parecida a un murciélago monstruoso posado sobre la blonda de las almohadas, sujetaba la cabeza de Luz entre las piernas dejando vagar los dedos esqueléticos por la indefensa garganta de la joven. Un gemido babeado en lengua bárbara cabalgaba la atmósfera, incontaminado por las plegarias de las morenas.

Una serenidad angélica bañaba las facciones de Luz, que ya no se retorcía ni lanzaba blasfemias.

—Sólo están rezando el rosario —balbuceó doña Carmen.

El dominico hizo la señal de la cruz sobre el lecho y asperjó agua bendita: no hubo reacción infernal, aunque receló una sonrisa en la boca de la bruja desdentada. Desconcertados, los intrusos abandonaron la habitación.

La Melchora escupió haciendo chasquear el sonajero de pezuñitas:

—Amutay, amutay tripa Huecufú —murmuró hacia sus espaldas. Por suerte, el páter ignoraba que decía: "Ya se fue, ya se fue el diablo", refiriéndose a él.

A la semana llegó Sebastián con un extranjero que hablaba pasablemente el español. Atildado a pesar de la travesía, con baúles para un año y un maletín que no conseguía darle aspecto de catedrático, ya fuera por su juventud, sus grandes ojos verdes o su cabellera cobriza.

—El doctor Armand Saint-Jacques, de la Sorbona —lo presentó y al serle comunicada la mejoría de Luz, se sorprendió—. ¿Pretenden decirme que esa arpía repulsiva la ha curado? —explotó al salir del dormitorio de la hermana.

—Pues le cedió la fiebre, no delira y hasta ha tomado un caldo —señaló don Carlos mientras la helada mirada de doña Carmen rehusaba la posibilidad de que semejante hombre —¡y además francés!— pusiera las manos sobre su hija.

Luz comenzó a mejorar, pero sólo hablaba con Severa y la Melchora.

A veces, doña Carmen escuchaba a través de la puerta los susurros entre su hija y la infiel. ¿Cómo podían entenderse hablando distintas lenguas? Y sospechando del Maligno, se preguntaba si no sería hora de expulsar a la hereje y hacer bendecir campos y vivienda, no fuera Dios a escarmentarlos con matones, langostas o sequía...

Prudente, dio al sacerdote palabra de devolver la hechicera al monte y el padre Iñaki regresó a su diócesis con una dádiva extraordinaria: era el diezmo para que la Iglesia no interviniera mientras los entes nativos —que aún campeaban por sus fueros en aquel territorio— ejercieran su benevolencia sobre la enferma.

Sebastián, persuadido al fin de que Luz estaba fuera de peligro, discutió el caso con Saint-Jacques.

—El alma humana es un enigma, *mon ami* —sentenció éste mientras esbozaba el grupo de algarrobos (era aficionado al dibujo y la botánica), agregando—: No sabemos qué enfermó a tu hermana...

—Me alucina la sospecha de que ese Calibán... era su amado.

—Su primer amor y se lo traen brutalmente asesinado. Su mente no lo soporta y escapa a regiones desconocidas, de las cuales es difícil retornar. —Y haciendo a un lado el croquis—: Ignoro la técnica de esos chamanes, pero en el Caribe observé casos parecidos. No les encuentro explicación científica, aunque los resultados son innegables.

Se puso de pie y lo palmeó:

—Cuando tu madre lo permita, podré serle de utilidad; habrá que fortalecerla, rodearla de inmensas consideraciones... El tiempo se reserva el diagnóstico.

Sebastián, melancólico, preguntó:

—¿Qué horroroso proceso de destrucción se ejerce sobre nuestras mujeres, Armand? ¡No puedes imaginar lo inquieta y valerosa que era Luz de pequeña!

Los jóvenes Lezama, Martín y Gonzalo, llegados a preguntar por la salud de Luz y el compromiso de Inés, terminaron discutiendo acaloradamente con Sebastián.

—Ustedes, los ilustrados, parecen creer que la Revolución de Mayo les pertenece —protestó Martín.

—¿Y acaso no es así? —se burló su primo.

Aquello fue demasiado para Gonzalo, que barbotó:

—La sangre de Dorrego caerá sobre vuestras cabezas; Rosas se encargará de ello.

—Por Marte, ¿qué es esto? ¿El Macbeth de las pampas?

La salida acabó con la escasa mesura del muchacho, que, adelantándose, amenazó:

—Quiero ver esa sonrisa cuando te llegue la resbalosa. —Y haciendo ademán de rebanarle la garganta—: Calculo que el coraje te va a durar lo que un pedo en un canasto…

Lívido, Sebastián le aferró la muñeca con un vigor impensable en alguien tan delgado. Martín se interpuso.

—Sosieguen —los calmó. Y a su primo—: ¿No es que la fuerza bruta somos los federales? ¿No es que militas en las huestes de la razón?

Don Carlos se hizo oír desde el despacho:

—¡Acaben con eso, carajo! ¡Ya tenemos suficientes miserias para añadirle la desunión de la sangre!

Sebastián empujó a su primo, avergonzado de haber perdido la compostura, pero más por el encogimiento de testículos que el remedo de degüello le había provocado.

Saint-Jacques intervino instándolo a dar una caminata.

—Masones de porquería —masticó Gonzalo viéndolos descender hacia la acequia, cuando una campanada tristona llamó al rosario.

Palmeándolo, Martín renegó:

—Desde que se fue el Payo, esto es un nido de cotorras. Ni con tío Carlos se puede hablar. Vámonos.

Días después, en el estudio de Sebastián y rodeado por los lienzos del amigo, Saint-Jacques clasificaba sus bocetos. Le sorprendió notar que casi todas las plantas de la región eran espinosas.

Con el primer café, Severa le había advertido:

—Se viene tormentón, misiú —y por la ventana del sur señaló una nubecilla—: Las bravas llegan de ahicito —aseguró—; cate el aire, parece plomo, ¿ve?

Hora después, mientras retocaba una flor fascinante —mburucuyá le llamaba la negra, pasionaria doña Carmen—, un oscurecimiento repentino empañó la mañana.

La casa amodorrada se llenó de corridas y exclamaciones; asomándose al patio principal, Armand vio a los niños armar la ronda festejando los primeros goterones. El trueno rodó como una palabrota mientras Inés clamaba por el olivo pascual y don Carlos, llegado de los corrales, protestaba que hacía falta el agua.

Subrayando sus dichos, ráfagas huracanadas hicieron sonar con estrépito puertas y ventanas rompiendo algún cristal. El chaparrón se descargó como un puño sobre la estancia.

El griterío de las mujeres se volvió mayúsculo.

—¡Se volarán los tejados, Ave María!

—¡Cubran los espejos!

—¡Quemen unas hojitas de palma, aunque sea!

—¡Señora, diga el Santa Bárbara y quel doctorcito conteste el San Jerónimo, ya que el patrón no querrá!

Y el ama, sorda a los reclamos del marido, declamó a viva voz: "¡Santa Bárbara bendita, Santa Bárbara doncella, líbranos del rayo y de la centella!".

Con desparpajo, la mulata alentó al francés:

—Ahorita usía repítame, sin tartamudiar, ¿eh?: "San Jerónimo bendito, valganós un momentito…".

Don Carlos salió con el chicote y todas huyeron entre salmodias y humo de palmas.

Riendo, Armand volvió a la sala, cerró las ventanas y recogió las láminas caídas. Encendió un cigarro y al salir a la galería para gozar de la tempestad, quedó atónito: en medio del patio había una aparición, un hada, un espíritu llegado no sabía de qué mundo irracional; recibía el chubasco con los brazos en cruz, y la rizada cabellera, derramándose sobre la túnica blanca, la rodeaba como un aura.

—No es real —sacudió la cabeza—; es una visión provocada por la atmósfera enrarecida, por…

La figura alzó el rostro como impetrando el rayo. Una luz vivísima respondió, un largo silencio y por fin el aire pareció hacerse añicos.

Saint-Jacques se adelantó tratando de mantenerse en los posibles —puesto que ángeles, ninfas y espectros no existían— y entonces Sebastián, que se acercaba en *robe de chambre*, exclamó:

—¡Dioses del Olimpo!, ¿qué hace Luz ahí?

Quitándose la prenda corrió hacia ella, la arropó y la condujo al reparo de la galería. La joven sonreía como si volviera de un país innombrable y sus ojos —intensamente grises— resbalaron sobre Armand sin verlo. Se internaron en un lugar de la casa al cual él no tenía acceso.

—¿Entre los nuestros? —se sorprendió Luz.

—No precisamente, pero cerca —y Severa señaló más allá de las cruces de hierro y lápidas de piedra-sapo del cementerio familiar: al pie de la loma que subía entre árboles y peñascos, se veía un montículo que, pasada la lluvia, se había cubierto de flores silvestres—. Verbenas —se santiguó la negra—. ¿Sabés que las verbenas crecieron en el Calvario después de la muerte de Nuestro Señor? Dicen que curaron sus heridas y por eso resucitó.

La joven se dejó caer junto a la tumba y Severa, respetando su desconsuelo, se retiró a orar en la de los "angelitos".

Ni una cruz, notó Luz con rencor. La tierra se asentaría y nadie, en los años venideros, sabría que él yacía allí. Hizo un esfuerzo por recordar su rostro, pero la imagen de Cristo y la visión atroz del muerto lo imposibilitaron.

Fue hasta el bosquecito, acarreó piedras y marcó el contorno de la sepultura; luego buscó dos ramas, se quitó la cinta del pelo —roja, contra el mal de Ojo, al creer de Severa— y las ató.

Algún día pondría una lápida que dijera a la posteridad que ella lo había amado: esta vez la realidad sería leyenda.

Clavó la cruz y la sostuvo con piedras, orientándola hacia el sur, donde el espíritu de Enmanuel, dijera la Melchora, cabalgaba con los suyos en feliz cacería por el Mapú-Cahuelo, el maravilloso País de los Caballos…

La voz de Severa la volvió en sí.

—El Simón y yo pedimos enterrarlo, ya que teníamos las manos y el corazón limpios de sangre. Y como de milagro conservaba el escapulario, se lo dejamos… Por más que "ella" me mandó quemarlo.

Luz aceptó su ayuda para incorporarse. Tomadas de la cintura, la joven casi reclinada sobre el robusto pecho de la mujer, regresaron pausadamente en el atardecer lánguido de un febrero terminal.

De pronto Luz irguió la cabeza:

—Mi padre le concedió mucho más que a otros ranqueles. —Y ante

40

la mirada inquisitiva de Severa, aclaró amargamente—: Dos metros de tierra en Los Algarrobos.

En general, los indios muertos en aquellos lances eran arrojados al río Tercero.

A requerimiento de don Carlos, Saint-Jacques hizo unos preparados para Luz, indicando su administración; doña Carmen los entregó a Severa, quien los enterró, suplantándolos por sus propios brebajes: era herbolaria.

De la familia, sólo Sebastián logró acercarse afectivamente a Luz y, aprovechando las horas muertas en que —concesión a su ostracismo— se la liberaba de bordar, le impartió clases de historia, geografía, arte y francés.

—Caray, tienes un don para los idiomas —se admiró el joven ante el pulido acento de ella a los primeros intentos.

Como su hermana se quejara de insomnio, fueron a la biblioteca del abuelo —solaz de sus largas estadías en la estancia— y él le eligió una novela de Walter Scott; de ahí en más, Luz devoró indiscriminadamente relatos de viajes, poesía, teatro o textos de los jesuitas.

Por entonces, la joven notó que el pasado se le volvía confuso. A veces despertaba angustiada, imaginando que la llamaban desde la negrura exterior. Recordaba las palabras de Severa sobre las verbenas... ¿Y si eso fuera posible?, se preguntaba en aquellas horas en que lo quimérico parece verosímil. Y conteniendo la respiración, aguardaba largamente oír la voz de Enmanuel instándola a seguirlo.

4. EL FINAL DEL VERANO

"El 22 de abril, a causa de la falta de cumplimiento de lo convenido
entre el general Paz y el gobernador Bustos —por parte de este
último—, tiene lugar el combate de San Roque, en el cual Paz, con
las fuerzas unitarias, vence a Bustos."

Rodolfo De Ferrari Rueda
Historia de Córdoba

LOS ALGARROBOS
ABRIL DE 1829

Inexplicablemente, al pensar de algunos, el gobernador Bustos no
organizó una resistencia efectiva para contener el avance del general Paz.

Sebastián, admirador del jefe unitario —a quien había conocido en
Montevideo—, arrastró a Saint-Jacques a la capital de Córdoba dispuesto a afianzar un movimiento en su apoyo.

Por entonces, un número inusitado de viajeros llegaba a la estancia.
No eran comerciantes en ganado, ni esos gringos increíbles husmeando
minas o siguiendo el camino transcordillerano. Luz observó que presentaban credenciales antes de encerrarse con su padre en el despacho; luego, don Carlos mandaba mover grandes remesas de animales que sólo él
y Oroncio Videla —capataz desde los tiempos del abuelo Lorenzo— sabían a quién eran entregadas.

Un silencio cauto recibía a los forasteros sin referencias; se evitaba hablar de política aunque la hospitalidad no se denegara. Luz comprendió
que se conspiraba, pero no discernía a favor de quién.

Pronto llegaron noticias alarmantes: Quiroga reclutaba gente en el sur
cordobés y partidas de indios se les unían; se decía que entre él y el muy
temible "Fraile" Aldao saldrían a cortarle el paso al Manco Paz. Parecía
ineludible que la batalla se librara en Córdoba.

Dos preocupaciones tenían los Osorio: la primera concernía a Sebastián, la segunda a don Luis Allende. En el primer caso temían que el

joven sufriera represalias, pues aunque se consideraba a Bustos modera-do, estaba en juego el equilibrio mismo del poder. En cuanto al prome-tido de Inés, se decía que pensaba pasarse a los unitarios; si Bustos con-servaba el cargo, aquello podía costarle el destierro... o la vida.

Don Carlos, en tanto, demoraba el regreso a la ciudad temiendo que el gobernador se hiciera fuerte allí y Paz entrara a sangre y fuego. Sin embargo, la indefensión de la campaña era igualmente peligrosa: gau-chos "alzados" componían bandas de saqueo con la excusa de responder a algún caudillo, cayendo sobre estancias y poblaciones, llevando a ras-tras la muerte y desapareciendo antes que los Regulares pudieran escar-mentarlos.

El 5 de abril Paz cruzó la frontera por Cruz Alta; los ojeadores de don Carlos lo tenían al tanto de sus maniobras.

—Don Luis estaba en el Saladillo, con los Dragones —dijo Silverio Cepeda, baqueano del estanciero—, cuando le cayó el ayudante de campo del general Paz, ese Correa, y les dio un apurón. El mozo se pasó con casi toda su gente y unos pocos se largaron sin que los molestaran, doy fe —aseguró, sorprendido de que no hubieran degollado a los renuentes.

El 7 de abril Paz estaba en Fraile Muerto.

—Tampoco le hicieron frente; el capitán de milicias se había escapa-do el día antes. Y el 8, en La Herradura, se nos unió la gente del coman-dante Echevarría.

El paisano miró a don Carlos sobre el escritorio donde compartían sendas cañas.

—Se me hace que el Manco es muy bicho, patrón. ¿Sabe en de veras a qué lo mandó al comandante a La Reducción? Para obligar a don Bustos a separar sus fuerzas. Una ponchada de días le costará rejuntarlas y al paso que marcha este otro... Como le digo, nos tocaba vadear el río, que no es pan comido el Tercero y menos cargando esa barbaridad de artillería. El general se metió en la carpa, recibió gentes del lugar (para tantearles el áni-mo, colijo) y escribió unas cartas. ¿Y sabe para quién era una, patrón? Para el mismito don Quebracho López, sí señor; se la mandó con el teniente Barcala, un negro al que le fía el alma acompañado de un reclutón nomás.

Días antes, con su natural laconismo, don Manuel López "Quebra-cho" había dado a entender a don Carlos que no pensaba atravesarse en el camino de José María Paz.

—Y don Quebracho llegó ahicito —aseguró el práctico—. Han dado en maliciar que lo tenían cautivo, pero es falsedad. El general le hizo consultas y el hombre marchaba a su lado sin custodia y con toditas —oigamé— toditas las armas encima. El 9, en Tío Pujio, se despidieron y con éstas lo oí a don Quebracho asegurarle al general que mantendría pacificado el departamento. Y el Manco le regaló una lindura de sable, viera usted. Don Quebracho me pareció pero que muy contento.

"¿En que andará ese zorro?", caviló don Carlos, sopesando la astucia de su vecino y compadre.

—Y a la nochecita llegamos a Corral del Maestro; un coronel Quevedo tenía orden de dispersar el ganado y los paisanos, pero no cumplió... dicen que por favorecernos. Se hizo una buena redada ahí.

Tomando un trago sin pestañear, Silverio continuó:

—Después apuramos el trote, pero la pasamos fiera; no dimos con agua hasta Impira y poco más allá nos alvirtieron que Bustos se había apostado en Pilar, así que metimos guasca. Pero se nos había desaparecido el hombre cuando llegamos. De ahí, patrón, la gente del gobernador nos jugó a las escondidas. Ni tirito cruzamos, ni topada. Y en llegando al río Segundo, yo no servía de mucho, pues; no son mis pagos ni de lejos. Fue imposible conseguir baqueanos, por ahí le son muy leales a don Bustos. Se negaron a anoticiarnos y algunos atrevidos hasta nos chumbearon, aunque sin bajarnos a nadies. Supimos que el camino a Córdoba estaba "limpio", así que el general mandó a don Deza con su tropa mientras nosotros meta campear al gobernador. Pero los matungos venían rendidos, vea; la misma tropilla desde San Nicolás y en cambio el brigadier los traía fresquitos. Así, ni los garrones les íbamos a tantear...

"Esa tarde supimos que el general Deza había entrado a la ciudad sin problemas. Algunos jefes parecían pretender festejos —soltó el paisano taimadamente—. Éstos no andan sabiendo que a los cordobeses, antes primores, que después amores —remedó los famosos decires de don Lorenzo—. Al Manco le pareció un abuso entrar con todo, así que acampamos por El Pueblito, ¿no? —era zona orillera, viejo reducto de indígenas mansos— y me abajé al centro y averigüé entre los pulperos el destino del gobernador. Uno decía que andaba por la Sierra, otro que para acá, donde los infieles tenían voluntad de respaldarlo si se las veía negras. Se lo comenté a don Correa, que opinó que debía de andar cerquita y para el oeste... por si tenía que silbarle al Tigre —el Facundo, digo—.

44

Hizo una pausa y despachó la caña. —Y como andaba al cuete, me corrí a verlo al mozo Sebastián antes de pegar la vuelta. Me dio parte para usted y perdone, pero tuve que disimularlo en la de potro, no andaran requisando los... del otro bando.

Desató los tientos del calzado y entregó un papel roñoso. Don Carlos lo despidió con un apretón de manos y una moneda de plata que Silverio aceptó sin aspavientos.

La carta de Sebastián traslucía una irracional satisfacción. Creía a medio mundo comprometido con el jefe unitario y su contacto con los "doctorcillos exaltados" —como los motejara Bustos— le impedía tener una idea realista del sentimiento popular.

Ponía a Paz por los cielos. "Hombre moderado, disciplinado, culto y humanitario"; aseguraba que muchos que no habían osado manifestarse iban haciéndose partícipes de su ya descontado triunfo. Entre la oficialidad se alababan sus dotes de táctico y aseguraban que por eso el brigadier Bustos rehuía el bulto. "Ambos jefes se conocen de antaño y parece que se deben sus molestias."

El gobernador se había atrincherado en San Roque —era oriundo de del Valle de Punilla— y una comisión de vecinos había ido a parlamentar con él. "El general Paz, democráticamente, pretende que, habiendo cumplido Bustos dos períodos consecutivos, deje en libertad a los Representantes para elegir la persona que debe sucederle. Que, por cierto, no debe ser Paz, ni Bustos, ni los jefes de ambos Estados Mayores. ¿Puede haber una solución más equitativa?"

Don Carlos ignoraba que el combate de San Roque ya se había efectuado, siendo la suerte adversa al gobernador, quien, herido, había huido hacia Pocho buscando reunirse con Quiroga.

El caudillo riojano tenía en pie de guerra un enorme ejército con fuerzas de varias provincias. Al saberlo, Paz se sintió en libertad de llamar en su auxilio al gobernador de Tucumán, don Javier López, ya que Bustos había roto el convenio por el cual ambos jefes se comprometían a no dar intervención a fuerzas ajenas a Córdoba para evitar una conflagración mayor.

En vista de tales acontecimientos —conocidos poco después—, don Carlos decidió aprovechar la calma y trasladar su familia a Córdoba.

El último atardecer, Luz se hizo ensillar el Moro y desafiando a su madre se dirigió al camposanto.

El ocaso mostraba un paisaje enmudecido, apenas moderado por el grito de un ave de presa. Al acercarse a la tumba de Enmanuel con un manojo de flores tardías, un halconcillo se elevó en círculos sobre el lugar. Empapada en leyendas y hechizos, encantamientos y sortilegios, se sentó con las flores junto al corazón y observó las maniobras del ave que, en la altura, parecía dorada. "Es su espíritu", se dijo, "diciéndome adiós". Y como lo vio perderse en el azul, llorando con manso desconsuelo se tendió sobre la sepultura y quedó allí, el ramo sobre el pecho y los ojos cerrados hasta que una ráfaga helada la estremeció. Por instantes se sintió fuera del tiempo; todo lo sufrido se le antojó remoto, algo confuso y quizás inexacto, como las historias que Severa y Simón recreaban junto al fuego. No pudo imaginar el porvenir: era un territorio indescifrable, al parecer sin salida para ella.

Se levantó con esfuerzo, montó y volvió grupas encarando la lejanía tormentosa que contrastaba con los pastos aún no tocados por el otoño. Galopó hasta la aguada de Las Corzas sin habérselo propuesto.

Al acercarse, una manada de yeguarizos levantó las cabezas y, desconfiando, salieron en estampida, las crines al viento como estandartes de guerra. Se empinó en los estribos mirando cómo desaparecían en aquel sur misterioso e inconmensurable, recordando vívidamente las descripciones de la Melchora y Enmanuel: bosques inmensos de eterno verdor, lagunas azules grandes como praderas, montañas coronadas de nieves por siempre, pasos secretos que sólo los araucanos conocían… Parecía mentira que aquella desolación chata y agreste que se extendía ante sus ojos desembocara en aquel paraíso: el Mamul-Mapú, el País de los Árboles.

En el silencio que sobrevino, recogió las riendas y regresó al trote.

Al llegar a las barracas, desgreñada y pálida, Severa la recibió con un sermón. Detrás de ellas, el anochecer cerró con las últimas plegarias de aquel largo verano.

5. RITOS DE OTOÑO

CIUDAD DE CÓRDOBA
MAYO DE 1829

En la capital de la provincia, Paz debía enfrentar tanto la intemperancia de sus adeptos como la oposición de sus enemigos; muchos creían que no lograría revertir la poderosa influencia de Rosas, Estanislao López y Quiroga, cuyas provincias, a modo de feudo, rodeaban a Córdoba.

A pesar de aquel fermento político, Luz se sintió feliz de regresar a la ciudad. El solar —entre San Francisco y la catedral— era una casona de piso alto, tres patios y portón de mulas al fondo.

Al entrar, la recibieron los olores de una infancia olvidada; en la huerta, pintaban los oros y herrumbres del otoño rodeando el verde inconmovible de la higuera.

Se preparó la calesa y Simón Viejo vistió el uniforme que Severa prolijaba por aquellas fechas. Sebastián y el francés trabajaban con entusiasmo para el general Paz; Anita e Isabel, con catecismo y cartilla, fueron devueltas a las aulas de las monjas, salvándose Carlitos por su corta edad.

Mientras Inés y doña Carmen reanudaban los visiteos, Luz era mantenida en reclusión: ya habían comenzado, sin que se supiera por quién, las habladurías sobre su conducta.

Y aprovechando los días templados, se paseaba por la alameda del Virrey Sobremonte. Córdoba era todavía una ciudad próspera, pulcra y familiar. Por sobre todo, austera.

Pronto llegaron los padres de don Luis a formalizar el compromiso; eran gente de prosapia venida a menos, pero no tuvieron empachos en reclamar festejos. Don Carlos aceptó, siempre que fueran íntimos e inmediatos, pues le urgía volver al campo a defender sus bienes de los insurgentes.

El día de la fiesta Luz se fingió enferma, ya que el resentimiento persistía como una herida mal curada; en cama con una novela de Scott, dejó que Severa le llevara dulces y chismes del sarao.

—¡Tu vieja está requetecontenta, pero tu padre... hm! A él no le importan mucho los blasones y "ésos" los tendrán, pero son de áhi para el trabajo; doña Ermelinda meta nombrar parientes ilustres; pero don Pantaleón, que llegó medio "adobado", le quiso tantear el trasero a mi ahijada. ¿Y sabés qué hizo la Cala? Lo tentó al oscuro y le dio un apretón de huevos que lo tiró doblado y vomitando. "¡Ay, ay, su corazón, su corazón", gritaba la misia y Calandria me dice: "¿Que lo había tenido entre las piernas?".

Ambas rieron hasta las lágrimas y la negra continuó:

—Y los muchachos parecen baguales amontonados en un rincón, con esas galas que... ¡Ay, hija, que me da una grima! Tu viejo, con todos los desafueros que has hecho, no hubiera permitido que te casés con esa gente...

Aquella semana, muchos vecinos y parientes comenzaron a regresar de sus fincas y la vida social de la casa, para contento de Luz que padecía el encierro, se reanudó.

Los primeros en visitarlos fueron Felipe Osorio, su hijo Edmundo —el primo predilecto de Luz— y misia Francisquita. Esta anciana devotísima e irascible, hermana mayor de Carlos y Felipe, era soltera con dineros propios y amiga de obispos por añadidura. Con ellos venía el comandante Farrell y su esposa —a quienes llamaban tíos, aunque el parentesco era lejano y político—; el militar había combatido en la guerra con Brasil y su negativa a conspirar contra Dorrego le había valido la baja.

Mientras las señoras cotilleaban del pasado compromiso y la boda por venir, Luz, cerca de los hombres, simulaba bordar.

—Lavalle es un Mesías abandonado —aseguraba Eduardo Farrell, su apuesta figura recostada en el sillón para aliviar las piernas de una vieja herida—. Los desastres de Rauch y Estomba han malogrado sus fuerzas, pero Puente de Márquez ha barrido con su confianza. Como era de suponer, la Logia Unitaria lo ha desamparado en la derrota.

—¿No te lo advertí? —señaló don Carlos a Sebastián que, ceñudo, escuchaba a aquel testigo indesmentible.

48

El mate cimarrón —amargo, como cuadra a varones dados a la intemperie— era cebado por Simón; las damas bebían el chocolate espeso que, a cucharoncitos, servía Severa.

—En cuanto a Paz —aclaró Farrell—, Lavalle lo despachó a Córdoba para sacárselo de encima; sospecho que no creyó que pasaría de Cruz Alta.

—¿José María intervino en el asesinato de Dorrego?

—No, hombre; andaba todavía por la Banda Oriental. Al que me lo hallé en Buenos Aires fue a Aráoz de Lamadrid. No nos llevamos con el loco, pero unimos esfuerzos para evitar aquel crimen. Ahí le perdoné al tucumano algunas barrabasadas. —Y llevándose la mano al pecho, murmuró—: No me avergüenza reconocer que hemos llorado juntos bajo los árboles de Navarro.

Se hizo entre ellos un silencio amargo que contrastó con el parloteo de las mujeres, haciendo que Luz sintiera un inmoderado desprecio por su sexo.

Don Felipe carraspeó y dijo a modo de resumen:

—En fin, que Lavalle ha sido anulado de momento. ¿Qué podemos esperar de Paz, con un puñado de hombres y sin respaldo?

El semblante de Sebastián se despejó al oír a Farrell asegurar: —Es muy capaz y avisado mi amigo el Manco; difícil me lo pillen de a pie.

—Y opinando así, tío —saltó Edmundo, que aún sin perderse palabra disputaba una partida de damas a Saint-Jacques—, ¿no va a echarle una mano al camarada?

Farrell se tironeó la barba —siempre un tanto descuidada, aunque no desmereciera su apostura— y negó con la cabeza:

—La guerra entre hermanos no les sienta a mis ideas, bachiller. Yo soy sanmartiniano.

En aquel momento Gracia hizo pasar a Eduardito Páez, allegado a la familia e impenitente enamorado de Luz; al besar la mano de la joven la retuvo unos segundos y misia Francisquita, ducha en aquellas tretas, le propinó un golpe de abanico.

—¡Aténgase, mocito! —le advirtió, ajustándose el monóculo—. ¡Como te vea en ésas, se lo digo a tu confesor!

Cuando el muchacho consiguió acomodarse, Luz le preguntó por su madre.

—Está en un ay —suspiró Eduardito—; si no llegan las monjitas, no me veías hoy.

La arpía —singularmente se llamaba Dolores— estaba siempre "a los Santos Óleos".

Luz, fingiendo escucharlo, alargaba el oído a la disertación de los hombres, mucho más interesante que la crónica de devociones, escándalos y casamientos que ventilaban las señoras.

De regreso a Los Algarrobos, don Carlos se encontró con el casi olvidado rastreador —Vallejo—, que le brindó un informe minucioso: Fernando se había internado en las tolderías, respaldado por indios que… —don Carlos quedó sin habla— había liberado de la misma estancia. Aceptado por su amistad con el capitanejo Enmanuel Cayupán —sumado a la bravura de que dio muestras—, comandaba ahora una brigada de indios ranqueles para Quiroga; renegando de su nombre, se hacía llamar Chañarito.

El estanciero quedó clavado en la desolación de la casa vacía, sintiendo como si sus antepasados se levantaran a pedirle razones. Con gesto brusco indicó:

—Arregle con Oroncio. —Y cuando el otro se retiró arrastrando las terribles nazarenas, agregó—: Pero téngame al tanto… una vez al año, digamos.

Se despidieron como hombres de precio: sin servilismos del práctico ni condescendencia del hacendado.

Inquieto por las revelaciones, don Carlos reclamó un caballo con la excusa de dar una recorrida. Regresó de noche, cabalgando en un paisaje tan sombrío como su ánimo pero añorando a aquellos rebeldes —Luz y Fernando— extraviados en un territorio que se le hacía imposible de transitar.

En junio, una ola de frío cubrió la provincia y el temor se hizo sentir en la ciudad: el formidable ejército de Quiroga se había puesto en marcha.

Luz tomó conciencia de lo que se avecinaba cuando, yendo a misa del alba, vio las obras de la plaza-fuerte que abarcaban la catedral y el viejo cabildo.

—Dice Simón que han convertido en hospitales muchos edificios —murmuró Severa—: para mí que va a haber matanza…

Aquella tarde, en lo de don Felipe, Sebastián detalló en croquis el acantonamiento de terrazas con piezas de mosquetería:

—Hasta contamos con granadas arrojadizas —se ufanó.

—Primita —susurró Edmundo a Luz—, necesito de tus dotes de calígrafa. ¿Puedes imitar esta letra?

—Claro —reconoció ella disimulando—. ¿En qué lío te has metido?

—Mamá debe creer que estoy en el hospital San Roque, practicando auxilios, cuando lo cierto es que iré a maniobras de simulacro. Y como mi progenitora exige certificados hasta para miccionar...

Sin remordimiento —tía Amalia era otra de las famosas "enfermas" de la ciudad—, Luz se puso a la tarea.

—¡Por Byron, si es idéntica! —la besó Edmundo, mientras Sebastián y Saint-Jacques comparaban, admirados, ambas notas.

—¡*Je m' y perd*! (yo me pierdo) —soltó Sebastián—. ¿Tenemos una conspiradora en la familia?

—Dos, mi querido —se jactó Edmundo—; Luz y yo intrigamos desde la cuna: estamos conjurados contra la estupidez reinante.

En aquel momento llegó Farrell, que entregando capote, bastón y chambergo a la criada, comentó:

—Es de locos: federales y adeptos a Bustos me han confesado esperar que Paz detenga a Quiroga.

—El miedo no es tonto —rió Sebastián—. La proverbial crueldad de Facundo lo precede como un hálito infernal.

—¡Bah!, esa fama es alentada por él mismo —hizo notar el comandante—. A mí se me hace que el riojano gana más combates con ella que con las armas.

—Pues yo no me fiaría —se gozó Edmundo en asustar a las mujeres—. Dicen que cuando el Tigre le toma gusto a la sangre ya no distingue "celestes" de "colorados" —aludiendo a los colores que representaban a unitarios y federales.

—De cualquier modo —lo interrumpió Luz—, la gente ha quedado mejor dispuesta con el general Paz desde el combate de San Roque.

—Ya lo creo —enfatizó doña Mercedes de Farrell, que asistía a doña Amalia en uno de "sus días"—. A nadie le gusta que le toquen lo suyo y él hizo respetar los bienes de los vencidos. Y si no, que lo diga Julianita Maure —la esposa del ex gobernador Bustos—, que había escondido unas petacas en el monte y le plantó la queja porque unos soldados las encontraron. Todo, pero todo le fue devuelto, aunque todavía dé voces por alguna friolera, que no es más que eso, vamos; los otros días se lo dije para avergonzarla.

—José María Paz es un caballero —se atrevió a musitar Inés— aunque su familia no sea de las nuestras.

—¿Qué quiso decir? —preguntó Saint-Jacques al oído de su amigo.

—Que los Paz no vinieron con los fundadores, como nosotros.

—¿Y dónde fueron las asonadas populares que profetizaban en contra del Manco? —se burló Edmundo, pero Farrell lo acalló con la mirada.

—Demos gracias a Dios que la campaña mostró su disgusto negándose a proporcionarles prácticos o escondiendo el ganado…

—… y sirviendo de espías a Bustos y Quiroga —lo interrumpió Sebastián resentido.

—Será, pero es preferible esta mesura de adversarios y no que caigamos en enemigos enconados —sentenció Farrell.

Al mismo tiempo que un viajero ilustre —Théodore Lacordaire— llegaron los refuerzos tucumanos, veteranos avezados en la guerra por la independencia. Lacordaire quedó varado en la ciudad ante la inminencia de la batalla y escribió: "…Esperamos los acontecimientos. El primero, del cual fuimos testigos, fue la llegada de los tucumanos diariamente esperados desde hacía tiempo. Su aparición fue una fiesta para toda la ciudad y cuando entraron rodeados de una muchedumbre que se había dirigido a su encuentro, miles de aclamaciones los saludaron, lanzadas, sobre todo, por las damas que se asomaban a las rejas de las ventanas de las casas agitando sus blancos pañuelos. Un solemne Tedeum se cantó en acción de gracias y una numerosa procesión dio vueltas a la plaza al son de cantos religiosos, de la música del ejército y de las salvas de artillería. En las filas se destacaban los alumnos de la Universidad…".

Edmundo entre ellos, de toga y birrete. Al pasar frente al solar de sus tíos, Luz le arrojó una corona de laureles, que él recompensó tirándole un beso. Mientras doña Carmen amenazaba a su hija con el convento, Calandria y las criadas, desde el techo, mostraban desnudeces y cruzaban zafadurías con los estudiantes.

El 7 de junio, el general Paz marchó hacia el río Cuarto, por donde había aparecido la vanguardia de Quiroga fusilando y degollando a simpatizantes del jefe unitario. La pretensión de Paz era llevar la lucha a las extensiones deshabitadas, "facilitando el combate y evitando miserias a los civiles".

De pronto, arrastrado por aquel clima de gesta, Saint-Jacques abandonó a Sebastián en la plaza-fuerte y se alistó como médico voluntario en el ejército unitario.

Aquella siesta, Luz bajó a escondidas a la pieza de Calandria, quien había obtenido permiso para concurrir al desfile de salida del ejército.

Encontró a Severa recostada, Calandria acomodada a los pies y las tres chicas sobre la estera; el cuartito olía a cáscara de naranja que quemaban en el brasero y a tabaco en chala que fumaba la mulata. La pava silbaba sobre el rescoldo y el mate circulaba sin interrupción.

En un altarcito, santos de variadas layas, entre encajes, flores de papel y velas encendidas, rodeaban a un San Ignacio de espada al cinto.

—Y… ¿se atrevieron? —preguntó Luz metiéndose en la cama con la negra, que le hizo lugar.

Una mulata del Abrojal —barrio de libertos—, amiga de Calandria, le había susurrado que se iba a intentar que un piquete de los Cazadores de la Libertad, tradicionalmente compuesto por negros manumisos, desertara.

Todo había quedado en manos de una señorona "federala", cuyos ilustres apellidos no le habían impedido regentear una sociedad de morenas, pardas y chinas que trabajaban para ella y bajo su protección en el oficio galante. Todo de tapado, un secreto a voces entre caballeros que las damas fingían ignorar, cansadas de tratar de desterrarlas.

—La Petrona me avisó —comenzó Calandria— de que nos apostáramos por el Calicanto, saliendo para Anizacate, que allí se iba a armar la gorda. Bué, todo sereno: la gente a la orilla del camino, de los ranchos saliendo un olorcito a churrasco que marcaba, las doñas con sus fritos y las putas disimuladas, con mantilla y todo. Pasa la tropa, pasa que pasa. Que viva éste, que viva aquél, que muera esotro. Los soldados nos largaban piropos y nosotras meta tirarles tabaco, besos, rosarios… De repente, aparecen los negros; relucientes venían, sacando pecho y el alfajor —se refería al sable— en la mano. Haciendo pinta, pues. Entón, una negraza se tira al paso y se prende de un morenito enteco que puso cara de asustado. "¡Serapio, Serapito!", va y grita. "¡No me dejés, negrito lindo, pindonguita de oro, que te han de matá, el Tigre se los ha de comé crudo." Ésa fue la ¿cómo dicen? clarinada, ¿no? Toditas la remedaron. Llorando como magdalenas, se revolcaban que era un contento y fue el divisarse tetas y upites como bendiciones. Una cuála se había prendido a las patas de un mandingo —a pie van los pobres negros— y se dejaba arrastrar. Otras tironeaban del que habían elegido, les recordaban los hijos, las madres, las hembras… y decían unas inmundicias como jamases escuché. Los querían arrancar para el monte, ¿ves?, así podían dispararse sin que los pillaran. ¡Oy, Luchi, vieras: el bochinche! Yo me refugié en una ramada —no sea me confundieran— donde un viejo bizcocho se mataba de risa. Ahí me postré a ver cómo salía el Manco de ésa, porque lo veía fiero al asunto: más de uno tenía cara de espanto, pues vieras las barbaridades que les decían las putas que les haría el Facundo. A mí me ponían los pelos de punta, ¡qué sería a ellos que iban a torearlo!

—¿Y qué hizo el general?

—Ah, bicho el cordobés. Mandó un oficial pintón y chistoso, pero que no aflojó ni tranco de pollo a las escandalosas. "Hasta acá llegamos, señoras, y no pasamos", dijo con mucho miramiento, pero formó una barrera de jinetes que no se colaba un alma. "Cuando volvamos victoriosos, las vamos a visitar —se había avivado el mozo, o reconocería, supongo— y esperamos que nos reciban con las pier... perdón, puertas abiertas. Habrá bailes, mascaritas y asado con cuero para todas, además de..." Y se acomodó las pelotas el zafado, ¿podés creer? Como los mirones se rieran de la cochinada, él puso cara de niño muerto y se fregó el índice y el pulgar como diciendo "plata", ¿no? Ahí se sosegó un tanto, pero algunas "quías" se empeñaban todavía en correr a los negros, así que el mozo mandó unos paisanos —dicen que son del guerrillero Luna, que le es fiel al general— que se apearan y ésos ya no fueron tan delicados. Yo vi una retobada, estaba chupadaza y esquivaba al hombre así —y Calandria imitó modos y decires de la rebelde y su contrincante—: "¿Y por qué no hei de ir?" y él "no has dir nada"; y ella "sí, hei de ir. No me hais de correr con la vaina". El otro se impacientó y la mechoneó a lo bruto. Como la loca se le fue encima con las uñas así, sacó el cuchillazo y se lo asentó en la jeta. "No ti hei de achurar porque al Manquito no le gusta, pero que ti hei de marcar, de ésa no te librás." Con estos rigores, la parda aflojó pero le mandó unas maldiciones...

—¿Y así acabó todo?

—Más bien, porque el general había hecho apurar el trote mientras el oficial y los suyos las entretuvieron de franela. Algunos se esparcieron por el monte, pero después partieron; lo sé porque los tenía contados. Así son los hombres: se sacan el afrecho y se van livianitos después de rajarse un polvo...

—Cambiá el lenguaje, indecente —refunfuñó Severa, que aunque parecía dormir no perdía coma del relato.

—... yo digo, Luchi, ¿vos me asegurás que unito solo, de aquí a dos leguas, se acordará meramente de la infeliz que le prestó el que ésta no me deja nombrar? —terminó amargamente Calandria, tomando en cuenta las ausencias de Fernando.

6. EL TIGRE EN LAS CALLES

"Según la leyenda popular los soldados de Quiroga, al entrar en combate, se convertían en capiangos, o sea, tigres terribles y sanguinarios dotados de extraordinarios poderes de destrucción."

Rodolfo De Ferrari Rueda
Historia de Córdoba II

CÓRDOBA
JUNIO DE 1829

Para el 20 de junio, Córdoba seguía incomunicada con el general Paz debido a la contumaz actitud de la campaña.

Esa siesta en el solar de los Osorio, Luz se cruzó en el patio con Calandria que llevaba airosamente un bulto de ropa sobre la cabeza.

—Qué —se burló la mulata—, ¿no te han convidado al octavario del Corpus?

—Ni falta que me hace. No ando para devociones... por ahora.

—A mí se me daba que ibas para monjita. Porque decime, ¿con quién te irás a de... des... desposar después de "aquello"? Las vísperas de sacristía se están dando un banquete con vos.

—¿De dónde has sacado esas palabras? —preguntó Luz divertida.

—De tu primo; así las nombró el otro día. También me dijo que no diga oriyas, sino "a la vera del camino". ¿Y sabés qué más dijo?, porque el franchute le preguntó si en deveras el Eduardito se iba a de... des... desposar con vos; bueno, el Edmundo dijo: "De atreverse Páez, a misia Dolorita le dará un soponcio de la gran siete y no seré yo quien garantice que mi condigno amigo atraviese ese —ahí dijo algo como rubino-secuantos— porque él, de pelotas, nada".

—Y vos te aprendiste todas las palabrejas...

—Ah, se las hice repetir; habla lindo el loco. Lo va a dejar chiquito al doctor Cáceres cuanti se togue. A mí me gusta porque es fino pero no le esquiva a lo zafado —y viendo venir a Severa, susurró rápidamente—: Ahora dirige a los negros de la plaza en un versito que dice: "Viva el Tigre sin cabeza, viva el Fraile sin los pies y toditos los riojanos con el ocote al revés".

Y como la negra pusiera cara de pocos amigos, la aplacó:

—Si ya me voy, madrina, que no me olvido que es día de planchado.

Una andanada de disparos detuvo a Severa.

—Son los atrincherados, haciendo práctica —la tranquilizó Luz. La mujer le tendió el mate y un panecillo de anís, todavía tibio.

—No me gusta ni tantito así que tu madre y la Inés anden fuera —se quejó—; hoy me da vueltas un mal pálpito.

—¿Qué puede pasar? El general Paz no dejará que Quiroga se acerque a la ciudad.

—¿Y si el dañino le da esquinazo? —planteó la mujer y con chucho la instó—: Vamos a la cocina, esto es un yelo. Se nota que nevó en las sierras. ¡Pobres los muchachos que van de a pie!

Un calor agradable emanaba del fogón; entornaron las puertas y la negra atizó las brasas, agregando leña.

—Dicen —murmuró— que el Facundo tiene "familiar" —y como Luz no entendiera se alzó de hombros—. Cosas de norteños. Dicen que es un ánima, otramente un bicho que protege a su "dueño" —y se santiguó bajando la voz.

"Como un trato con el Malo ¿ves? Del Fraile Aldao, ni duda: dicen que en San Juan, ahorita días no más, se bañó en sangre de cristianos. De eso conoces los 'tratos': hay que alimentarlos con sangre y ánimas. Si no comen, retiran su ayuda.

Mientras Luz contenía la respiración, Severa desmenuzó peperina sobre la yerba, tanteó la pava y sirvió el mate.

—Además, el Facundo tiene un caballo, como aquel de tus pecados se llama, digo el Moro, que le canta la suerte del combate.

—Son supersticiones —reaccionó la joven.

—Será, pues.

Luz sorbió el mate, pensativa, su temor era más realista: aseguraban que Quiroga solía entregar las mujeres de las clases altas a los soldados —vejación generalmente reservada al pueblo llano— y que él mismo era un amante insaciable.

Severa recibió el mate y se sirvió para ella.

—¿Y qué me contás de los capiangos, ah? Un batallón entero se trae, hoy mismo se lo dijeron a Simón en el fuerte —y la enteró—: Son soldados que se convierten en tigres; no hay tapias que respeten ni armas que los maten. Cada cual lucha por diez, comen carne de gentes y chupan sangre de vírgenes.

—Suerte para mí —señaló Luz— porque de ésa me salvo.

—¡No seas burlista, que hablo en serio! Esos desgraciados se prenden al cogote de los hombres, les rajan los pechos y les comen el corazón. Así los uñones y la cazadora —la uña de rematar— ni te cuento.

Esta vez les prendió el espanto.

—Son inventos —reaccionó Luz, a medias creída—. Esas cosas no existen, Seve.

—Desde el cielo te oigan.

La joven corrió al despacho de su padre, donde Sebastián levantó la vista de unos papeles.

—¿Qué te pasa? —preguntó al verla demudada. Luz se desplomó en la silla, los codos sobre el escritorio y se tomó la cabeza entre las manos.

—Cómo, cómo, cómo es posible que Paz venza a Quiroga, si el riojano tiene el doble de hombres, más caballos, más armas…

—Porque Paz es la inteligencia y Facundo una furia suelta —la interrumpió él, convencido—. Pero analicemos las dificultades: los Cazadores, que van a pie, han quedado en su mayoría en el fuerte. Es verdad que los Astilleros cedieron sus armas a los refuerzos tucumanos, pero si el enemigo consigue penetrar hasta nuestras baterías, posiblemente poco importe: si están desarmados. —Le palmeó la mano, tranquilizador—: Pero la carta de triunfo del Manco, hermanita, es su capacidad para aprovechar al máximo sus recursos, además de un ojo agudo para detectar la debilidad del enemigo. Ya verás, José María demostrará al país que el tan mentado Tigre de los Llanos es un coloso con pies de barro.

Y echándose atrás en el sillón:

—¿Cómo encaja este unitario en tus ideas?

—Es que no parece unitario. Lo que propuso —que los Representantes nombraran libremente gobernador—, quedando él y Bustos en apoyar al elegido, fuera del bando que fuera, me gustó. Me alivió que no tomara represalias, que no humillara a los vencidos, que no derramara más sangre que la inevitable. Me agradó especialmente que no se dejara manejar por los exaltados de su partido y… ¡Oh, sería largo de enumerar! Mira, he puesto mis esperanzas en él; un hombre así, del Interior, no puede dejar de comprender qué clase de Constitución necesitamos.

—Es verdad; su mayor empeño está en que se elijan Constituyentes. Y bien, ¿estás más tranquila?

Luz se justificó tapándose los ojos:

—¡Ay, Bastián, es que tuve un mal sueño! ¡Vi a Córdoba en un mapa y ríos de sangre correr sobre él!

—Tonterías, nadie rendirá nuestra ciudad —y poniéndose de pie, propuso—: Anda, busca los abrigos y nos vamos a San Francisco. No te sienta el encierro y yo estoy harto de papeleo.

Mientras Severa protestaba que las calles no eran seguras, Sebastián la acalló aviniéndose a cargar almohadones y alfombrillas para que Gracia, que dormía la siesta con los niños, no tuviera que salir.

Camino al templo, se reanudó el tiroteo. El joven consultó el reloj:

—Casi las cuatro y hace un frío de los mil diablos.

En la iglesia, se acomodaron cerca de la pila bautismal. Luz no podía rezar —más que una cuestión de fe, era una reyerta privada con Dios—, así que se dejó mecer por las plegarias ajenas.

No habían pasado minutos cuando un estruendo rodó desde los Altos de San Francisco hacia la plaza. Alguien entró vociferando: "¡Atacan el fuerte!".

En medio del pánico, un sacerdote abandonó el confesionario y levantó las manos:

—Tranquilizarse, hijos. Que nadie salga del templo.

Pero Luz siguió a Sebastián que intentaba adivinar, por la traza, a qué bando pertenecían los invasores. Adentro, las mujeres imploraban fervorosamente: "¡Señor, ten piedad de nosotros! ¡Cristo, óyenos!".

Desde el atrio, los más atrevidos vieron pasar la inesperada carga sin sospechar que fuera la caballería de Facundo.

Eran gauchos desmelenados, sin uniforme la mayoría y con los animales sudados por el esfuerzo de sacarle ventaja al Manco. Se habían jugado a un ataque fulminante sobre la desprevenida ciudad y arremetían, sable en alto, las tacuaras alzadas, aullando sostenidamente para amedrentar al enemigo.

—No parecen saber que la plaza está fortificada —hizo notar el fraile.

Desde el campanario, un hermano lego apuntó:

—¡Los Cazadores responden al fogo y la Guardia Republicana corre a sus posiciones! —éstos eran, en su mayoría, estudiantes.

—Pero… ¡son apenas unos chicos! —se afligió un hombre y llevándose la mano enguantada al rostro, balbuceó—: Mi hijo… diecisiete años… está con ellos. ¿Qué le diré a la madre?

—Cálmese, la plaza es inexpugnable —aseguró Sebastián—. Están más seguros ellos adentro que nosotros afuera.

Y preguntó hacia la torre:

—¿Qué pasa con la artillería?

Una cabeza rapada y una mandíbula maciza se dejaron ver. Una cerrada voz peninsular contestó:

—Se arrastran como donosiñas… comadrejas —tradujo— hacia las baterías. Si no les vuelan las testas, perderán los huevos.

—Madre Santísima, ¡protégeles! —se sofocó una señora—. ¡Morirán acribillados!

—*Madame*: hay parapetos a prueba de artillería pesada y eso, evidentemente, es algo más que unos cuantos tiros —dijo el joven, terminante—. Ni cañoneándolos podrán entrar, se lo aseguro. He presenciado las obras.

Ante su firmeza, muchos recuperaron el control.

—¿Y si fuera Quiroga? —susurró Luz, recordando los presentimientos de Severa.

—Imposible. Míralos: no son más que un puñado de insurgentes.

El lego gritó desde la torre:

—¡Esos papones están confundidos! ¡Los fosos son insalvables y los fortificados les escupen en el culo!

—¡Moderación, hermano Alfonso! —tronó el franciscano desde el atrio—. ¡Que hay señoras y usted está sobre la coronilla de Dios!

En el momento en que se le unían varios frailes —Luz recordaría siempre al hermano panadero, arremangado y cubierto de harina— se oyó el primer cañonazo.

—¡Así, así, a diezmarlos! —clamó el vigía, más otros ternos gallegos que aludían a San Carallán, patrón de las partes viriles.

En el silencio que sobrevino, se alzaron lamentos y relinchos. Sobre los edificios, una nube de humo negro se elevó siniestramente. Algunos vecinos se asomaron en bata, protestando por la violencia del simulacro que había interrumpido la sacrosanta siesta, pero al ver los caballos desbocados y oír el silbido de las balas, se encerraron prestamente.

El vigía informó:

—Hay corpos de esos merdentos por toda la corredoira…

—El general sabía lo que hacía… —comenzó Sebastián pero el otro lo interrumpió.

—¡Entrar, fellus meus, que se repliegan!

La caballería regresaba desordenadamente hacia el alto.

—¡Los chicos! —gritó Luz y Sebastián atinó a detenerla—. ¡Están solos, tendrán miedo!

—¡Espera, mujer!; en cuanto haya un respiro nos vamos.

El centinela los instruyó:

—¡Se han concertau en el alto, homes! Parecen recibir órdenes… ¡Hiel de Cristu, cargarán con más saña!

Varios muchachos salieron de una casa vecina portando armas. Entre ellos iban Eduardito Páez y el joven Isasa, hijo del gobernador interino.

—¡Vamos, Bastián, hay que escarmentar a esos clinudos!

—Debo llevar a Luz a casa…

—Anda, que te hacemos guardia —se ofrecieron y Sebastián, haciendo bocina con las manos, gritó hacia el campanario—: ¿Cree que alcanzo a correr una cuadra sin peligro, llevando a mi hermana?

—Si no es de las que se acoquinan, podría.

Sebastián tomó a Luz de la muñeca y sus amigos corrieron a la esquina, los fusiles en posición.

—Y ahora, Luz, levántate esos trapos ¡y corre, por Júpiter, tan rápido como puedas!

Se lanzaron por la calle del fuerte, el camino más corto para llegar al solar. A mitad de cuadra, Isasa les indicó que se refugiaran en un portal, pues algunos rezagados, entre insultos y ademanes obscenos hacia los fortificados, regresaban a sus mandos. El tiroteo se reanudó, ahora apoyado por los vecinos que, recuperados del susto, disparaban sobre los invasores.

En la pausa, Luz se atrevió a mirar: en medio de la calzada, un caballo encabritado arrastraba en círculos a un montonero con el pie atascado en uno de aquellos impresionantes estribos riojanos —trompa de chancho les llamaban— de madera. Ante el horror de Luz, que lo daba por pisoteado, el hombre cortó los tientos con el cuchillo, prendiéndose a la crin mientras manoteaba las riendas. Una mancha sangrienta se agrandaba sobre la camisa.

El grupo de Isasa intentó capturarlo, pero varios montoneros amagaron rescate; reconociendo la precariedad de sus posiciones, ambos bandos se contentaron con lanzarse baladronadas. Con imprudencia, los de la plaza bajaron el puente, empeñados en respaldar a Isasa. En el silencio que siguió, Luz oyó, desde el Alto, una voz que gritaba en ranquel. Estremecida, se volvió a mirar: varios indios habían adelantado sus potros, alentando al jinete que, dominando su cabalgadura, dio la cara a Luz: era Fernando.

Antes que recuperara la voz para llamarlo, Eduardito, rodilla en tierra, se aprestó a dispararle.

—¡No, Eduardo, no! —reaccionó ella forcejeando con Sebastián, que la protegía con el cuerpo—. ¡Es el Payo, no lo maten!

Aprovechando el desconcierto, Fernando picó agachado sobre la cerviz del animal; sus compañeros lo recibieron con una gritería triunfal.

Eduardito, pálido, preguntó:

—¿Seguro era él?

—No lo vi, yo estaba de espaldas —barbotó Sebastián, sosteniendo a su hermana—. ¿Por qué demonios siempre te desmayas en mis brazos?

—¡No estoy desmayada! —explotó Luz—. ¡Y vámonos a casa, salgamos de aquí!

Esta vez corrieron con los jóvenes a retaguardia hasta doblar la esquina. A cincuenta metros, Severa les hacía señas desesperadas.

—¡Te esperamos en el fuerte, Bastián! —dijo Eduardito. Y a los vecinos—: ¡Ciudadanos, atrincherarse y defender casa por casa si es preciso, amén!

—Vigilen los fondos —aconsejó Isasa—; es posible que intenten tirotear la plaza desde los techos más próximos.

Severa los recibió a los gritos mientras cruzaban sobre las puertas la tranca de hierro que no se usaba desde las incursiones del caudillo Ramírez en la provincia.

—¡Que no les dije! —sacudió al muchacho por la manga—. ¡Tu madre, tu hermana, tus tías… hasta las criadas están en la catedral!

—¿Qué será de ellas? —soltó el llanto Calandria.

—Pues están más seguras que nosotros —les cortó el joven, librándose de sus manos. Severa se cubrió la cara con el delantal.

—¡Es el Tigre, me lo dicen las entrañas! ¡Vamos a morir toditos!

—¡Que no! —vociferó Sebastián—. ¡Y basta de lamentos! ¡Son apenas unos miserables montoneros y los vamos a acabar en un kirie! —y apartándolas, fue al despacho y abrió el armero.

En la galería, Luz intentaba calmar la conmoción. Entre el llanto y las preguntas, se alzó la voz del mayor.

—¡Silencio, joder! —y luego—: Luz, Cala, vengan —y cuando cruzaron el umbral, hizo señas de que cerraran la puerta.

—Tengo que ir a la plaza antes que sea imposible entrar. Ustedes defenderán la casa.

Señaló el fusil y la pistola que había puesto sobre la mesa.

—¿Saben usarlas?

—A mí dame el fusil —reclamó la mulata—; tu hermano me enseñó a manejarlo.

—Tú, *mon chéri*, ¿podrás con la pistola?

Luz asintió con la cabeza.

—Hubiera preferido que Simón estuviera aquí —rezongó el joven.

—¡Qué! ¿Los negros no tienen patria que defender? —saltó Calandria.

—No lo dije por eso —se indignó Sebastián—. Es viejo, no quiero que le pase nada. —Y recogiendo el poncho y las armas, las enfrentó—: Tengo sentimientos, aunque ustedes lo duden.

Se puso el poncho con la ayuda de Luz y Calandria le abrió la puerta. Mientras recorría la galería, se levantó la prenda sobre el hombro, lanzando las últimas recomendaciones:

—Mantengan los niños arriba. No abran a nadie, salvo que estén ciertas que es uno de nosotros. Sobre todo, custodien los fondos. De allá vendrá el ataque.

—¿Crees que los detendremos hasta que llegue el general?

—Doscientos cordobeses sobran para correr a un puñado de salvajes y gauchos levantiscos —respondió él con soberbia. Preocupado, preguntó a Luz—: ¿Seguro que viste a Fernando? —Y ante el asentimiento de ella, hizo un gesto de amargura, los besó a todos y tomando a su hermana por los hombros, insistió—: Debéis apoyarnos con todo vuestro valor.

Y con dos trancos hacia el patio, gritó a Gracia, que vigilaba desde el techo: —¿Qué hay, ya puedo salir?

—¡Rapidito, señor, que amagan con largarse!

Abriendo apenas la puerta, Sebastián se escurrió mientras Severa corría los innumerables cerrojos y ayudada por la mulata, volvían a calzar la tranca. Luego se miraron con aflicción.

—Subiré a la barraca —anunció Calandria y, el fusil al hombro, se puso a la par de Luz—: ¿Seguro, pero seguro lo viste al Payo?

—Ni duda, ¡pero estaba tan cambiado, Cala! El pelo atado con un trapo, barbudo... vestido de gaucho. ¡Parecía cuatrero!

—¿Estaba herido?

Luz se señaló el brazo llegando al hombro.

—¡Que no sea maligna, San Roque! —rogó la mulata y corrió hacia la huerta.

Luz subió con Gracia y los niños al piso superior, buscando una habitación reparada. Afuera, el retumbar de la caballería, la corrida de los infantes, el estruendo de la bombarda sembraban el pánico en una ciudad no tocada por las guerras.

7. NEGROS DE HONOR

"¿Quién es aquél? El valiente y educado negro, el negro caballero,
el negro de honor, don Lorenzo Barcala."

David Peña
Juan Facundo Quiroga

CÓRDOBA
20 DE JUNIO DE 1829

Al anochecer, protegido por el cielo encapotado, Simón Viejo les trajo noticias del fuerte.

—Las señoras están bien, no se teman —las animó—. Y como era sabida la confianza que me tuvo Barcala antes de partir con el general, le dije a mi superior que ustedes estaban solitas y sentía necesidad de enterarme.

Aceptó la caña entibiada con clavo de olor que le tendía Luz y sus ojos fatigados se cerraron un momento.

—Lo avisté al Payito en la primera carga —anunció, usando el mote que diera al joven en su niñez—; después lo busqué entre los que seguían arremetiendo, pero no volví a divisarlo.

—También, en el entrevero —acotó Luz— era fácil de perder.

—Difícil —corrigió él—; montaba un lujo de tordillo con toditos los arreos de plata... Y alto como una puerta qués, ¡ya se me iba a extraviar!

Calandria, toda oídos, le acercó una cazuela de locro.

—¿Y qué tal ahí dentro? —cortó Severa, que en cuanto al mozo estaba con don Carlos.

—¿Podrán suponer? —habló Simón con la boca llena—, algunos hombres se guarecieron entre los santos.

—Parece cuento —rezongó Severa ajustándole la chalina—. ¿Y qué pasó, pues?

—Ya sabrán, misia Francisquita...

—¡Cuándo no mi tía! —se sonrió Luz.

—… y doña Marcelina Allende —la de Zúñiga, ¿no?— les dijeron cosas tan fieras que tuvieron que salir a pelear.

—… ta que hay gallinas en Córdoba —escupió Calandria—. ¡Cómo no tener un trabuco entre las piernas para demostrarles a ésos lo que es coraje!

—Zafate nomás vos —la manoteó Severa—, que endespués vamos a conversar.

—Han agarrado al hijo de Isasa —murmuró Simón limpiándose los dedos en la chaqueta y palpando por tabaco. Gracia se comidió a armarle un cigarrillo mientras él hacía buches con la caña—: por andar saliendo a tomar cautivos sin permiso.

Calandria le encendió el cigarrito y, robándole una pitada, se lo tendió.

—Armale algunos, que es pitador y en la oscuridad se le dificultará el vicio.

—¿Y Sebastián y los muchachos?

—Bien, niña, de ley son. ¿Y sabe?, juraría, pero juraría que el mocito de don Felipe andaba tirándole petardos a los insurgentes desde el techo.

—Capaz.

El negro, cabeceando, miró la brasa que brillaba en la penumbra.

—Habrá que proteger los fondos, sepan —las alertó poniéndose la colilla en la boca y tanteando con el fusil—. Van a querer tirotearnos por ahí, ya que no van a rendirnos.

Lo despidieron en la puerta, con sigilo y sin ninguna luz, tropezando entre ellas y dándole consejos inútiles.

Durante horas los invasores atacaron la fortaleza sin conseguir nada; detrás de las defensas se advertía una fatuidad que los enardecía, especialmente cuando el humorismo cordobés les dedicaba estribillos burlones.

Amparadas en el parapeto del techo, Luz y Calandria oían las oleadas de jinetes que embestían y retrocedían entre maldiciones: la ciudad oponía una resistencia que no daba muestras de ceder. El aire olía a pólvora.

—Mala leche, me da mala leche —refunfuñaba Calandria. Tenían entre ellas un candil velado para que no las delatase.

Desde la otra banda del callejón alguien gritó un alerta:

—¡Cuiden las tapias o vamos perdidos!

—¿No te dije? —protestó la mulata—. Ahora se la agarran con nosotros. ¡Los muy guachos!

A través de las troneras espiaron el movedizo resplandor de una linterna. Un militar uniformado dirigía el asalto, cegando intermitentemente la luz para evitar que un francotirador los alcanzara.

—Quieren escalar la tapia de los Martínez —señaló Luz.

Un montonero, de pie sobre la grupa del caballo, consiguió trepar sobre el muro y enderezándose lanzó un alarido escalofriante.

—¿Se... será un... ca... capiango? —tartamudeó Calandria. Luz había perdido el habla.

Se oyó el modesto ladrido de un fusil y el hombre cayó a tierra. Se hizo la oscuridad.

—¡Lo mataron, teniente!

—¿Son riojanos? —se espantó Luz ante la tonada.

—¡Qué sé yo! —rechinó los dientes la morena—. Pero capiangos, no hai de ser, ya que el tirito lo bajó al hijo de puta.

—Escuchá —la sacudió Luz—, ¡están asaltando otras casas!

—Claro, pues: esa manzana da a la plaza —y enderezándose, apuntó al oficial. Como el otro cubría la linterna, se le dificultó el intento.

—¡Matalo, matalo! —susurró Luz, los puños apretados.

—Sh... —la sosegó la mulata y comenzó a contar—: uno... dos... tres... —antes del cuatro el candil se descubrió y ella descargó el arma.

—¡Agachate, sonsa!

Un grito y la linterna se estrelló dejando la calle en tinieblas.

—Cuando diga "ya" asomate y disparás —la urgió Calandria, cargando el fusil—. No crean es pan comido venir por nosotras.

Una voz norteña anunció:

—De allicito vino, pues; ¡vi el refucilo!

—¡Replegarse, carajo, replegarse! —voceó el oficial—. ¡Ayúdenme a montar, huevones!

—De fija, mendocino —señaló Calandria ante el término.

Los agresores cubrieron la retirada tiroteando las alturas. Las jóvenes, acurrucadas bajo las defensas, recargaron las armas con manos temblorosas. Desde la azotea de los Martínez devolvieron el fuego.

—Vaya, por fin se espabilaron —gruñó Calandria y ellas también vaciaron las armas. Desde el tejado en esquina, alguien arrojó una granada que produjo un gran resplandor y una total confusión en los animales. Atemperado por el grosor de los muros, se oyó el llanto de un niño.

—Gastamos pólvora al cuete —maldijo Calandria.

—No lo mataste, gracias a Dios —suspiró Luz, arrepentida.

—Ojalá lo hubiera hecho —bufó la otra, colérica—. ¿Te creés que tendrían compasión de nosotras si nos cachan?

Más tarde, otro piquete dobló en dirección al río. Emponchados, alumbrándose con teas, miraban con recelo hacia los techos. El ritmo del trote hizo temblar el aire nocturno. La flama de los troncos embreados iluminó los rostros, inclementes y trágicos al resplandor que los rodeaba.

Como siguieran de largo, las muchachas no se atrevieron a abrir fuego por no comprometer la casa. La tropa se perdió sin que hubieran oído ni una voz.

De pronto, notaron un silencio atroz sobre la ciudad.

8. DE CAPIANGOS Y SORTILEGIOS

> "Se creían más que suficientes para resistir todas las montoneras
> de la provincia, pero no al ejército invasor (que de hecho lo habían
> rechazado) capitaneado por tan formidable caudillo."
>
> José María Paz
> *Memorias póstumas*

CÓRDOBA
21 DE JUNIO DE 1829

Se habían guarecido en la barraca, sobre la alfalfa, tapadas con ponchos y caronas. La calle, desde hacía horas, permanecía silenciosa.

—¿No sentís algo cerca? —preguntó Calandria.

Luz, con tanto miedo como la morena, se obligó a disimular.

—¿Como qué?

—No sé... diablos.

—Los diablos están afuera.

La mulata suspiró:

—Cierto.

De pronto, un rasguñeo en el portón les erizó la piel.

—¿Oíste? Pa... parece un gato —tartajeó Calandria— o un ti... tigre.

Luz le tapó la boca, pero un resoplido les heló la sangre. Ambas se pusieron de pie soltando las armas.

—¡Capiangos! ¡Son los capiangos te digo!

El pánico les blanqueó el cerebro. La mulata cayó de bruces murmurando el Justo Juez y Luz quedó paralizada. Los golpes se volvieron sordos, como dados con una zarpa, y oyeron un susurro.

Parte de la conciencia de Luz reaccionó y sacudió a su compañera:

—Es Fernando, ¿no oís? ¡Vamos, Cala, ayudame con la tranca!

—¡Apuren, carajo, que me muerden los garrones!

Con esfuerzo quitaron la viga que atravesaba los portones; en la oscuridad tropezaron con un bulto.

—Ah, mis chinitas —suspiró el muchacho.

—¡Callate, desgraciado, o nos balean los Martínez! —le advirtió la morena—. Luz, ayudalo; yo me encargo del caballo.

Manoteó las bridas pero el animal cabeceó con recelo.

—Háganse a un lado, puede cocear.

Usando las riendas lo fustigó con fuerza, dejándolo libre para que se zambullera en el patio. Arrimó las hojas y Luz corrió a ayudarla con la tranca. Luego arrastraron a Fernando hasta el interior de la barraca.

—Me siguen —les indicó sin aliento.

—Al techo, Luchi; tenés que convencerlos de que no entren —ordenó Calandria.

Segundos después, las culatas aporreaban el portón. Luz se asomó al parapeto.

—¿Quién es? ¡Identifíquese!

—De la plaza, señora. Vimos entrar un montonero.

—Imposible. Ni parado sobre el caballo alcanzaría la tapia; hace unas horas herimos a los que pretendieron hacerlo.

—Veníamos rastreándolo y nos pareció que le abrían. Es la única entrada en esta banda de la calle.

—No puedo abrir el portón, está con candado y no tengo la llave, pero mandaré a mi criada que dé una recorrida —y dio una orden audible.

—¿No hay hombres en la casa?

—No, todos están en el fuerte y mi padre no ha vuelto del campo.

—Son ustedes muy valientes —la voz sonó admirativa—. ¿Dice que intentaron ganar los techos?

—Los del frente, pero herimos al oficial y los Martínez mataron un montonero —apoyó el candil en el parapeto y se dejó ver—. ¿Cómo están las cosas afuera?

—Les hicimos muchas bajas, pero no podemos calcularlas pues se llevan los muertos.

Y tras una pausa, comentó:

—Han herido mortalmente al coronel Díaz Colodrero, el encargado de defensa.

—¡Cuánto lo siento! Es un gran amigo de nuestra familia. Dígame, ¿qué saben del general Paz?

—Las comunicaciones siguen cortadas, pero tenemos un prisionero. Si estos malnacidos —perdón, señorita— se han atrevido, seguro que andan sabiendo dónde está el Manco.

—¡Ahí abajo no hay nidada, señora! —trinó Calandria.

—Mierda —soltó un soldado—, juraría...

—Soy hermana de Sebastián Osorio —se identificó Luz apresuradamente.

—Lo conozco —dijo el cabecilla—. Bueno, habrá que seguir. Cuídense, señoras.

Esperaron que se alejaran y bajaron atropellándose.

—¿Cómo no oímos el caballo de Fernando?

—¡Le había envuelto los cascos en trapos el ladino! —rió Calandria.

Encontraron al joven casi inconsciente.

—Ha sangrado como chancho; hay que llevarlo a la pieza, Luchi.

Pensaban llegar sin ser notadas, pero Severa, que cabeceaba en la cocina, se restregó los ojos y las siguió. Estaban acostándolo cuando la negra entró de sopetón.

—¡Santísima Trinidad, que ésta no me la esperaba! —y de inmediato se arremangó, mandando a Calandria por agua tibia y palam-palam, que crecía en el patio, y a Luz por tijeras y caña.

Echando mano a la ropa blanca, rasgó unas fundas sin lástima.

—La herida no lo matará, pero tal vez lo haga la mugre. ¡Miren esas mechas, las barbas trenzadas! —se escandalizó—. ¡Si parece guacho! ¡Tomá, por retobado, por las que le has hecho pasar a tu viejo!

Entre los coscorrones y la caña, el joven reaccionó:

—¿Y Sebastián? —preguntó, la lengua pastosa—. ¿Por qué no está cuidándolas?

—Miren quién habla, don Responsable —lo riñó Severa recortando la camisa y aplicando compresas en los cuajarones de sangre. Luego indicó a las jóvenes que lo incorporaran—. Abrí esa jeta —y lo llenó de bebida hasta que se ahogó. Le calzó un trapo entre los dientes—: Mordé, sotreta.

—¡Que aguanto, carajo! —lo escupió Fernando, soliviantado.

Luz le puso la mano en el cuello, aplacándolo y por distraerlo, comentó: —Casi te captura Eduardito en la primera carga.

—¿Era él? No lo reconocí. Me sorprendió que me perdonaran, ya que me tenían a tiro. Esos malditos estribos riojanos… La próxima usaré los de botón. ¿Y cómo te enteraste?

—Volvíamos con Bastián de San Francisco…

Fernando rugió: —¡No me hurgués más, negra jodida!

—Aguantate si sos macho.

—… leal amigo Páez —reconoció el muchacho y recriminó a Severa—: ¡Qué sabrás de curar, animal!

—Desagradecido —lo amonestó ella, vendando sobre la almohadilla de hojas entibiadas.

—Quiero comer —exigió él—. Dos días que no pruebo bocado.

—Leche caliente —ordenó Severa mientras Fernando se recostaba, aliviado.

—Creí que iba finado —suspiró; Luz se sentó a su lado.

—¿Así que te uniste al guerrillero Guevara?

Fernando la miró, sorprendido: —¿Acaso no saben que somos el ejército de Quiroga?

Un silencio aterrado se lo confirmó. Severa se hizo la señal de la cruz, moviendo la cabeza.

—Yo lo sabía, no me fallan los pálpitos.

—Hay que avisar a la plaza —dijo Luz, pero su hermano la detuvo.

—Ya deben saberlo, tienen un prisionero —y comentó—: Han peleado como buenos creyendo que éramos insurgentes, ahora lo comprendo. Facundo no entendía nada, "¡Resistirse a mí, hijos de mil putas!", bramaba, "¿se creerán que me van a correr con estudiantes?". Te lo juro, Luz, pagaría por verles la cara a los del fuerte. Podría decirse que tienen al Tigre por la cola, ¿no?

—No lo dejarán saber. Necesitan prolongar la defensa hasta que llegue Paz.

—Al Manco lo perdimos por Soconcho —rió Fernando—. Había escondido su gente en el monte y nos habría despedazado si don Domingo Baigorria no hubiera apalabrado a dos paisanos, que habían descubierto el campamento, para que le avisaran a Quiroga. Sabiendo dónde estaba el cuco, dimos un rodeo y nos vinimos al galope, abandonando baterías y ganado para sacarle ventaja.

Calandria volvió con un tazón humeante y se lo tendió.

—En cuanto amanezca, Facundo mandará al hijo de Isasa con las condiciones —sorbió, calentándose las manos en la loza—. Por el bien de todos, espero las acepten, pues en caso contrario, echará cinco mil hombres contra la fortificación —aseguró con fiereza— y luego pasaremos a degüello a los vencidos.

Las muchachas lo miraron con horror, pero Severa lo enfrentó hecha una furia.

—¡No quisiera estar en tu pellejo si me lo tocan al Simón, al Bastián, al mocito Edmundo, al hermano de tu padre! —y poniéndose los dedos en cruz, los besó—: ¡Por ésta, que haré que te sequés en vida vos y ese Facundo, por más tigre que se mente! ¡Ya me cansaron! —y salió dando un portazo mientras Calandria, que creía ciegamente en sus poderes, se tapaba la cara.

Fernando rehuyó la mirada de su hermana.

—No intentaremos nada esta noche, palabra; vayan a dormir y recen para que los de la plaza acepten el tratado. Y vos, negrita, llevate esa leche que no soy mamón y traeme un churrasco.

Cuando la morena regresó, Luz se había retirado. Fernando dejó el plato en el suelo y tiró de Calandria, que cayó sobre él besándolo con frenesí.

—¡Por favor, Payo, dejalo al Facundo! Si le pasa algo a ellos, Severa... ¡No pongás esa cara, yo sé que puede! ¡Te va a secar la bolsa de los hijos!

Luz, que no conciliaba el sueño, fue al dormitorio de los niños, pero ellos y Gracia dormían profundamente. Regresaba a su cuarto cuando vio un resplandor en la cocina.

Bajó decidida a obligar a Severa a que se acostara. La encontró ante la mesa, mirando lo que tenía sobre ella: una vela de Ánimas, papel basto, carbón, el pote de sal gruesa y una pequeña olla de hierro.

—No me gusta hacer estas cosas —se excusó la negra—, pero parece que no hay remedio.

Volcó la sal y la tamizó con los dedos, rociando la mitad dentro de la vasija.

—El Tigre no morirá de ésta, pero lo tendré comiendo tierra —y sacudió la olla para aplanar la sal—. Hay que escribir en un papel el nombre del molesto...

—¿Vos sabés escribir?

—No, pero puedo dibujar —dando vuelta uno de los papeles mostró, trazada con carbón, la imagen grotesca, pero identificable, de Quiroga sobre un caballo esquemático—: Si ese Moro es tan bicho como dicen, no se dejará montar cuando su dueño se enfrente al Manco. Y al Caballo de la Victoria —cortó con los dedos el cogote del animal— lo descabezo.

Dobló el papel en una forma especial hasta que no fue más grande que un dado y lo puso en el centro de la olla.

—No hacen falta oraciones, pero la sal debe cubrirlo enteramente.

Así lo hizo, colocó la tapa y derritió sobre ella el cirio de Ánimas, sellándola. Mientras la cera endurecía, un chisporroteo en el fogón las sobresaltó. Severa escupió sobre los tizones.

—Nadie te llamó —dijo a la oscuridad y con el pulgar marcó una cruz sobre la frente de ambas. Tomó un enorme cuchillo y entregó el candil a Luz—: Vamos.

Fueron hasta la huerta, Severa cargando con cuidado la ollita.

—Ahí —clavó el cuchillo en el suelo—; cavá.

Luz colgó el candil en una rama y obedeció.

—Más hondo. —Y al rato—: Así está bien.

Puso el cacharro dentro y lo cubrió con tierra, parándose encima con todo su peso. Disimularon el sitio con piedras.

La negra sacudió las manos con fuerza y, mientras regresaban, prometió a Luz:

—Facundo no va a destruir esta ciudad; ninguno de tu sangre saldrá malherido y Córdoba será amarga para este hombre mientras no destapemos el "entierro". Jamás mandará acá, ni siquiera a través de otro.

La llevó hasta el altar doméstico, se mojó manos y cabeza con agua bendita y después salpicó a Luz:

—Ya está hecho —murmuró—. Que sea lo que Dios quiera.

El día amaneció nublado y con los federales atacando a desgano: la razón les decía que la plaza era inconquistable.

El joven Isasa fue devuelto al fuerte para confirmarles que Facundo era el sitiador, confiando en que el espanto pudiera más que las inútiles arremetidas. Por él se les hacía saber que el caudillo estaba dispuesto a oír proposiciones y que, en acto de buena voluntad, no tomaría revancha en la población.

La tácita amenaza dividió a los sitiados entre los que deseaban un trato y los que insistían en resistir, seguros ya de las defensas y sospechando que el apuro del riojano se debía a la proximidad del general Paz.

Para el mediodía, Quiroga formó el ejército en la calle Ancha —la de Santo Domingo— en una formidable demostración, enviando a Ruiz Huidobro a parlamentar. Éste anunció que el "protector" —así habían comenzado a llamar al Manco— no llegaría antes de que ellos aplastaran la ciudad; que la degollina sería cuestión de minutos dada la cantidad de hombres dispuestos a la faena. Pasó luego a ofrecer condiciones "que no desmerecían el pundonor de ambos bandos".

Entre los emplazados prevaleció la idea de darle largas, apostando a la llegada de Paz, ya que ni los federales de la ciudad confiaban en que el caudillo riojano respetase lo pactado.

Al atardecer, la paciencia de Quiroga y los argumentos de los fortificados se agotaron y fue necesario capitular ante quien no había podido vencerlos ni con la fuerza de un ejército.

Entregada la plaza, las mujeres refugiadas en el templo se retiraron; altivas y ojerosas, pasaron sin un gesto ante la tropa que consideraban de bárbaros.

Los heridos fueron entregados a sus familiares —mujeres en su mayoría—, que aguardaban en la boca de los puentes levadizos resistiendo tercamente a los oficiales que las conminaban, con malos modos y amenazas, a echarse atrás.

La plaza en manos de su gente, Quiroga se retiró con el grueso de sus fuerzas a una extensa llanura, en los altos del camino a Jesús María, llamada La Tablada.

Antes de que Inés y doña Carmen regresaran, hombres de Facundo pasaron por el solar reclamando a Fernando y a pesar de los llantos y ruegos de las mujeres, el joven se vistió y tomó las armas.

Desde el zaguán, entre tironeos y reconvenciones de Severa, Calandria aullaba:

—¡Pero dejalo que se vaya el ingrato! ¡Traidor, vendido!

Fernando tendió la mano a la morena que con un "¡No me toqués, Judas!", corrió hacia el patio donde los niños lloraban prendiéndose a la falda más cercana.

Desesperado, el muchacho se volvió a Luz, que del mutismo y la inmovilidad había empezado a increpar a la tropa:

—¿Por qué esquivaron al Manco, cobardes? ¿Tienen miedo de pelear con hombres? ¡Buenos han de ser para asustar mujeres!

Y escapando de Severa, salió a la calle, ahora apoyada por los vecinos que, prudentemente encerrados, hacían coro a sus insultos.

—¡Ya verán cuando llegue Paz! ¡Con el rabo entre las patas se han de ir! ¡Gallinas! ¡Miedosos!

Severa la arrastró rogando al muchacho:

—Por Dios y por tu madre, Payo, ¡andate antes de que ocurra una desgracia! —Y como empezasen a llover sobre los montoneros palos, piedras y orines desde los techos, la metió al zaguán, riñendo a Gracia—: Y vos, pasmada, ¿qué esperás para cerrar la puerta? —Y a Luz, zamarreándola—: ¡Esa boca, desaforada, esa boca que nos va a perder a todos!

Esquivándole el bulto a los proyectiles, Fernando montó con un gesto que sintetizaba los padecimientos del cuerpo y el alma. Oyó el hierro caer sobre los soportes de la puerta y fue como un lanzazo al corazón. Con un alarido clavó espuelas al tordillo, que saltó encabritado. El teniente Acosta le dio alcance: —Por ahí, compadre —se rascó una oreja, burlón—. Se me hace que las cordobesas son más de temer que los cordobeses.

Una hora después llegaba al solar don Felipe con las mujeres de la familia que habían quedado atrapadas en la catedral.

Dejando a salvo a doña Carmen, Inés y las criadas, siguió hacia su casa. Su esposa Amalia estaba al borde del colapso, pero misia Francisquita no paraba de proferir denuestos contra los invasores, llamándolos bellacos, roñosos y malnacidos.

Todas estaban en estado deplorable: se habían envuelto en las alfombras para remediar el frío y apenas si habían comido, rehusando en favor de los combatientes. Temían por los que aún no habían sido liberados, así que sacando fuerzas de flaquezas, doña Carmen las congregó a rezar a la Divina Providencia, único recurso que al parecer quedaba.

Oyendo las impetraciones, Luz sentía que a pesar de las circunstancias, confiaba más que nunca en el general Paz... y en los poderes de Severa.

¡Jesús, fortaleza de Mártires!
¡Jesús, pureza de Vírgenes!

clamaba su madre y las voces respondían haciendo temblar la llama de los cirios:

¡Tened piedad de nosotros!

La matrona suplicaba al Cristo del altar doméstico:

¡Sednos propicio, escúchanos, Señor!,

cuando ruido de tropa debilitó el coro de suplicantes. Fuertes golpes sacudieron la puerta de entrada.

—Eso has conseguido por desbocada, chinita de eme —resopló Severa al oído de Luz, que se dirigió decididamente a la entrada.

—¡De tu ira líbranos, Señor! —insistía doña Carmen, negándose a atender el llamador.

Luz abrió la ventanita de la puerta y se dio con el rostro brutal de un montonero.

—¡Le traigo un presente, niña!

Desfalleciendo, Luz pensó: "¡El hechizo no funcionó, han matado a Bastián y me traen su cabeza!". Luchó con los cerrojos y la tranca y al abrir la hoja, lanzaron a Sebastián y a Simón sobre ella.

—¡De parte de su hermanito, pues! —y entre risotadas y vivas a la Santa Federación, se perdieron en la oscuridad.

El murmullo de las letanías cesó; Luz se abrazó a su hermano, luego besó a Simón mientras repetía: "¡Gracias, Dios mío, gracias!", recuperando la voz de la plegaria.

9. LA CIUDAD RENDIDA

"Se comenta el lujo fastuoso de Ruiz Huidobro en campaña.
'Parece un mariscal del imperio francés', se repite. Viaja en galera,
con grandes equipajes, guardarropa, cocina y servidumbre."

Ramón J. Cárcano
Juan Facundo Quiroga

CÓRDOBA
21 DE JUNIO DE 1829

Comprendiendo que Quiroga lo había eludido, Paz ordenó regresar a Córdoba a marcha forzada. La borrasca que los alcanzó en Anizacate —una nevada que cubrió hasta la falda de los montes— no se dispersaba y a las seis de la tarde había oscurecido. Ráfagas heladas los embestían y al apaciguarse, la niebla tomaba posesión de la carretera.

—¿Dónde estamos? —preguntó Saint-Jacques adelantándose a los que arrastraban penosamente la artillería. Don Rafael Correa, ayudante de campo del general, contestó a través del embozo:

—Ya llegamos… pocas millas.

Sentían sobre el cuerpo los senderos de la montaña, las rigurosas temperaturas y el hambre: no podían comer más que galleta y charque —cecina— mientras marchaban.

Saint-Jacques ofreció su cabalgadura a Correa, que la había cedido solidariamente a un negro de los sufridos Cazadores.

—Aceptaré para que no crea que me hago el héroe —respondió el oficial ante su insistencia.

Cuando el terreno comenzaba a descender hacia la ciudad, distinguieron un lejano resplandor alargándose en la oscuridad.

—¿La ciudad incendiada? —se alarmó el francés.

—Un ejército vivaqueando —corrigió Correa—. No me achico en la pelea, pero se me encogen las tripas avanzando sin vanguardia. ¡Y ni un alma que nos anoticie, carajo!

Porque a medida que se acercaban a las goteras de la ciudad, sólo encontraban ranchos abandonados o un silencio hostil.

—Allá se ve luz —señaló el médico hacia un claro de la niebla.

—A ver si sirven de algo ustedes —chanceó Correa a dos parciales del guerrillero Luna, aliado de Paz—. Vayan y recaben...

—¿Que lo qué?

—¡Traigan información, mierda!

—Los acompaño —se ofreció Saint-Jacques.

—Apeado, no —se negó el guerrillero—. Si nos chumbean, no quiero andar estorbado.

Correa, riendo, entregó el caballo a su dueño.

—¿Algo más que objetar? —preguntó el francés.

—Vea, doctorcito, no se me desmande —le advirtió el Malandra señalando a su compañero (un paisano de La Higuera, cerril y rápido con el facón)—; a mi cuñado no le gustan las indecencias.

Al acercarse al rancho, unos perros famélicos los enfrentaron, teniendo que correrlos a lonjazos. Adentro se oían voces infantiles y una mujer grávida se asomó a la puerta.

—¿Qué hay? —la prepeó el Malandra—. ¿Han rendido la ciudad?

La mujer intentó escabullirse, pero el hombre le tiró el caballo encima: —Salga, doñita; no me gustaría ensuciar el cuchillo.

—No sé nada de nadas —contestó ella hoscamente.

—... tá bien —replicó el paisano, reculando—. A ver, cuñado, abajesé y me enciende un fueguito con esta bosta de rancho. Y usted, recoja los críos, que va cautiva.

La mujer ni se inmutó: eran hombres del Manco y su impopularidad corría pareja con la fama de inofensivos.

El Mulita macheteó dañinamente la ramada mientras su compañero armaba un cigarro.

—Al general no le va a gustar —deslizó Saint-Jacques.

—¿Y en de quién se lo irá a contar? —dijo tranquilamente el otro. El francés le alcanzó yesca y el paisano cobijó la chispa con las manos, exhalando el humo para avivar la brasa.

—No ha de ser nada, sepa; un sustito no más, para que afloje la sin hueso.

Tranquilizado, Armand sacó la petaca del coñac, tomó un trago y la ofreció:

—Si queda algo, pueden usarlo de combustible. Arderá rápido.

El Mulita envolvió el pañuelo en un palo, se echó un brindis, empapó el trapo y tomando el pitillo, sopló hasta encender la tea.

—¡Eh, que vá'cer! —se asustó la mujer al ver que la arrimaban a la paja del alero.

—Es que soy de Tulumba, doñita —se burló el Malandra—; el friazo me trae mal...

—¡Espere, que tengo los hijos dentro!

—¿Qué me cuenta del Tigre?

—No sé si habrán redotado la ciudad, pero dicen que el Facundo acampó como quien sale para el Jesús María.

El Mulita pisoteó el fuego, empinó la petaca y se la arrojó a Saint-Jacques.

—Lástima, era del bueno —se quejó.

—Prometo una botella para después del combate.

—... si todavía andamos —respondió el guerrillero, montando.

Transmitida la información, la oficialidad opinó que Quiroga, conociendo la proximidad del enemigo, había buscado terreno propicio para enfrentarlo.

—Me juego las... que está en La Tablada —calculó Correa desde los Altos del Matadero, mientras descendían buscando el nivel de la plaza.

A poco andar, de otro rancho, un viejo achacoso salió al oír la caballada y habló sin hacerse rogar.

—Los arrieros me han dicho que el Facundo entró con bandera de paz. Eso sí, ayer se han tirado con todo; desde aquí se oían los cuetazos.

—¿Con bandera de paz? ¡Imposible!

El hombre tosió desgarradoramente:

—Vea, mozo, no les habrá dao el cuero —y como temiendo que Quiroga lo oyera, se replegó murmurando—: Es malazo el hombre, señor. Tiene "tratos".

Paz se mostró remiso a admitir la noticia; luego de cambiar impresiones, ordenó al comandante Echevarría que penetrara en la ciudad:

—Ordéneles en mi nombre que salgan el gobernador o el ministro a verse conmigo.

También comisionó a Correa para que, de paisano, obtuviera información de los vecinos; Saint-Jacques señaló a los Osorio como fuente confiable y ya partían con los guerrilleros de escolta cuando don Luis Allende le rogó que transmitiera a Inés que estaba bueno y le mandaba su afecto.

Una hora después, Correa y el francés escuchaban a Sebastián mientras los guerrilleros, en la cocina, comían vorazmente.

—No fue una decisión fácil, créanme —decía el joven, demacrado—. Muchas señoras estaban en el templo y fuera de la plaza, el resto de los nuestros corría la más espantosa de las suertes. Fue un alivio la llegada del hijo de Isasa con la propuesta de Quiroga. ¿Qué podíamos negociar si lo tenían de rehén? Después, el riojano formó su ejército frente a nosotros. Era… ¡increíble, mitológico! ¡Un bosque de lanzas, centauros, reencarnaciones de los espectros de la guerra! ¡Aullaban como demonios, detallando con los términos más crudos lo que harían con nuestras mujeres, prometiendo convertir la ciudad en otra Cartago!

Acodado en la mesa, se cubrió los ojos:

—Los tambores no dejaban de sonar, enloqueciéndonos. Después, a intervalos, el corneta comenzó a tocar a degüello.

Los visitantes apartaron los platos y echaron mano del vino mientras el joven se recomponía.

—Y entonces, como llegado de la mismísima corte napoleónica, se presentó Ruiz Huidobro instándonos a aceptar las condiciones del magnánimo, ¡así lo llamo!, que respetuoso de esta Córdoba a la que tanto apreciaba, no tenía ánimo para destruirla, salvo por imperativo de la guerra. Dijo que el tratado sería estipulado por nosotros; que Quiroga se juramentaba a respetarlo pero que, en caso de negarnos, harían de Córdoba escarmiento para los enemigos de la Federación.

—Inadmisible que un caballero como Huidobro esté a las órdenes de ese energúmeno —carraspeó Correa—. Dicen que el caudillo se burla de sus extravagancias, llamándolo "generalito de papel".

—No se equivoque con Huidobro; es de un arrojo sin límites, a pesar de sus ropas de fantasías y sus ademanes femeniles. Me contó mi primo que se baña diariamente, tiene camisa para cada día del año, un séquito de cómicos en campaña y hasta un vate que lo acompaña para cantar sus hazañas. ¡Y no recuerdo qué número insólito de uniformes de gala!

Aturdido, Sebastián se mesó los cabellos, exclamando:

—¡Lares y manes, he llegado a creer que estamos en un país de fábula, concebido por un orate y regido por un manicomio!

—Calma, el general Paz pondrá remedio a esto.

—… en fin, que ese Adonis aseveró con perfecta dicción —no en vano Huidobro ha sido comediante— que no venían reventando caballos para asistir al Corpus, sino para doblegar la ciudad y tal harían. Imaginen que después de semejante escena, poco control teníamos sobre los nuestros, así que aceptamos, aunque dilatando las tratativas. A la tarde, Quiroga se enfureció y amenazó ataque inmediato si no había inmediata rendición de parte nuestra.

Se miró las manos, que le temblaban: —Sacamos el mejor partido al convenio; aquí, la copia que hizo Páez para mí...

La entregó a Correa, que la leyó en voz alta. Al terminar, los miró con estupor.

—Sorprendente. Quiero decir, que Quiroga haya aceptado estos términos. Supongo que está convencido de que nos aplastará y quiere granjearse la voluntad de la ciudadanía.

—Pues ya la perdió, porque si bien no fusiló a nadie, el saqueo a particulares y comerciantes ha sido indigno; a muchos no les dejó más que lo puesto. Han salido carretas y carretas cargadas para La Rioja.

—¿Y han respetado lo pactado?

—En todo, salvo en que se reservó cuatro oficiales tucumanos. Tememos que los mande fusilar... si no les reserva algo peor.

—Hay que comunicar con urgencia estas noticias al general.

—Voy con ustedes —se incorporó Sebastián.

—Usted ya ha hecho lo suyo, hombre —lo detuvo Correa—. Descanse y únase a nosotros mañana, en La Tablada, que buena falta nos hará.

En la galería, mientras esperaban por los caballos, se les presentó Inés, que, demudada, parecía incapaz de dirigirles la palabra.

—Tranquilícese, mademoiselle; don Luis está bien y le manda su afecto. Y mañana, Dios mediante, tendrá un capitán por prometido —le aseguró Correa, besándole la mano.

Varios cañonazos los sobresaltaron. Levantando la vista a la oscuridad brevemente iluminada, acomodaron nerviosamente las armas.

—Informan a Quiroga que Paz ha llegado. Debemos irnos inmediatamente.

Simón les hacía señas desde las barracas con la linterna.

Al galope hacia el campamento, uno de los guerrilleros dijo admirativamente:

—¡Qué la parió... que montón de hembra!

—En puntita de pieses, capaz le llegás al cogote —se burló el otro.

—Lindo para balconear de ahí.

Soltando la carcajada, Saint-Jacques comprendió que hablaban de Calandria.

10. SOLDADOS Y MONTONEROS

"El campo había quedado cubierto de cadáveres.
Esa noche, los rojos resplandores del fuego iluminaron
fantásticamente aquel cuadro dantesco de carnicería y muerte."

Rodolfo De Ferrari Rueda
Historia de Córdoba II

CÓRDOBA
22 DE JUNIO DE 1829

Paz se puso en marcha de inmediato, arrastrando trabajosamente las baterías en la noche sin luna: quería apostar convenientemente sus tropas para equilibrar las condiciones del combate.

—Se le van a encoger las criadillas al riojano cuando afloje la negrura y nos vea ahicito —había mascullado el Malandra a su cuñado; como serranos y cordobeses, privilegiaban la viveza a la fuerza.

Antes del mediodía, sólo separaba a los rivales una franja de tierra donde los enfrentamientos civiles tendrían su primera batalla.

Como última medida, Paz mandó romper el cerco del potrero para penetrar en él, provocando la protesta de La Madrid, a quien repugnaba combatir encerrado. Después de convencerlo, Paz les dio la consigna: triunfar antes del anochecer para impedir al caudillo reorganizarse.

Apenas tomaban posiciones cuando el Ejército Federal se mostró sobre la loma; ante el estupor de los unitarios, la línea de avance se prolongaba en una alucinación de miles de jinetes.

Soldados y oficiales, igualados en el trance, se persignaron; el capellán les hizo corear el acto de contrición y los bendijo mientras rosarios y cruces —más algún amuleto— recobraban la ilusión de prevalecer sobre la muerte.

Con un bramido pavoroso, la caballería de Facundo se lanzó cuesta abajo. Las columnas, comandadas por el Fraile Aldao, dieron un cuarto de conversión a la derecha sin alterar la formación ni disminuir la velocidad. Sin un respiro, envolvieron a La Madrid, que se

81

adelantó temerariamente. El choque fue brutal: se impusieron las fuerzas del Fraile.

La derecha de Paz —que soportaría lo más cruento del combate— fue arrollada y los milicianos se desbandaron, pasaron sobre la infantería, buscando desesperadamente las escasas aberturas del potrero. Ganaron el camino a Sinsacate llevando el convencimiento de que su jefe había sido descalabrado.

Rápidamente, Paz ordenó a la reserva dar paso a los que huían, pero venían tan entreverados con el enemigo, que su vida quedó a merced de la suerte; sin atender razones de sus oficiales, ordenó a los que conservaban la calma dispararles por la espalda a los desertores. Esa energía de su voz, el ruido de las armas aprestándose a obedecer contuvieron a los pocos que no habían salido del reducto.

Dominado el pánico, se unieron a Pedernera, quien ordenó a Pringles —héroe de la Independencia— que efectuara una carga apoyado por el escuadrón de La Madrid y la escolta de Paz. La maniobra inclinó la balanza de la victoria que los federales ya consideraban suya. Reanimadas así, las fuerzas del Manco buscaron nuevos choques con el enemigo, empecinados en dominar el campo.

Desde la loma donde habían instalado la enfermería, Saint-Jacques observó, fascinado, la puja: ninguno de los bandos se avenía a ceder un palmo; por fin, los federales comenzaron a retroceder, cayeron en el desorden y finalmente fueron desbordados por la gente del cordobés.

Mientras veteranos del Ejército del Norte —viejos que se resistían a licenciarse— ponían a salvo a los heridos, el francés vio a los federales retirarse en confusión. El cirujano, a su lado, observó calmosamente:

—Sólo están desconcertados. Volverán al ataque.

En aquel momento, el estruendo de la artillería unitaria se hizo oír y pronto se vieron sus estragos. Paz señaló a Facundo: mil hombres se habían congregado a su voz.

—Es necesario atacar donde está el general Quiroga; está haciendo esfuerzos sobrehumanos para organizarlos y traerlos otra vez a combate. Los momentos son preciosos, es necesario aprovecharlos para no darle tiempo.

—Imposible llegar hasta él, señor —se consternó su ayudante.

—Quiroga es el alma y el nervio de su ejército. Allá donde él está, es el punto decisivo del combate. Deheza se encargará del resto. Yo mismo me dedicaré a él.

Tuvo que reordenar sus escuadrones, pues no le quedaban más de trescientos hombres y el adversario se reforzaba con nuevas partidas. Ama-

82

gando y replegándose, impidió que los cuadros se unieran a sus mandos; la tropa federal entró en desconcierto y Facundo, enardecido por las deserciones, lanceó a los que lo abandonaban.

La capacidad del Manco iba paralizando a los jefes del caudillo mientras Paz, consciente de que si el desorden cundía en sus raleadas fuerzas se despeñaría en la más negra de las derrotas, mantenía un férreo control sobre los suyos.

Saint-Jacques notó algo inusitado, habían cesado disparos y cañoneo. Los ejércitos chocaban en un silencio sólo alterado por el ruido de los metales y el pifiar de los caballos; apagadamente, se oían juramentos y quejidos.

Durante dos largas horas, como una monstruosa partida de ajedrez, ambos bandos ganaron y perdieron alternativamente posiciones. Al fin, los celestes rebasaron a los colorados.

Detrás de Quiroga, el monte tupido preocupaba a Paz: el sol declinaba junto con el plazo para decidir la victoria. Luis Allende Pazo vio al capitán Ares vacilar ante la orden de usar tan poco ortodoxamente la caballería que no atinaba a obedecer. Impaciente, Paz le echó encima el caballo y Ares, alentando a sus hombres y seguido por don Luis, arremetió ciegamente, encomendándose a Dios.

A ésta, siguió otra orden insólita: disparar las baterías por elevación sobre la copa del bosque donde se atrincheraban los federales. Las descargas produjeron un ruido infernal sobre el follaje y hombres y bestias salieron de allí en estampida; el influjo del caudillo se quebró y Saint-Jacques vio que todo se disgregaba en torno a Facundo: sus feroces amenazas parecieron menos peligrosas que aquel —inesperadamente— experto rival, que jugaba sus menguadas fuerzas como soldaditos de plomo sobre un tablero imaginario.

Agrupando un quinto de sus hombres, el Tigre se dirigió velozmente a la ciudad para apoderarse de la artillería de la plaza, todavía guardada por sus hombres.

Las sombras llegaban y aún se libraban acérrimos combates. Don Javier López y sus tucumanos efectuaron cargas exitosas, despejando el terreno de opositores. No obstante, un piquete riojano, al mando del comandante Peñaloza —el Chacho—, llegó hasta los cañones unitarios y, enlazándolos, los arrastraron hacia sus filas. Advertido Deheza, los auxilió con una briosa acometida que concluyó con el abandono de los cañones y la retirada de los bravos jinetes.

Pero sólo se pudo gritar "¡Victoria!" cuando la derecha de Paz, enfrentada a los famosos Llaneros de La Rioja, a los Auxiliares de los Andes y a lo más aguerrido de las tropas federales, consiguió doblegar la voluntad de aquellos hombres.

La batalla concluyó con el potrero cubierto de cuerpos despedazados y la tierra removida como por un arado gigantesco.

Saint-Jacques y el cirujano notaron el respiro que por fin dejó oír el viento. Y como un golpe en el pecho, el Quinto Batallón rompió en música estridente, a la que se unieron los clarines de la Caballería. Después, ante el evidente cese del fuego, estalló el griterío de la tropa.

Los tambores señalaron la llegada de cientos de prisioneros colorados empujados por un muro de lanzas adornadas con gallardetes y pañuelos celestes o blancos. El grito de "¡Victoria, victoria!" se multiplicó de uno a otro extremo de La Tablada y médicos y heridos se abrazaron, muchos rompiendo en llanto.

En el bajo, hombres confusos tropezaban con los muertos, pedían por el capellán para el amigo que expiraba, o gritaban el nombre del padre, del hermano, buscándolo febrilmente entre los caídos, muchos irreconocibles por la crudeza del enfrentamiento.

Saint-Jacques, agitando la chaqueta sobre la cabeza, repetía él también el nombre del amigo. Ya no se distinguían los gritos de entusiasmo de los nombres pronunciados en la desolación de la hora.

Una voz alterada sonó en francés: Sebastián, en camisa a pesar de la intemperancia del clima, corría hacia él. Se abrazaron sin avergonzarse de sus lágrimas.

—¡Hemos salvado la Civilización de la Barbarie, Armand! ¡Hemos librado a Roma de los hunos! —repetía, temblando.

Por momentos, el hambre, la fatiga y el dolor desaparecieron; se formaron grupos que comentaban los aciertos de sus jefes y el coraje del adversario. Relataban, acongojados, hazañas de compañeros caídos y se palmeaban y persignaban, congratulándose de estar vivos.

Luis Allende Pazo, que departía con la oficialidad, fue hacia su cuñado; llevaba el brazo en un cabestrillo improvisado.

—¿Estás ileso? —Y al ver que sí, dijo en tono profesional—: Buen triunfo y ganado en justicia.

—¿Y doctor... para cuándo la petaquita?

Al volverse, el francés dio con el Malandra y el Mulita, desgreñados y con aspecto deplorable. El primero sostenía a su compañero y en la siniestra cargaba un par de botas tomadas de algún muerto; el otro tenía la cara bañada en sangre.

84

—No se moleste, que no ha de ser nada —dijo estoicamente al ver la alarma del médico y mostró un facón con empuñadura de plata, veleidad de algún salteño, aclarando—: Se lo tuve que quitar para que aprenda a no andar marcando gentes —y expulsó un feroz escupitajo. Su cuñado aclaró seriamente:

—Nunca le gustó que le manosearan la careta.

—¿Y Luna? ¿Llegó con la tropilla? —preguntó Sebastián por el jefe de guerrillas.

—¿Y en de cuándo ha faltado ese hombre a la palabra? —se amoscó el Malandra.

Saint-Jacques los condujo hacia la enfermería con la promesa de darles el coñac.

Vacilantes, surgieron los primeros fuegos y se oyó el mugir de las reses sacrificadas. El nombre de Luna, a quien debían el arreo que les proporcionaría la primera comida en días, fue ovacionado.

Los golpes se repitieron en la ventana de la sala mientras Luz y Calandria se miraban, recelando en abrir y aun contestar.

—¿Y si les ha pasado algo a los muchachos? —dudó Luz. Después de un segundo de titubeo, la morena aceptó disimularse detrás del cortinado, la pistola amartillada.

—Si hay peligro, tirate al suelo sin asco, que los chumbeo.

Luz acercó el candelabro y abrió apenas la hoja: vio dos ranqueles de traza apocalíptica, ellos y sus potros embadurnados en barro y sangre. Conteniendo el aliento, oyó que le preguntaban: "¿Mujer de Enmanuel?", más que como consigna, con curiosidad. Asintió con un gesto.

—Soy Ramón Lienán, lugarteniente de tu hermano —y apoyó la lanza en la reja con un papel en la moharra.

Luz lo tomó y ellos desaparecieron sin un ruido.

—¿Qué dice? —la urgió Calandria mientras, con manos inseguras, la joven desdoblaba el mensaje.

—Fernando deja la plaza para seguir a Quiroga; dice que... ¡Paz ha vencido! —exclamó, estrujando la carta—. ¡Dios lo bendiga, nos ha salvado!

Ambas se abrazaron, saltando y riendo, cuando las sombras de doña Carmen y Severa las sobresaltaron.

Luz volvió a leer la misiva y quedó alelada al ver desfallecer a su madre. Severa tuvo que arrimarle una silla y Calandria corrió por las sales.

—Termina de leer —exigió la matrona.

Cuando la joven llegó a las frases donde Fernando le pedía intercediera "ante ya sabes quién" para obtener su perdón, la señora pensó que se refería a don Carlos.

—¿Hasta cuándo pagaremos tus pecados? —le recriminó al retirarse, descargando en ella la deserción del muchacho.

—¿Que lo perdone? —estalló Calandria cuando quedaron solas—. ¡Jamases nunca!, ¡ese cretino está muerto para mí, muerto!

Y escapó, dejando a Luz atragantada con las acusaciones de su madre.

11. LANCEROS AL AMANECER

> "Facundo huye de aquel campo de vergüenza
> para él sin esperanza de desquite, porque ha agotado
> sus elementos y comprometido su prestigio."
>
> Eduardo Gutiérrez
> *El Chacho*

CÓRDOBA
23 DE JUNIO DE 1829

Mientras uno de los ranqueles mascaba hojas y ponía el emplasto ensalivado sobre la herida de Fernando, otro se entretenía en armar cigarros de chala. El joven les pasó la caramañola con caña.

El alba se insinuaba sobre el alto donde estaban disimulados; en tanto, abajo, el enemigo avanzaba entre chacras abandonadas. Los altibajos del terreno, lo angosto del camino obligaban a Paz a formar en columna —buscaba el paso del río Suquía— a la par que propiciaban la emboscada.

Fernando masticó un trozo de charque que los indios habían despreciado —acostumbrados a la carne cruda, aquello les sabía a podre—, se cubrió la herida y revisó las armas: lanza, pistola, cuchillo, sable, bolsa de municiones y boleadoras.

Ramón Lienán, en cuclillas, pitaba y revisaba una casaca obtenida en el campo de batalla, la noche anterior.

—Ahora sos teniente —ironizó Fernando.

El ranquel de la derecha le sacudió la pierna:

—¿Cuándo, Chañarito, cuándo?

Como el resto de la tropa, esperaba con impaciencia cobrarse la derrota del día anterior.

—Ya, hombre —lo calmó Fernando, cuando el teniente Acosta, arrastrándose, les hizo señas de avanzar a tiempo que se oía a sus jefes ordenar—: ¡A la carga y pasar a degüello!

Las exclamaciones fueron reforzadas por un tiro de cañón.

Fernando y sus lanceros montaron rápidamente y, liberando el alarido, se largaron por las barrancas de la izquierda, cayendo sobre la retaguardia de Paz, que había quedado muy lejos de la cabeza de mando.

En segundos, el espanto y la consternación de los atacados fue total. Los ranqueles imprimían a sus tacuaras un movimiento vibratorio capaz de desmontar al más pintado; soldados que no le esquivaban al lanzazo se achicaban ante el zumbido de las boleadoras, arrojándose por las barrancas de la derecha, que daban al río.

Después de la embestida, Fernando sofrenó el tordillo, satisfecho: sólo quedaba en el terreno despejado un jinete que, despedido de la silla, se incorporaba a duras penas. Sintió repugnancia de rematarlo —estaba inerme y atontado—, pero el ranquel que lo flanqueaba se le fue al humo.

El hombre se volvió y Fernando reconoció a Sebastián, que sin atinar a ponerse a salvo de aquella furia desgreñada, parecía ofrecerse a la muerte.

El grito de Fernando hizo que el indio se volviera a mirarlo; con un pechazo formidable, el joven lo sacó de línea y a la carrera tomó a su hermano del chaquetón y lo arrastró un trecho. Cuando quiso socorrer a su compañero de armas, vio que otro jinete, tomando puntería sobre el antebrazo, le disparaba a la cabeza.

Enardecido, gritó a su hermano:

—¡Al río, Seba, al río! ¡No te quedes ahí!

Sebastián lo reconoció, pero intentó unirse a sus camaradas. Furioso por la muerte del lancero, Fernando le echó el potro encima.

—¡Corré, so mierda, que venimos degollando! —y le encajó un planazo en la espalda, sin descuidar al de la pistola —Saint-Jacques— que recargaba el arma.

Miró con desesperación a su hermano y, agachándose, intentó tocarlo, pero el otro, mudo de cólera, lo rechazó.

Exasperado, Fernando le puso la bota en el pecho y lo empujó. Sebastián se incorporó porfiadamente y, mostrándole el puño, le enrostró:

—¡Traidor! ¡Traidor a tu tierra, a tu sangre, a tus iguales!

—¡Andate al carajo, maricón! —vociferó el menor con hiel en la boca y, sin perder de vista al tirador, se agachó a lo pampa y escapó al galope sesgado a tiempo de oír la bala silbar sobre las orejas del caballo.

En la ciega carrera librada al instinto del animal, sudó ante la idea del fratricidio. Recordó los insultos de Luz, el desaire de Calandria, las amenazas de Severa...

—¡Hembras de mierda! —aulló. Y reagrupando a los suyos, los condujo hacia las baterías enemigas, lejos de su hermano.

Acosta les dio alcance:

—Linda la carga, pero es al pedo —barbotó, porque la habilidad de Paz volvía a superarlos.

El cañonazo había advertido al Manco que algo anormal sucedía en la retaguardia; la avalancha de hombres que lo alcanzó en el Bajo de Galán se lo confirmó.

Conservándose sereno, había ordenado dejar paso a los que huían, mientras organizaba el contraataque mandando escalar las barrancas de la izquierda a un piquete de morenos, para sorprender por la espalda a los federales, que jamás imaginaron que el peligro podía venir desde sus mismas posiciones.

La retaguardia unitaria, viéndose socorrida, recuperó el temple y dejó de escapar para presentar batalla. La situación sufrió un vuelco: los hombres de Quiroga quedaron entre dos fuegos y su temeridad se estrelló, llena de coraje pero inoperante, contra las maniobras del Manco.

Pronto fue evidente para los colorados que todo estaba perdido, pero continuaron combatiendo mientras veían caer a sus compañeros entre juramentos y lágrimas de ira.

Fernando, atormentado por haber conducido a los ranqueles a aquella matanza sin sentido, a una guerra que no les pertenecía, peleó hasta que perdió el sable y astilló la chuza; luego tomó las boleadoras y haciéndolas zumbar sobre su cabeza se abrió paso entre los que lo acosaban a tiempo que sus parciales acudían a rescatarlo al grito de ¡"Chañarito toro"!

Rodeado de ellos se puso a salvo, buscando a Acosta.

—Se acabó —jadeó éste—; vamos al muere, mejor derrotarnos —lo que significaba abandonar el campo de batalla antes que el enemigo los obligara a hacerlo.

Fernando puso a los sobrevivientes al mando de Ramón Lienán y les ordenó hacerse repeluz:

—Para la tercera luna, nos juntamos en la cueva de las pinturas, al sur —y como muchos se negaran a dejarlo, bramó—: ¡Obedezcan, mierdas!

A la despiadada claridad de la mañana, Acosta los vio internarse en el monte de talas y dedujo que iban a despachar unitarios acobardados.

—¡Qué, compadre! —se burló de Fernando al ver que no los acompañaba—, ¿todavía le quedan remilgos de madamita?

—Vamos a darle una carga de yapa al Manco —propuso el joven.

—Al vicio será, pero vamos; me han dejado con la sangre en el ojo esos jodidos.

A pesar de que muchos habían perdido las armas, los federales presentaban una feroz resistencia. Jurando atrocidades, se defendían con palos, piedras y puños, ofendidos ante las ofertas de rendición y clemencia.

Los últimos en ser doblegados fueron los artilleros, pero finalmente las baterías, el parque y las municiones quedaron en poder del general Paz.

La batalla por Córdoba se había convertido en un desastre oneroso para Facundo, tanto numérica como moralmente. Mil hombres, si no más, habían muerto y quinientos, al menos, quedaron prisioneros. La serranía acogió a los que huían.

Fernando vio al ex gobernador Bustos, herido, instando a sus parciales a seguirlo a Santa Fe, mientras Quiroga y sus principales se dispersaban hacia La Rioja.

Decidió unirse a Acosta y juntos galoparon presintiendo el resuello de la caballería de La Madrid en el pescuezo. Libre del desorden de la batalla, Fernando se preguntaba por la suerte de su hermano y, recordando la amenaza de Severa, se tanteó los genitales.

—¿Para dónde rumbeás? —preguntó Acosta.

—Por Traslasierra, al sur.

El teniente apostrofó:

—¡Puta suerte, como que es hembra! —Y después—: Yo me tuerzo para Punilla; tengo amigos de ley que me han de dar una mano con los dispersos. Hay que reunirse con el Tigre, en Los Llanos.

Fernando asintió, pero la derrota avivaba la mortificación de lo que dejaba atrás. "Debí traerme a Calandria", pensó con un dolor inubicable.

Lejos de él, Sebastián temblaba incontrolablemente mientras Saint-Jacques le vendaba la cabeza con el pañuelo.

—Era mi hermano —balbuceó cuando pudo hablar.

Juntos treparon la barranca por la que finalmente habían rodado. Arriba comenzaba a congregarse la tropa.

Sebastián se aferró al capote de su amigo:

—¡Me salvó la vida dos veces y le pagué llamándolo traidor!

Don Luis, ahora capitán, llegó al trote, interrumpiéndolos.

—¿Están bien?

—Sí, sólo sufrimos una rodada —señaló el francés.

—Mejor así; no querría llevar a Inés malas noticias en este día de gloria —y reclinándose en la montura, bromeó—: Sospecho que las mujeres prefieren hermanos vivos a héroes muertos, Bastián.

Luego les anunció:

—El general Paz ha destacado a Correa para que entre en la ciudad como observador. ¿Quieren acompañarlo?

Ambos dijeron que sí, viendo venir al Mulita y el Malandra que traían de la brida al caballo de Saint-Jacques, al que habían encontrado ramoneando. No tardaron en conseguir otro para Sebastián.

—¿Y no merecerá una yapita la voluntá? —preguntó taimadamente uno de ellos mientras ajustaba las cinchas.

Armand, que los veía como ángeles custodios, compartió con ellos el resto del coñac y lo que le quedaba de tabaco.

12. CON MÁS VIDAS QUE UN GATO

"La irritación del ejército era justa, pero no debía ser un jefe
de él quien procurase enconarla más, sin otro fin ni objeto que
derramar un poco más de sangre; demasiada había corrido
ese día y era sangre de argentinos."

José María Paz
Memorias póstumas

CÓRDOBA
FIN DE JUNIO DE 1829

Al saber del sitio de Córdoba, don Carlos y otros vecinos que temían por sus familias viajaron a la ciudad con una fuerte partida de peones, por si al guerrillero Guevara, azote de la región, se le ocurría sorprenderlos.

No bien llegar, patriarca en su sala, rodeado de familiares y servidumbre, escuchó el relato de lo sucedido.

—… yo apreté los dientes y pensé: "De ésta no me salvo, nos arrollan". Me consolé pensando que Byron murió luchando en Crimea —decía Sebastián y Saint-Jacques enfatizaba:

—La reacción de Paz en el Bajo de Galán fue digna de Napoleón.

—¿Sabe, padre, que Fernando me salvó la vida?

Se hizo un silencio que don Carlos se negó a romper. Su hijo señaló a Simón Viejo.

—Nos habían retenido en el cabildo y temíamos por nuestras vidas cuando se presentaron dos facinerosos gritando: "¡Eduardo Páez, Edmundo Osorio, Sebastián Osorio y su criado Simón!". Creímos llegada la última hora. Eduardo hasta exigió confesor, pero entre empellones y bromas macabras nos sacaron de la plaza. Edmundo comenzó a provocarlos diciéndoles que estábamos cansados de matar "clinudos" —por las largas y enmarañadas melenas de los montoneros— hasta que Simón nos aconsejó prudencia. "Compórtense", nos decía, "no tienten al diablo… esto es cosa del Payito, de juro…" y tenía razón —terminó Sebastián palmeando al negro.

Relató luego el encuentro con su hermano en el Bajo de Galán y como su padre se abstuviera de comentarios, el francés tomó la palabra.

—Si La Madrid hubiera obedecido las instrucciones del general Paz, Quiroga no tendría ahora ni los restos de un ejército.

—A enemigo que huye, puente de plata —sentenció don Carlos.

—No en este caso —opuso su hijo—. Quiroga es cual una hidra; hubiera sido más sensato aniquilarlo.

—¿Y qué tal se comportó Edmundo?

—Ah, ese bribón burló a tía Amalia y me lo encontré luchando codo a codo con Tejedor; debe ser ahijado de los dioses, ya que salió sin un rasguño. Tía casi muere, pues lo hacía con los frailes, socorriendo heridos.

—José María debe haber sentido mucho la muerte de Correa y Tejedor. Los tenía en gran estima como amigos y como oficiales.

A Sebastián se le nubló el semblante:

—Íbamos de reconocimiento con Correa cuando sucedió: unos montoneros que abandonaban la plaza en estampida se toparon con nosotros y nos dispararon. Fue un milagro que sólo a él le dieran —movió el líquido de la copa sin levantar la vista—. Lo de Tejedor fue peor aún: lo mataron bajo bandera de parlamento. El coronel Maure...

—¿El cuñado de Bustos? No puedo creer que él...

—Usted lleva razón; lo que sucedió fue que Maure estaba al mando del fuerte y trató con Tejedor la rendición, siempre que se les garantizara vida y honor. Tejedor obtuvo la palabra de Paz y regresó a comunicarla cuando, pasados minutos apenas, escuchamos el tiroteo y la escolta volvió informando que les habían disparado desde el techo del cabildo a pesar de que llevaban la bandera blanca.

—El general quedó consternado. Lo oí decir: "En Tejedor y Correa hizo la Patria y yo dos pérdidas bien sensibles".

—¿Y qué hizo el Manco?

—Marchamos sobre la plaza, pero don Juan Argüello se apersonó explicando que la infamia había sido obra de unos desalmados a quienes ya habían apresado. Y nos señaló del otro lado del foso varios paisanos boca abajo y amarrados.

Sebastián se puso de pie, paseándose con nerviosismo.

—Los nuestros, enardecidos, querían eliminarlos, pero el general Paz aclaró con firmeza que no permitiría ejecuciones sumarias...

—Pero entonces apareció el Superior del Colegio de Loreto, con estudiantes, profesores y charanga. El general se adelantó a saludarlos mientras rellenaban la zanja de Las Catalinas... —Armand levantó los brazos—. Los nuestros los fusilaron a mansalva, dicen que por instigación del general Deheza.

—Reconozco que los hombres estaban fuera de sí por las dos muertes (don Rafael y Tejedor eran muy apreciados), sin contar que los tucumanos daban a sus compañeros por ejecutados (aquellos que retuvo Quiroga contra lo pactado). Imagine usted, padre, el pánico de los atrincherados. Supusieron que Paz no respetaría la promesa dada.

—Tengo a Deheza —intervino el médico— por un carácter cruel; ese mismo día había hecho fusilar más de cien prisioneros sin consultar al general.

—Verdad; un miliciano se apresuró a advertírselo al Manco, quien mandó apresuradamente un oficial para detener la matanza. Éste alegó no haber llegado a tiempo, pero de la investigación se sospechó mala voluntad en el emisario. Paz tuvo un acceso de cólera con los responsables, pero el daño ya estaba hecho.

—¿Y cómo se justificó Deheza?

—Alegando que era en represalia por los tucumanos sacrificados. Lo triste del caso es que los prisioneros murieron sin motivos, pues los tucumanos habían logrado escapar, uniéndose más tarde a sus mandos. "Demasiada sangre ha corrido este día y era sangre argentina", le enrostró Paz a Deheza.

Y dejando lo amargo de la victoria, el hacendado preguntó:

—¿Y qué fue lo del obispo Lazcano?

Una sonrisa, maliciosas miradas aliviaron la atmósfera. Se oyeron risitas contenidas.

—De antología —se relamió Sebastián, arrellanándose a gusto—. Resulta que los dispersos de la primera carga, en La Tablada, huyeron hacia el Jesús María, desparramando el equívoco de que Paz había sido descalabrado...

—Con gran contento de nuestro obispo, supongo, ya que es rendido admirador de Facundo desde que levantó aquel trato negro que rezaba "Religión o Muerte".

—Así es; el prelado sacudió Sinsacate con repiques festivos y hasta luces de artificio celebrando el triunfo federal. Luego cabalgó a Córdoba para participar de la victoria "colorada", cuando a mitad de camino se entera de su error y se vuelve a la chita callando, declarándose... en retiro espiritual. Oh, preguntado, hizo saber que los festejos habían sido en honor de los sanjuanes. Como caen varios por aquellas fechas...

94

—Paz se rió, pero preguntó qué hubiera pasado si Lazcano hubiese cometido semejante error con Quiroga y no con él.

Una carcajada coreó lo dicho; doña Carmen la cortó, tajante:

—No es correcto burlarse de un príncipe de la Iglesia.

—Tampoco lo es que un obispo tome bandera política —contestó don Carlos. A pesar de que su hermana Francisquita era fiel admiradora del obispo de Comanén, él no soportaba la intolerancia del prelado.

Saint-Jacques le preguntó si creía que aquellos triunfos revertirían la opinión popular en favor de Paz.

—De la ciudad y gente acomodada, sí. Son comerciantes o hacendados a quienes la fortuna vuelve cautos y prefieren que la política se muestre clara antes de tomar partido. Pero la campaña... en verdad, lo dudo. Muchos de ellos toman la moderación de Paz por debilidad; si el Manco no juega bien sus triunfos, caeremos bajo la influencia de Quiroga u otro como él. Buenos Aires no nos perderá de vista, somos un punto estratégico en el país. O reafirmamos nuestra importancia, o nos tomarán de potrero cuantos ejércitos nos crucen.

—El guerrillero Luna nos dijo que la campaña está sublevada.

—No tanto, pero la vida fuera de la ciudad es difícil. José María tendrá que reprimir si quiere hacer habitable la extensión de la provincia, porque hay muchos desalmados cometiendo barbaridades que más tienen que ver con la rapiña y la crueldad que con la política. Pero en cuanto les alce la mano, algunos interesados saltarán diciendo que a aquellos se los persigue por su signo político y no por sus crímenes.

Atemperando la inquietud, continuó:

—Pero Rosas no es sonso. El cuco preferido —Quiroga— no asusta tanto desde que hay quien le pare los pies. Dicen por la frontera que don Estanislao López anda con ganas de tratar con el Manco. Yo no me fiaría; ese López es muy avisado. Miren lo que le hizo a Lavalle... ¡empastarle la caballada con mío-mío! Se la ganó sin empeñar una bala. De todos modos, Rosas no le permitirá pactos con Córdoba: Santa Fe es la llave del Interior. —Suspirando, terminó—: Va a estar muy solo Facundo por un tiempo...

—Hasta que haga una nueva matanza y resucite de sus cenizas —declaró Sebastián torvamente.

—Es posible. ¿Y qué hay de los festejos?

—Aplazados, ya que el general debe dedicarse primero a desarticular las montoneras.

—Los estancieros, agradecidos.

Don Carlos se puso de pie:

—Voy a echarme un rato, que estoy molido.

—¿Ha tenido noticias de mi hermana, de Martín? —preguntó doña Carmen, siempre en sus trece de no usar el tuteo con su esposo.

—Lezama ha mandado a todos a San Luis, pero apenas puede sujetar a los muchachos; esperemos que Gonzalo se enfríe con la derrota de Facundo. Ardía por unirse a él y le ha calentado los cascos a Martincito.

Al notar que el francés y su hijo se ponían las capas, los interpeló:

—Y ustedes, caballeros, ¿adónde van a estas horas?

—A lo de Edmundo, padre. Tenemos una reunión literaria. Lacordaire estará presente.

Don Carlos movió la cabeza. "Pero se han portado como bravos", les concedió. No era del mayor, precisamente, de quien esperaba hazañas.

Los criados comenzaron a ordenar la sala. Luz y Calandria se quedaron rezagadas.

—¿Qué te dijo Sebastián? ¿Han sabido algo del Payo?

—Quedate tranquila: han recorrido el campo de batalla y los cuarteles y no está prisionero… ni muerto. Debemos suponer que consiguió escapar.

Alentadoramente, le apretó la mano:

—Vamos, Cala, que tiene más vidas que un gato; volverá el día menos pensado.

—Entonces, por ésta —juró Calandria besándose los dedos en cruz— que me alzo con él así me echen los perros.

13. UNA MAÑANA DE JULIO

*"Unas hilan plata y oro / otras hay que adoban guantes, /
otras viven de costura, / otras de punta de encaje... /
Otras hay que hacen rosquillas, / conservas y mazapanes, /
otras chicha de maíz, / otras que venden tamales."*

Anónimo, citado por G. Furlong, S. J.
Historia social y cultural del Río de la Plata

CÓRDOBA
JULIO DE 1829

Al finalizar julio, considerando pacificada la campaña, Paz regresó a Córdoba.

Diestramente había neutralizado al guerrillero Guevara —federal— mandando tres comisiones por distintas rutas, de modo que éste, escapando de una, cayó en manos de otra. Ante el indulto, muchos guerrilleros se dispersaron, otros se unieron a Paz. Guevara optó por mantenerse tranquilo hasta que, tentado por el caudillo santafesino Estanislao López, retornó a sus "extravíos" como bromeaba el Manco.

En tanto, en la capital de la provincia, se preparaban los festejos. Se levantaron dos espléndidos arcos a la entrada y, en la Plaza Mayor, un llamativo templete con escalinata. Las damas ensayaron un "número": nueve musas cantarían loas a los vencedores. Luz fue propuesta por Jeromita Carranza, su mejor amiga, para integrar aquel Olimpo, pero entre silencios y misterios, las organizadoras la rechazaron. Jeromita, que era una de las musas, se sintió dolida y Luz se encontró en la desairada posición de haber sido impugnada sin haberse postulado. Mirando los ingenuos ojos de su amiga, la joven comprendió que no podía confiarle su secreto.

Al margen de la tragicomedia que los cambios de poder provocaban, los preparativos tenían muy entretenida a la población. Toda la liturgia civil y eclesiástica estaba en marcha, candorosamente convencidos de que La Tablada era la victoria final. Y bordadoras y ojaladoras, encajeras y pasamaneras, floristas y veladoras, más aquel gentío humilde, fabricantes de dulces y frituras, estaban muy atareados ganándose unos reales a cuenta de los festejos.

Por aquellos días, la presencia de un inglés asociado a José María Fragueiro y Mariano Lozano atraía la curiosidad de las damas y el interés de los caballeros; representaba a una compañía británica en minas y se esperaba que el "gringo" —así se denominaba al extranjero, particularmente al inglés— invirtiera en la provincia.

Aquella mañana de julio, Paz formó el ejército a un costado de la plaza y con sus oficiales avanzó al encuentro de "notables, prelados y togados". Sonó el redoble del tambor sobre los vítores y la bombarda estremeció el aire mientras ascendían al templete, donde esperaban las bellas Hijas de Córdoba; había allí uno que otro sillón cedido por la Curia y aun el cabildo, para descanso de autoridades y de alguna estantigua viviente, que creía que festejaban la coronación de un Borbón y no el triunfo de una facción republicana.

Las señoras se arracimaban entre las columnas de laureles, y frente al palco, de pie o en sillas de su propiedad, veíase a los que no habían conseguido un lugar relevante; atrás y a los costados se amontonaba el pueblo llano.

Habían dejado a Luz con la abuela Adelaida, pero Farrell, que llevaba a Laurita de paseo, convenció a la anciana de que la dejara acompañarlos a la plaza.

Cuando llegaron allí, terminaban los discursos predecibles y Edmundo tomaba la palabra. El muchacho venía nimbado de cierta fama entre la intelectualidad universitaria, que voceó su nombre.

Luego de dos frases de historia, Edmundo se lanzó al panegírico de los Héroes de la Civilización. Su estampa de ángel de *boudoir*, sus fogosos ademanes, la cadencia de su voz —"tiene voz de púlpito", decían sus tías— cautivaron tanto a los que entendían como a los que no: era casi una representación teatral, tan raras en Córdoba.

Luz señaló a Farrell al más anciano de los Díaz Colodrero, de luto, casi sordo, con el cornetín a la oreja y asintiendo rígidamente —decían que usaba corset— a cada acierto que pescaba.

Un gentío inusual ocupaba la plaza y la escalinata de la catedral era defendida por clérigos y coro. En los techos del cabildo, policías acodados tomaban mate y en las casas circundantes, sentadas a las rejas, las mujeres lucían como para el santo patrono. Los hombres habían sacado asientos a las veredas y, rodeados por los domésticos, hacían circular el mate o la bota de vino.

De a ratos, alguna frase se colaba entre los ladridos de los perros o el mugir de los bueyes, pues muchas carretas habían llegado para lucrar con la celebración.

"Venerables guerreros, héroes de penosas campañas llegados hasta nosotros para recibir la recompensa en la modestia de nuestras ofrendas", declamaba Edmundo.

Junto a Luz, una anciana de aspecto sufrido se secó una lágrima; apoyaba el cuerpo en una rama, más a modo de cayado que de bastón. Cubría su cabeza un pañuelo unitario.

Farrell zamarreó a un estudiante que, volviéndose, se apresuró a ofrecerle asiento. Ella, con serena dignidad, rehusó; atontada por los gallardetes, los tambores y las muchedumbres, se arrimó al cabildo y allí permaneció absorbiendo las frases de Shakespeare que con tanto ardor recitaba aquel joven sutilmente afeminado.

Al concluir el discurso, la ovación fue sublime —la adjetivó Sebastián— y cuando Luz reinició la marcha, Farrell se quejó:

—¿Qué sucede con tu padre, Luz? No lo hacía un figurón.

—Oh, tío, no prejuzgue; papá ha puesto sus esperanzas constitucionales en el general Paz, quien ha conseguido lo que parecía imposible: que él y Sebastián estén en el mismo bando.

Como pasó una mulata ofreciendo rosquillas, Farrell se apresuró a consentirlas. Mientras la morena hacía un bonete de papel áspero y lo llenaba, él buscó unas monedas, gruñendo:

—Pues en mi caso, no me largué de Navarro para caer en La Tablada. —Y concedió—: El Manco es de ley, pero estos enfrentamientos me tienen despechado; esos ingenuos —y señaló la plaza atestada— piensan que lo peor ya pasó. No imaginan lo que se avecina.

Aceptó de Laura una rosquilla, saboreándola con deleite.

—Somos una isla unitaria en un mar de federales, que tienen —Laurita tápese los oídos y tú me perdonas, Luz— más cojones que cabeza... —se limpió los dedos y continuó—: Ayer estuve con el inglés, por las minas de San Ignacio y del Tucurú que mi padre sondeó y, como es de rigor, terminamos hablando de política. Me contó que meses atrás, San Martín —bendito sea, forjador de naciones— estuvo en Buenos Aires con la intención de agruparnos en un Estado Nacional Unido... —irritado, endureció la expresión—: ¿Y sabes qué pasó, querida? Ni siquiera desembarcó; unitarios y federales le hicieron ver que la reconciliación era imposible.

—Tío —lo tomó Laura de la mano—, cuando usted sea viejito yo voy a cuidarlo, como dicen que Merceditas cuida de don José.

—Ésa es mi ahijada —se enterneció Farrell, besándola en la coronilla. El comandante no tenía hijos, aunque Luz sabía —por Calandria— que se le había muerto uno, engendrado fuera del matrimonio; por todo esto, decían, don Eduardo flaqueaba por Laura.

—¿Vendrá a la fiesta que papá ofrece mañana al general?

—No, Luz; ya expliqué a Carlos mi posición. Y no me creas malquistado con el Manco. Lo aprecio muchísimo. Siempre nos estamos encontrando en lo de su hermana —la de Weild, que tiene esa hija tan linda— o él pasa por casa a tomarse unos mates…

Saludando ceremoniosamente a unos conocidos, agregó torcidamente:

—Y luego anda Mercedes ufanándose por ahí: "Cuando vino el general a aconsejarse con Farrell…".

Las chicas rieron, pues aun queriendo mucho a su tía, la consideraban algo tonta y bastante cursi.

—Mira, Luz —indicó el comandante hacia los palcos—. Aquel hombre que está pegado a Lozano…

—¿Quién es?

—Mr. Harrison, el socio que él y Fragueiro se han traído de Londres, interesándolo en las minas. Menudo chasco se ha de llevar el gringo…

El extranjero saludó a Farrell y al mirar a Luz, una evidente expresión de admiración desplazó de su semblante el aburrimiento.

El comandante, después de contestar, había quedado clavado en el lugar, interesado en el discurso del padre Castro Barros. Y los ojos de Luz, sin que pudiera ella evitarlo, se encontraron con los del inglés. Se sintió sacudida por un presentimiento —no sabía si de dicha o de dolor— y al seguir la caminata, tuvo que hacer un esfuerzo para no volverse a ver si el desconocido la seguía con la mirada.

14. EL ÁNGEL OSCURO

"Sus cabellos eran más dorados que la flor de la retama, su piel más blanca que la espuma del mar, su mirada más clara que la del halcón. No era posible verla sin sentirse penetrado de amor."

Relatos galeses
Olwen, la de la Blanca Huella

CÓRDOBA
FIN DE JULIO DE 1829

El agasajo que los Osorio ofrecieron al general Paz dio mucho que hablar: se despertaron envidias, se levantaron comadreos, se reforzaron alianzas, se conjeturaron regalías.

Desde temprano, el solar mantuvo puertas y ventanas abiertas y cantidad de curiosos recorrieron la calle, atentos a llevar detalles del sarao a parientes, amigos o patrones.

Adentro, el resplandor de las bujías multiplicado por los espejos hacía aparecer la sala como una gran capilla ardiente; los caireles se estremecían y desde otro salón llegaba el sonido del pianoforte.

Los criados lucían librea y circulaban ofreciendo refrescos a las damas y licores a los hombres.

El cristal de Bohemia y la platería potosina brillaban "como el mismísimo Perú", al decir de misia Francisquita que, con otras ilustres —casi todas emparentadas—, ocupaba el estrado mayor. Vestidas de negro, rígidas en los sillones curiales, observaban con ojos arteros a la concurrencia; detrás y de pie —aunque luego se les permitiría sentarse sobre la alfombra de Bruselas— montaban guardia las mulatas con sus trajes a rayas.

Una orquesta de libertos —de la casa de Felipe Osorio— interpretaba aires y música de danza.

Luz y Jeromita se habían instalado en una de las ventanas que daban a la calle; Luz vestía de violeta y mantón de encaje sobre los hombros. El cabello recogido flojamente se le encrespaba alrededor del rostro y en el

101

anular brillaba una amatista —herencia de los Núñez del Prado— que hacía juego con los pendientes. Jeromita, morena y graciosa, se había marcado tirabuzones que sostenía con peinetas de nácar. Por todo adorno, llevaba una hilera de perlas al cuello; el vestido era de un tono marfil muy claro.

Ambas reían, mostrándose las alhajas que por primera vez les permitían lucir; se sentían puerilmente dichosas.

—Mi único ensueño es bailar con tu hermano —suspiraba la morena, espiando al joven que conversaba con el padre Castro Barros, ignorando tan fuerte devoción.

—Me alegro que a la vieja arpía —Luz se refería a misia Dolorita, la madre de su amigo— le haya dado un patatús, pero lamento que el pobre Eduardito tuviera que quedarse a cuidarla…

—¡Bah!, el tonto no ha venido porque no tenía qué ponerse y esa bruja no le largó ni un real —y señalando al general Paz, Jeromita deslizó el chisme del día—: ¿Sabías que el general se ha enamorado de su sobrina? ¡Hija de una hermana de él! Dicen que Margarita se ha empeñado en pedir las dispensas a la Iglesia, pues está decidida a casarse. ¿Puedes creerlo? Ella tiene mi edad y él…

La llegada de un carruaje las interrumpió: de él descendieron Fragueiro, Lozano y el extranjero.

—¿Lo conoces, Luz?

Era un hombre que bordeaba la madurez, vestido con elegante sobriedad. No era alto, tampoco apuesto, pero su rostro y su figura ganaban con una armonía generalizada y un aire de reservada seguridad.

Al descubrir a Luz tras las rejas, perdió el paso y casi el sombrero; las muchachas escondieron la risa tras los abanicos y Fragueiro les hizo una cortesía que les pareció muy mundana.

—Es el inglés de las minas —susurró Luz—. Ayer estaba en el palco, casi a tu lado.

—No lo vi. Sólo penaba por morderme las uñas.

Mientras eran anunciados por Simón y se dirigían a presentar los respetos al dueño de casa, el inglés las buscó con la mirada.

—Si se nos acerca, mamá me mata —se inquietó Jeromita.

—Lozano y Fragueiro no lo hubieran traído si fuera un imprudente —la tranquilizó Luz—. Mira, aquí vienen Armand y Sebastián.

Los jóvenes lucían elegantes pero fantasiosos para la moda de Córdoba, que era una de las más severas —si no sombrías— del país. No podían evitar atraer a las jóvenes y despertar la desconfianza de las madres.

Sebastián les besó las manos y llamó a un criado por refrescos y madeira:

—Un brindis —propuso— por la belleza y el valor de las damas cordobesas.

Edmundo se les unió muy excitado:

—Luz de mi Ingenio, ¿qué te pareció "Loa al Vencedor de La Tablada"?

—Siempre admiré a Shakespeare. —Y como dejara a su primo boquiabierto, la joven remató—: "Coriolano", ¿verdad?

—¿Tú... tú... has leído al *Cisne de Avon*? —exclamó él, incrédulo.

—Oh, ¡no empecéis de nuevo! —gimió Sebastián al ver que comenzaban a pleitear; desembarazándose de las copas, se llevó a Jeromita a bailar mientras Saint-Jacques, divertido, se apoyaba en la consola.

Edmundo tomó distancia e imitó un pase de esgrima hacia el francés:

—Usted me delató —le echó en cara.

—Inocente —se declaró el médico y levantando las manos preguntó a ambos—: *¿Quel est donc ce mystère?*

—El misterio es cómo esta señorita de provincia, que se presume sólo lee su breviario, ha reconocido lo que catedráticos pasaron por alto. Después de todo —dijo Edmundo con desenfado, acomodándose el *jabot*—, sólo tomé unas frases: "Vosotros, que queréis ser más prudentes que tímidos, que amáis las bases fundamentales del Estado más que teméis los cambios fundamentales que ellas reclaman, que preferís una noble vida a una larga vida..." —se cubrió los ojos teatralmente—: ¡Ése, ése fue el párrafo que me hizo caer en la tentación!

Encantado con la risa de su prima, puso rodilla en tierra e iba a seguir declamando cuando varios compañeros se lo llevaron a rastras.

—Sea sincera conmigo, Luz. ¿Ha leído usted esa obra? —se extrañó Armand.

—No, pero un día entré en su cuarto y descubrí el texto subrayado —confesó ella—; Farrell, que es medio gringo, me puso al tanto sobre el autor, enseñándome además la pronunciación.

Al levantar Luz los ojos, vio al inglés observándola a través del gran espejo de la sala. Tan incómoda como halagada, preguntó a su amigo:

—Armand, ¿Sebastián piensa volverse a Francia?

—Porque sé cuánto significa él para usted como apoyo y compañía, lamento decirle que sí —respondió el joven y como había comenzado una contradanza, le ofreció el brazo—: ¿Me haría usted el honor?

—Si contra lo que debe temerse, el general Quiroga acepta la mediación y arribamos a un entendimiento, lo digo francamente, mi objetivo será restablecer la más perfecta tranquilidad en Córdoba, establecer un gobierno bajo formas racionalmente liberales y...

La voz de José María Paz había distraído a Harrison; cuando miró hacia el salón, descubrió a la joven de violeta bailando con aquel individuo desagradablemente llamativo: francés de pies a cabeza. Siguiéndola lentamente entre el cordón de invitados, se movió hasta que una conversación lo detuvo.

—La de violeta ¿no es Luz María? —preguntó una voz de mujer.

—A ver... pues sí, es la hija de Carlos.

—¿Será verdad que...? —y bajaron el tono, frustrándolo en su curiosidad.

—¡Las veces que le porfié a Carmen que la tuviera más sujeta!

—No le caigas a ella, Carlos siempre le dio demasiada rienda a esa mocita.

—No desmiente la sangre. ¿Te acuerdas del duelo que tuvo Carlos por una de sus hermanas? ¿Qué habrá sido de Leonor?

—¿Que no lo sabías? Después del escándalo, don Lorenzo pergeñó un matrimonio razonable con Nacho Urrutia...

—Pero Nacho quedó solterón...

—Claro, si la muy loca huyó el día de la boda... ¡con el profesor de música! ¡Un italiano ridículo por demás!

—¡Quién la culpa! —un gran suspiro—; Nacho era epiléptico y a más, sin dónde caerse muerto.

—¿Y qué podía pretender ella, dime, con un muerto a cuestas y el nombre por el suelo? Y ahora, ésta... siguiendo los pasos de la tía. ¡Bailar con ese pisaverde! No sé cómo Carmen... capaz que es hereje el misiú.

—Y bueno; solamente un forastero que ignore... o que no le importe lo que... ya sabes, se casaría con ella, ¿no?

—Pero, ¿qué clase de hombre aceptaría...? No, no puedo creerlo ni de un francés. Si no fuera por Carmen, que es una santa, aquí no me veías hoy.

—Realmente —otro suspiro—. Yo, a mis hijitas, misa de seis y ángelus en casa.

Harrison tuvo que desplazarse para no llamar la atención. Un criado le ofreció una copa, que probó con desconfianza. Era un tinto excelente.

De pronto, la joven pasó muy cerca de él. Su piel era hermosa; sus ojos, asombrosamente grises. Al fijarlos en él, le sostuvo un instante la mirada y después se alejó mientras Harrison se preguntaba, atónito, qué cosa tan terrible podría haber hecho aquella criatura encantadora.

—Bella joven —lo sorprendió Fragueiro hablándole sobre el hombro.

—¿Quién es la señorita? —se volvió él.

—Una de las hijas del dueño de casa. Un ángel oscuro.

—¿Oscuro?

—Sí. Un… hombre perdió la vida por ella, otro dejó de lado su herencia y un tercero está haciendo el tonto bajo su hechizo.

"Demasiados pecados", pensó Harrison, escéptico, "para tan pocos años".

—¿Y quién es el caballero de la ventana que acompaña a su amiga?

—El hermano mayor. Veo que le interesa nomás esa niña. Venga, acerquémonos a ellos.

Harrison conocía superficialmente a Sebastián y después de los saludos, el joven lo presentó a los demás, añadiendo a continuación:

—Estuve en Londres con un condiscípulo del Bellas Artes, Parkes Bonington. Expuso una serie de escenas históricas. Ambos éramos alumnos de Gros, en París.

—"Francisco I y la Reina de Navarra" —lo sorprendió Harrison—. Conozco la obra de Bonington, pues pintó bajo la influencia de Walter Scott, mi novelista preferido.

—Luz —dijo Sebastián, señalándole a Harrison—, has encontrado a un espíritu gemelo.

—Señor —aclaró la joven con una inclinación—, compartimos esa preferencia literaria.

Harrison se sintió desfallecer al escuchar su voz. Ya no le interesó alternar con los hombres de gobierno, ni plantear la larga lista de cuestiones negociables que le urgía desentrañar; estaba, por el contrario, feliz de cambiar intrascendencias con los jóvenes.

—Mi hermano acaba de conseguirme "La pastora de Lammermoor".

—Debe leer "El anticuario"; es una obra deliciosa…

—Su nombre de usted —Brian— no tiene traducción al español, ¿verdad?

—Tampoco el suyo como nombre propio en inglés —declaró él, radiante por esta otra coincidencia. Ingenuamente, pensó que los hados habían dirigido una mirada favorable sobre él.

Al día siguiente, después de una noche de inquietas cavilaciones, Harrison declaró a Lozano que dejaría de hospedarse en la casa de él y buscaría una para rentar, ya que había decidido permanecer más tiempo del previsto en Córdoba y necesitaba de sus libertades viriles: no conocía latino que se negara a aquel sésamo.

Comprensivo, su amigo consiguió que una anciana respetable le alquilara parte de su propiedad, donde vivía con una mulata vistosa, última de la estirpe de morenos que había poblado antaño el caserón... La muchacha había quedado con la viuda y sus penurias un poco por cariño y mucho por pereza, pues aunque comía salteado, hacía allí lo que le venía en gana.

Al mudarse, Harrison la incentivó, con larqueza de extranjero, para que mantuviera aseado todo; solucionado lo doméstico, se abocó a la tarea de aprender los horarios de las devociones públicas, sabiendo eran el eje de la vida social de las mujeres hispánicas.

En Córdoba no se desmentía aquello, antes bien, se acentuaba... salvo que no encontró a Luz en ellas. Más tarde descubrió que la joven cumplía las prácticas a horas tan rigurosas que era imposible hacerse el encontradizo con ella. Constató que si bien doña Carmen e Inés asistían a muchas tertulias, Luz raras veces las acompañaba: sólo era posible dar con ella en su hogar, en casa de los Farrell o en lo de don Felipe Osorio.

Con paciencia anglosajona maniobró hasta introducirse en las reuniones de hacendados, en lo de don Carlos. Tampoco le costó integrar la Sociedad Literaria que reunía a Edmundo, Sebastián y Saint-Jacques en casa del primero, aviniéndose Harrison a soportar al francés —de quien lo separaban prejuicios insulares— y a sufrir escuchando la voz de su tormento, inalcanzable para él por la diferencia de edades y su condición de extranjero.

A fuer de buen oyente, la historia susurrada de la joven terminó siendo un mosaico con muchas sorpresas y algunas incógnitas. También se enteró en lo de Farrell —el asunto de las minas y la cordialidad del comandante le permitían frecuentarlo— que un joven visitaba a Luz más de lo prudente, al decir de las señoras que vigilaban la observancia de costumbres. El muchacho era hijo único de viuda, mujer ésta mojigata y severísima en cuestiones de moral.

Aquejado de excitado cansancio, Harrison comprendió que Páez no llegaría a comprometerse con Luz; le faltaba carácter para enfrentar a aquellas dos gorgonas: su madre y la maledicencia.

Hasta entonces, no había imaginado cómo acercarse a la joven sin convertirse en el hazmerreír de muchos —lo que era peor, de sus socios—, pero podía idear una estrategia basándose en los motivos que tenía ella para casarse. Estaba convencido de que no eran románticos ni de intere-

106

ses, ya que Páez, según Farrell, era "pobre de solemnidad". Por lo tanto, sólo podía ser para escapar de la familia, que la tenía prácticamente recluida.

Comprendió que muy pronto Luz se encontraría en una situación insostenible, dándole pie a él para que se presentara como un "gringo" algo raro que la rescataría del embrollo, proponiéndole una especie de negocio.

Comenzó confiando a las señoras que, por sus muchas responsabilidades, aún no se había casado, envidiando a los que habían formado un hogar y tenían descendencia. Otro día aseguró que las damas cordobesas eran excelentes madres y perfectas para esposas; hasta se sentía tentado de buscar estado allí...

Con eso, y al verlo algunas veces con el padre Iñaki, se le abrieron los salones.

Gracias a Dios la joven era adinerada y su familia importante. Prefería que dijeran de él que había hecho una buena inversión patrimonial y no un mal casamiento por amor.

15. CON LOS VERSOS DE MANRIQUE

"La bella devota recibió la absolución por todos sus pecados e indiscreciones pasadas, y se le otorgó un pasaporte a una vida de penurias y perpetua castidad."

Joseph Andrews
Journal from Buenos Ayres, Through the Provinces of Cordova, etc...

CÓRDOBA
AGOSTO DE 1829

La insistencia de su madre en recluirla con las monjas llevó a Luz a considerar el matrimonio como una puerta de escape: fue por eso que alentó a Eduardito para que la pidiera en compromiso.

Don Carlos escuchó al joven balbuceante que tan incapaz parecía de mantener a una esposa y, remiso, le contestó que "ya vería". Impuso, de todos modos, un distanciamiento entre Páez y Luz mientras lo pensaba.

Por su parte, el inglés los visitaba habitualmente y Luz, hecha a hombres soberbios, llegó a sospechar que éste lo era en una forma desconocida para ella.

Una tarde subió al taller de Sebastián en la azotea y se lo encontró discutiendo la *Utopía* de Tomás Moro con su hermano.

Encantados con la visita de ella, le ofrecieron café y un asiento, pero la joven prefirió el poyo de la ventana, donde se acodó a contemplar la amarillenta tarde de agosto con su horizonte de campanarios y palomas. El encierro la tornaba melancólica y le entristecía la partida de Sebastián, a quien la unía ahora una fraternidad no imaginada.

Su hermano —que había cambiado las ropas moriscas por una camisa abierta a lo Byron, casi hasta la cintura, sumada a una larga y elegantemente despeinada melena— le alcanzó un café turco que acababa de preparar. Algo intimidada por la presencia del extranjero, Luz lo bebió en silencio, dándoles la espalda.

Iba el pintor a reanudar la discusión cuando Harrison lo interrumpió:

—Amigo mío, debería usted retratar a su hermana vestida de violeta, con mantón y amatistas. La señorita Luz quedaría así inmortalizada, como Simonetta Vespucci por Sandro Botticelli.

Sebastián, que retocaba un goyesco sobre La Tablada, quedó con el pincel en suspenso.

—¿Sabe que me fascina la idea? —Y se dirigió a ella—: Eso sí, te soltaría la cabellera; no sé por qué madre se empeña en recogértela —y en dos trancos, antes de que la joven pudiera impedirlo, le quitó las horquillas, dejando que el pelo le cayera sobre los hombros. Tomó distancia y la contempló con admiración.

—Vamos, Harrison, si hasta usted se sentiría tocado a comprarme su retrato —retó el pintor al inglés—. Lo titularía "Señorita de Córdoba —Argentina— en traje de cuaresma".

Harrison, perdida el habla, recuperó la voz para asegurar:

—Y no le discutiría el precio, créamelo —y al decirlo, clavó los ojos en Luz que, con un frío en el estómago, recordó la primera mirada de Enmanuel, el momento fatal del encuentro. Atropelladamente se recogió la falda y sin atinar a dar una excusa, abandonó el taller apresuradamente.

Y más tarde, en rosario, mecida por las oraciones, se preguntó cómo amaría aquel hombre. El pensamiento la estremeció.

—Qué, ¿te ha soplado un ánima? —la codeó Severa—. Y a ver si te oigo rezar... para que se te salga el Mandinga del cuerpo, digo.

—Más Mandinga serás vos —replicó ella, enfurruñada.

Harrison comprendió que se acercaba el desenlace cuando, esperando a Lozano en el zaguán de la casa de éste, escuchó lo que se trataba en la tertulia de damas.

—... alguien tendrá que hacer de tripas corazón y decírselo a Dolores.

—¿Decirle qué?

—Carmen dispuso lo del convento, pero Carlos se niega a...

—¿¡Qué pretenderá ese loco!? ¡Si hasta en el Abrojal lo saben!

—Perdón, no estoy sabiendo de qué hablan...

—¡Con un indio, Madre Santísima! ¡No únicamente es un pecado repugnante, debe ser también herético!

—¿Un indio? ¿Pero... qué misterio es éste? Jesús, menos entiendo...

—Miren que han salido bravas las Osorio...

—¿Osorio? ¿Pe... pe... pero de cuál de ellas hablan? ¡Si no se explican, nadie seguirá esta conversación!

—Oh, Maruja, ¿que no sabes…?

—Cata, si la niña recién llega del Totoral.

—Pues entérate, querida: de Luz María hablamos.

—¡Ave María Purísima! ¡Mi pobre hermano Luis está a punto de casarse con su hermana!

Por el alboroto y los pedidos de sales, Harrison comprendió que la señorita Allende Pazo se había desmayado. En aquel momento apareció Lozano y ambos salieron a la calle.

—He sabido que han pedido en matrimonio a la señorita Luz —dijo Harrison como al descuido. Lozano movió la cabeza.

—No creo que Eduardito le cumpla.

—¿Y cómo tomará eso don Carlos?

—Prefiero no imaginarlo. ¿Sabe, amigo, que hace años Carlos tuvo un duelo por una de sus hermanas? Hirió de muerte a su mejor amigo… por unas palabras desafortunadas. Son de genio caliente esta gente; siempre andan presumiendo de su origen godo y de las leyes de sangre… Mire nomás dónde levantaron la hacienda. ¿Puede imaginar lo que era ese territorio hace doscientos años? Va a hacer falta algo más que montoneras para desalojarlos.

"Una guerra civil bastará", pensó Harrison, e insistió:

—Doña Luz es toda una belleza y muy culta además.

Lozano le dispensó una mirada de conmiseración:

—Vea, Harrison, usted ignora cosas lamentables de esa joven; como que se dice que… tuvo un feo asunto con un… —se atragantó con el gentilicio ranquel.

—¿Ah, sí? ¿Y cómo fue que una jovencita de familia pudo tratar con un salvaje? ¿Acaso él la raptó?

—No, no. Con seguridad, no.

—Sería peón de la estancia, entonces.

—Imposible; Carlos no admite infieles en su mesnada.

—Cuando viajamos a Calamuchita por las minas, oí del suceso. El indio aquel fue muerto en el campo, y por una razón que desconozco, llevaron el cuerpo a la estancia. De lo que no hay duda es que la víctima estaba en tratos con don Fernando para unirse a Quiroga.

Y Harrison recapituló:

—Pero sigo interrogándome, Lozano: ¿cómo es posible que una joven extremadamente vigilada —como son vuestras hijas de familia— tuviera tratos con un desgraciado que ni podía acercarse a ella? ¿Qué explicación encuentra usted a este enigma?

110

—Bien, nunca pensé en ese detalle...

—El hombre que me puso al tanto —un práctico de los Lezama— había participado en el hecho; dijo que dieron la batida porque había indios merodeando y las mujeres estaban trastornadas. También comentó que la joven se desmayó antes de ver el cuerpo —e hizo una pausa para continuar en otro tono—: Sostuve esta conversación sin conocer a los Osorio, de otra forma, no hubiera aceptado continuarla. En fin, al ser presentado a ellos, al ver que son hidalgos de vieja data y nada dados a liviandades, he reflexionado: ¿no sería más sensato, Lozano, suponer que la joven creyera que el muerto era el hermano, por quien siente un gran afecto, caído en el encuentro con los indígenas?

—Realmente, yo...

—Otro ítem: ese joven... Fernando, ¿lo cree usted capaz de aceptar como si nada que su hermana haya tenido amores tan desnaturalizados?

—¡Absolutamente no!

—Sin embargo, aunque don Fernando rehúye el trato con el resto de la familia, la ha visitado recientemente y nadie ignora que sólo ella sabe de sus andanzas.

—Eso es verdad —convino Lozano y admitió—: Como usted lo plantea, el caso tiene mucho sentido; desgraciadamente, la reputación de Luz ha sido irremediablemente dañada. Si yo tuviera un hijo, no lo permitiría...

—Comprendo, comprendo.

—... pero no parece convencido.

—Es que no tengo hijos —Harrison hizo una pausa—. Pero voy a pedirla en matrimonio.

El otro se detuvo alarmado y él tuvo que instarlo a seguir.

—Cálmese, hombre; he indagado y estoy convencido de que la señorita Osorio es intachable. Toda esa mísera historia no resiste el análisis. Es una joven bella por demás y algo orgullosa: es lógico que despierte la envidia de los resentidos... que son escuchados por los crédulos. En cuanto a mí me interesa, es también saludable y no hace secreto de su interés por las labores agrarias. Dígame usted, ¿cuántas damas conoce que aceptarían vivir lejos de la ciudad?

—Entre las de cuna, poquísimas.

—Y hay otro punto. Soy propietario de cierto caudal y no me gustaría derramarlo en dique seco.

—¿Planea radicarse en Córdoba, entonces?

—Depende de ciertos asuntos —dijo evasivamente y agregó—: He adquirido un campo en la pampa, una excelente inversión. El dueño vendió de apuro, ya que estuvo involucrado con Lavalle y ha considerado prudente mudarse a Montevideo. Verá, Lozano, planeo introducir merinos españoles y shetlands escoceses... ¿Sabía que las tierras de don Carlos son óptimas para la cría de lanares?

—Me toma por sorpresa, Harrison. Lo único que me resta agregar es que comprendo sus motivos y me alegra que se quede en el país —y palmeándolo con incomodidad, suavizó las inconveniencias dichas con una lisonja—: Usted no da puntada sin hilo, amigo. Pero... Eduardito ya ha solicitado a Luz...

—... y aún no le han contestado.

—Verdad.

Habían llegado a la botica de los Weild.

—¿Entramos por un convite?

—No, me urge hablar con don Carlos. Mañana tomaremos esa copa. —Y tocándose el sombrero, sonrió—: Y quizá brindemos por mi compromiso.

En la sala, las mujeres de la casa rodeaban a doña Carmen, todas dedicadas al ajuar de Inés, salvo Luz que, apartada, hojeaba un libro.

Después de instarlo a encender su pipa —una bondad de las cordobesas, nada reacias al tabaco—, la señora preguntó:

—¿Le molestaría que Luz María nos lea algo, Mr. Harrison?

—Será un placer para mí, *madame*.

—Leeremos las coplas de Manrique, un llamado a pensamientos trascendentes, aunque usted no sea católico.

—Pero sí cristiano, doña Carmen —puntualizó Harrison.

—Comienza, Luz.

Y aquella voz de gozo y tormento para él inundó la habitación. Mientras recapacitaba que tendría que convertirse al papismo —de otro modo la Iglesia no daría el consentimiento y seguramente la familia la prefería muerta o emparedada antes que amancebada con un protestante—, confusamente se preguntó cuánto de verdad habría en las fábulas que corrían sobre ella. ¡Se la veía tan virginal y reservada!

En aquel momento, Luz levantó apenas la vista y le clavó la mirada... y él se sintió perdido ante aquellos ojos que escondían un alma impenetrable, como poblada de secretos.

Consciente por primera vez de la imprudencia de su deseo, la oyó recitar: "Nuestras vidas son los ríos que van a dar a la mar..." y sintió como si la joven llamara a su corazón, pidiéndole entrar. Con un suspiro de entrega, Harrison olvidó todo recelo y aceptó las consecuencias de aquel amor con una gozosa fatalidad para nada británica.

Cuando Luz calló, se hizo un silencio; la luminosidad de la tarde se opacaba en la habitación.

—Pronto se nos casará Inesita —dijo la señora con un suspiro—; y bien que me alegra, pero la extrañaré muchísimo.

—¡Mamá, por favor! —se acongojó la aludida y doña Carmen le apretó cariñosamente la mano. Luz las miraba con una sonrisa indefinible.

—Según he oído —intervino él—, pronto habrá otra boda en la familia.

—Pues... han pedido a Luz María, pero su padre y yo no creemos que sea atinado...

—Supuse que Eduardito representaba cuanto ustedes pretendían para mí —intervino Luz.

—No es así. Entre otros impedimentos, somos parientes; lejanos, es cierto, pero nos disgustan las uniones consanguíneas.

—El general Paz va a casarse con su sobrina carnal —retrucó la joven.

—Estás dando la nota, Luz —se impacientó la madre.

—En mi opinión, doña Carmen, ese muchacho no es merecedor de su hija. No parece emprendedor y es demasiado apegado a su madre —intervino Harrison antes de que cambiaran de tema.

—Pues en Córdoba, señor mío, consideramos ambas cosas virtudes más que defectos —la matrona sacudió la prenda que bordaba y suavizó el tono—: Por otra parte, por generaciones hemos dado una hija a la Iglesia y...

—Los Núñez del Prado, no los Osorio —puntualizó Luz.

—Ser monja es un destino envidiable para una mujer —continuó doña Carmen como si no hubiera escuchado—; la Congregación la protege del mundo y sus maldades, sin contar que se ve librada del peligro que entraña la maternidad.

Harrison se estremeció de imaginar a Luz enclaustrada de por vida y la señora dio por terminada la conversación poniéndose de pie.

—¿Me disculpa, Mr. Harrison? No, no debe marcharse. Severa, acompáñeme. —Se volvió hacia él—: Mandaré un convite para usted si nos tiene paciencia.

Cuando ambas se retiraron, Inés, que con Isabel y Candelaria bordaban en conjunto un mantel, acusó a su hermana:

—Parece que te complaciera amargar con entredichos mis últimos días en el hogar.

—Y tú, ¿tan pronto olvidaste tu vocación? Si mal no recuerdo, eras la destinada al convento. Hasta nombre habías elegido —replicó Luz.

Harrison se sentó más cerca de ella, dándole la espalda a las otras, y murmuró:

—Rechace a ese joven, señorita Osorio; será un matrimonio equivocado... si es que llega a boda.

Y como ella no pareciera impresionada, insistió:

—Hay una conspiración para impedir que Páez se case con usted y él no tiene carácter para resistir tales presiones.

Vació la pipa en el brasero de plata y, mientras la cebaba, se sintió observado. "Aquí me tienes", le dijo mentalmente. "No lo bastante joven, ni alto ni apuesto; pero si eres inteligente, comprenderás que soy la elección más sensata que podrías hacer en este momento de tu vida."

—¿Insinúa que mi amigo faltará a la palabra? —preguntó ella con languidez, para nada mortificada.

—No, no lo insinúo. Lo afirmo —y mientras aspiraba para encender el tabaco, aclaró—: Toda Córdoba está tratando de disuadirlo.

—¿Y por qué habrían de hacer tal cosa?

Harrison se jugó a una respuesta brutal:

—Porque este verano usted tuvo... tuvo... —la mirada de ella, directa y socarrona, lo obligó a terminar— tuvo usted conocimiento carnal con un salvaje. Los parientes de usted lo mataron y usted casi muere de dolor. —Y ya lanzado, concluyó—: O a causa de un aborto.

Ni siquiera azorada, Luz se reclinó en el sillón.

—Buen Dios, señor gringo. Es usted la primera persona que delante de mí reconoce que "eso" ocurrió. —Y con ácido humorismo, parodió las novelas que leía—: ¿Y qué, milord; tiene usted un remedio para mi mal?

Aliviado, Harrison adoptó una posición negociadora, en la que se movía con soltura:

—Bien; es mi creencia que usted pretende escapar de su familia y quizá de la ciudad, ya que he sabido que el joven tiene alguna tierra por San Luis... Pero si ha decidido que sólo un esposo puede franquearle esa salida, ¿por qué eligió a un tonto empobrecido?

—Nadie más me solicitó. Usted ve que me tienen secuestrada.

—Por lo tanto, ¿le daría lo mismo éste que aquél?

—No; si el doctor de la Mota me solicitara, lo rechazaría.

—¿Por qué? El vejestorio la amaría desatinadamente, usted lo manejaría a su antojo y probablemente quedaría usted muy pronto viuda, enriquecida y dueña de su destino.

Ella no pudo reprimir una sonrisa:

—¡Qué encantadora manera de expresarlo! Yo no lo hubiera puesto mejor.

Alentado, él continuó:

—Lo que usted necesita es alguien que la lleve lejos. Buenos Aires estaría bien; Europa, mucho mejor. El tiempo y la distancia, en cuanto a reputaciones, siempre son favorables. Veamos, ¿por qué no Saint-Jacques?

—Oh, mamá lo lamenta terriblemente, pero no me gusta cómo suena el francés en mis oídos —se burló ella.

—¿Sabe usted que en muchos países está legalizado el divorcio?

—Es ésta una conversación ociosa —reaccionó ella—. ¿O usted está abogando para sí?

—Bien... yo... podría ser su alternativa —se sonrojó él.

Luz lo estudió con los párpados entornados. Harrison presionó:

—Si está dispuesta a aceptar a ese muchacho sin amor (y sospecho que con algo de menosprecio), ¿por qué no yo? Sé que, al menos, sabré ganarme el respeto de usted.

Golpeó la pipa con algo de fuerza y la guardó torpemente en el bolsillo. Se puso de pie al oír pasos hacia el despacho de don Carlos.

—¿Qué me responde? Cualquiera que sea la respuesta de usted, debo tomar disposiciones.

—¿Es realmente posible que no le moleste lo que hice? Porque todo es verdad, Mr. Harrison; no debe engañarse creyéndome inocente.

De forma que nadie lo viera, él le tomó la mano con fuerza.

—Me sentiré afortunado si me elige, señorita Osorio. —Y como ella callaba, la tentó—: Viajaríamos mucho, mis actividades lo reclaman. Todos esos lugares sobre los que lee estarían a su alcance. Y estoy dispuesto a refrendar un contrato conyugal en beneficio suyo: en caso de desearlo, quedará usted libre, honrada y en holgura por el resto de sus días. Le doy mi palabra de caballero.

Aquello debió molestarla, porque ella intentó retirar su mano a tiempo que decía tajante:

—Soy difícil de contentar, señor. Mi única ambición es administrar nuestros campos. Si papá me diera una esperanza, rechazaría a Eduardito y permanecería soltera.

—No se ilusione —la desengañó—; su padre ha decidido que, en caso necesario, uno de los Lezama lo ayudará, me lo ha dicho.

Al ver la frustración en el semblante de la joven, se sintió más seguro.

—Tengo dos buenas propiedades rurales; proyecto que usted participe en mis empresas.

Serenamente, se llevó la mano de Luz —que había retenido a pesar de los esfuerzos de ella— a los labios.

—Piénselo —dijo en voz baja, pues doña Carmen entraba y una de las criadas comenzaba a encender los candelabros. Al resplandor que surgió, Harrison notó que la joven había palidecido; su mano descansaba entre las de él como muerta.

—El jerez prometido —lo interrumpió la señora a tiempo que Harrison, maldiciendo, dejaba resbalar los dedos de Luz—. Y está invitado a cenar con nosotros. Espero, Mr. Harrison, que no nos defraude alegando otro compromiso.

16. QUE PUEDA LA RAZÓN MÁS QUE EL DESEO

> "Que pueda la razón más que el deseo;
> Que si por ella me gobierno,
> Amor que todo es alma, será eterno."
>
> Lope de Vega

CÓRDOBA
AGOSTO DE 1829

A la mañana siguiente, Calandria, que volvía del mercado, hizo señas a Luz para que la siguiera hasta la huerta; allí le soltó lo que traía atragantado:

—Te quedaste sin novio, señorita. Anoche, doña Soponcios armó un escándalo de los de "Dios es Cristo" y el Eduardo tuvo que correr en patas a buscar al doctor. La venerable arpía —cual dice tu primo— consiguió que el zoquetazo del hijo le prometiera largarse para La Punta y olvidar el compromiso con vos.

—Pobre Eduardo —se dolió Luz por su amigo—. ¡Qué mal debe sentirse!

Calandria levantó los puños:

—¿Pobre, ése? ¡Yo le arrancaría los huevos… si los tuviera! —Y espiando por si venía doña Carmen, razonó—: Oíme, Luchi; si lo que querés es casarte, ¿por qué no agarrás viaje con el gringo? —Y como Luz callaba, la empujó—: Vamos, no escondás; algo te ha dicho. Anoche te besó los deditos y no bellaqueaste ni así —e hizo chasquear las uñas. Recogió el canasto y se alzó la pollera sobre el brazo—. Pensalo —aconsejó—; a ése lo tenés comiendo de tu mano. Y me voy, que tu vieja hoy madrugó con la loca.

Luz se sentó en el suelo, la espalda sobre el tronco de un duraznero. Mientras desmenuzaba los pétalos caídos, pensó: "Bien, ahora sólo me quedan dos posibilidades: papá o el gringo".

A media mañana, como su padre reclamaba unos mates, ella se comidió a cebarlos con el propósito de sondearle la intención. Al tercer mate, desdeñando toda cautela, preguntó:

117

—¿Por qué no me lleva con usted al Tercero cuando se vuelva, papá? Ya que no está Fernando, quizá pueda ayudarlo...

—Si necesitara ayuda —respondió don Carlos sin levantar la vista de las cuentas—, Martín me mandará a uno de tus primos. —Y al devolver el mate, algo vio en la expresión de ella que lo hizo condescender a una explicación—: Se avecinan tiempos duros, hija.

Se puso de pie, encarando el mapa de la pared:

—Mira; estamos de paso casi para cualquier parte. Si Paz no controla la situación a nivel nacional, tendremos todos los ejércitos del país vivaqueando aquí —y encerró sus tierras en un círculo—. Jamás te expondré a eso.

Luz comprendió que había escuchado una sentencia inapelable: su destino sería adolecer por años, mucho más solitaria cuando Sebastián partiera. Con el corazón lleno de amargura, siguió cebando en un silencio que cerró la última puerta entre ellos.

Un rato después le llegó una notita de Harrison avisándole que aquella tarde iría por la respuesta.

Poco podían hablar, pensó aguardando que algún imprevisto los dejara unos minutos a solas, así que, después de meditarlo, corrió al lavadero y pidió a Calandria que la acompañara a verlo.

—¡Estás ida! —fue la destemplada respuesta, pero la curiosidad se impuso—: ¿Y para qué lo querés ver?

—No puedo aceptarlo sin antes aclarar algunas cosas con él.

—¿Y para qué será? —se mofó la morena removiendo la lejía con un palo—. No irás a mirarle el diente... matungo o potrillo, vas a tener que montarlo.

Pero viéndola empecinada y recordando antiguos favores, Calandria se avino a ayudarla.

—Eso sí, esto te aviso: por la puerta del frente no entramos, que les conozco la lengua a esas dos. Tendrás que seguirme por el fondo; hay un pedazo de tapia que está caída...

Y aquella siesta, embozadas hasta lo irreconocible, se escaparon para la casa de la viuda.

—Al cepo me manda tu viejo si me descubren —rezongaba la mulata mientras atravesaban el derruido tapial. Cruzando la huerta selvática, llegaron al segundo patio a tiempo que la morena sentenciaba—: Y a vos, convento de por vida.

Señaló una puerta, pues era compinche de la criada:

—Ahí es, pero golpeá suavecito o se despierta medio mundo.

Harrison les abrió en mangas de camisa, los anteojos sobre la frente; parpadeó alarmado y las hizo pasar de inmediato.

—¿Interrumpí su descanso? —preguntó Luz, cohibida por una vez en su vida.

—No; escribía a mi hermano —y ofreció—: ¿Una taza de té? Está preparado.

Preguntándose por qué un hombre tan prestigioso querría casarse con una muchacha "dañada", Luz atinó a decir:

—Sí, gracias. Me quedaré sólo unos minutos —y aceptó el asiento que él le arrimaba a la ventana protegida por una espesa cortina de encaje. Harrison limpió la pluma, cubrió la carta y acercó un sillón. Observando el orden que reinaba en el cuarto, sus modales tranquilos, Luz lo vio como debía ser en la intimidad: un hombre maduro, educado, disciplinado y vulnerable. No podía ser difícil convivir con alguien así, se alentó. Y tomando coraje, le dijo:

—¿Sabe que si desea casarse conmigo tendrá que convertirse al catolicismo?

—Lo he previsto; de otro modo, su padre no consentirá la boda.

—Con respecto al contrato del que habló, no lo considero necesario. En mi fe, el matrimonio es indisoluble. Pero tengo una exigencia: que usted me asegure que en el futuro no habrá reproches por mis acciones pasadas... —con un nudo en la garganta, fijó la vista en los dibujos del encaje—. Y debe saber que no amo a Páez; de tener mis sentimientos comprometidos, no me entregaría a otro hombre.

—Ayer no parecía dispuesta a aceptarme. ¿Qué la hizo cambiar de idea?

—Como usted señaló, papá me quitó toda esperanza; además, muy pronto Sebastián se irá a Francia. Él intentó convencer a mis padres de que me confiaran a su tutela, pero se negaron.

Harrison guardó un silencio interminable. Por la vehemencia que desplegó el día anterior, Luz había esperado que cayera de rodillas, no que la mirara especulativamente. Fue un alivio que Calandria pusiese la bandeja entre ambos, retirándose al fondo de la habitación.

—Bien —dijo él después del primer sorbo—, imagino que todo ello habrá facilitado su elección...

Inopinadamente, los ojos de ella se llenaron de lágrimas. Esforzándose en contener los sollozos, notó que la taza tintineaba en el plato. Y cuando se sentía caer en el más negro desánimo, la voz de él, amistosa, se tendió como un brazo.

—¡Oh, vamos, que no soy tan malo! —Y quitándole la taza—: Debe aprender a controlarse; no es bueno que los demás conozcan nuestras debilidades.

Tomándola de la barbilla, la obligó a mirarlo. Su voz se dulcificó:

—No más preocupaciones para usted, Luz. No más soledad, no más prisiones. Puede usted descansar en mí: la haré feliz, se lo prometo.

Aceptando el pañuelo, Luz se secó las lágrimas y consiguió sonreír.

—Es muy extraño, Mr. Harrison, pero...

—Brian, por favor.

—... pero he llegado a creer, Brian, que es usted una especie de genio capaz de conjurar imposibles.

—Nunca me excedo —se burló él.

—Estoy asustada, ¿sabe?; yo que de pocas cosas me asusto.

—¿A qué le teme?

—A lo que no entiendo. Y no entiendo por qué usted desea casarse conmigo.

Poniéndose de pie con una sonrisa enigmática, Harrison le besó los dedos:

—Su bella persona —respondió— ¿no es suficiente para cualquier mortal?

Con galantería la condujo hasta la puerta:

—Esta tarde hablaré con su padre. No espero que se oponga. No soy, precisamente, un indeseable —aclaró con suficiencia.

Luego de comprobar que nadie las vería salir, les hizo señas. Mientras Calandria se adelantaba, él retuvo a Luz e inclinándose sobre su mejilla, le dio un beso corto y gentil.

El contacto no desagradó a Luz, aunque hubiera rechazado cualquier muestra de apasionamiento.

Mientras atravesaban la huerta, Calandria simuló un chucho:

—Brrr... frío como vieja del agua. No te arriendo la ganancia.

—Me sacará de aquí —contestó Luz—. Y ya que no lo amo, mejor no sea cargoso.

Don Carlos miró al inglés sin poder ocultar su sorpresa.

—Pero... no supuse... ni siquiera creo que ella...

Harrison guardó silencio.

—Hace un mes, ese muchacho —masculló el hacendado, como hombre de mal genio obligado a soportar una injuria—. Un buen chico —hizo un gesto despectivo—. Le di largas por no ofenderlo, pero esta mañana le mandé una esquela comunicándole que no habría compromiso.

Harrison continuó impasible. Don Carlos acomodó el tintero e impulsivamente se puso de pie y desde el zaguán descargó la irritación en una orden:

—Cala, ¡un botellón de jerez y dos copas!

Regresó al asiento lleno de recelo. "Gringo raro. ¿Por qué querrá casarse con Luz? ¿Sabrá lo que hizo? O estará tramando alzarse con la dote?"

Como si le hubiera leído el pensamiento, Harrison sacó del interior de su levita varios sobres.

—Está en su derecho conocer mis recursos —y le extendió uno—. Mis bienes en Gran Bretaña: un establecimiento rural en Gales (en sociedad con mi hermano) donde criamos ovejas de raza. No es tan grande como el suyo, pero sí más lucrativo: la economía de mi país es muy estable. Contamos con hilanderías propias y exportamos nuestros paños a buena parte del Continente —perdón, Europa— y en América, Argentina es nuestro mejor mercado. Éste es el balance de los últimos años.

Dejó caer los papeles frente a don Carlos, que no había hecho intento de tomarlos. Abrió otro sobre.

—Mis propiedades en Londres, Cardiff y Buenos Aires, más los derechos sobre nuestra propiedad ancestral en el Devonshire. Propiedades de valor, en zonas residenciales —señaló con engreimiento—. Aquí, el boleto de mi última adquisición: una estancia en la pampa, aunque por ahora está improductiva.

Arrojó encima un grueso pliego; don Carlos vio de refilón sellos oficiales y la firma del brigadier Bustos.

—Mis acciones en las minas de Calamuchita. No es lo más promisorio. Dificultades de emplazamiento, falta de rutas… Sin contar que cada vez que vuestros gobiernos son derrocados (lo que sucede con abrumadora frecuencia), el contrato deja *ipso facto* de existir.

Al ver la expresión del hacendado, aclaró:

—No es una crítica, señor Osorio; es sólo la enunciación de un hecho generalizado.

No había esperado oposición y se estaba exasperando:

—Los señores Fragueiro y Lozano le informarán sobre mi moral y mis bienes. Ellos y sus hermanos han sido mis huéspedes en Gran Bretaña.

Caminó por la habitación concediéndole tiempo para reflexionar, luego lo enfrentó con altanería:

—Verá usted, no estoy precisamente en la ruina. A su hija no le faltará nada, si es lo que le preocupa. Por si quedan dudas, aseguro a usted que rechazaré cualquier intento de dotarla.

—No estoy negociando eso —se encolerizó el otro—; a pesar de lo que ustedes, los gringos, crean, no somos tan bárbaros para casar a nuestras hijas como quien subasta una vaquilla de raza. De todos modos, esta conversación es oficiosa. No creo que usted figure en los planes de mi hija.

Harrison se dominó con esfuerzo.

—Entonces sugiero que llame a la señorita Luz y terminemos en paz la cuestión.

Aquello dejó mudo al estanciero, que iba a contestar una inconveniencia, cuando la joven entró con las bebidas; saludó y, dejando la bandeja sobre la mesita, sirvió las copas.

—Gracias, señorita Osorio —dijo Harrison tiesamente y añadió—: Su padre tiene algo que consultarle. Me retiraré.

—Prefiero que se quede, si en algo le concierne —lo detuvo ella.

Don Carlos los miró con suspicacia.

—Te ha pedido en matrimonio. ¿Es que habían hablado de eso?

—No directamente, pero sé que Mr. Harrison ha expresado que esperaba casarse en Córdoba.

—Pues yo pienso…

—Acepto su proposición. Yo también deseo casarme, papá.

Lo miró sin chispa de humor y agregó:

—A mi entender, este caballero tiene cualidades que usted encontró a faltar en Eduardito. En cuanto a mí concierne, carece de una madre tiránica que me haga imposible la vida.

—¿Me estás tomando el pelo? —estalló don Carlos con una palmada sobre el escritorio que hizo temblar la cristalería.

—No, señor —levantó ella un poco la voz—, pero si le interesa lo que opino, le diré que Mr. Harrison es un excelente partido para cualquier joven con más méritos que los míos. —Y mirando al aludido con la cabeza en alto, dijo para su padre—: Él… conoce mis defectos y, al parecer, me acepta así.

Algo pasó por el pensamiento de don Carlos que le templó la voz:

—Vamos, no es el fin del mundo, criatura. Los Osorio no tenemos que responder de nuestros actos más que a Dios.

Le buscó los ojos, pero ella los mantuvo tercamente apartados.

—Santo cielo y por un carajo —blasfemó—. ¡Eres tan joven…!

Y en un intento de aclarar lo nunca dicho:

—Tú bien sabes que no permitiré esa estupidez de tu madre de que tomes los hábitos, ¿verdad? No te lo dije porque pensé que confiabas en mi criterio…

122

La voz le falló y bebió un trago de jerez; como Luz continuaba muda, pensó: "Puedo ejercer la patria potestad. La Ley y la Iglesia me respaldarán...", pero se verían envueltos en otro escándalo.

Decidió consultar con su mujer, confiando en que ella encontrara argumentos para convencer al gringo de la imposibilidad de casar a la hija con un cismático. Él no podía hacerlo, ya que el atrevimiento —¡un extranjero, pretender a su hija más querida!— y la controlada soberbia del inglés lo exasperaban. En verdad, deseaba matarlo. Y entonces, en un relámpago, el rostro de su íntimo amigo —al que había herido de muerte en un duelo— se le cruzó por la mente y el dolor de treinta años atrás le enfrió la sangre. Cerró los ojos y aspiró con fuerza.

—Discúlpeme, hombre. Hablaré con mi esposa, ya que no queda otro remedio —y salió dando un portazo.

Luz caminó hasta la ventana y contempló, pensativa, la calle empedrada; las criadas del frente, entre risas y jaranas, regaban la vereda.

—Ha sido innecesariamente dura con su padre —objetó Harrison, intuyendo que habían estado al borde de algo grave.

—Sólo ventilábamos antiguos rencores —aclaró ella, impávida—. ¿Qué pasará ahora? Dígamelo, ya que usted parece saberlo todo.

—Si conozco en algo a las madres, la suya me considerará mejor partido que su padre.

—¿Y después? —preguntó Luz sin entusiasmo.

—Nos casaremos y viajaremos a Gran Bretaña; visitaremos Gales, donde reside mi hermano, y al volver a Buenos Aires, usted me ayudará a poner en marcha la estancia del sur.

Como la joven no mostraba interés, se impacientó:

—Puedo comprar muchos campos, Luz, pero no Los Algarrobos. Y creo justo advertirle que por ahora no invertiré en Córdoba: este territorio pronto se volverá inseguro. No correré ese riesgo.

Sabiendo que era un punto álgido, le dejó una esperanza:

—... sin embargo, si es usted paciente (una cualidad de los adultos), verá que con el tiempo la situación política mejorará y entonces quizás adquiramos algo por la zona. Créame, esta provincia me atrae más que Buenos Aires —y ejerciendo un algo de autoridad, la presionó—: Pero es necesario que usted olvide Los Algarrobos.

Ella se volvió y sus ojos se veían moteados de puntos oscuros. Por un momento, Harrison pensó que lo mandaría al diablo y él quedaría como un imbécil.

—¿Siempre es tan firme en sus directivas?

La entrada de doña Carmen y don Carlos lo salvó de contestar.

—¡Mr. Harrison! —gorjeó la señora, tendiéndole las manos que él se apresuró a sostener—. Ha dado usted la sorpresa del siglo a mi esposo, aunque debo reconocer que ayer nomás me atreví a pensar que se interesaba usted en nuestra hija. Nos sentimos honrados —aseguró, aunque la expresión de su marido la desmentía. Volviéndose hacia Luz, le habló con menos dureza que la habitual—: Dice tu padre que estás de acuerdo.

—Un momento —intervino don Carlos—. Hay mucho que aclarar. En primer lugar, pareces olvidar que pertenecen a distintos credos...

—Hace tiempo que vengo considerando mi conversión —aseguró Harrison—; incluso he hablado de ello con el padre Iñaki.

—Exijo al menos un año de compromiso —gruñó el cordobés, jaqueado—. Luz cumple dieciocho en junio del año que viene. Quiero que recapacite sobre el paso que va a dar.

Doña Carmen hizo un gesto de impaciencia que Harrison cortó al aclarar:

—Debo regresar a mi país en el próximo marzo.

—Ahí tenemos otra cuestión. ¿Dónde residirán?

—¡Oh, Carlos, el destino de la mujer es seguir a su esposo! —protestó la señora, que quería a Luz bien lejos—. Con un hijo en las Europas basta y sobra. —Y atemperando el tono para Luz—: No querrás irte tan lejos, ¿verdad, querida?, de tu familia, de tu ciudad... de Los Algarrobos.

Harrison contuvo el aliento, indignado por la zancadilla, pero la joven contestó tranquilamente:

—Mis aspiraciones no congenian con las de usted, papá; ya lo hablamos esta mañana —y al verlo demudarse, puso una mano sobre el brazo de Harrison—. Según usted planteó las cosas, comprendí cuál era mi destino. Y Mr. Harrison ha prometido darme una estancia.

La sonrisa de don Carlos se volvió una mueca. De brazos cruzados, señaló:

—Pero no Los Algarrobos, hija.

—Quién sabe —retrucó ella con meditada impertinencia—. A veces, el destino abre atajos inesperados...

Dos años después, lamentaría dolorosamente aquellas palabras.

17. PRESAGIOS Y MALDICIONES

"—¿Me pertenece tu hija ahora?
—Te pertenece y no necesitas agradecérmelo. Por mi propia
voluntad jamás la hubiera entregado."

Relatos galeses
Olwen, la de la Blanca Huella

CÓRDOBA
AGOSTO DE 1829

Al otro día, mientras la ciudad hervía en suposiciones, Harrison hacía su primera visita de prometido.

Como era una tarde templada, sin los molestos vientos de agosto, se sentaron en el segundo patio —el del aljibe— vigilados por doña Carmen e Inés, quien demostraba su desagrado por la pareja con mezquinas omisiones.

Simón Viejo estuvo muy atareado atendiendo la puerta, pues hubo una epidemia de "criaditas de razón" que presentaban billetitos o recitaban de un tirón el mensaje precedido por saludos y preocupaciones por la salud de los residentes; todos ellos terminaban preguntando si era posible allegarse, quién con el pretexto de que había hecho un dulce, quién con el de llevar de visita una santa... en imagen.

Doña Carmen estudió cada caso, excusándose con la mayoría y fijando horario al resto.

Don Carlos no se dejó ver, pero Sebastián bajó del taller con su amigo a expresar a Harrison su satisfacción; el compromiso aquel terminaba con la preocupación por el futuro de su hermana y le abría la posibilidad de encontrarla en Europa. Saint-Jacques estuvo muy parco.

Muy pronto los jóvenes se retiraron y Harrison, que había llevado unos mapas de ruta, se calzó los anteojos y, sentado junto a Luz, le señaló el derrotero de Córdoba a Cardiff.

—¡Es tan lejos! —se consternó la joven.

—Un viaje maravilloso, créame —y como quien invoca un hechizo, agregó—: Con mucho de aventura y algo de peligro.

La expresión de ella lo alentó a continuar:

—¿Le gustan las leyendas, las historias de gesta?

—Muchísimo; el abuelo Lorenzo solía contarnos cosas así, relacionadas con Asturias. Después de su muerte, mamá y el padre Iñaki decidieron que no eran formativas.

—¡Vaya necedad! Mi país tiene fabulosos relatos de amor y heroísmo; le contaré uno por cada día de viaje —prometió.

—Hábleme ahora de su tierra —pidió Luz.

Entendiendo que primero debía seducir su imaginación para luego aspirar a su afecto, Harrison buscó las mejores palabras, las más bellas metáforas —olvidadas desde sus años de estudiante— para describir la hermosura del paisaje y detallar las más amables costumbres de Inglaterra.

—… y en cuanto visitemos Londres, le compraré los más bonitos trajes de montar —en Cardiff tenemos caballos de silla— y muchísimos sombreros.

—¿Sombreros? —se extrañó ella.

—Toda dama inglesa que se precie tiene infinidad de ellos —exageró él y rieron, despertando la desconfianza de doña Carmen. Serio de pronto, Harrison dijo esquivándole la mirada—: He llegado a preguntarme, señorita Luz, si es posible que… algún día… vuelva usted a sentir eso absurdo y hasta demente que debió sentir por… por aquel hombre.

Ella se tomó unos segundos para responder:

—Creo que no volveré a amar así por el resto de mi vida.

—Y yo no acierto a entender si eso es una promesa o una sentencia —y esta vez ambos se sostuvieron la mirada.

—Sólo puedo prometerle ser una esposa leal y una buena compañera. Creo que podemos hacernos razonablemente felices.

—Es un triste consuelo.

Algo se oscureció en el rostro de la joven.

—No me casaré con usted, sea lo que sea que deba afrontar, si usted tiene dudas… si mi pasado le molesta más de lo que supuso.

—Le aseguro… —tartamudeó él.

—Insisto en que se tome unos días para pensarlo. Y dada su bondad, le evitaré molestias rompiendo yo misma el compromiso. Discúlpeme. —Y como intentara retirarse, Harrison le aferró la mano aprovechando que las guardianas acababan de irse y Severa les daba la espalda e impulsivamente la colocó sobre su corazón. Luz lo sintió latir desordenadamente y, algo intimidada, se dejó caer en el asiento dispuesta a escucharlo.

—Su pasado no me importa. Esto que siento es otra cosa; un anhelo irreflexivo, tal vez... —y sonriendo en señal de acuerdo, se soltaron las manos al oír pasos hacia la cancela—. En cuanto a la boda —dijo él sacándose los anteojos y plegando los mapas—, desearía que se efectuara cuanto antes.

—Estaría dispuesta a casarme mañana mismo con usted si papá lo consintiera, cosa que dudo.

—Niña Luz, señor —dijo Gracia tímidamente desde el portoncito de reja que dividía los patios—, dice la señora que han llegado visitas, que vayan a recibir los plácemes.

Una semana de semejante vida social exacerbó la paciencia de Harrison. Para mayor molestia, la carta que pensaba usar de pretexto se retrasaba, pues la situación con Santa Fe y Buenos Aires, enemigos del general Paz, hacían impredecible la suerte del correo.

Por fin llegó —su hermano le escribía desde Gales— y satisfecho porque sólo traía buenas noticias, se encaminó con ella al solar de los Osorio.

No bien traspuso el zaguán, comprendió que se encontraba en medio de una típica reunión de provincias, donde niños, jóvenes, ancianas y hasta criadas —tomándose libertades detestables— coincidían en feliz mezcolanza.

Luis Allende Pazo, de licencia, estaba a la par de Inés, tieso en el ajado uniforme; Saint-Jacques, Sebastián y Edmundo rondaban a las muchachas, el último "desenredando ovillejos" —una forma de poesía bastante tonta, por lo que podía captar Harrison— y recitaba por entonces:

¿Quién es la niña bonita?
Jeromita.
¿Quién la más bella que el aura?
Mi hermana Laura.
¿Quién se merece un Marqués?
La dulce Inés...

—Perdón, Luz —se burlaba de su prima—, pero tu nombre no tiene rima posible.

—Salvo con cruz —le retrucó ella.

En aquel momento y sin permitirle siquiera saludar, Mercedes Farrell se abalanzó sobre Harrison instándolo a reunirse con los caballeros que, en el despacho de don Carlos, trataban la cuota de auxilio al general Paz. Detrás de él, que intentaba llegar hasta Luz, misia Francisquita graznó:

—Pero, ¿se ha convertido el hereje? ¿No será todavía cismático? —La rodeaban, como un coro griego, la tía Amalia y las hermanas —solteronas de sacristía— de la esposa de Farrell.

"Lo único que faltaría es que me arrojen agua bendita por ver si me achicharro", pensó Harrison.

Luz lo rescató en el momento en que varias criaturas con su niñera, perseguidas por el perrito faldero de doña Amalia, casi lo voltean.

—Venga usted —lo guió ella entre la gente, llevándolo hacia el poyo de azulejos portugueses, bajo el enorme jacarandá que presidía las tertulias de primavera.

Al sentarse, acalorado, notó que el árbol había sembrado el suelo de flores azules y algunas habían quedado prendidas a la cabellera de Luz, a quien habían permitido usarla más suelta que de costumbre.

La joven hizo señas a Fe para que les alcanzara un plato de brevas traídas del Totoral, donde maduraban temprano, y luego las fue pelando con delicadeza para él. Procurando que las matronas no los vieran —misia Francisquita no se quitaba el monóculo—, le acercó una a la boca, rozándole los labios con la punta de los dedos. El malhumor de Harrison se esfumó y, emocionado, pensó que su novia bien podía pasar por la hechicera gentil y encantadora de los Mabinogion, los relatos galeses que tanto gustaban a su hermano Thomas.

—¿Todavía está dispuesta a que adelantemos la boda?

Ella asintió, ofreciéndole una servilleta.

—¿Cree que me invitarán a cenar?

—Sin la menor duda.

—Perfecto. —Se acomodó los puños de la camisa y dijo—: Por favor, ofrézcame otro higo… ¿así se llaman? Me gustan sobremanera pero soy… ¡ejem!… torpe para…

Era el primero de una larga serie de subterfugios con los que obtendría de ella casi todo lo que deseara.

Cuando en la cena se comentó sobre los preparativos del viaje de Sebastián, Harrison soltó dos tosecitas antes de decir:

—Amigo mío, tal vez seamos compañeros de viaje.

—Pero, ¿usted y Luz no iban a partir en el próximo otoño? —se alarmó doña Carmen.

Se hizo el silencio entre los comensales y hasta los cubiertos dejaron de sonar. Los ojos de todos se clavaron en él.

—Quizá debamos aplazar la boda hasta mi regreso; desgraciadamente la correspondencia —y sacó a medias la carta del bolsillo superior— se vio demorada y recién hoy me entero de que reclaman mi presencia en Devon... una vieja cuestión de servidumbre de paso. En fin, obligación de ley, debo presentarme o mi querellante se saldrá con la suya.

—Estará de vuelta en marzo, supongo —insistió doña Carmen.

—Imposible, *madame*; el juicio llevará unos meses. Y si a eso le suma usted los casi seis meses de viaje, entre ida y vuelta...

—No estoy en desacuerdo con los noviazgos largos —intervino don Carlos—. Nosotros estuvimos prometidos por años.

—Eran otros tiempos —replicó la mujer agriamente—. Pero deberíamos preguntar a nuestra hija...

Harrison encaró a doña Carmen, su aliada circunstancial:

—He pensado, señora, que si ustedes consintieran en adelantar la ceremonia para principios de septiembre, Luz y yo podríamos partir juntos. —Miró afectuosamente a la joven—: Yo deseo de sentimiento pasar la Navidad con usted, querida niña.

El suspiro de doña Carmen dio la medida de su alivio, pero don Carlos reaccionó con presteza.

—Un momento, Harrison; lo que usted propone es en unos días y una boda no se prepara entre gallos y medianoche. No la de mis hijas. Faltaba más, joder —y arrojó la servilleta sobre la mesa.

Mirando con enojo a su esposa, le echó en cara:

—Ni que la ofrecieras en subasta, mujer.

—A mí no me importaría casarme sin grandes festejos —declaró Luz para molestar a su padre.

—Ya ve, Carlos; la juventud de hoy es menos pretenciosa —y la señora se volvió hacia Inés—: ¿Verdad, querida?

Inés, que venía escuchando con el ceño fruncido, se sublevó:

—¡Pero, mamá...! ¡Si no tiene ni empezado el ajuar!

—¿Para qué lo quiero? —replicó Luz—. Por lo que me ha explicado Mr. Harrison, pasaremos el primer año viajando.

De pronto, entre tantas voluntades encontradas, la carcajada de Sebastián los obligó a callar.

—Lo siento, lo siento —se excusó el joven—. Es que... ¡qué cosa ridícula acabo de imaginar! —y movió la cabeza, frotándose los ojos.

—¿Y qué fue? —se interesó Edmundo—. Cuéntanos, que Luz y yo adoramos lo ridículo.

Sebastián, apenas conteniéndose, se dirigió al inglés:

—¿Imagina usted meramente la peregrinación por esos puertos de Dios arrastrando cofres de carpetines, soquetes, gorros de dormir…?

La risa se contagió a los más jóvenes —Laurita tuvo que agachar la cabeza sobre el pecho—, aunque los mayores, especialmente Inés y don Luis, no parecían ver lo gracioso del asunto.

—Ah, Harrison, querido amigo —se puso de pie Edmundo, el brazo sobre el pecho, la mano sobre el hombro—. ¡Los hados han sido benévolos con usted, permitiéndole casarse antes que le completen el *trousseau* a su prometida!

Harrison, que había conseguido mantenerse serio, vio a don Carlos enrojecer de ira.

Luz levantó la mano como en el aula y preguntó a su novio con exagerada seriedad:

—¿Realmente me aceptaría usted despojada de tan santo patrimonio?

—¡Basta! —tronó don Carlos, comprendiendo que en la farsa se le escapaban los argumentos para aplazar la boda.

Inés, enfurruñada, no desviaba los ojos de su plato y don Luis bizqueaba, ofendido con los "graciosos".

La intervención de don Carlos moderó los ánimos y en el silencio que siguió, Luz —para atormentar a su madre— hizo como que vacilaba:

—En verdad, no sé si es correcto casarse así… como dice Inés, sin nada, quizá deberíamos esperar a que Mr. Harrison regrese de Inglaterra…

—Pero querida niña —la interrumpió él—, me romperá el corazón. Imagine que algo suceda y quedemos separados por años…

Ante aquella infernal posibilidad, doña Carmen, sin atender a su marido, aseguró que los esponsales se realizarían cuanto antes.

—¿Así que usted y ese diablo gringo se han propuesto jorobar a su padre, eh? —dijo Severa dando un coscorrón a Luz, que había subido a su dormitorio mientras don Carlos y Harrison se encerraban en el despacho. Como la joven había sembrado el cuarto con su ropa, la negra protestó—: Y sea más prolija su merced, ¿sabe?, que no sé quién le tendrá paciencia cuando yo le falte.

Luz sonreía —Severa la trataba de "su merced" siempre que estaba molesta— cuando entraron Inés y doña Carmen; se quedaron paradas cerca de la puerta, la más joven malhumorada, la señora jugueteando con el medallón que llevaba al cuello.

—Mañana temprano iremos a lo de Zoraida —era la mejor modista de la ciudad—; creo que prometiéndole un sobrepago, terminará tu vestido junto con el de Inés —dijo doña Carmen, nerviosa—. Tu padre decidió que se celebrasen las dos bodas juntas, así que...

—No recibiré la bendición junto con "ella" —intervino Inés, que venía rumiando su desagrado—: Luis no lo permitirá, su familia se opondrá y yo... yo no lo deseo.

Sintiendo que el enojo y el rencor pugnaban por expresarse, Luz recordó las palabras de Harrison: "No es bueno que los demás conozcan nuestras debilidades". Se volvió hacia el espejo y tomando un cepillo, lo pasó con fuerza por su cabellera. Dominando el sentimiento, miró a través de la luna a su hermana —Inés parecía dispuesta, por una vez en la vida, a no ceder— y dijo con voz calmada:

—Nicha, ¿acaso esos ignorantes temen que contamine tu purísima concepción?

—¡Luz! —se escandalizó su madre, pero inevitablemente de acuerdo con Inés, aseguró a ésta—: Adelantaremos tu boda y la de Luz se celebrará una semana después. Yo convenceré a tu padre.

—No, no —dijo Luz, vengativa—; "mi" boda será la primera. Si no es así —se plantó—, tal vez cambie de idea y no me case; después de todo, papá no desea esta alianza. Y me ha asegurado que no permitirá que me manden al convento.

Pálida de furia, su madre encontró la paciencia para oponer:

—Lo que pretendes es muy egoísta, Luz. Tu hermana ha estado comprometida por casi un año y siendo la mayor...

—Además, Mr. Harrison me está pareciendo muy viejo.

Doña Carmen apretó los labios, suponía que Luz alardeaba, pero la sabía muy capaz de despeñarlos por otro escándalo de proporciones.

—Veré qué puede hacerse —transó. Se puso de pie pero Inés, al borde del llanto, le cortó el paso.

—Pero, ¡mamá...! Esto es injusto; ¡yo debía casarme primero!

—¿De qué te quejas? —se burló Luz—. Tendrás más tiempo para festonear culeros.

—¡Basta, descarada! —la enfrentó doña Carmen—. ¡El hecho de que tus actos te hayan precipitado a este compromiso no te da derecho a mofarte de tu hermana, que es irreprochable!

—¿"Actos", señora? Ya que reconoce que hubo "actos" en mi pasado, le diré que ellos me mostraron qué puedo esperar de mi familia. Si hubiera sido varón, me habría ido con Fernando; si le hubieran cedido mi tutela a Sebastián, como él quería, me iría con él a recorrer el mundo. Pero siendo mujer, sólo me quedó optar por el matrimonio, ya que el hábito me repugna.

—¡Y te unirás a un cismático! —le enrostró Inés—. Su conversión es una farsa, vivirás en pecado mortal.

Luz la miró malamente:

—Veámoslo así, Nicha: mi marido tendrá más posibilidades de seguir vivo el próximo año que las que tendrá tu soldadito —y ya enfurecida, la señaló con el brazo extendido—: Puedes ir sabiendo que te he visto en sueños con velos de viuda, ¡estúpida!

Como alcanzada por una maldición, Inés manoteó la puerta y huyó sollozando, a tiempo que atropellaba a Isabel que, descalza y parpadeando, había estado escuchando en el umbral.

Doña Carmen, lívida, se hizo la señal de la cruz.

—Siempre sospeché que estabas endemoniada; por eso hasta mis pechos se negaron a alimentarte. Tendrías que haber muerto al nacer y así nos hubiéramos ahorrado todas estas iniquidades.

Y al volverse, vio a Isabel paralizada y en llanto histérico. La alzó a tiempo que clamaba por Gracia —en el quinto sueño— y amenazaba a la niñera con darle la libertad y arrojarla al Abrojal.

Severa cerró la puerta tras aquella furia y abrazó a Luz, que temblaba.

—Bueno, bueno, sosegate —le secó los ojos—. Pronto te irás y esto te parecerá un mal sueño. —La obligó a sentarse en la cama, junto a ella—: Eso sí te digo, espero que sepás en qué te has metido, porque se me hace que el gringo va a ser duro de pelar.

Y palmeándole la mano, entre veras y bromas:

—¿Cómo no te dedicaste al misiú? A ése, m'ijita, con mimos y berrinches lo llevabas en carroza.

Luz inquirió, afligida:

—¿Y qué voy a hacer cuando me tenga que meter en la cama con ese hombre, Severa? —refiriéndose a Harrison.

—Haberlo pensado antes —dijo la negra y propuso—: Dame la mano y te leeré la vida.

Luz, obediente, se la entregó.

—¡Uy, uy! —exclamó la mujer—. ¡Ese hombre te quiere por demás!

—¿Cómo lo sabes?

132

—Porque un señorón de su laya —se burló la negra que sorteó muchos lazos de madres casamenteras— no se deja pescar así como así por una mocita que ni pestañeó para atraparlo. A más, le tiembla al ridículo (en lo plantado y calladito se conoce) y bien podría haberlo hecho por tu "asunto", pero ha inventado unos cuentos que ahorita andan preguntándose los doctores cómo fue que pudiste ver siquiera un indio en estampita.

Hizo una pausa y prosiguió:

—Otro sí, como decía tu abuelo: cualquiera diría que la escapada de Eduardito te dejaría mal parada... Sin embargo, ¿qué se comenta en el reñidero, en los truques? Que el señorito se ha ido de despechado.

Y buscándole los ojos, insistió:

—El gringo se muere si no te consigue, ¿entendés? Yo le he visto el corazón: te le has metido en la sangre.

Luz parpadeó, impresionada; Severa le tomó la otra mano, esta vez mirando al vacío hasta que los ojos le blanquearon y fue como leyendo con los dedos:

—¡Misericordia! —balbuceó—. ¡Algún día matará por vos!

Con intensa y sofocante emoción, Luz creyó percibir que las candelas menguaban el resplandor y tuvo que hacer un esfuerzo para no crispar la mano.

—Casas extrañas... distancia... disgustos... reencuentro... ¡Sí, sí, dos hijitos, almitas de Dios! ¡Pero no los veré, no los veré...!

Asustada, Luz tironeó para librarse, pero la negra no se lo permitió.

—... y por fin —terminó con voz pastosa— el amor... el verdadero amor...

—¿Con él? ¿Será con él? ¿Con otro hombre?

Por el rostro de la negra pasó una sombra; como si despertara, sacudió la cabeza y enfocó la vista con esfuerzo. Se puso de pie, bostezando. Luz la retuvo de la falda.

—Viste algo más. Decime qué fue.

—Nada, nada. Dormite —la besó y salió a la galería.

Bajó la escalera con el corazón dolorido, como cuando perdió a su hijito, el que la había convertido en ama de cría de Luz. Doña Carmen había parido la misma semana, pero tenía secos los pechos y la guagüita berreaba de hambre. Sin esperar permiso, Severa la había levantado a escondidas, acercándola al pezón con premura de madre. Le cubría la cabecita, murmurando consuelos, cuando entró don Carlos.

—¡Pero vea, patrón, a la sinvergüencita! —rió entre lágrimas—. ¡Si es un solcito la niña!

Don Carlos venía de discutir con su mujer, que se negaba a que buscaran un ama de leche; se acercó mirando con agradecimiento el semblante emocionado de la esclava.

—Veamos —deslizó, enternecido al ver a la pequeña prendida a la teta descomunal—. Solcito para nombre no me parece, pero podríamos llamarla Luz.

—Luz María, para que la Virgen me la conserve —señaló ella, recordándolo ahora como si fuera ayer.

Y a pesar de doña Carmen —pretendía llamarla Bonifacia, por santoral—, así la bautizaron. "¡Hasta su nombre me pertenece!", clamó Severa a la noche donde Dios parecía haberse escondido, mientras atravesaba el patio hacia su cuarto.

La pequeña había atemperado el despojo de que la habían hecho víctima los hombres, la vida y el destino del país: su esposo, un negro buenazo, había muerto a las órdenes del general Belgrano. Don Carlos les había permitido casarse a pesar de las objeciones de doña Carmen, prevaleciendo en él la buena disposición de los Osorio hacia sus trabajadores y el cariño que profesaba a Severa, quien había ayudado a doña Adelaida a criarlos en los duros años en que su padre permanecía por meses en la estancia o desaparecía sin fecha de regreso, viajando a Chile, a Perú, a Bolivia para entregar las mulas. ¡Tantas veces sin un cobre en el hogar, Severa había amasado pan, hecho empanadas y salido a venderlas para traer el sustento en ausencia de don Lorenzo!

Después de 1810, don Carlos les había ofrecido la libertad, pero Pantaleón —liberto al estar bajo bandera— le había rogado que mantuviera en tutela a Severa hasta su regreso. Murió en batalla y Severa, más adelante, rehusó una nueva oferta, recelando que doña Carmen pretendiera separarla de Luz.

Y dentro de unos días, el gringo se la llevaría muy lejos. Tal vez no volviera a verla en vida; con seguridad, no conocería a sus hijos: las líneas de la mano no mentían.

—¿Qué, Seve? —murmuró Calandria, adormilada—. ¿Se adelantó nomás el casorio?

—Sí; aquel ladino se salió con la suya. El patrón está que revienta.

Calandria reconoció la congoja en la voz de su madrina, y de pronto sumó la ausencia del Payo con la partida de Luz.

—¡Puta vida! —apostrofó, aporreando la almohada—. ¡Los queremos como a sangre y no podemos seguirlos más allá de la vereda!

—Aguante, hija, que no queda otra —y como la oyó sollozar, se recostó a su lado y la meció como a una criatura—. Duérmase, duérmase, que el sueño todo lo borra... —Y al rato, con la mulata dormida de pesar en brazos, murmuró—: ¡Vi tanta sangre, pero tanta sangre, hijita! Cosas muy malas van a tocarnos —y enjugándose las lágrimas—: Ese tigre que soñó Luz... Siempre pensé que no era un buen sueño.

Por más que el padre Iñaki desconfiaba, Harrison aprobó todos los exámenes y no hubo más remedio que administrarle los sacramentos que le allanaban el camino hacia Luz. Los dominicos hubieran querido una conversión pública, para mérito de la orden, pero Harrison se mostró irreductible: sólo permitiría la presencia de Luz, don Carlos y doña Carmen, aunque a último momento tuvo que darle cabida a misia Francisquita.

La opinión pública, mientras tanto, se había dividido entre los que creían a Luz víctima de la maledicencia y una minoría que seguía considerándola perversa, regodeándose éstos en la idea de que el inglés la abandonaría —después de catarla— en tierras extrañas, abjurando por su parte del catolicismo.

Como regalo de bodas, Sebastián pintó el retrato de su hermana; había querido que fuera de la pareja, pero los preparativos impidieron a Harrison posar.

La fecha fue fijada una semana antes que la de Inés y se celebraría en casa de la abuela Adelaida, ya que la anciana vivía recluida; Luz eligió por padrinos a su tío Felipe y a doña Mercedes de Farrell. Don Carlos se tragó el desprecio, pero doña Carmen acudió al novio con sus reclamos.

—Imagine usted lo que la gente llegará a decir.

—*Madame*, si me importaran los decires...

—¿Que insinúa usted? —se encrespó la matrona.

—Nada. Le ruego permita a Luz hacer su voluntad y terminemos de una vez los trámites que, le confieso, me resultan una ordalía.

Temiendo que el inglés alzara sus petates antes de las bendiciones, doña Carmen cedió el madrinazgo.

Harrison había despachado una carta al agregado consular de su país en Buenos Aires, solicitando les consiguiera alojamiento —ya que su propiedad se usaba como oficina de la firma— y comprometiera los pasajes a Gran Bretaña.

A pesar del disgusto, don Carlos allanó los problemas de carruaje y tropilla; una escolta de Los Algarrobos se les uniría en el cruce y los acompañaría hasta el fin del trayecto.

135

Por fin llegó el día de la boda. Para alivio de la Curia, el inglés era converso y Luz había recuperado la honra.

El retrato de la novia estaba terminado y Harrison contuvo el aliento al verlo: era un magnífico ejemplo de técnica y estudio de carácter.

Don Luis y su familia se excusaron de asistir —hubo un brote de resfríos de sol por aquellos días— e Inés enfermó de resentimiento.

Doña Carmen prometió un manto a la Virgen del Rosario —la advocación preferida en Córdoba— bordado en oro y perlas, en agradecimiento por lo que consideraba un milagro: haberse librado de la rebelde.

Luz no olvidaría la mirada de su padre cuando, ya sentada en el coche, se aprestó a los últimos saludos. Sobre las cabezas de los que se despedían, apartado y dolorido, don Carlos la miró profundamente, sin un gesto, sin un ademán: sólo la miró, las manos a la espalda.

Con un nudo en la garganta, pero aún resentida, Luz rehuyó sus ojos. Apretó manos, besó mejillas, prometió cartas. Y pensó a modo de consuelo: "Ahora no puedo, pero dentro de unos años volveré y todo será... sí, será igual que antes entre él y yo".

Porque aunque Severa no, Luz había olvidado al tigre del sueño.

136

18. PARA HACERLES SABER

BUENOS AIRES
SEPTIEMBRE DE 1829

I

Queridísima Jero:

Aquí estoy en Buenos Aires y extrañándote. Un amigo de Mr. Harrison (perdón, debo acostumbrarme a llamarlo Brian, mi esposo o etc.) nos ha facilitado su casa mientras viaja por Brasil. Los muebles de estos gringos son raros, aunque me gustan. Tienen muchos cuadros, pero no verás a San Lorenzo achicharrándose o a Santa Teresa por los aires, no. Tampoco al tío Eleuterio con un ojo de menos o al tatarabuelito del Dr. de la Mota con gorro de dormir, candela en mano. Mucho menos a la monjita bigotuda, con hábito de las teresas, de tía Mercedes. Nada de eso: aquí verás bonitos caballos y perros como no hay otros, paisajes con muchos árboles y algo que me encantó: ¡barcos! ¡Acabo de descubrirlos y ya los amo! ¡Cruzan los mares, enfrentan las tormentas, van y vienen por donde les place y no se preguntan si hay peligro en lo que hacen! ¿No es de maravillarse? Para no mentir, te diré que por ahora sólo los he visto en láminas, de lejos en el puerto y uno en tierra firme... que había arrastrado la sudestada. Te explicaré qué es la sudestada: una especie de crecida que mete el mar —o el río, no entendí bien— muy adentro y arrasa con todo. Imagínate, ¡para que lleve un barco!

Dice H. que cuando crucemos a Montevideo podré ver todo tipo de naves, porque aquel puerto es muy cómodo, está sobre la costa; en cambio, el nuestro es un desastre.

Aquí llovió a matar y las calles están insoportables. Imposible llegar a donde vayas con los ruedos decentes. Y teniendo semejante río (el de La Plata es casi un mar), ¿podrás creer que es un drama conseguir agua?

¡Fuimos al teatro! Me resultó divertidísimo (las porteñas son atrevidas en el vestir y muy alegres), pero mi esposo se mostró despectivo con el edificio, la obra y los actores.

137

En cuanto a compras, hemos hecho las indispensables, ya que Brian opina que en su bendito país conseguiremos cosas más finas que me hagan justicia. Es una exageración, pero qué halagador, ¿verdad? Los hombres gustan que se diga de ellos que son inteligentes y valientes; las mujeres, que somos bellas y piadosas. Personalmente, desearía que se comentase de mí que soy valiente, inteligente y hermosa (¿por qué no?) y lo de piadosa lo dejo para almas angelicales como la tuya.

No sé si alcanzaré a escribirte otra vez antes de embarcar, pero ya contéstame a la dirección de Cardiff. Mándame noticias y muchísimos chismes; te retribuiré contándote las cosas, si no maravillosas como las describe H., al menos curiosas, que veré por aquellas tierras de herejes.

Y te dejo, porque debo emperifollarme para recorrer el Paseo Inglés (algo así como nuestro Paseo del Virrey, creo) y luego iremos a tomar el té (sí, té, no mate ni chocolate ni café) con unos compatriotas de H.

De paso te comentaré que los porteños son muy galanes; en cuanto tu compañero se descuida, te susurran cosas y te echan miradas llenas de intenciones... Eso me ha advertido mi consorte y algo me pareció notar, si quiero serte franca.

En fin, te besa afectuosamente tu amiga de corazón (siempre Luz para ti).

II

Mi extrañado hermano:

Aunque parezca increíble, aún no he dado con ninguna de las lumbreras del país que, según tú, se concentran aquí. Pero no desespero: esta noche estamos invitados a lo de Mr. Olivier (para quien Brian te dio una carta de confianza) y espero encontrar personas interesantes.

Fui a las librerías de la calle Potosí como me recomendaste y he comprado lectura para toda la travesía. Sigo estudiando inglés con mi esposo y me quejo de que en ese punto se muestra implacable.

Quiero que sepas que soy... no sé si feliz, pero algo semejante. Harrison es un excelente compañero; después de la reclusión que padecí, es muy grato andar de un lado para otro... y no precisamente en misa. Días atrás recordé lo que me dijiste: que los ingleses no serían famosos amantes, pero sí los más considerados maridos. El que me tocó en suerte me obsequia flores de un jardín escocés muy renombrado, también golosinas, perfumes y mil chucherías. Dios, me avergüenza mi frivolidad, ¡pero estoy encantada!

138

Querría que no te detengas mucho en Buenos Aires, mediando tu carácter: hay más encono político que en Córdoba y puedes pasar un mal rato si vas bien vestido y te sospechan unitario: se ve gente mal entrazada y provocativa, haciendo alarde de sus cuchillos. Harrison dice que dos años atrás no era así, pero ahora no se puede salir sin escolta y él lleva siempre una pistola.

Para empeorarlo, la iluminación es malísima; comparada, la de Córdoba es un lujo. Y Armand decía verdad: hay perros cimarrones y pericotes por todos lados.

Ahora me voy a acicalar para el sarao, más tarde te agregaré unas líneas.

Bueno, como Harrison se demora y ya estoy lista, te diré: que le digas a Severa que ojalá estuviera aquí con la deslenguada de Calandria: las "doncellas" —así les dice H.— que nos atienden son gringas y apenas se dan maña con el español, sospecho que les tienen prohibido conversar con los patrones, pues sólo dicen (con una sentadita bien cursi) "yes, m' am" y cuando no "very well, sir".

Escríbeme a Cardiff, pero recuerda que te esperamos en Londres antes que te entierres en tu insoportable París.

Te contaré algo del viaje. Santa Fe es bonita, pero nos martirizaron los mosquitos y los caminos inundados. Las postas, un asco. Por suerte casi ni paramos en ellas, pues Silverio (Cepeda, que sirvió de baqueano al general Paz, ¿te acuerdas?) y los dos guerrilleros de Luna habían organizado todo muy prácticamente: las carpas de rezago del ejército quedaron muy disponibles, a pesar de tus dudas.

Y hablando de los guerrilleros (aquellos paisanos que se habían encariñado con Saint-Jacques), nos prestaron grandes servicios, aparte de amenizar el viaje con su especial sentido del humor, tan de nuestros paisanos. Harrison les pagó espléndidamente y eso me contentó: no soporto los hombres tacaños, especialmente cuando de pagar el trabajo de los pobres se trata.

Seguramente esta carta te llegará por manos de los mentados Malandra y Mulita, que todavía remolonean por aquí. Supongo que hasta que no se desgracien (¿recuerdas lo que significa ese término?) no se tomarán las de Villadiego.

Oigo el coche de H., así que te reitero mi afecto, te recuerdo tu promesa y solicito le digas a Armand que deseo se lleve un cordial recuerdo de nuestra amada Córdoba. Yo lo recordaré siempre por su simpatía y por los dibujos que me regaló, especialmente aquel de la estancia vista desde el tajamar con los algarrobos destacados.

Tu hermana que jamás te olvidará.
Luz María

A don Edmundo de Osorio y Luna de Villalba Esquivel
Querido Bribón:

No pensaba escribirte, pero te extraño sin remedio, lo que no quita que siga resentida contigo por no haberme dedicado ni un triste soneto.

¡Ojalá a nuestro regreso de Gran Bretaña vinieras a visitarnos! Podríamos divertirnos mucho: hay hermosas damas que enseguida te echarían el ojo. ¡Y guay, que las porteñas son más avispadas y resueltas, en estos lances, que las cordobesas!

Te conseguí la obra de Byron que me encargaste y además el "Paraíso perdido", de Milton, que me aconsejó H. Espero que no lo tengas, ya que te lo he hecho encuadernar bellamente, como verás, en moaré negro y filetes de oro. Ya ves, a pesar de tu desapego (ni un gemido exhaló tu pecho a mi partida), no me olvido de ti. Me hace feliz el pensar que ya nadie te sacará de apuros con notas falsificadas.

Pero tenías razón cuando insistías en que este matrimonio era lo mejor que podría sucederme: la sensación de libertad es maravillosa. Y digo la sensación porque ya bien he descubierto que las mujeres gozamos de la sensación y ustedes, los varones, de la libertad.

Mira, junto con tus libros mando regalos; los que son para los criados dáselos a Severa, que ella sabrá. Los de la familia repártelos a gusto, salvo el abanico de marfil y encaje, que ése es para los años de Laura.

¿Sabes qué ha hecho Bastián de aquel cuadro que pintó de La Tablada? Ocúpate de que sea bien cuidado: después de todo, ahí estás tú y él y Saint-Jacques y el tonto de Luis y también Fernando. ¡Hasta nuestro leal Simón!

Te prometo escribir desde todos los puertos... siempre que contestes en retribución.

Se me ha hecho tarde, así que me despido con los saludos imaginables. Para la familia, los Farrell, los amigos, los enemigos, las lenguas viperinas, etc. (dejo a tu antojo elogios y epítetos).

Tu prima y cómplice (Luz), cuyo nombre no tiene rima posible.

19. LA SOMBRA DE DON JUAN MANUEL

"Don Juan Manuel de Rosas tiene una mano de hierro,
y esto es lo que hace falta en este desgraciado país. Nosotros,
los 'coloniales', como nos llama con desprecio los descastados
republicanos, tenemos que desear el triunfo de ese individuo.
Orden, religión, paz, esto es necesario."

Manuel Gálvez
El gaucho de Los Cerrillos

BUENOS AIRES
OCTUBRE DE 1829

En la cena del agregado consular James Olivier, Luz se encontró sola entre caballeros: la esposa del estanciero bonaerense —don Ceferino Zabala— y la hermana del comerciante británico —Charles Morton— no habían acudido por imprevistos. Después de echar una mirada a los tres hombres que la observaban como a un artículo exótico, decidió que el aburrimiento era la madre de aquellas ausencias.

Pronto la conversación se volvió una especie de informe sobre lo sucedido en los últimos meses: la situación intolerable que habían provocado los políticos y los jefes militares de ambos partidos en Buenos Aires, donde el temor había cundido ante la posibilidad de que las fuerzas de Rosas atacaran la ciudad.

—Y la prensa rivadavista no hacía más que sostener que las milicias gauchas de don Juan Manuel y sus aliados indios saquearían y asesinarían sin distinción de partidos. La zozobra se extendía desde las zonas orilleras hasta las residenciales.

—Pero han dejado a la campaña en peores condiciones —aseveró don Ceferino—; nos han retirado las tropas fronterizas y a los salvajes no hay quien les ponga un parate.

—Y cuando presentamos nuestras quejas —añadió Morton, que acababa de comprar un campo vecino al de Harrison—, nos contestaron que nos defendamos como podamos. ¡Cualquiera pensaría que no pagamos las contribuciones!

—Cuéntales, Morton, lo de la colonia escocesa de Monte Grande.

Harrison, que disfrutaba de un buen lomo de carnero a la inglesa en meses, levantó la vista:

—Los hermanos Robertson le habían dedicado grandes remesas de capital. ¿Qué sucedió?

—Las tropas de Rosas tomaron la capilla presbiteriana por cuartel, haciendo enormes destrozos. Cuando los colonos protestaron, les incautaron todo.

—¡Grandísima porquería! —se indignó Zabala—. Era gente laboriosa, cosa que nuestros gauchos son incapaces... Manga de vagos y mal entretenidos, ¡ca... ramba! Me imagino —se dirigió a Luz— que en Córdoba padecerán los mismos males.

Luz agradeció el pie que le daban para intervenir en la conversación y aseguró con soltura:

—Yo jamás llamaría "mal entretenidos" a nuestros paisanos. Córdoba es una provincia de hábitos sedentarios y de trabajo; en el viaje hacia Buenos Aires pude notar la diferencia con vuestra gente. A mí me pareció que ustedes tienen mucho nómade por aquí.

Aquella cátedra en boca de una mujer —y tan joven— dejó a los hombres pasmados: no se esperaba de ella más que murmullos aquiescentes.

Don Ceferino, atusándose el bigote, le clavó la mirada; era un cincuentón grueso, rudo y jovial como hombre que sabe cuántas vacas y leguas posee y que no son pocas.

—Ahora veo por qué dicen que los cordobeses, todos doctores —se burló. Y dirigiéndose a Harrison—: ¿Y qué me dice de "allá"? Políticamente, digo.

—Si mi esposa lo permite, pondré de ejemplo a su familia —y ante el asentimiento de ella, Harrison señaló—: El hermano mayor de doña Luz es agente del general Paz; su otro hermano en edad viril es oficial del general Quiroga. Y su padre, si bien actúa como sostén del vencedor de La Tablada, es un decidido federalista...

—Es que si bien se señala a Paz como unitario, en la práctica es más federal que muchos federales —explicó Luz.

—Y veamos, señora, cómo ha sobrevivido su familia a tales diferencias. Quizás extraigamos una moraleja.

—Mire usted: mientras Paz retenga el poder, mi hermano mayor estará a salvo, pero mi otro hermano seguirá ausente de Córdoba, aunque nada lo amenace, por lo que sé.

Jugando con el pie de la copa Luz continuó:

142

—Si la suerte de la guerra es adversa a Paz, el mayor deberá emigrar, el menor regresará al hogar y mi padre… lo perderá todo.

Su tono controlado pero emotivo hizo que los hombres dejaran aquel tema.

—Fue en verdad desatinada la idea del cónsul francés…

—¿Te refieres a aquello de formar un batallón de extranjeros para apoyar a los unitarios?

—Sí. Mr. Parrish, nuestro cónsul —aclaró Olivier a Luz—, alertó a la colonia británica para que no se prestara a eso.

—Y hemos firmado un tratado de No Intervención.

—Una deseable medida —intervino Harrison—, ya que hay muchos e importantes establecimientos de súbditos británicos tanto en el campo como en la ciudad. Si nos prestáramos a intervenir en las luchas internas, quedaríamos expuestos a las represalias del partido opositor.

—Ustedes, los ingleses, son sensatos —admitió don Ceferino—; pero a los franceses no hay palos con que arrimarles. Miren si no lo que nos hizo su fragata, la… ¿cómo se llamaba, Olivier?

—*Magicienne* —contestó aquél, pensando qué extraña combinación, para una argentina, se daba entre los ojos y los cabellos de la esposa de su amigo. Casi parecía anglosajona… si no fuera por ese quid de malicia, por esa mirada…

—¡Ocho naves nos hundió la muy maldita, ocho naves! —tronó don Ceferino.

—Pero aquel ataque tuvo un efecto saludable sobre los ciudadanos —le hizo notar Olivier—, ya que unitarios y federales se unieron en defensa de su soberanía.

—¡Hm! —rezongó Zabala—. ¿Saben qué creo? Que si esos locos unitarios siguen perdiendo terreno, son muy capaces de aliarse a fuerzas extranjeras para salirse con la suya.

Recordando a Sebastián, Luz concordó (en silencio) con aquella aseveración.

—Después de Puente de Márquez, Lavalle parecía aniquilado. Lo que ha trastornado el esquema es la inesperada victoria de Paz en las tierras interiores —y Olivier preguntó a la joven—: ¿Cuál es el objetivo que mueve a ese hombre, doña Luz?

—Formar la Comisión de Constituyentes, Mr. Olivier. La Constitución Nacional es su meta.

—Tuve el honor de conocerlo en el hogar de mi esposa —dijo Harrison—; me impresionó como hombre no dado a ser manipulado y nada propenso a tratos entre bastidores. Quizá por ello no cuente con la simpatía de los Varela, del Carril y otros de su espectro. Me despertó un gran respeto.

—¿Y a qué fuerzas civiles representa? —bufó Zabala que, aunque con protestas, tenía sus intereses comprometidos con Rosas.

—A las clases seguras; hacendados prósperos y comerciantes de peso, además de la intelectualidad. Y no es desdeñable contar con Córdoba —les advirtió enumerando—: Es la segunda provincia en importancia económica y cultural; algunos del Foreign Office siguen considerándola la primera. Si añadimos que el cordobés es más adepto al trabajo, con mayor nivel de educación en el pueblo, que el clima es privilegiado, que cuenta con medianas pero innumerables corrientes de agua, que tiene bosques, llanuras de pastoreo, granito, cal, metales y minerales, salitres... Bien, señores, no me parece que el general Paz, más cerca de sus hermanas que Buenos Aires, esté en tan precaria situación.

—¿Su provincia tiene salida al mar, señora? —se interesó Morton.

—Señor, si la tuviéramos, seríamos cabeza de república. Por la índole de nuestra gente y la riqueza de nuestro suelo.

Esta salida fue festejada por todos.

—En fin, ha sido un alivio para la población que Lavalle se haya retirado a la Banda Oriental —sintetizó Olivier, agregando—: Claro que al hacerlo ha dejado sin respaldo al movimiento de Córdoba.

Harrison parodió:

—Denle a Paz un punto de apoyo en el Interior y moverá la república.

Zabala, a quien, como porteño, lo desazonaban las rebeldías provinciales, barbotó:

—Aquí, lo que falta es mano dura con los que no respetan el orden —y descargando el puño sobre la mesa, rojo de furia—: ¡Y acabar con esa peste de indios que me tienen hasta los co... gotes! —terminó al ver la alarma en los otros; sólo Luz no parecía impresionada, los ojos fijos en él sin un parpadeo.

Pensando que la había impresionado, Zabala la señaló:

—Esta niña, que se ha criado en zona de malones, me comprende más que ustedes, señorones de gabinete que se lo pasan hablando del derecho de gentes... Como que no han visto a un infiel volarle la cabeza a un cristiano con un golpe de bolas...

Harrison se apresuró a intervenir:

—Perdón, perdón, hay algo que temo olvidar: quería rogarles que cuando llegue don Sebastián, mi hermano político, le asistan en cualquier contratiempo, ya que nosotros habremos partido. Le he dado cartas de presentación, por supuesto —y en tono entusiasta—: Es un artista de mérito, formado en las mejores academias de Europa. Ha pintado un magnífico retrato de doña Luz, digno de figurar en la Galería Nacional de Londres.

—¿Y alguna vez se nos permitirá admirarlo? —preguntó Zabala, la mirada melosa sobre los hombros descubiertos de la joven.

—Oh, bien… Cuando regresemos, seguramente.

—Te tomamos la palabra —Olivier levantó la copa y, para su extrañeza, alcanzó a captar en la rápida mirada que echó Harrison sobre su esposa una rara expresión de vigilancia y anhelo.

Concluida la velada, ya en el coche que los llevaba de vuelta, Harrison sacó la pipa apagada y la retuvo en la mano para que le ayudara a proseguir la conversación en alguna manera pendiente:

—Zabala pertenece a un grupo de hombres llamado los "coloniales", partidarios de los poderes absolutos; añoran las tradiciones de la época de la colonia, con libertades restringidas para otros que no sean los de su clase, y desean ser representados por un mandatario que asuma la tarea de sofocar cualquier intento de salirse de ese esquema.

Luz sacudió la cabeza.

—Es una casta detestable la que todo lo resuelve con represión y matanzas. —Y al rato preguntó—: Brian, ¿usted sería capaz de matar?

Sorprendido, él le aseguró:

—No en principio, Luz, salvo que peligre una vida.

Le buscó la mano que descansaba en el asiento entre ellos y se la apretó. "El tiempo borrará los malos recuerdos. El tiempo y mi amor", pensó.

Montevideo le pareció a Luz más bonita, próspera y limpia que Buenos Aires. Acompañados por Olivier, permanecieron unos días en casa de compatriotas y luego embarcaron en el velero de Su Majestad *North Star* rumbo a Río de Janeiro antes de continuar hacia Gran Bretaña.

El mar y la exuberancia que se adivinaba en la costa a medida que ascendían hacia el Ecuador deslumbraron a la joven que escuchaba absorta —después de un día de mareos y descomposturas— lo que Harrison se complacía en comentarle.

Olivier viajaba con ellos, al parecer en misión algo secreta —Luz oyó mencionar en voz baja al legendario Foreign Office—. Desembarcados en Río, fueron hospedados en lo de Mr. Gore Ouseley, secretario de la

Legación Británica, en la hermosa "villa" de estilo italiano donde se desenvolvían la diplomacia y los negocios de la Misión de Su Majestad.

El agregado a esta misión, un tal Campbell Scarlett, era la persona a quien debía entrevistar Olivier y persuadir además de que lo siguiera a Buenos Aires.

Era este Campbell Scarlett un tanto afectado; gustaba hablar de "los hermosos jardines de Lord Mount Edgecumbe, que visité en Plymouth"; de los libros que escribía sobre sus viajes —noble pasatiempo éste, si los hay, para un inglés—; de sus amigos y acompañantes en la actualidad, Mr. y Mrs. Hamilton, "él trabaja para el F.O. querida, si eso le dice algo"; y como coronación, de la invitación del Marqués de Barbacena y de su yerno, el Vizconde de Santo Amaro, a los ingenios azucareros que poseían "del otro lado de la bahía, en una región tan selvática".

Por sobre todo, le satisfacía ser llamado —y firmar— "The Honourable P. Campbell Scarlett". Dejó entrever a Luz que, entre otros motivos, viajaba para olvidar un hecho doloroso, pero no deshonroso, que lo había llevado a aquel precario estado de salud que iba superando.

En verdad, la joven lo veía un tanto melancólico, pero no debilitado, teniendo en cuenta que gustaba de hacer sus buenas caminatas y siempre estaba proponiéndoles excursiones por los alrededores: una especie de suburbio de residentes adinerados.

Solían reunirse con él —Luz, Harrison y a veces Olivier— en una de las terrazas a contemplar la entrada de los grandes barcos y de las chalupas nativas en la bahía de Botafogo; fue una de aquellas tardes transparentes, de cielos verdosos contra los picos oscurecidos, que Campbell Scarlett les confió:

—He visto Constantinopla, Nápoles, Esmirna y muchos otros lugares que producen una impresión indeleble por su belleza, pero ninguno ni todos ellos juntos pueden sostener una comparación con los encantos de Río de Janeiro.

El calor de todos modos era atormentador y los mosquitos arruinaban cualquier paseo por el parque, donde los esclavos mantenían fogatas de boñiga para ahuyentar los insectos.

Mientras el barco se pertrechaba, Harrison, después de mucho dudar, llevó a Luz a visitar la ciudad. Pronto comprendió la joven que lo que repugnaba a su esposo era la abigarrada población africana —hediondos por el calor y la suciedad en que se los mantenía, afanándose en trabajos sobrehumanos bajo el látigo del capataz.

146

Al llegar a la línea costera, uno podía suponer que entraba en otro país: las calles se ensanchaban, brillaba la limpieza, árboles de flores flamígeras enturbiaban la visión y odorizaban el aire. Aparecían las atractivas tiendas francesas y todo tenía un aire de prosperidad y desatino: se veían pasar carrozas descubiertas con morenas esculturales llamativamente vestidas y con mirada de soberanas: eran las hetairas de lujo, las queridas de los nobles o de los dueños de las minas de oro, de los ingenios; mejor aún, de los plantadores de cacao y de algodón.

Como marcado por todo aquello, Harrison insistió en comprar a Luz, en una de aquellas tiendas, dos vestidos bastante ostentosos, ya que Olivier les había asegurado que tendrían al menos una reunión de gala antes de zarpar. Y luego, para cerrar una tarde de locuras, fueron a un joyero que se especializaba en alhajas de oro y piedras preciosas del país.

Sentada cómodamente, abanicada por una negrita con una gran hoja de palma teñida, con Harrison sobre su hombro aconsejándola, Luz eligió su primer aderezo de diamantes: pendientes, gargantilla, pulsera y anillo. Harrison pagó con letras de cambio del Banco Nacional de Buenos Aires, donde la colectividad británica hacía su cosecha de acciones.

Se dio, efectivamente, un baile donde se reunió en un solo manojo a los individuos (con sus esposas) que representaban los intrincados intereses entre Brasil y el mundo exterior: estaban presentes, además de los británicos, americanos del Norte, franceses, holandeses, alemanes… y rusos.

Fue justamente en un sarao que ofreció el Consulado Ruso días después donde Luz probó un rarísimo postre: los helados. Campbell Scarlett la instruyó sobre el medio más práctico para saborearlos y se rieron disimuladamente de los gestos de los que habían sido sorprendidos por aquella singular golosina; tal lujo, comentó Olivier, se debía a la llegada de un cargamento de hielo desde Boston.

Aquella noche de música y canto, de danzas y risas, de bebidas exóticas y compañías excitantes, estrenando el más escotado de los trajes que alguna vez vistió, adornada de piedras preciosas y de la más vistosa orquídea que Mr. Ouseley le había obsequiado, algo aturdida por las miradas admirativas y el homenaje de la galantería de los varones y ebria de aquella "sensación de libertad", Luz se entregó, en la dulzura de la noche tan quieta que parecía sostenida por las enormes mariposas nocturnas, a aquel hombre que se decía su esposo.

Él agradeció íntimamente aquella merced inesperada, graciosamente concedida, amistosamente otorgada… Sólo después, con Luz dormida lejos de él a causa del calor sofocante, comprendió que la sed y el hambre de ella no se saciaban con la simple posesión de su carne.

Al día siguiente comenzó la vigilia de las veletas que les indicarían la señal del viento —con la marea de aliada— para que el barco abandonara el reparo de la bahía y se hiciera a la mar.

Por fin embarcaron para Plymouth —allí abordarían un paquebote a Cardiff— y, siguiendo la costumbre, contrataron servidores entre los pasajeros de proa, donde viajaban los indigentes. Una viuda irlandesa y su hijo adolescente aceptaron tan providencial oferta.

Las despedidas fueron alegres; Campbell Scarlett regaló a Luz un retrato a pluma que había hecho de ella una tarde que la encontró pensativa, recordando su familia y su pasado; Olivier hizo llenar de flores la cabina y los instó a mantener correspondencia hasta que regresaran. Y así otros.

A medida que se internaban mar adentro, vieron a la multitud del muelle convertirse en pequeñas motas móviles. Sólo entonces bajaron a los camarotes, donde la recién contratada criada ya había abierto la maleta y acomodaba los enseres.

Luz, que insistía en no tutear a Harrison y en llamarlo por su apellido —como una especie de juego de seducción—, le preguntó:

—Entonces, Harri, ¿es usted galés como yo soy cordobesa?

—Por la gracia de Dios, somos ingleses; estamos en Gales porque es conveniente para nuestros negocios.

—Por su tono presupongo que tiene a mal ser tomado por galés. ¿Podría explicarme el porqué?

—Bien... es casi como si en tu país dijeras que soy indígena.

—Pero qué extraordinaria cosa... —replicó ella, como si no captara la incomodidad de él ante la imprudencia del ejemplo elegido; recostada en la litera continuó buscando en el mapa los lugares que él le nombraba.

—Y debes expresarte en inglés. Es necesario que lo hables tan correctamente como yo hablo tu idioma.

—Pero usted lo practica desde los tiempos de Matusalén —contestó ella con cierto descaro.

—Un momento, que no soy tan viejo.

—... si así lo prefiere, desde hace añares.

—Tienes facilidad para las lenguas; empleas una excelente dicción en las frases que te enseñó ese... el amigo de Sebastián.

—¿Los franceses también son indios para ustedes?

Entre divertido y turbado, él bromeó:

—Mm... algo así, según se vea.

Cuando se retiró la criada —que no hablaba español—, Harrison se acostó en su litera.

—¿Por qué no me lees algo? Hoy siento la vista particularmente cansada...

Luz tomó un libro al azar, de los que habían comprado para el viaje:

—Empezaré con *La araucana* de Ercilla —propuso y después, con malicia—: A ver si le recuerda promesas.

—¿Mías?

—De contarme una historia por cada día de viaje.

—Y cumpliré. Pero ahora tendrás consideración con tu esposo y leerás algo hasta que me eche una siesta, ¿sí?

Porque apenas importaba el texto: la voz de ella mantenía aquella cualidad dionisíaca del primer día. Sobreviviría a Ercilla.

20. NAVEGANDO HACIA EL INVIERNO

"Durante los años del régimen de Rosas, de 1829 a 1852,
la Argentina siguió una política muy agresiva en su trato
con las naciones extranjeras."

S. S. Trifilo
Argentina vista por viajeros ingleses

ALTAMAR
NOVIEMBRE DE 1829

Campbell Scarlett había prevenido a Luz: "Lo que usted ha padecido en mareos desde Buenos Aires hasta Río de Janeiro es nada comparado a lo que sufrirá cuando se internen en el océano. Y tenga cuidado con los oficiosos, porque la mitad de los pasajeros, que no está mareada, trata de persuadir a la otra que el comer es lo mejor para curarse. Por mi parte, confío en que dos días de dieta de té y tostadas ayudan a la convalecencia". Luz siguió tan sano consejo y al tercer día pudo presentarse en cubierta sin avergonzarse.

Lo primero que hizo, observada por Harrison, fue arrojar las flores una a una al mar: el perfume se hacía insoportable en la cabina mal ventilada y a ella le entristecía pensar que se las mezclara con la basura del barco.

Mientras se dedicaba a aquello, un joven —apuesto al modo de los porteños— parecía impaciente por presentarse, cosa que hizo en cuanto le fue posible. Se llamaba Mariano Ezcurra y emparentaba por el apellido paterno con la esposa de don Juan Manuel de Rosas. Se dirigía a Londres para desempeñar algún cargo en las oficinas de Manuel Moreno, quien llevaba los asuntos de la Argentina ante la corte de Saint James.

En los días siguientes, Ezcurra se manifestó como un decidido nacionalista, apasionado en la palabra, fanático de su tío don Juan Manuel y convencido de que Francia y Gran Bretaña eran las responsables de cuantos males aquejaban a las Provincias Unidas del Sur.

Un comerciante francés que compartía la mesa con ellos raras veces terminaba sus alimentos, ofuscado ante aquellas acusaciones que su poco entendimiento del español le posibilitaba comprender aunque no contestar con propiedad.

Harrison, en cambio, sorteaba mafiosamente la discusión desconcertando a Luz, que esperaba verlo defenderse.

—Ese joven —le aclaró él—, al margen de que tenga o no razón en lo que dice, carece de verdaderos argumentos. Le faltan datos, le falta objetividad... —y puntualizó—: Tú y Ezcurra deberían ver la otra cara de la cuestión: si un extranjero obtiene prebendas, un compatriota de ustedes está lucrando por allanarle el camino. Deberían investigar los sobornos, amén de legislar para proteger los intereses de la Nación, en vez de poner tanto fuego inútil en las denuncias —y aclaró—: Para tu información, yo pago impuestos, gravámenes, contribuciones y hasta los sobornos que las leyes y las costumbres de tu país exigen. Nunca me he visto en la necesidad de alimentar tiburones; apenas si he dado de comer a pequeños peces que nadan en aguas poco profundas. ¿Conforme?

—Cuando usted empieza con sus metáforas, a mí se me despierta algo así como un tercer oído. Y no, no estoy conforme del todo. De hoy en más asumiré una actitud crítica. Y sepa que pienso informarme.

—Y tú debes saber que confío en mi capacidad para defender lo que considero correcto.

—Y a mí me da que pensar la cautela que ha empleado usted en ese "lo que considero correcto".

A partir de aquel día y para regocijo de los comensales y alivio del francés, Luz metió a Ezcurra en un brete con la agudeza de sus planteos. En privado, la esgrima verbal se volvía contra Harrison, que la capeaba con diplomacia.

Pero nada desalentaba el interés del joven porteño por Luz; uno de sus pasatiempos era interrogarla interminablemente sobre parientes y amistades, rastreando conocidos comunes.

Un punto de alarma para él —además de que estuviera unida a un presunto protestante— eran las lecturas que alcanzaba a vislumbrar en manos de ella y el entusiasmo con que le hablaba de las leyendas que Harrison le contaba. Mariano padecía de un mal muy hispánico: el miedo a la herejía y el temor al liberalismo.

Luz había visto —imposible pasarlo por alto dentro de lo que Campbell Scarlett había calificado como "una prisión de madera"— a un sacerdote que vestía el hábito de los franciscanos. Fue el último en integrarse, pues los vómitos se negaban a abandonarlo y cuando lo hicieron, lo dejaron exhausto.

Una tarde en que Luz había subido sola a cubierta, encontró al joven en compañía del sacerdote; parecían, en verdad, haberla estado acechando.

—Doña Luz, quiero presentarle al padre Cornejo, consejero eclesiástico. El padre Cornejo goza de la confianza de mi tía, doña Encarnación —dijo el muchacho sin saber que para Luz aquel aval dejaba mucho que desear: había conocido a la esposa de Rosas con don Ceferino Zabala y no le resultaba simpática.

Luz besó desganadamente la mano que le ofreció el sacerdote y Ezcurra, con una excusa que transparentaba las intenciones de ambos, los dejó solos. El cura no se fue por las ramas: de inmediato preguntó si habían pedido, ella y Harrison, la dispensa papal.

—... ya que debe saber usted que están prohibidos en el Río de la Plata los matrimonios mixtos.

—Pero mi esposo es católico, Su Paternidad —le hizo ver Luz.

—¿Y si él, llevado por la tentación de poseerla, la hubiera engañado, hija mía?

—No veo cómo —respondió ella, fascinada por aquella frase y decidida a repetírsela a Harrison—; mi marido ha sido convertido por mi confesor.

El franciscano quedó perplejo, ya que sabía que los protestantes, en cuestiones de fe, eran tan intransigentes como los católicos.

Harrison se acercaba en aquel momento y el sacerdote se batió en retirada.

—¿Qué te decía?

Luz le preguntó a boca de jarro:

—Dígame la verdad, Brian. ¿Ha tenido que violentar su conciencia para cambiar de credo?

Sopesando la inteligencia de ella, él se tomó unos segundos para contestar y al fin lo hizo eligiendo cuidadosamente los términos:

—La verdad es, Luz, y espero no preocuparte, que no soy hombre de fe, sino de orden; la religión es para mí un instrumento para poner disciplina en las pasiones humanas, para el mejor desempeño de la sociedad. En ese aspecto, mi conversión no fue, comprenderás, un "encontrar La Verdad...", pongámosla con mayúsculas, ni tampoco una traición al dogma de mis mayores, del cual soy respetuoso pero apenas observante. Simplemente, ese paso me abrió el camino hacia ti. ¿Satisfecha?

—Tranquilizada —y con un toque de humor, cerró el tema—: No creo valer una misa, como la ciudad de París.

Días después el sacerdote y Ezcurra se acercaron a invitarla al Oficio diario que se celebraba en la cabina del padre Cornejo, ya que el capitán, un escocés con sus propias susceptibilidades, no permitía llevarlo a cabo en cubierta.

Luz contestó que ella y su esposo sólo asistirían los días de guardar, lo que dejó perplejo al muchacho y resentido al sacerdote.

Harrison sospechaba que las motivaciones de Ezcurra eran muy terrenales, pero su esposa parecía no notarlo y seguía zarandeando al joven con sus preguntas e ironías.

Un día el padre Cornejo probó algo de aquella medicina: peroraba el consejero sobre la espiritualidad femenina cuando Luz, que comía en silencio, ni levantó los ojos para preguntarle:

—¿No cree usted, padre, que la religión sea el instrumento usado por la sociedad para que las mujeres y los indigentes no reclamen lo que por justicia se les debe?

El sacerdote se atragantó con la parrafada y sólo atinó a preguntar, alarmado:

—Pero... ¿Qué ha estado leyendo usted, querida señora?

—El catecismo —respondió ella sin hesitar y le manifestó—: A mi modo de ver, resulta evidente que los varones tienen un margen de acción más amplio que nosotras, las mujeres. Y tampoco conozco ley que trate por igual a pobres y pudientes.

El capitán se apresuró a preguntar quién se anotaba para jugar *cribbage* después del café.

Pero aquellos desplantes de Luz no conseguían apartar al dúo —el muchacho y el cura— de ella; antes bien, se sentían más inclinados a rondarla, a aconsejarla, sospechando que estuviera apartándose de la fe de la Santa Madre Iglesia bajo el influjo de su pérfido esposo, que le llenaba la cabeza con aquellos cuentos de hadas y vaya a saber qué insidiosas lecturas. Porque el padre Cornejo estaba, ya que no con la intención, al menos con la letra de Lope de Vega:

> "Quién la mete a una mujer
> con Petrarca y Garcilaso
> siendo su Virgilio y Tasso
> hilar, labrar y coser...
> ocupada y divertida
> en el parir y criar".

Y en misa, por supuesto. Y en cuantas buenas devociones ins-
trumentaba la Iglesia para tenerlas santamente ocupadas. Porque en cuanto
a lecturas, el padre Cornejo no creía que una mujer debiera pasar de "Gritos
del Purgatorio y del Infierno" o "Luz de la Fe y de la Ley", con los cuales,
ochenta años atrás, se había criado su querida madre. Refiriéndose a Santa
Teresa, la consideraba apta para clérigos y filósofos, pero para jóvenes
casadas… les daba un tufillo a bachilleras que… Y empleaba aquel término dieciochesco como si fuera de reciente cuño…

A veces Luz contaba a Harrison cosas de la familia, pero él notaba el
buen cuidado que ponía en no nombrar al hermano prófugo. Aquello le
hacía pensar —en esos días en que se volvía obsesivo y curioso— en que
el desertor y el muerto ocupaban un lugar secreto y protegido en el corazón de ella: un lugar al que no se le permitía el acceso.

Una tarde, mientras se cambiaban para la cena, alabó él la destreza
con que su esposa le había armado el lazo de la camisa.

—Es que solía ayudar a mi hermano a vestirse, que era bien torpe en
esas cosas —contestó ella, luego se vio que descuidadamente.

—Jamás lo hubiera sospechado de Sebastián —se sorprendió Harrison—; lucía siempre tan elegante…

Hubo un silencio y la joven vaciló al aclarar:

—No me refería a Bastián, sino a Fernando.

—Cuéntame algo de él.

—Odiaba la "paquetería" —le informó Luz escuetamente y cambió
de tema.

Aquel episodio puso a Harrison irracionalmente celoso y al tropezar
con Ezcurra, que rondaba por si Luz subía sola, comentó de malhumor:

—Creo que ese tonto piensa que tu familia te ha casado a la fuerza
conmigo.

—No estoy segura en cuanto a eso —se sonrió ella—, pero debo aceptar que el padre Cornejo desconfía de la conversión de usted y que ambos
sospechan que usted se ha propuesto hacerme abjurar de mi fe.

—Y antes de que el santo hombre desembarque en Madeira, entre él
y ese petimetre, me arrojarán por la borda… Todo por la salvación de tu
alma.

—Bien, si usted me abandonara a un destino espantoso en su isla, como
han pronosticado mis enemigos, puedo confiar en que un joven romántico y bienintencionado me devuelva cristianamente a mi patria.

Quizá porque toda la tarde lo habían rondado negros pensamientos —ese lazo confuso y sanguíneo que la unía a aquellos dos salvajes, el hermano y el amante muerto—, fue que él se volvió hacia ella con el rostro transfigurado.

—Nunca te abandonaré, Luz, pero es posible que tú me dejes a mí —y por un raro juego de las sombras del velamen, su semblante le pareció a Luz el de un desconocido. Porque, se preguntó mientras volvía la vista al mar, un poco picado, ¿qué sabía ella de ese hombre? ¿Era siempre controlado y amable, siempre previsor, siempre paciente, siempre con ese humor irónico que a ella tanto agradaba? ¿Qué pensamientos pasaban por su cabeza cuando, como entonces, quedaba silencioso, como sin sangre en el cuerpo?

Tuvo un escalofrío:

—Vayamos al comedor. Está bajando la temperatura —se quejó.

—Es que navegamos hacia el invierno —indicó él en su tono más solícito y ofreciéndole el brazo, la besó ligeramente en la mejilla: era el Harrison de siempre.

En Madeira quedó el padre Cornejo, angustiado por la suerte de aquella jovencita a quien, pensaba, tan irresponsablemente habían casado sus padres con un hombre de peligrosa ascendencia sobre ella.

En Plymouth bajó casi todo el resto del pasaje. Ezcurra vio alejarse el paquebote que se llevaba a Luz rumbo a Cardiff; se lo veía pálido y como mal dormido, perdida la verbosidad. No había conseguido que Harrison lo invitara a su casa; ni siquiera sabía las señas de donde vivía.

—Está absolutamente enamorado de ti —le hizo ver Harrison a Luz. A ella le pareció maravilloso que un esposo pudiera hacer aquella aseveración sin un cuchillo en la mano o la puerta de salida abierta; indudablemente, estar casada con un inglés tenía ciertas ventajas.

La ciudad de Cardiff impactó a Luz con sus construcciones, sus parques y enormes —para ella— comercios. Al mismo tiempo, la actividad, que parecía golpear como sobre un yunque con sus estruendos, la fascinó y repugnó con sus contrastes.

Faltaba poco para la Navidad y ya se hacía sentir el frío. Alquilaron una silla de postas y mientras se alejaban hacia la campiña, pudo ella contemplar las maravillosas y verdes colinas mancilladas y desventradas por la búsqueda del hierro y del carbón.

155

Una campana que repicaba como a incendio la sobresaltó y al asomarse a la ventanilla, vio infinidad de hombres enjutos, pequeños, sucios y harapientos saliendo de aquellos hormigueros; al pasar al lado del coche, que había disminuido la marcha, les dirigieron miradas retraídas y cansadas. ¡Cuán distintas, pensó Luz, de la mirada altiva, tranquila y hasta socarrona de los paisanos cordobeses y de los gauchos en general!

Y muchas millas más adelante, al descender al valle y dejar atrás maquinarias arrumbadas, casillas en ruinas, la naturaleza maltratada, Luz entró en el Gales de los relatos de Harrison: un esplendor de otoño añadido a la puesta de sol, una visión de bosques impenetrables y praderas deliciosas, arroyuelos y rebaños conducidos por sus pastores iluminaron el rostro de Luz, ensombrecido desde que había descubierto niños marchando entre los mineros con las herramientas al hombro.

Harrison le acomodó la manta sobre las piernas, el almohadón en la espalda. —¿Cansada? ¿No crees que hubiera sido mejor que nos trajéramos a Alma? —la mujer que contrataron en el barco, a quien habían despedido en Plymouth.

Luz suspiró:

—No hubiera podido hacer nada por mi cuerpo —y como para sí—: Todo es tan extraño, Harri. Supera el poder de mi imaginación. Pero el paisaje… ¡Dios mío, es bellísimo!

Pronto distinguió propiedades protegidas por muros entre la espesa vegetación, setos cortados prolijamente, accesos de importancia a través de vados robustos que atravesaban corrientes de agua angostas pero turbulentas.

Después de una amplia curva, se detuvieron ante un portón de rejas y el cochero dio un grito; de la caseta interior salió un hombre que les franqueó la entrada cruzando con Harrison unas frases inentendibles. El coche tomó por una avenida de árboles desdibujados en el crepúsculo: la sombra de una construcción de dos plantas, entre la niebla que avanzaba desde el canal de Bristol, mostraba las ventanas iluminadas.

Detrás de ellos se oyó doblar la campana, seguramente avisando a la casa que el coche había llegado.

Por fin se detuvieron ante la terraza circular, ocupada por varias personas; Luz alcanzó a distinguir escalones, macetones rebosantes de plantas, la hiedra roja adhiriéndose a la pared.

El conductor sofrenó los caballos y un segundo después Harrison descendió y extendió la mano hacia ella:

156

—Bienvenida al hogar, querida —dijo controlando apenas la emoción.

Thomas y Edith se adelantaron a saludarlos; Thomas era más joven y más alto que Brian y así como éste tenía aspecto de un próspero comerciante, el hermano menor parecía más bien un profesor. Edith era una de esas inglesas delgadas y enhiestas, de rostro caballuno, que luego Luz aprendería a distinguir en cualquier país del mundo. Sus hijos, William y Sarah, dos lindas criaturas, parecían de la edad de Ana y Carlitos, los hermanos menores de Luz.

La joven disimuló la sonrisa al notar el alivio de sus cuñados al observarla. "En fin" parecieron decirse, "el querido muchacho, siempre con la cabeza despejada. Aunque quizá sea un tanto joven para él..."; entre los defectos que temían, aquél era el menor.

Después de los saludos —todos quedaron un tanto incómodos cuando Luz, ignorando las costumbres, los besó—, Harrison la guió entre la hilera de criados uniformados, donde ella pudo notar las jerarquías celosa aunque cómodamente guardadas entre ellos, que recibieron cada uno una frase amable del patrón.

Luego, mientras el cochero y las criadas se encargaban del equipaje, la familia pasó a un enorme hall ovalado, circundado de altos ventanales, adornado con estatuas de portalámparas, y de allí entraron a una sala profusamente iluminada, pintada en celeste con artesonados de oro. El fuego ardía vivamente en la chimenea y reinaba un leve desorden —una pipa encendida, un diario en el suelo, juguetes en la alfombra, una labor sobre la mesilla—, mientras dos perros amistosos y un gato enorme compartían el calor con los humanos.

Después del brindis de bienvenida, conversaron brevemente y luego subieron a sus habitaciones.

En ellas, muy lejos del lujo sobrio y oscuro de Córdoba, se habían colocado flores, vasijas con pétalos de rosas en agua y todo tenía un aire risueño a pesar de la solidez de los muebles, que eran de maderas claras. Los esperaba un baño tibio, la estufa encendida caldeando el ambiente y la ropa ya ordenada. Apenas si pudieron cruzar palabra entre ellos, pero Harrison eligió el vestido de Luz para la cena.

La mesa, en el comedor, estaba puesta con cierto lujo debido a la celebración, y el servicio de los criados le recordó a la joven la precisión de una misa.

Harrison contribuyó con un vino tinto de Mendoza —una remesa excepcional que le había regalado Farrell— y esto llevó a Thomas y a Edith a suponer que los Osorio eran mendocinos y bodegueros por añadidura;

corregido el error, Harrison se explayó en alabanzas sobre Córdoba y especialmente "Los Algarrobos".

Mientras disfrutaba de una sencilla pero añorada comida inglesa, comentó:

—Les parecerá increíble —obvió el hecho de que sólo había conocido la estancia por datos fidedignos—, pero calculo que el perímetro de tierras que abarca es más grande que este condado.

A Luz le pareció que, después de aquello, Thomas y Edith miraban a Harrison con mayor respeto. Las cifras que a continuación les dio sobre el tráfico de mulas y caballería que se movía en la estancia les parecieron igualmente asombrosas.

Thomas, avanzada la cena, se entusiasmó con la idea de importar vinos, pero su hermano lo desalentó.

—No podrían competir con los precios de los españoles e italianos, que nos llegan, como quien dice, de la bodega de enfrente. Ha comenzado en la Argentina una guerra civil que creo adquirirá proporciones desmesuradas. El comercio con las tierras interiores se volverá dificultoso; habría que transportarlos vía Pacífico, lo que los encarecerá ridículamente...

Cuando por fin se retiraron a descansar, Harrison mostró cierta incomodidad: —Verás, entre nosotros es común que los matrimonios duerman en habitaciones separadas —y señaló la puerta de comunicación—. Si lo prefieres, usaré la otra alcoba, ya que parece que ésta te agrada.

—¿Quieres dormir solo? —se extrañó ella, tuteándolo por primera vez.

—No, en absoluto... Es que pensé que estarías extenuada y no quería incomodarte.

—¿Te preocupa lo que pueda pensar tu familia si dormimos juntos? —preguntó Luz con maldad.

—Por supuesto que no —contestó él secamente.

Una gran compasión llenó a Luz; Severa tenía razón: un día u otro, ella haría profundamente desdichado a aquel hombre.

—¿Por qué no traes tus cosas y nos acostamos de una vez? —lo alentó—; comienzo a sentir el cansancio de meses.

Cuando apagaron el candelabro, sólo iluminados por las ascuas del hogar, ella se arrimó a él buscando calor.

—¿Crees que la guerra no parará, que se extenderá a todo el territorio?

—Desgraciadamente, estoy seguro —afirmó él, no sabiendo cómo tranquilizarla. Su instinto le decía que no era mujer de sentirse mejor si él afirmaba: "No te preocupes, que nos alejaremos de allí apenas las cosas se pongan ingobernables".

158

Pero Luz cambió bruscamente de tema.

—Cuéntame una leyenda. La más hermosa que conozcas. Con muchos muertos, espadas ensangrentadas, filtros mágicos, venenos, lealtades y traiciones... —tomó aliento y terminó—: Y si es posible, con una hechicera de por medio.

—Será, entonces, la leyenda de Tristán e Isolda...

Cuando concluyó el relato, Luz murmuró, amodorrada:

—El destino... ¿cómo podemos eludirlo?

Harrison permaneció despierto por horas, velando los sueños de la joven esposa. Determinado a que, con el tiempo, conseguiría todo —casi todo, se moderó— lo que deseaba de ella.

21. DE INGENIOS Y VANIDADES

"John Bull es orgulloso, valiente, sereno y diplomático. Su orgullo
le impide dudar del éxito de una empresa, su valor le hace conseguir
lo que desea, su temperamento le permite examinar con sangre fría
las ventajas de la victoria; su tenacidad le faculta conservar sus
frutos. La diplomacia se encarga del resto."

Max O'Rell
John Bull y su isla

GRAN BRETAÑA
PRINCIPIOS DE 1830

El Reino Unido comprende Inglaterra, Gales, Escocia e Irlanda, más
otros territorios en Europa, América, Asia y África.

—Quien mucho abarca poco aprieta, solía decir mi abuelo.

—Hay dos clases de posesiones: los dominios y las colonias; los primeros están en relación de igualdad con nosotros…

—¡Qué generosos!

—… los segundos mantienen un estado de dependencia protegida.

—Muy considerados.

—Nuestro actual monarca es George IV; por tu casamiento con un
súbdito británico, puedes adoptar la ciudadanía…

—Gracias, pero no.

—¿Acaso crees que es peor ser gobernado por una monarquía milenaria
que por uno de vuestros caudillos?

—Lo más molesto de los ingleses es su falta de comprensión a que los
demás pueblos no quieran ser ingleses.

—No estoy tratando de convencerte, sino de ilustrarte. Si adoptas esa
actitud no podremos avanzar.

—¡Qué alivio! ¿Me invitas a dar un paseo a caballo?

—Cromwell me gusta; me recuerda a Mariano Moreno.

—Cromwell era un reformista, no un revolucionario. Nosotros no producimos revolucionarios, salvo para exportación.

—¿Quién es tía Margaret?

—La más anciana sobreviviente de nuestra familia. Vive en una terrible mansión, en Devon, del otro lado del canal, con un viejo fantasma. ¿Quién sucedió a Cromwell?

—Adoro los fantasmas. Cuando sea vieja tendré uno.

—Espero que no sea el mío. Y déjame algún pastel de manzana, ¿quieres?

—Brian, éste es Owen, hijo de uno de nuestros arrendatarios.

—Para servirlo, señor.

—Necesito que te encargues de los caballos y del coche. Viajaremos a Londres… ¿Te molestaría hacer otras tareas, hmm… más domésticas?

—El trabajo no deshonra, señor.

—Buena respuesta, muchacho. Ven; la señora querrá conocerte. Cuando yo esté ausente, deberás servirla con tu alma.

—¿Es verdad que en Sud América hay oportunidad, señor, para alguien dispuesto a trabajar duro?

—¿Así que quieres intentarlo? Bien, bien; ya hablaremos.

—Brian, debes llevar a tu esposa a conocer la National Gallery ahora que van a Londres.

—Buena idea, Thomas. Luz, quiero que veas las obras de Gainsborough; las damas que pintó se parecen mucho a ti. Y tendré que comprarte sombreros nuevos, por supuesto.

—¿Por qué las inglesas se ponen esos adefesios en la cabeza? Tocas, gorros, capotas, turbantes…

—¿Qué me dices de los insoportables peinetones de las porteñas?

—Brian, ¿no sería conveniente que pasaras primero por Devon? Tía Margaret está inquieta. Eres el heredero y… (apuesto a que sospecha que te has casado con una indígena).

—(Shh, Luz.)

—¿Dónde consiguió Brian esa belleza?

—Siempre pensé que terminaría casado con aquella joven de Devon, la sobrina de lord... lord...

—... esa joven ya no es precisamente una joven.

—El hermano de Thomas, ¿te acuerdas?, se ha casado con una muchacha apenas púber.

—Por Jove, ¡él parecía tan serio!

—Es una heredera sudamericana.

—Me retracto. Continúa siendo serio.

—El mayor de los Harrison se casó con una peruana; la conoció cuando fue a inspeccionar las minas de plata.

—Harrison se casó con una brasileña. Su familia se dedica a la fabricación de vinos.

—Luz, te presento a Mr. Gore, George Gore, Squire.

—Perú debe ser un magnífico país, señora.

—Imagino que sí, Mr. Gore, aunque no lo conozco.

—¡Ah...!

—¡Dios Santo! No imaginé que pudiera construirse algo así.

—Es la Abadía de Westminster. Toda la historia de Inglaterra está encerrada entre sus muros. Mira, sobre ese trono coronamos a nuestros soberanos.

—¿Y por qué tiene esa piedra debajo?

—Oh, se la arrebatamos a los escoceses. Sobre ella ungían a los antiguos reyes celtas y, según la leyenda, mientras Inglaterra la posea, será invencible. Por las dudas, cuando Napoleón amenazaba invadirnos, la guardamos en un lugar secreto.

—¿Así que se la quitaron a los escoceses? ¿Por qué no dejan en paz a sus vecinos, Brian?

—Querida, sólo entramos en guerra cuando nos provocan o no entienden razones.

—¿Y cuál fue la razón para invadir Escocia?

—Una cuestión de Estado: teníamos que estar unidos o seríamos pasto de nuestros enemigos. Además, contábamos con una razón adicional: éramos más fuertes y disciplinados que ellos.

—Increíble.

—Ven. Esta hermosa dama, que nació en la tierra de tus ancestros, desposó con aquel rey que sometió a los escoceses.

—Leonor de Castilla... ¿Una española?

—Y hubo otras. La primera esposa de Enrique VIII...

—¿El que compuso esa canción tan bonita que nos cantó Edith?

—El mismo.

—Qué extraños que son ustedes, Harri; componen canciones de amor para mujeres a las que después degüellan.

—Nosotros no degollamos, Luz, eso es primitivo. Decapitamos.

—Luz, te presento a don José Ramón Pinedo, agregado consular de Buenos Aires en Londres. Nos encontramos en el *foyer*.

—¿Le gusta Shakespeare, doña Luz?

—Me fascina, y también Sheridan. En la comedia, se entiende.

—Actualmente, tanto Covent Garden como Drury Lane prefieren la comedia al drama. Pero, ¡qué extraordinario! Anuncian justamente "La escuela del escándalo". ¿Vendrán ustedes al estreno?

—Lo dudo. Tengo negocios que me reclaman en el norte del reino.

—¿Por qué estuviste tan seco con el señor Pinedo?

—Te miraba el escote.

—¿Estás celoso?

—No, pero fue de mal gusto. Los latinos siempre están atisbando en jardín ajeno mientras descuidan el propio.

—¡Qué metáfora encantadora! Y los ingleses ¿no hacen lo mismo?

—A veces... pero con más discreción.

—Eres algo hipócrita, ¿no?

—Sólo cuido mis intereses.

—No me gustó cómo te miraba la señorita que encontramos en casa de tu hermana Claire... esa que es tan devota de tía Margaret. Parecía que le debías algo.

—¡Qué cosas dices! Yo... jamás he tenido algo que ver con ella.

—¿Y por qué te has puesto colorado?

—Habla en español, por Cristo.

—Tía Margaret, permíteme presentarte a mi esposa, doña Luz Osorio de Núñez del...

—Basta. Impronunciable. España debe ser muy cálida, jovencita.

—No tengo idea de ello, miss Margaret.

—Oh.

—¿Por qué la gente me pregunta cosas tan extrañas, Harri?

—Por ignorancia, querida.

—Devon me encanta. ¡Qué extraordinaria alcoba!

—Tiene, al menos, doscientos años.

—¿Y no la han limpiado en todo ese tiempo?

—No seas impertinente. Acuéstate y léeme algo o se te aparecerá el fantasma.

—… Harri…

—¿Hmm?

—Tengo miedo…

—Había olvidado qué grata es la región de Trent.

—Mira qué porcelana maravillosa, Harri. Y ese tono azul…

—La de Wedgwood es una de las más hermosas porcelanas del reino.

—Hasta sería capaz de bordar todo un mantel para lucirla.

—Pagaría por verte con la aguja en la mano. Si de veras la deseas…

—¿*Madame* es argentina? Un sobrino nuestro —su madre era una Wedgwood—, un joven brillante, Darwin es su apellido, piensa emprender un viaje hacia allá. Y no tema usted, señor; embalaremos las piezas para que soporten el viaje.

—Su sobrino ¿es ganadero o comerciante?

—Nada de eso, caballero. Es científico; se interesa por la Naturaleza.

—Entonces, no pierda las esperanzas. Mientras no pretenda emprender un negocio…

—Sin sarcasmos, Harri.

—Si en mi país hubiera posadas como ésta, las mujeres podríamos viajar por el mero placer de hacerlo. Y veo que la gente de pueblo es bastante alegre. Entre ustedes, como dice Thomas el Filósofo, el humor crece a medida que decrece el capital.

—¿Acaso me consideras aburrido?

—Eres lo suficientemente malvado para resultar divertido. ¡Y yo me siento tan feliz, Harri! Hacía años que no me sentía así. Ven, acompáñame al jardín. ¿Crees que podré cortar una rosa para mi pelo?

—Thomas, tu hermano se muestra muy enamorado de su esposa.

—Son recién casados. ¿No es lo acostumbrado?

—Lo considero sorprendente, ya que él fue siempre muy reservado y... pensé... no es que me disguste ella, ¿sabes?, pero, ¿no hubiera sido más apropiada Alice? Sus edades son semejantes y tía Margaret siempre la distinguió. Claire me escribió desde Londres; dice que se encontraron en su casa y la querida muchacha...

—Una mujer de treinta y cinco años no es, definitivamente, una muchacha.

—... y Alice estuvo enferma dos días, sin poder abandonar su habitación...

—Puedo imaginarlo. Perder un vínculo de treinta mil libras anuales es un rudo golpe...

—¡Oh, ya veo! Crees que estoy criticando a Luz, ¿verdad? Pero no es así. Sólo que ella... ¡luce tan joven!

—Por mi parte, me satisface pensar que Luz proviene de familia de terratenientes como nosotros y que es tan adinerada como él; sólo puede significar que lo eligió libremente, ¿no? Los abolengos de Alice me resultaban hartantes. Recuerda que Brian tuvo que gastar cientos de libras en ese endemoniado juicio de servidumbre de paso que le planteó aquel baronet, el tío de Alice. ¿O es que ya te has olvidado de eso?

—Brian, un caballero ha llegado a visitarlos; tiene un nombre que no me siento capaz de reproducir. Ésta es su tarjeta.

—¡Demonios!... Perdón, Edith. Señor Ezcurra, nunca esperé verlo por Cardiff.

—Hermosa propiedad, Mr. Harrison; georgiana, ¿verdad? Y estupendo parque.

—Sí, sí; la bondad de la tierra y nuestro viejo jardinero hacen todo. ¿Y cómo van sus asuntos en la City?

—Muy bien, gracias, ¿y su señora esposa?

—Lamentará no verlo. La habían invitado a la vicaría y...

—¡Mariano, qué sorpresa!

—Doña Luz, yo... pasaba por...

—¡Qué hermosas flores, querido amigo! Edith, mi compatriota las ha traído para ti.

—Muchas gracias, señor... hemm... Haré preparar el té.

—¿No fue encantador de parte de ese muchacho venir a visitarnos?

—Fue extemporáneo, ya que no lo habíamos invitado. Soy respetuoso de la privacidad ajena y aprecio se respete la mía. ¿Y cómo es que lo llamas por su nombre?

—¿Estás celoso de nuevo y no quieres admitirlo?

—¡Oh, vamos! Tengo que terminar con esta correspondencia y no podré hacerlo contigo sentada en mis rodillas.

—Yo también estuve escribiendo. Ese sinvergüenza de Sebastián no vendrá. Ya debe estar en París.

—Suerte para él que dejó Buenos Aires. Olivier me ha escrito que Rosas ha sido elegido gobernador; con el temperamento de tu hermano, lo prefiero lejos de allí. Oye, ¿dónde habrá conseguido Ezcurra nuestras señas? Ese joven tiene recursos que yo no sospechaba…

—Las regatas Oxford-Cambridge son un evento muy entretenido, doña Luz. Ningún año me las pierdo, desde que estoy en Inglaterra.

—Y la primavera es muy suave aquí, señor Pinedo. En Córdoba, las hojas estarán amarilleando.

—Y hablando de la patria… dicen que Lavalle se ha vuelto loco en el Uruguay.

—¿En un sentido heroico, quiere usted decir?

—No, señora; en un sentido mental. Eso, al menos, comentan los recién llegados.

—Ezcurra nos contó que se hicieron impresionantes funerales a Dorrego.

—Para rédito político de Rosas… que no lo ayudó cuando podía y debía.

—¿No simpatiza con don Juan Manuel, Pinedo?

—Tengo prejuicios contra los hombres que detentan poderes tan absolutos sobre los pueblos, Mr. Harrison. Y dígame, señora, ¿extraña Buenos Aires?

—No, pero sí Córdoba. ¿Y qué se sabe del general Paz?

—Ha vuelto a derrotar a Quiroga, esta vez en Oncativo. Pero Rosas ha recibido a Facundo con tales agasajos, que muchos lo suponen el vencedor.

—Y mi querido Manco ¿qué ha hecho mientras tanto?

—Organizar el Interior con mucho éxito. Es la esperanza de los moderados. Prácticamente todas las provincias le responden… y sin que haya tenido que mover su ejército de Córdoba.

—Dudo que el Litoral…

—Duda con justicia, Mr. Harrison. El Litoral y don Estanislao López responden a Rosas.

—¡Brian, el rey ha muerto! Dicen que tenía al cuello una miniatura de la señora Fitzherbert.

—¿Quién es ella, Edith?

—Su amante.

—¡Brian, qué pensará tu esposa! Nuestro soberano, Luz, amó a esa dama, pero era viuda y católica, así que no le permitieron desposarla. Por afecto a ella, el rey permitió a los católicos entrar en el Parlamento.

—… y por su causa tenemos allí a ese ácrata de O'Connell discurseando sobre los derechos de Irlanda.

—¿También los irlandeses son indios, Harri?

—Es de pésimo gusto hablar delante de Edith en español, Luz. Pero sí, son, con mucho, la peor clase de ellos.

—¡Qué persona tan libre de prejuicios es Brian, ¿verdad, Edith?

—Así nos lo parece a Thomas y a mí, querida.

—No te burles de ella, Luz; es una maldad.

—Ahora eres tú quien habla en castellano.

—… dicen que lo enterrarán con la miniatura de ella. ¿No te parece romántico, Luz?

—Mucho, Edith, especialmente porque ya no es posible que esa señora les traiga problemas, ¿no?

—Buen rebaño, pero muchas ovejas se malograrán en el viaje.

—Resistirán las suficientes, Thomas. Los pastores que he contratado saben su oficio. Y la pampa es una tierra prodigiosa. Tiras una semilla y te da dos cosechas anuales; abandonas unas vacas y a poco tienes una manada…

—… si antes no llegan los indios, la langosta o la sequía.

—No seas pesimista, Luz. En cuanto a los géneros…

—Todo en orden, viejo. Pero los muebles deberán ir en el próximo embarque.

—Está bien; aún no tengo acondicionada la casa. Luz, he contratado a esa mujer que te sirvió en el viaje, Alma O'Sullivan, esta vez permanentemente. Su hijo prefirió quedarse en Cork, así que me llevaré a Owen. Es un muchacho listo.

—¿Sabes a quién acabo de encontrar en cubierta, Luz? ¡A Ezcurra! ¿Cómo diablos se habrá enterado de que viajábamos precisamente...

—Seguro es casualidad, Harri.

—No creo en las casualidades. Debe hacer meses que se dedica a revisar las listas de pasajeros de cada barco que zarpa para Buenos Aires. Además, está insoportable con el triunfo de su tío. Si esto es una muestra de lo que nos espera allá, que Dios nos asista.

22. LOS HONORES DEL MARTIRIO

> "El santafesino López se acercaba a Córdoba, y uno de sus
> lugartenientes, el coronel Echagüe, entraba en la ciudad (31 de mayo),
> donde sus tropas cometieron excesos."
>
> Efraín U. Bischoff
> *Historia de Córdoba*

CÓRDOBA
JUNIO DE 1831

Después de la batalla de Oncativo —o Laguna Larga— la hegemonía de Quiroga cedió y a doce meses de La Tablada, Catamarca, San Luis, Mendoza, La Rioja, San Juan, Salta, Jujuy, Santiago del Estero y la ya leal Tucumán entregaron a José María Paz el Supremo Poder Militar en los territorios que componían la Liga Unitaria.

Buenos Aires opuso a esto el Pacto Federal, en alianza con Corrientes, Entre Ríos y Santa Fe. Paz, conociendo la tendencia federalista de los pueblos, aseguró que respetaría "el sistema constitucional que adoptase la mayoría de las provincias en congreso".

Pero la suerte del país, como la de los Osorio, quedó sellada cuando el jefe unitario fue "boleado" —derribado de su caballo con un tiro de boleadoras— en Calchín y apresado por los federales. Aquel inesperado suceso acabó con el proyecto más serio de organizar el país.

Al saberse la captura del Manco, el desconcierto y el temor paralizaron a Córdoba; La Madrid tomó el mando del ejército, pero pronto se vio que sus milicias se comportaban apenas mejor que las de Lavalle, de triste reputación.

Don Estanislao López y el coronel Echagüe se movilizaron hacia Córdoba; la fama de crueldad de este último quedó ratificada no bien entró en la ciudad: cometió tales desmanes que dejó a la población sin aliento. Muchos fueron encarcelados, despojados de sus bienes, sentenciados a muerte, algunos salvaron sus vidas abandonándolo todo, dejando, por fuerza, a sus familias desamparadas.

Había ya como un presagio de barbarie en la contienda.

Recién llegada a Buenos Aires, Luz recibió una carta de don Prudencio Cáceres, amigo y letrado de la familia, que con muchos miramientos le comunicaba la muerte de don Carlos.

"… su natural hombría no le permitió, Lucita, quedar al margen del episodio. Este joven, Quintana, enfrentaba solo y desarmado una partida de Echagüe sin que nadie se atreviera a socorrerlo. Quiero que en tu dolor recuerdes la nobleza de tu padre, que salió en defensa de un casi desconocido sin más armas que su voluntad. Yo considero a Carlos, mi entrañable amigo, mártir de una causa llamada 'Humanidad'.

"Para mayores males, tu madre lo acompañaba aquel funesto día y no ha estado bien desde entonces. Tu tío Felipe y el comandante Farrell han flaqueado en darte la noticia; y heme aquí, como apoderado moral, aconsejándote que, con tu esposo, viajes a ésta con urgencia…"

Luz lloró desconsoladamente, afligiendo a las criadas irlandesas que no sabían qué hacer en ausencia del patrón: Harrison estaba en la estancia del sur, atento a los rebaños que iban llegando después del desembarco.

Imponiéndose al dolor, Luz hizo llamar al administrador de la firma —Murray— y lo conminó a que acondicionara la sopanda y consiguiera escolta para viajar a Córdoba.

Escribió febrilmente a su esposo explicándole la urgencia, presionó a James Olivier para que sus contactos en el gobierno de Buenos Aires le consiguieran los salvoconductos y al amanecer del día siguiente partió, sin escuchar razones, guiada por un baqueano de don Ceferino Zabala, quien le había facilitado la tropilla de remuda; Charles Morton la había provisto de una escolta de irlandeses y escoceses confiables y aguerridos.

Ni siquiera llevaba una criada. ¡De qué podían servirle aquellas gringas asustadizas! Con Calandria hubiera contado…

Fue un viaje de pesadilla; en todo momento estuvo llena de confusiones acerca de la hora, el día y los lugares que atravesaban. En alguna parada, entre dos malos sueños, sintió que un mundo donde no tuviera que oponerse a la razón de su padre y a la sinrazón de su madre le era desconocido.

Iban entrando en la provincia de Córdoba cuando comprendió que había estado evocando a su padre como lo vio por última vez: alejado de todos, la mirada llena de afecto y orgullosa resignación, las manos a la espalda… ¿Cómo decía aquel poema de *Olwen, la de la Blanca Huella* que solía recitarle Thomas? "¿Me pertenece tu hija ahora?", preguntaba el paladín al padre de la muchacha. "Te pertenece y no necesitas agradecérmelo. Por mi propia voluntad jamás la hubiera entregado", respondía el rey y agregaba: "Ha llegado el momento de perder la vida, puesto que estaba escrito que mi vida acabaría cuando ella tuviera marido".

El amanecer se presentó nublado y lóbrego y al paso del coche, Luz comenzó a ver poblaciones destruidas, ranchos incendiados, mujeres atontadas con niños en brazos, procesiones dolientes...

Más abatida que nunca, se preguntó qué se esperaba de ella.

Al atravesar las calles de Córdoba, manchas de sangre en los muros, marcas de metralla y otros deterioros en la antes pulcra ciudad fueron la crónica elocuente de los dramáticos sucesos. No se veían vecinos "callejeando", pero muchos milicianos haraganeaban en grupos, recostados en las veredas, jugando a la taba y bebiendo.

El desaseo, el desorden y la vista de los invasores variaron el ánimo de Luz del malestar a la furia. Al llegar al solar, lo encontró herméticamente cerrado y tuvo que sacudir la aldaba, dándose a conocer a gritos para que le abrieran. Una Severa avejentada y de luto la recibió en brazos mientras Calandria —también de negro— indicaba a la escolta el portón de mulas, apresurándose a colocar la tranca cuando las tres estuvieron dentro.

La casa, inusualmente silenciosa, parecía vaciada de presencias. Helado el corazón, imaginando tragedias mayores, Luz enfrentó a su nodriza:

—¿Qué ha pasado, yaya? ¿Dónde está mamá? ¿Y los niños?

—Voy a abrirle a esos tipos —dijo Calandria—; vos... contale todo —y corrió hacia los fondos.

—Ahora, hijita, agárrese —le previno Severa, obligándola a sentarse con ella en uno de los poyos del zaguán—. Tu padre se portó como un valiente; yo no esperaba menos de mi muchacho. Pero seguro el doctor no te dijo que... al viejito... A Simón... —y se cubrió la cara con el delantal—... el pobre quiso defender a tu padre, ¿podés creerlo? ¡Dos días lo tuvimos en agonía! ¡Le rompieron la cabeza los desalmados!

—¿Simón... también? —se consternó Luz.

Severa asintió con la cabeza, pero el gesto de resignación se trocó en fiereza:

—¿Para eso nos libramos de los españoles, decime? ¿Para esto murió mi Pantaleón, para que nos achuremos entre nosotros? Y tus hermanos, ¿qué hacen que no toman el lugar de tu viejo, como él hizo cuando murió don Lorenzo? ¿Es que ninguno se cobrará esta deuda? ¡Que Jesús en su gloria me perdone, pero lo que más me subleva de estas muertes es que van a quedar sin castigo!

Luz escondió el rostro en la falda de la negra:

—Pero… ¿qué puedo hacer? ¡Si yo fuera hombre, Severa, si yo fuera hombre! —lloró, los puños apretados.

—Y eso no es todo, chinita. Tu madre —y cuando la joven se incorporó, se golpeó la sien con el índice— … loca; los doctores no dan esperanzas. Ahora se le ha metido que no puede caminar.

Luz quedó primero atónita y luego se puso de pie hecha una furia:

—¿Estás diciéndome que esta tirana frailera, que me tuvo en un puño toda la vida, no ha tenido entrañas para afrontar la desgracia?

—Shh —la aplacó la mujer—. No vaya y te oiga y se ponga perdida, que de vez en cuando le da.

Luz sintió un vacío desolador, algo indefinible que le advertía que la muerte y la locura la habían despojado de la infancia, imposibilitando futuros milagros, acuerdos impredecibles. Ciega, cruzó el zaguán y con la rodilla en el otro poyo fue a pegar los brazos en la pared, cubriéndose la cabeza.

—¡No, no puede haberme sucedido esto! ¡Papá… nunca le dije, después de aquello, cuánto lo amaba! ¡Dios mío, pensé que tenía toda la vida para hacerlo! Y Fernando y Sebastián… ¡ni siquiera sé cómo dar con ellos! ¿Acaso no le han avisado a Inés? ¡Ella tampoco vendrá! ¡Ay Dios, qué voy a hacer!

Severa le rodeó los hombros y la guió a través de la reja cancel hacia la fuente del patio; allí le mojó la cara y le lavó las manos como a una criatura.

Calandria regresó y al notar Luz los párpados hinchados de la morena, le tendió los brazos. Se abrazaron las tres en una solidaridad de hembras perdidas en el desatino de los hombres.

Al fin, tranquilizadas, sentadas al borde del estanque, intentaron armar el relato.

—Tu padre estaba en el campo. Cuando supo que lo habían agarrado al Manco se largó para acá, temiendo lo que sería. Ya andaban fusilando gentes por el Tercero; le dolió la muerte de Echevarría, que era su amigo y tan derecho el hombre. También dijo que habían barrido con la estancia de los Martínez, en Piedra Blanca, porque uno era oficial de Paz.

—Don Felipe dijo que nos fuéramos todos para Ascochinga…

—… pero a tu tía Amalia le dio un "sobresalto" y no se pudo viajar —Severa se persignó—; que Diosito me perdone, pero ésa está al muere desde que me acuerdo y no pasa de ahí. Si no fuera por ella, tus viejos no habrían salido aquella tarde...

—Nadie se ha atrevido a decírselo a doña Adelaida, pero como si lo presintiera la santa; dice Martina —se refería a la negra mayor de don Felipe— que dale la doña con cuándo va a venir su hijo. Ya no saben qué inventarle.

—¿Y misia Francisquita?, ¡qué susto nos dio! Yo creí que se nos iba, Luz.

—Y ahora, de tardecita, el comandante Farrell se da una vuelta y nos deja al chino, ése... el que fue su ayudante...

—Camargo.

—... tal, para que nos cuide; el pobre, con estos friazos, se pasea como gato en la oscuridad. Más de un susto me ha dado.

—Como que te anda con ganas —la delató Severa.

—¡Vela! —se defendió la mulata—. Yo ni sabida.

—Será por eso que le meneás el trasero —y la negra flexionó el pulgar como enterada.

La broma levantó los ánimos y Luz preguntó por los niños.

—Ahorita, en la despensa, con las chicas. A Fe la mandamos a lo de tu abuelita, para que ayude con las enfermas. Y el Simoncito anda de mandadero del comandante, ya que Camargo duerme de día.

—... y tu vieja y la Chabela encerradas en el dormitorio. No salen ni para mear.

—Vamos a ver a Ana y Carlitos —pero al ponerse de pie, Luz vaciló—: No me abandonen.

—No, si me estoy por ir de chaya —se burló Calandria.

Encontraron a los niños con Gracia y Nombre de Dios moliendo maíz. Al ver a Luz en el vano de la puerta, el grupo quedó inmóvil y en silencio.

—Caramba, parece que por aquí nadie me recuerda —se quejó ella.

—Yo sí —reaccionó el niño, pero Anita se le adelantó.

—Luz María —y cuando la hermana mayor abrió los brazos, se arrojaron en ellos. Luz los besó repetidas veces y luego hizo lo mismo con las criadas, cuyos rostros se habían iluminado de alivio al verla aparecer.

—Bueno, bueno, ya estoy aquí —dijo la joven con firmeza cuando empezaron los pucheros—; he demorado porque vivo muy lejos, junto al mar. ¿Saben dónde queda el mar?, más tarde les mostraré.

—¿Desde el techo? —se ilusionó Carlitos que tenía prohibido subir a la terraza.

—No, tonto; en el mapamundi de Sebastián —dijo Anita en sabihonda.

—Ahora, vayan a la cocina con Calandria y las chicas. Yo iré a saludar a mamá.

Mientras subían la escalera, Severa le advirtió:

—Tenele paciencia a Isabel.

—¿Por qué?

—Ya vas a ver.

El dormitorio de doña Carmen permanecía con los postigos cerrados, iluminado por varios candelabros. Su madre, reclinada en almohadones, tenía el cabello suelto, cosa que impresionó a Luz, que raras veces la había visto sin su rodete. La señora no levantó la vista del bastidor, pero Isabel hizo un gesto nervioso al reconocer a su hermana y se puso de pie alisándose la falda.

Aunque sólo tenía trece años —sacó la cuenta Luz—, su aspecto general era seco y contraído. "No es vida para ella esta dedicación a mamá", pensó con un chispazo de afecto. Pero cuando se acercó a besarla, la menor se mantuvo rígida, casi esquivando el contacto.

—¿A qué has venido?

Su tono y su actitud sofocaron en Luz cualquier asomo de compasión.

—Puesto que papá ya no está, mamá se volvió loca y los mayores siguen ausentes, sólo quedo yo para asistirlos —contestó.

—No te permito que digas "eso" de mamita. Ya le expliqué al doctor Pizarro que nada más necesita reposo. Y como verás, la casa sigue en pie.

—... mientras son mantenidos por tío Felipe y tío Eduardo.

—No esperarás que salga de costurera.

—De cualquier modo, hay que tomar disposiciones que no está en tus talentos tomar —y sentándose en la cama, murmuró—: La bendición, mamá.

Doña Carmen se quitó los lentes y la vaciedad de su mirada la recorrió. —Ah, eres tú. Qué desfachatez, pedirme la bendición. ¿Cómo está tu padre? ¿Ya han reñido o te has cansado de la vida en la estancia?

Su tono era tan parecido al de años atrás, cuando se dirigía a ella —esa mezcla de ironía y de desprecio—, que Luz quedó atónita. Doña Carmen buscó los anteojos y continuó con su labor.

—Espero que hayas reconsiderado el entrar en las Carmelitas, así dejarán de tenernos en la punta de la lengua. Te has mostrado desconsiderada, toda vez que eres la culpable de nuestra vergüenza... Entre tú y Fernando acabaréis conmigo —y volviéndose hacia su otra hija que observaba a Luz con retorcida complacencia—: Isabel, ¿qué te parece este color para la capa de San Jorge? —y con aquello borró toda otra cosa de sus pensamientos.

Severa tenía razón, imposible enojarse con ella. "Pero esta mocosa malintencionada me las va a pagar", prometió mientras se recogía la falda y se dirigía a la puerta. Las dejó a salvo entre costureros, misales y rosarios, fortalecidas en la negación de la realidad. El olor a cera derretida, a encierro, a orín, era repugnante.

Bajó con Severa a la cocina y se acomodaron cerca del fogón, donde Calandria repartía los primeros "fritos" a los niños. La negra acercó la yerbera y Gracia y Carlitos fueron a llevar brasas, pan y queso a los hombres de la escolta.

—Decime, ¿trajiste plata? —inquirió Calandria.

—Bastante.

—¡Sos loca! ¿Y si te asaltaban en la travesía?

—Hubieran tenido que desnudarme, porque la cosí a mis calzones.

La carcajada que festejó su salida rompió el malestar que le había dejado la visita a su madre.

Calandria echó más recortes de masa en la grasa hirviente:

—¿Sabés cómo le dicen en Corrientes a los fritos? Chipá-cuerito.

—Te lo dijo Camargo, que es de aquellos pagos. ¿Y qué más te enseñó?

—En los jamases te enterarás —retrucó Calandria mientras Nombre de Dios arrimaba tazones de yerbeado a los niños.

Como continuando el relato Severa comentó:

—Tu tío Lezama llegó para el funeral; contó que por el sur está plagado de cuatreros, que no se distinguen celestes de colorados. Tuvo que llevarse la familia a San Luis y al Martincho lo mandó a Buenos Aires, a estudiar leyes, dijo. Y el Gonzalo, calco del Payo, se alzó con Quiroga después de Oncativo; nadie sabe dónde anda.

Severa puso el mate en manos de Luz:

—Y el marido de la Inés... bué, ni que le hubieras echado un maleficio aquella noche, ¿te acordás? Lo hirieron fiero en un pulmón; pero como no hay mal que por bien no venga, gracias al daño estaba "guardado" cuando salieron a cazar a la gente del Manco Paz, así que no lo han tocado al infeliz. Viven en el Totoral nomás, en una pobreza, hija, que espanta. Fuimos con tu madre una vez... ¿te dije?

—¿Y tu marido? —saltó Calandria.

—Ha de llegar pronto —comentó Luz, consciente por primera vez del disgusto de Harrison cuando se enterara de su hazaña—; si se demora y se me acaba el dinero, empeñaremos algo.

—Yo voy a ayudarte haciendo ojales —se ufanó Anita—; soy muy prolija, ¿cierto, Gracia?

—Como los ángeles, Anita.

—Y yo fabricaré velas —intervino Carlitos—; siempre le ayudo a Fe... cuando Isabel no mira.

—Ésa es casta del nidal de tu abuelo —se jactó Severa.

Cuando los niños fueron llevados a lavarse, Luz se acodó en la mesa entre Severa y Calandria.

—¿Cómo conseguiste que te dejaran los chicos?

—Le hablé a tu tío para que se esperaran hasta que vos vinieras... con el gringo.

—Yo le dije a éste que le soltáramos las chifladas —y la mulata hizo un visaje hacia el piso alto, pero su madrina le largó un chicotazo con el repasador.

—¡Más respeto, deslenguada! —la amonestó.

—Y... ¿dónde enterraron a papá?

Severa levantó la frente con orgullo:

—Donde debe mi muchacho: en el predio de la catedral. Pero más parecía el entierro de un Juan de los Palotes que el de un Osorio y Luna; muy pocos de sus iguales se atrevieron a presentarse. El padre Iñaki... nunca vi un responso dado en menos tiempo —terminó con desprecio.

—¿Y Simón?

—A su lado, cual mayoral, misia Francisquita traqueteó por el permiso. Yo creo que se enfermó de las esperas y malasangres que le hicieron pasar. Pero lo consiguió.

Severa se limpió una lágrima, volteando el rostro:

—Entre Martina y yo tuvimos que regresarla en andas, pero cuando terminamos de acostarla, me apretó la mano (con lo que le quedaba de fuerzas) y me dijo: "Carlos no me habría perdonado si no le rendía a ese negro lelo los honores del martirio. Por mi hermano murió como había servido: con lealtad y grandeza".

Como estaban las tres solas, se permitieron llorar sin disimulos.

Al atardecer llegó el comandante Farrell y al encontrar a Luz sin el marido, le endilgó un discurso por temeraria. Luego aclaró:

—He dejado a Felipe, con tus primos y mi mujer, en Ascochinga, pues me temía que tu tío se mostrara imprudente si las autoridades no castigaban a los asesinos —cosa que viene sucediendo—, sin contar que Edmundo se ha hecho de enemigos. Mercedes y Laura los tienen enredados en dolencias y desesperos para que no se muevan de allá. Tu abuela y Amalia han quedado aquí; también a ellas las tengo cuidadas, tranquilízate.

Se acomodaron en la sala y Luz le sirvió un brandy, prefiriendo ella el jerez. Soslayando la tragedia familiar, comentaron los sucesos políticos.

—En la primera posta cordobesa que tocamos, ya me dijeron que habían fusilado a Haedo, a Navarro y a un joven —Robledo— que nada tenía que ver con Paz ni con los unitarios —comentó Luz.

—La venganza, la crueldad o la confusión general... vaya a saber por cuál de estas causas murió ese mozo. Por eso San Martín y Paz detestaban las ejecuciones sumarias. Con un juicio, decía el Manco, se evitan errores fatales. En cuanto a Haedo, estaba sentenciado: la madre de Paz es una Haedo, como sabes.

La voz del comandante se volvió amarga:

—¿Supiste que la tropa de Quiroga mató alevosamente a Pringles? La Providencia debió concederle la gracia de morir mientras luchábamos por la independencia —y evocó—: Era un espíritu noble mi amigo... Angloargentino, como yo. Dicen que Facundo lamentó profundamente la barbaridad y lo creo, pero quizás ahora entienda —en vez de andar echando culpas— lo que sintió Paz cuando Deheza fusiló a aquellos oficiales colorados en el Bajo de Galán... En los primeros momentos de la victoria las cosas se escapan de las manos...

Mientras Luz volvía a servirle, continuó:

—¿Sabías que Fragueiro, el amigo de Harrison, tuvo que huir a Chile?

—Pero, ¿no lo habían designado gobernador?

—Sí. Ya ves las cosas. Ahora gobierna don Roque Funes, que es de ley, pero ayer nomás me advirtió que renunciará. Está espantado con el comportamiento de nuestros "aliados". Y cuando él dimita, Luz, se tironearán la provincia entre el Tigre riojano y el Zorro santafesino. Y de ésta, Lucita, no saldremos gananciosos.

—¿Y qué saben del general Paz?

—López lo tiene cautivo en Santa Fe. A Dios gracias, no se han atrevido a ejecutarlo. Camargo, que tiene sus rebusques, me lo ha asegurado.

—¿Y su sobrina?

—Margarita está deshecha, pero porfiando en que se casará con el Manco aunque tenga que vivir también ella en prisión.

—Y apuesto a que lo hace —afirmó Luz, admirada.

Al fin se animaron a hablar de don Carlos, quedando en que a la mañana siguiente Farrell la acompañaría a visitar la sepultura.

—No me siento capaz de ir ahora. Las campanas comenzarán a doblar y no sé si podré dominarme. Además, tengo que conseguir ropa de luto.

—Ya, ya —la consoló él, palmeándole la mano.

Por la tercera copa de Farrell y la segunda de ella, la emprendieron con Gran Bretaña.

Eduardo Farrell era hijo de un escocés llegado a fines del siglo anterior, uno de aquellos expertos en minería que se internaron en el país siguiendo los cuentos de yacimientos fabulosos. Se había entretenido en Córdoba para enamorarse de una "hija de familia", casarse y establecerse en aquella tierra de evidentes bondades, aunque pobre en metales preciosos. Compró un campo muy desmejorado en Ascochinga y su tesón logró de él un establecimiento de mediana envergadura: no deseaba más.

Andrew Farrell —don Andrés para los cordobeses— amaba a su patria adoptiva, pero no descuidó educar a su hijo en la historia, la cultura y la lengua de su tierra natal.

Al despedirse el comandante, Camargo había tomado posesión del zaguán, armado y acompañado de un perrazo de fiero aspecto.

—Es manso con los niños, pero temible con los intrusos —la tranquilizó Farrell—. Anda, dale a oler tu mano para que te reconozca. Así me gusta; nunca les temiste a los animales. Igual que Laurita.

23. VENGAR LA OFENSA

"No saben qué clase de hombre soy yo —agregó con un ademán
sombrío—: pero no han de tardar en conocerme."

Eduardo Gutiérrez
Los montoneros

CÓRDOBA
FIN DE JUNIO DE 1831

Cuatro días después llegaba Harrison, cansado y ceñudo; había elegido la cabalgadura para llegar más pronto y traía varios hombres de escopeta.

Cuando Calandria le abrió, apenas amanecía.

—Ahí va el cuco —masculló Severa, arrebujándose en la pañoleta—. Que se agarre Luz.

Calandria se santiguó viendo subir hacia los dormitorios la figura envuelta en una gruesa capa. Tiritando, se refugiaron en la cocina.

Harrison entró casi sin ruido —era de aquellos que se vuelven cuidadosos en la cólera— y Luz abrió los ojos y reconoció la silueta en la penumbra.

—¿No podías esperar un día? —le recriminó él a modo de saludo.

Luz se incorporó en la cama, encendió la palmatoria y la habitación se iluminó débilmente.

Harrison había ensayado la escena durante todo el camino, pero no se le había ocurrido que el ver —después de diez días— a aquella joven tan intensamente amada y tan imperfectamente poseída pudiera afectarlo así. Se refugió en la ironía, arrojando el sombrero y quitándose la capa.

—No te ha pasado nada porque debe haber un Dios para los insensatos.

La claridad que se proyectaba sobre ella le daba una extraña belleza en el silencio —evidentemente, no pensaba explicar sus actos— y a los pocos segundos comprendió que, aunque él le hubiera prohibido aquel viaje, Luz no lo habría obedecido.

179

Sin embargo, ¡qué limpia de terquedad su mirada, qué hermosa su cabellera derramada sobre el hombro y el pecho descubierto por el escote que había resbalado hasta el codo!

Se sentó en la cama y le llegó el perfume de su cuerpo con la inocencia de la lavanda y un dejo de azahar en el pelo.

Y confuso, vagamente trastornado por la intimidad del dormitorio desconocido, presintiendo la tibieza del lecho y la desnudez bajo la rústica bata de soltera, comprendió que una suerte de magia los había tocado. Temiendo mostrarse demasiado ansioso, puso toda su atención en quitarse los guantes y dejarlos en la mesilla; Luz le tendió entonces los brazos y lo besó con un largo y profundo beso, como jamás lo habían besado.

Pensó en trabar la puerta, pero lo olvidó cuando ella le hizo lugar, hospitalaria, para que él calmara en ella su frío, su cansancio y su deseo.

En la cocina, Calandria cavilaba:

—¿Y…? ¿Le llevo el mate?

—Esperá —aconsejó Severa apantallando las brasas—. Viene más chinchudo que toro con cencerro en la cola; dejá que Luz se lo quite.

—Mansito lo deberá de largar.

—¡Siempre desbocada! —le amagó la negra y, esquivándola, Calandria corrió hacia la puerta—. ¡Y no le andés moviendo el culo a los gringos que ésos son de cuidado! —le advirtió Severa.

El día enmarcaba los postigos cuando Luz contó a Harrison lo sucedido desde que había recibido la carta de don Prudencio. Tuvo un desfallecimiento al reconocer el tormento que significaba para ella haber desafiado a su padre con aquel "el destino abre a veces atajos inesperados" y no haber podido expresarle —después— el profundo amor que le tenía.

Harrison la consoló. —Nadie te conocía mejor que tu padre y él no dudaba —lo sentí en todo momento— que los lazos entre ustedes estaban más allá de cualquier desavenencia. Pero ahora debes enfrentar el porvenir —y agregó con realismo—: ¿Te has puesto a pensar quién administrará el campo, con quién quedarán tus hermanos, qué haremos con tu madre?

La expresión de ella evidenció que se había negado a pensarlo.

—Ya veo —y se arregló la ropa, buscando la faja entre las sábanas. Se sentía dichoso por lo que había pasado entre ellos, pero un algo de cautela le dictaba que sería poco táctico demostrarlo, así que fingió una pizca de malhumor—: No voy a hablar de esos temas con el estómago vacío.

Aquella tarde, un jinete entró en la ciudad bajando por el camino de las Sierras. Montaba un buen caballo, aunque sucio y cubierto de abrojo. Vestía a lo gaucho, con cierta altivez y apostura en su aspecto, no raras entre la gente de campaña.

Atravesó las calles sin problemas, pues tenía a maña pasar desapercibido a pesar de su corpulencia; llevaba las riendas en la izquierda y la derecha bajo el poncho, sobre la pistola amartillada. Aquella prenda y el sombrero de alas caídas le ocultaban gran parte del rostro.

Rodeó el solar de los Osorio y se detuvo en los fondos para inspeccionar los cascos del animal; no se veía alma en el callejón ni llegaban voces a través de los tapiales, así que golpeó el portón con el rebenque. Después de un rato, repitió el llamado.

—¡Ya va! —contestaron—. ¡Un momento, que no soy liebre!

Se oyó quitar la tranca y Calandria lo miró alarmada al ver que no era uno de los hombres del inglés.

—¿Qué quiere? —e intentó cerrarle el paso.

Él la empujó y una sonrisa abrió la barba enmarañada, blanqueada por el sol. Se quitó el chambergo con mucho señorío:

—¿Que no me conocés, ingrata? —y tomando las riendas, entró al patio mientras la muchacha retrocedía como si hubiera visto un espanto.

—¿Payo?

—¿Quién si no? —se burló él, colocando la tranca—. Pero calladita; no es saludable que sepan que ando por la ciudad; me han dicho que los Reynafé pisan fuerte en estos días.

Al dirigirse a la barraca, Fernando intentó abrazarla, pero la morena, todavía rumiando enojos, le soltó un manotazo que él esquivó, arrinconándola contra la sopanda y besándola con fuerza. Se abrazaron estrechamente.

—¿Me extrañaste?

—Ni un poquito —mintió ella—. ¿Acaso su merced me echó a faltar?

—Nadie como vos —se ahogó él, intentando tantearla bajo el blusón. Calandria se resistió hasta que rodaron sobre la alfalfa, rindiéndose cuando le alzó las enaguas.

Al rato, apaciguados, se echaron al reparo de unos fardos y mientras ella armaba un cigarro, Fernando preguntó:

—¿Y cómo andan todos?

Después de un segundo, la mulata tartamudeó:

—¿Pero… no… no viniste por lo de tu viejo?

—¿Qué le pasa a mi padre?

—Creí que… que lo sabías —se atragantó la joven—; lo han muerto.

Como él la mirara exigiendo el resto, aclaró:

—Fueron los de Echagüe. También mataron… al Simón.

—¿Y por qué al negro inservible? —pero como si hasta allí le llegaran las fuerzas, Fernando se puso de pie, esquivándole el rostro.

Ella habló embarulladamente y al no recibir respuesta lo abrazó por la espalda, mientras él pateaba el coche repitiendo:

—Mierda… mierda…

Por fin, dominándose, alzó el sombrero, lo sacudió contra la rodilla y tirándose entre los fardos, se cubrió la cara con él.

—¿Es cierto que Luz se casó con un gringo?

Desconcertada por la salida, Calandria repuso:

—Sí, ¿cómo sabés?

—Por ahí me contaron. ¿Y qué tal tipo es?

—Sabe llevarla; le afloja cuando bellaquea y le aprieta la cincha cuando se descuida.

—Todo un hombre —dijo Fernando, burlón.

—Será, porque tu hermana lo respeta y eso es mucho decir en Luz.

Y tocándole el brazo:

—Hay que avisarle que has vuelto.

—Ni se te ocurra; mientras menos lo sepan, mejor —y juró por lo bajo—: Muy pronto se habrán de enterar.

Después, como al descuido, preguntó:

—¿Y qué fue del desgraciado que se cargó a mi padre?

—Vos estás loco —le advirtió ella la intención—. Y ya te dije: fueron cinco. De otra, no podían con él. Así que olvidate de andar haciéndote el matrero.

—Estoy en esquivar problemas —la tranquilizó—. Tengo que juntarme con Quiroga en unos días y no voy a fallarle. Además, ya se habrán ido los hijos de puta…

—Están con los Reynafé —le advirtió Calandria—. Ni a Luz se lo hemos querido decir.

Fernando comenzó a desensillar el caballo.

—Linda sopanda —señaló—. ¿Es del inglés?

—Supongo —contestó ella hoscamente, alcanzándole agua para el animal—; y la gente de ellos, sabete, duermen en la otra barraca; ahora han llevado la caballada al río, pero si te quedás, te han de ver.

—No le hace; dirás que soy un peón que trajo noticias del campo.

—... como que tenés pinta de boyero.

—Pero quiero hablar con Luz y Severa. Con nadie más, ¿entendés?

—¡Payo! —se le colgó ella del cuello—, llevame esta vez, ¡sé bueno! ¡Me voy a poner pasa y nunca tendremos hijos!

—Como para cargar con críos ando —replicó él a lo bruto, pero al oírla llorar, se ablandó—: Ah, chinita, ¡teneme paciencia! Si yo también quiero, pero las condiciones en que vivo son infernales. Estoy planeando algo para nosotros, te lo juro. Y bien sabés que no soy de jurar al cuete...

Calandria se secó las lágrimas con resignación.

—Ahora tengo la piecita del Simón. A esta hora están todos en el rosario; podés guarecerte ahí.

Caminando hacia allá, le exigió:

—Llamala a Luz enseguida. Después andá por Camargo, y decile al guaraní que lo necesito, pero que me guarde el secreto hasta con Farrell. ¿Clarito el parte? —le sobó el trasero—: Y conseguime comida y algo para entonar, ¿sí? Me has dejado sin fuerzas, traicionera —la besó.

En el despacho de Cáceres, Harrison preguntó sin preámbulos:

—¿Y bien, doctor, cómo están las cosas?

—Difíciles, Mr. Harrison. No sólo por la tragedia de Carlos. La situación política es un caos, e irá para peor: don Estanislao quiere un Reynafé en el gobierno y ahí lo tendremos. Es una pulseada entre López y Quiroga; si quiere mi opinión, apuesto a la maña y no a la fuerza. Además, Rosas siempre tirará para el Litoral, nunca para el Interior. Es cuestión de días que uno de esos cuatreros se convierta en mandatario.

Con un ademán lo invitó a sentarse:

—Esto va de prólogo a la situación de los Osorio. Hasta ahora tenían dos cubiertas: la amistad con Paz y el nexo con Quiroga —por Fernando—, pero esos dos cabecillas se han tornado malas palabras para la próxima administración. Temo que puedan disponer de sus bienes... Y debe usted saber que para estas fechas, el capital de Carlos no estaba en metálico: las grandes ventas se hacían en noviembre.

Tamborileó los dedos sobre el escritorio.

—Si quiero ser realista, no estoy cierto de que en la actualidad quede hacienda para vender, ya que las noticias de la campaña son... abrumadoras: han hecho escarmiento de Córdoba.

—Puedo absorber la manutención de la familia. Lo que me preocupa es el destino y la preservación de las propiedades. —Bajó la vista a la pipa que tenía en la mano—: ¿No habrá forma de dar con ese joven, el que es oficial de Quiroga?

—¿Fernando? ¡Imposible! ¡Si lo habrá hecho buscar Carlos! Además, perdería la vida de presentarse en Córdoba. Los Reynafé le tienen rencor: Fernando los descubrió robando ganado en el sur para venderlo en el norte, se lo comunicó a Quiroga, quien los desenmascaró ante los hacendados.

—¿Y el capataz de Los Algarrobos podría atender el negocio?

—Videla es bueno en lo suyo, pero en comerciar... Empecemos por dividir el problema: se trata de Buenos Aires o Córdoba para usted, ¿verdad?

—Correcto.

—Bien. Usted podría regresar a Buenos Aires con su esposa y la familia, dando libertad a los esclavos y despidiendo a los libertos. La casa quedaría cerrada y se nombraría un administrador. Ustedes enviarían el apoderado una vez al año, para recaudar y decidir inversiones... si es que las hay —le dirigió una mirada resignada—. Porque la situación va empeorando; usted, que viene del puerto, donde se gesta el destino del país, debe saberlo.

Harrison asintió desabridamente y acotó:

—Mi esposa no aceptará dejar a los criados en la calle.

—Lo supuse. La lealtad de los Osorio hacia sus servidores los distingue entre sus pares.

—¿Y si dejáramos la servidumbre con el administrador instalados en la casa?

—Mi sugerencia, como la suya, darían pie para que la confiscaran en provecho de algún acomodado. Se la ha respetado porque vive en ella doña Carmen y porque don Roque Funes, que es hombre probo, no lo permitiría. Pero él no continuará en el gobierno.

—No vislumbro salida que mi esposa acepte o me satisfaga personalmente —confesó Harrison, mirando la hora—. Mañana continuaremos la conversación, ¿le parece?

Iba llegando a la esquina del solar cuando tropezó con un hombre aindiado, picado ferozmente por la viruela, que lo saludó breve pero respetuosamente; lo encontró vagamente conocido, pero no atinó a recordar de dónde.

Al entrar en la casa, se disponía a subir a la planta alta cuando vio venir a Luz de los patios de atrás. Parecía preocupada o enferma y al tomarla él del brazo, la sintió temblar.

184

—Por Cristo, ¿qué te pasa? —se impacientó—. Ya estoy aquí, solucionaré las cosas. ¿O me has retirado la confianza?

La llevó hasta la sala, sentándola cerca del brasero. Mientras esperaba con impaciencia el té que había ordenado, observó que la joven parecía atrincherada en un secreto, cosa que, además de intrigarlo, lo exasperaba.

Cuando Calandria apareció con la bandeja, la detuvo en el umbral y como se empeñó en llamar la atención de la joven, le cerró la puerta en las narices. Buscó en el aparador algo espirituoso para fortalecer la infusión, cuando notó que el brandy había descendido visiblemente. "Inconcebible", se indignó. "La servidumbre se toma el licor y Luz ni se percata."

Dominando el enfado, le tendió la taza:

—Toma. Enfermarás por andar paseándote con tus negros pensamientos —le reprochó, molesto por el escaso calor del brasero—. ¿Por qué no construyen estufas? En Córdoba no falta la leña, como en la pampa.

—¡Ah!, es que somos un pueblo de retrasados —se impacientó Luz.

—Más que eso, los considero indolentes —replicó él, dolido por su tono.

—Es que no tenemos la fortuna de pertenecer a tu pueblo ni por conquista. Perdimos esa oportunidad en 1807, ¿recuerdas?

—No sé qué pueda criticarse de Gran Bretaña —se ofendió—. Al menos, allá nadie padece frío por falta de ingenio.

—¿Tampoco los pordioseros del reino? —se mofó ella.

—… en un país que da, como éste, dos cosechas al año, no pude probar pan hasta que entramos en Córdoba.

—Ah, carajo; ¿es que los cordobeses somos mejorcitos?

—Bien, sí —concedió—; lo mejor que he visto en este condenado país.

—Ya aprendí que "condenado" no es palabra que ustedes pronuncien delante de las damas, así que retírala.

—Si lo tomas así… lo que pasa es que pensé que me estaba permitido, ya que tú dijiste, sin lugar a dudas, "carajo".

Cuando sus ojos se enfrentaron, él no pudo reprimir una sonrisa que desarmó a su esposa.

—¡Qué discusión ridícula! —y apretándole los dedos, Luz le pidió—: Dame tu absolución y dime qué dijo don Prudencio.

—Ten paciencia, encontraremos remedio —y cuando la joven se apoyó en él, pensó que, de ser aquél otro siglo, ya se las habría ingeniado para exterminar a todos sus parientes, pues mientras uno solo de ellos viviera, Luz acudiría enajenada a su reclamo. También comprendió que había estado equivocado al suponer que se conformaría con la posesión carnal y social de su esposa: aquello era un triste remedo de lo que esperaba de ella.

—Esos hombres —dijo entonces Luz— no se han ido; todavía están en la ciudad.

—¿De qué hablas? —y sobresaltado, comprendió que debía referirse a los asesinos de don Carlos—. Si es así, lo que dudo, los llevaremos ante el juez.

Ella se irguió fuera de sí:

—¡Pero… qué ingenuo eres! Esos facinerosos se han amparado en los Reynafé, que están protegidos por el gobernador López, que es la mano derecha de Rosas. ¿Quién se atrevería a tocarlos? —La palidez cambiada en subido rubor, sentenció—: Además, entre nosotros, las deudas de sangre se cobran en sangre.

Se negó a decir más, pero a la hora de acostarse, parecía haber decidido algo que la había liberado de culpas y amarguras.

Preocupado, Harrison resolvió tratar con Cáceres la posibilidad de aprehender a los criminales.

A la tarde siguiente, mientras conferenciaba con don Prudencio sobre aquello, entró el hijo mayor de éste, muy agitado.

—Hay tumulto en el cabildo —anunció—. Se teme que las milicias asalten algunas viviendas.

—¿Y por qué, Manuel, qué ha pasado? —preguntó el letrado poniéndose de pie.

—Un hombre entró en un rancho de la ribera y mató a cuatro santafesinos, dejando a otros muy malheridos. Dicen que es un lancero de Quiroga. Ahora lo andan buscando.

—¿Y cómo ha sido que enfrentó a tantos y salió con vida? —preguntó Harrison, escéptico.

—La gente de Facundo es de una bravura legendaria, señor. De ahí esos cuentos de capiangos (usted sabe, los hombres-tigres) que tanto asustan a la plebe.

Harrison se apresuró a recoger sus cosas, maldiciendo por haber salido sin la pistola. Afuera se comenzaba a oír el estruendo de la caballería y gritos amenazadores.

—Será mejor que lo acompañe —se ofreció Manuel.

—Se lo agradezco, pero no veo la bondad de que usted se arriesgue.

186

A metros del solar, estuvo a punto de ser atropellado por una partida de montoneros que, vivando a la Santa Federación e insultando a los unitarios, se desbandaba por la calle.

Cuando entró en el zaguán del solar y oyó caer la tranca, respiró de alivio.

—¿Está cerrado el portón de atrás? —preguntó al entregar el sombrero y el bastón a Gracia, que le aseguró que sí—. ¿Y mis hombres? ¿Dónde están mis hombres? —gritó a Calandria, que venía del piso superior. Con los ojos desorbitados, la mulata le dijo que creía estaban todos en la barraca.

—Ve y diles que no salgan, que presten atención por si llega alguno rezagado —le entregó la capa e intentó subir.

—Señor...

—Ahora no —se impacientó, pero ella continuó clavada en el escalón.

—Hazte a un lado —le ordenó y, al llegar a la galería, apuró el paso llamando a Luz, temiendo que hubiera salido a casa de sus tíos.

—¡Gracias a Dios! —exclamó al abrir el dormitorio, pero al instante quedó paralizado: Luz no estaba sola. A su lado, un hombre semidesnudo la sostenía por los brazos. Se volvieron al oírlo, tan consternados como él.

Pudo ver la bata de cama de Luz ensangrentada por las evidentes heridas de su compañero, un joven vigoroso con barba y melena tan incongruentemente rubias como sus ojos azules. Los fuertes pectorales y los deltoides brillaban de sudor —a pesar del frío invernal— donde la sangre no los cubría. Un intenso olor corporal flotaba en la pieza y Harrison sintió un amago de vómito.

—Esto... qué... —y retrocedió, llevándose la mano a donde debería calzar la pistola. Luz hizo un ademán hacia él, pero el otro la retuvo, protegiéndola con el cuerpo.

Ciego de dolor y vergüenza, Harrison dio media vuelta y regresó hacia la escalera. Al pie, la mulata se mordía los nudillos con expresión de espanto. Súbitamente recordó un sinfín de detalles y comprendió que la criada había encubierto la traición.

Cuando llegó a su lado, la muchacha intentó hablar pero él le arrebató la capa, siguiendo de largo. No llegó lejos: repentinamente enfermo, se sostuvo del aljibe. Calandria no esperó más para correr en busca de Owen.

Al levantar la mirada, Harrison vio a Luz en las arcadas superiores y por un momento tuvo la esperanza de que todo hubiera sido una alucinación, pero entonces apareció aquel hombre tambaleándose y ella, sin dudarlo, corrió en su auxilio. La morena, que regresaba, trepó la escalera dando alaridos: "¡Que se muere, Luz, que se nos muere!" y entre las dos arrastraron el cuerpo hacia el dormitorio.

Harrison sintió como si le hubieran dado el tiro de gracia. Viendo llegar a su ayudante, recompuso el gesto y la voz para ordenarle:

—Que una de las criadas prepare mis cosas. Después me las llevas a…

¿Adónde ir? Sus amigos de antaño estaban ausentes o prófugos. Farrell. Recordó al comandante, un hombre al que siempre había respetado.

—… a lo del comandante Farrell. La criada te indicará. Y no vayas solo. Hay disturbios. En lo posible, eviten usar las armas.

—¿Va a salir sin escolta, señor?

—¡Por un demonio, muchacho! ¡Ocúpate de lo tuyo!

¡Salir solo! Llevándose la mano al corazón, pensó que sería una bendición morir en aquellas circunstancias. Gracias a Dios, Owen no había visto nada.

De pie en el zaguán de la casa del comandante, vio acercarse a Farrell con el cigarro en la boca y el brazo sobre los riñones. La sonrisa del militar se borró de su rostro al observar el aspecto del visitante.

—¿Qué le pasa, hombre?

—¿Puedo pedirle hospitalidad, comandante? —y agregó con esfuerzo—: ¿Y rogarle que no me haga preguntas?

—Una se impone: ¿Luz y la familia están bien?

—Sí, sí; ellos… están bien.

—De acuerdo. ¡Camargo! —voceó hacia el patio para luego volverse y mirar a su huésped desde arriba—: ¿Mantengo lejos a las mujeres?

—Si fuera tan comprensivo…

Viéndolo tambalearse, Farrell se adelantó, sosteniéndolo de los sobacos. —Epa —gruñó, abriendo la puerta del escritorio de un puntapié—: Venga, hombre. Se impone un trago.

—¿Me llamabas, che comandante?

Antes de perder brevemente el sentido, Harrison alcanzó a reconocer al hombre que, la tarde anterior, lo había saludado cerca del solar de Luz.

Esa noche pensó: "Ella vendrá a buscarme y todo se aclarará. Debe haber una explicación, pero es ella quien debe ofrecerla".

Sin embargo, Luz no fue esa noche, ni mandó recado, ni se presentó al día siguiente. Él se mantuvo encerrado, atendido por Camargo, resistiéndose a comer y bebiendo más de la cuenta.

Al atardecer se presentó Owen.

—¿Ha mandado mensaje la señora? —no pudo menos que preguntarle.

—No ha regresado aún, señor. —Y al ver el desconcierto en la cara del patrón, el muchacho explicó—: Partió ayer, a poco de salir usted, en el coche de la familia. Iban con la criada y aquel hombre.

—¿Qué hombre?

—El que vino con noticias de la granja de la señora —y como oliera una intriga, comentó solapadamente—: Se había recortado la barba y el pelo. Vestía como un *gentleman*, señor, con capa, sombrero y bastón.

—¿Y no han regresado, dices?

—No, señor; no han regresado.

Furioso y agraviado, desesperado por no poder preguntar cuanto quería sin ponerse en evidencia —haciéndose a sí mismo cien conjeturas—, Harrison resolvió bruscamente:

—Prepara las cosas; regresamos a Buenos Aires. En la sopanda y con la tropilla del señor Zabala.

Owen se atrevió a preguntar:

—¿Aunque Mrs. Harrison no haya vuelto, señor?

—Mi… doña Luz ha decidido permanecer un tiempo con su familia —que pensaran que la riña había sido por eso.

Al día siguiente se atareó, deseoso de poner distancia con su deshonra. Fue a ver a Cáceres, a quien mintió que debía regresar con urgencia a la pampa, entregándole dinero para gestiones y pidiéndole lo interiorizara de los resultados sin confiar en que fuera Luz quien lo hiciera.

A Farrell no tuvo que engañarlo: la discreción del comandante lo hizo innecesario.

Estaban al partir, despidiéndose junto a la sopanda, cuando vieron venir a Calandria a todo correr. Harrison se apresuró a trepar al coche, pero ella se colgó de la puerta, extendiéndole un papel.

—De la niña, señor.

Lleno de rencor, él rechazó la nota. Tomó el bastón y golpeó el techo para indicar que se pusieran en marcha. Owen miró a la chica con curiosidad y dio la voz de partida. Calandria reaccionó con un grito, corriendo a la par de la ventanilla, las polleras levantadas para regocijo de los mirones.

—¡No es lo que usted creyó, señor! ¡Espere, la niña quiere hablar con usted!

Sin mirarla, él bajó la cortinilla y golpeó nuevamente para que apuraran el paso de los caballos; luego se echó sobre los almohadones y sintiéndose morir se cubrió el rostro con las manos.

Todavía en ropa de viaje, Luz miró el papel que le arrojó Calandria antes de tirarse al piso, jadeando.

Enteradas por Camargo de la inminente partida del inglés, la morena se había ofrecido a ir, pues era buena corredora; Luz no habría llegado a tiempo.

—Pero, ¿no le explicaste...?

—Ni horita me dio el cretino. Se subió al coche como si le incendiaran el culo. No leyó tu nota.

Frenética, Luz estrujó el papel.

—¡Qué hombrecito ridículo y lamentable! ¡Es patético, además! ¿Cómo pudo suponer eso de mí? ¡Pues tendrá que aprender que el que se va sin que lo echen, vuelve sin que lo llamen! ¡No regresaré sola a Buenos Aires! ¡Tendrá que venir a buscarme!

Severa entró, preguntando a bocajarro:

—Qué, ¿se alzó no más el hombre? —y ante el silencioso asentimiento de ambas, reprochó a Luz—: Tendrías que haberlo buscado en cuanto salió de esta casa, te lo dije.

—¿No entendés que debía sacar primero a Fernando de la ciudad, antes de que cerraran los pasos? —respondió ella con desesperación.

—Lo que no entiendo es cómo nos vamos a arreglar ahora —rezongó la negra.

Luz se tiró sobre la cama, cubriéndose la cabeza con la almohada.

—Estoy enferma —decidió—; me siento mal. Váyanse, tengo que dormir, mañana me sentaré a resolver todo este embrollo...

190

24. QUE NADA TE TURBE

*"En el Interior persistieron luchas parecidas
a las que afligieron a Inglaterra durante la Guerra de las Rosas,
aparentemente, sin otro sentido que el de la muerte
para la víctima y la ruina para la comunidad."*

H. S. Ferns
Gran Bretaña y Argentina en el siglo XIX

CÓRDOBA
AGOSTO DE 1831

Aquella mañana se transformó en semanas. Aún aturdida, Luz luchaba entre escribir a Harrison, explicándole lo sucedido, o guardar silencio en represalia por la ofensa.

Ante la insistencia de Cáceres, se presentó en su despacho. Lo que éste le comunicó no le dio esperanzas de que su esposo pensara en regresar, al menos en corto plazo. El letrado puso sobre la mesa una suma de dinero.

—¿Lo dejó Mr. Harrison para nosotros?

—No, Lucita; era para trámites. Como ves, los extranjeros no tienen idea de lo poco que cuestan las cosas en Córdoba.

—Gracias, don Prudencio, pero reténgalo para futuras gestiones.

—Si así lo prefieres… Opino que debemos esperar; la enfermedad de tu madre es reciente y cabe la posibilidad de que mejore. Imagino que tu esposo volverá no bien lo permitan sus negocios…

—Por supuesto.

—Y mientras tanto, ¿qué harás?

—Pensaba viajar a Los Algarrobos —reconoció Luz, poniéndose de pie.

—Es una locura, jovencita —se impacientó el letrado—. No pareces resignarte a pertenecer al sexo débil.

—No se preocupe usted —lo calmó ella—; no haré nada sin consultar a mis tíos y a usted.

191

—Mientras nos escuches, no te meterás en problemas —rezongó don Prudencio, acompañándola hasta la puerta.

Por entonces les llegó carta de Oroncio Videla, el capataz de la estancia, escrita por mano del cura de Tegua. Informaba que habían confiscado el ganado, principalmente en beneficio de los santafesinos, aunque otros habían tomado también su tajada. Se habían llevado cuanto pudiera servir de pienso a la caballada o de rancho para la tropa; lo que no pudieron cargar, había sido destruido. Se afligía Videla por las malas noticias que comunicaba, pedía instrucciones y firmaba "Su leal servidor".

Con Severa y Calandria de consejeras, Luz llegó a la conclusión de que en Los Algarrobos, al menos, no les faltaría el alimento, contando además con la protección de su padrino, don Quebracho López, personaje respetado tanto por unitarios como por federales.

Imaginaron la campaña apaciguada, pues las tropas se iban replegando a sus provincias de origen.

El problema de enfrentar a sus tíos se resolvió fortuitamente al saberse que don Felipe continuaría en Santa Catalina y Farrell se le reuniría. El comandante llegó una noche a explicarle aquello.

—Hay que sacar rápidamente a Edmundo de la provincia y si es posible del país: lo andan buscando para matarlo. Federales amigos nos lo han hecho saber. Sube Reynafé al gobierno de Córdoba y tu primo está perdido.

—¿Dice usted que lo buscan para matarlo? —se sorprendió Luz—. ¿Y por qué?

—Por aquellos artículos que escribió para el *Córdoba Libre* sobre la tendencia del Litoral a apoyar a Buenos Aires contra el Interior; sobre la falta de voluntad de Rosas —el Gran Tata lo llamó— en constituir el país; un suelto humorístico —caricaturas incluidas— sobre el caballo, el Moro, que López se niega a devolver a Quiroga. Y las coplas.

—¿También tenemos coplas?

—Ya sabes, aquellas de La Tablada: "Viva el Tigre sin cabeza, viva el Fraile sin los pies...", etc., etc. —recitó don Eduardo—. Eso, pasando por alto las que les dedicó a los Reynafé por sus abigeatos.

—¡Misericordia! ¿Esos hombres no tienen humor?

—No abunda en los intolerantes. Así te digo que Mercedes y yo quedaremos en Santa Catalina, a cargo de la familia. Te pedimos encarecidamente que, con tu familia, se vengan con nosotros.

—Pero tío, tengo que esperar comunicación de mi marido. Y no creo que corramos peligro. Ya ve, con el alboroto de la otra vez, a nosotros ni nos molestaron.

192

A regañadientes, Farrell admitió que aquélla había sido la prueba de fuego.

José Vicente Reynafé fue designado gobernador y las tropas foráneas abandonaron la ciudad para alivio de todos.

Una sorda resistencia —entre el temor y la desconfianza— recibió al mandatario, que muy pronto clamó por facultades extraordinarias.

Los opositores fueron quedando desprotegidos, a medida que se abandonaba la política de derecho y se imponía la arbitrariedad.

Por Martina, la negra mayor de don Felipe, se enteraron de que éste pensaba sacar a Edmundo de la provincia con un piquete de hombres leales y experimentados. Cabalgarían de noche y se disimularían de día en el monte; utilizarían senderos poco conocidos, se arriesgarían en territorio de indios sanavirones, ya que don Felipe estaba determinado a dejar a su hijo a salvo en la Banda Oriental.

Sabiendo a sus tíos ausentes, Luz preparó el viaje con rapidez.

Colocó a Fe y a Nombre de Dios con quien les diera aquellos nombres, misia Francisquita, y eligió a Gracia para que los acompañara.

Mintió a don Prudencio que Fernando las esperaba en el cruce y a disgusto —fuerza era que la entregara al varón de la familia— él mismo les tramitó el salvoconducto indispensable para salir de la ciudad.

Contaban con la vieja galera, pero les habían incautado los caballos, así que Luz tuvo que comprar cuatro mulas y darse por satisfecha.

Eligieron partir antes del amanecer para evitar despechadas y curiosidades. La oscuridad y el cielo tormentoso les prestaron un mísero aire de desterrados.

Luz imaginaba el retorno a Los Algarrobos como a una tierra prometida; despojada del delirio de administrar el fundo, un modesto pasar, a salvo de los sinsabores de la ciudad, era cuanto pretendía.

Doña Carmen, enajenada por el cambio, e Isabel, contrariada por dejar atrás sus prácticas devotas, fueron la nota discordante.

Severa consiguió, con muchos miramientos y conversaciones, acomodar a la señora en el coche, pero Isabel tuvo que ser arrastrada por Luz, pues se fingía enferma para retrasar el viaje. Estaban discutiendo junto al coche cuando el padre Iñaki les dio un susto apareciendo, los hábitos blancos al viento y un candil en la diestra, como un fantasma en la negrura del callejón.

—No podía dejarlas partir sin las bendiciones. Tomen, hijas, agua bendita para vuestro consuelo.

Luego murmuró unas plegarias mientras asperjaba a diestra y siniestra, marcando cruces en el aire. Entre los gimoteos de su hermana, Luz se arrodilló y besó el cordón del dominico.

—Que Dios y Santo Domingo os tengan en su mano. Y ahora, una plegaria a San Cristóbal, protector de viajeros. Y tú, pequeña, compostura, que Santa Teresa no aprobaría esa conducta.

Aquello puso punto final a la resistencia de Isabel. Luz trepó al pescante, donde Calandria, cubierta por el capote del abuelo Lorenzo, sostenía las riendas.

—Vaya mamarrachos —cacareó cuando la joven se cubrió la cabeza con la capa de hule de su padre. Y a la inquietante luminosidad de un relámpago, alcanzó a ver sus lágrimas.

—¡Epa, Luchi, no nos vamos para siempre!

—No es eso. De pronto me acordé de algo muy feo que le dije a papá antes de casarme.

—¡Bah! Los muertos olvidan las palabras y recuerdan los cariños. Y ahora, agarrate. ¡Sooo!

Con un sacudón, las mulas se pusieron en marcha. En aquel momento comenzó a llover.

—Cumplidora Santa Rosa —celebró la morena—. Para mí, que este año la Virgen del Rosario se libra de que la saquen en procesión.

"Una cosa es evidente", pensó Harrison cuando pudo analizar fríamente los sucesos, "ese hombre intervino en la matanza de los soldados". Y Luz no lo había protegido por su linda traza, sino porque lo había usado de verdugo: aquellos santafesinos tenían que ser los asesinos de don Carlos; de otra forma, nada tenía sentido. Sospechaba a Luz capaz de un amorío, pero la sabía incapaz de poner en peligro a los suyos sin una razón en verdad poderosa.

Harrison ya no discurría qué le horrorizaba más: si el saberla adúltera o el comprender su maquiavélica habilidad para urdir el atentado. Parecía indudable que había partido de Buenos Aires sin esperarlo porque, sabiendo que no hallaría justicia en las instituciones, necesitaba tiempo y libertad para hacer venir desde Los Algarrobos a aquel hombre, instrumento de su venganza.

194

¡Y el muy imbécil de Ezcurra, en el barco, murmurando embelesado: "Es tan gentil y delicada"!

Tomó un trago de brandy con los ojos puestos en el fuego de la chimenea. Le había llevado un mes comenzar los arreglos de la casa de Buenos Aires, porque noche tras noche había luchado con la idea de trasladarse a Inglaterra.

Mientras atizaba el fuego, pensó que Luz tendría dificultades para mantener a los suyos. Era mezquino, pero deseaba que se viera obligada a pedirle asistencia: el corazón es un órgano carnicero —por más inglés que uno sea—, se justificó.

¿Y si el otro se había hecho cargo de ellos? Después de todo, lo mismo podía ser un gaucho que un hacendado; en aquel maldito país era difícil notar las diferencias, ya que entre los hombres de campo existía una rudeza igualitaria.

Indignado ante aquella posibilidad, arrojó el atizador a través de la habitación: nadie tenía derecho a despojarlo de sus responsabilidades —y Luz y los Osorio lo eran, incuestionablemente— porque éstas le resultaban inalienables.

El alcohol, como otras veces el insomnio, le recordó el maravilloso viaje por el valle del Trent, así como aquella mañana, cuando él llegó a Córdoba tras ella, en su dormitorio de soltera, cuando llegó a creer... ¡que Luz podía amarlo! ¡Ridícula idea! Los negociantes maduros no figuraban en los romances. Corsarios, aventureros, aristócratas, poetas y guerreros compendiaban los héroes. No había manera de que un Harrison calzara en aquel linaje...

Y con indecible amargura, sintió que su relación con Luz había sido un espejismo, como una de esas leyendas que tanto la deleitaban...

Con brutalidad, la imagen del "otro" irrumpió en sus recuerdos, imponiéndose con desmesura aquella estampa —que Lozano tildaría de godo, aludiendo a la sangre española no mestizada— y algo le revolvió las entrañas: ¿sería posible que los maledicentes hubieran equivocado la identidad del amante de Luz? ¿Sería aquél su verdadero amante? Si fuera así... ¡Cómo se habría reído de él, que imaginaba aquel amor sepultado bajo tierra!

Barriendo con cuanto había sobre la mesa, decidió regresar a Gran Bretaña.

La lluvia había cesado cerca de Anizacate y cruzaron el río temiendo la crecida súbita, tan común en las aguas de la sierra. Salvado el peligro, comenzaron a preocuparse por el encuentro con "alzados", pero dieron con un piquete de vecinos que recorrían la zona y las escoltaron hasta Soconcho.

No faltaba mucho para el anochecer cuando el cielo volvió a cerrarse. En un instante que se prolongaría en su memoria, Luz sintió una soledad sobrecogedora, como si fueran los últimos sobrevivientes de un mundo devastado.

Calandria, que leguas atrás le había cedido las riendas, cabeceaba de sueño. Luz la sacudió.

—No hay remedio, tendremos que dormir al raso. Mejor nos acomodamos mientras hay claridad —y en voz baja—: No quiero llegar de noche; vaya a saber con qué nos encontramos.

Dejando que Severa se las ingeniara con el fuego, desataron las mulas y en cabestro les permitieron beber de un charco y pastar a rienda. Comieron asado frío, unos mates y algo de pan. Nueva rebelión de Isabel y por fin todos se aquietaron. Recostadas bajo un árbol, Luz y Calandria se envolvieron en mantas.

—Si al menos tuviéramos un fusil —protestó la mulata y al rato—: ... ta que hay bichos. ¿No dormirán nunca?

Al amanecer, entumecidas de frío y aprensión, recibieron el primer mate; Severa las ayudó a uncir los animales, conminó a todos a orinar y los recompensó con pan y queso.

Ana, Carlitos y Simón Chico se mostraban alegres y entusiasmados, corriendo y jugando a la mancha venenosa y recolectando caracoles.

Emprendieron la marcha y entraron por los altos del camino. Abajo, en los valles, se veían nubes como rebaños pastando. Cerca del mediodía salió el sol radiante y llegaron al último tramo del viaje.

En el desvío hacia el llano, Luz aplicó el freno y, de pie en el pescante, buscó la casa con la mirada.

—Ahí está —murmuró, la garganta apretada.

Calandria gritó alborozada mientras ella examinaba el terreno; al comprender que había esperado ver la gallarda figura de su padre saliéndoles al encuentro a caballo, como acostumbraba hacerlo, hizo restallar el látigo sobre las orejas de las mulas, que arremetieron provocando la alarma de los pasajeros. Isabel recitaba a gritos la letrilla de Santa Teresa:

"Nada te turbe,
Nada te espante,
Todo se pasa
Dios no se muda".

... las paredes protectoras, los fogones encendidos, la comida aquietán-
doles el miedo...

"La paciencia
Todo lo alcanza;
Quien a Dios tiene
Nada le falta:
Sólo Dios basta".

... el último refugio, el fundo familiar.

—Jesús Sacramentado —resumió Severa, recuperando el habla.

Los destrozos aparecían donde ponían la mirada: algarrobos mutila-
dos, portones desgoznados, jazmines arrancados de las columnas; entre
muebles carbonizados, libros a medio quemar. Osamentas hediondas,
detritos humanos.

Luz entregó las riendas a Calandria con una orden: —Ves algo raro y
disparás para el monte.

—No irás a entrar sin un arma —se alarmó Severa—. ¡Esperame,
chinita del diablo! ¡Bien sabés que no te dejaría sola ni en el infierno!
—y levantando un palo para usar de garrote, la siguió.

En la primera sala, los retratos familiares, apilados, mostraban tajos
y quemaduras. Trozos de loza y cristalería debieron ser apartados con
el pie. Y un olor nauseabundo, a heces y podredumbre, impregnaba el
aire.

Inesperadamente, el clavicordio destrozado recordó a Luz las veladas
familiares, la risa de su padre, los pasos de Simón y sus silencios —Simón,
el hacedor de sus primeros juguetes—. Volvió la cara, descompuesta,
mientras Severa decía: —¿Y para qué lo necesitamos ahora, criatura?
—y con melancolía—: No ha quedado ni una de mis plantitas...

Nada se había salvado, destruido por hombres que en la paz habrían
sido dueños o peones de establecimientos similares. ¿Unitarios, federales? ¿Parciales de López, de Quiroga? ¿De La Madrid, de Videla Castillo? Montoneros, regulares, insurgentes.

Patriotas, bárbaros o mercenarios, habían irrumpido en sus vidas echando abajo el trabajo de siglos o el de un día. Todo lo que era amado, rancho o estancia, había sido arrasado. Eliminaban lo mismo al pobre que al adinerado: eran un inmenso ejército sanguinario y abusivo extendiéndose por el suelo de la patria.

—¡Papá tenía razón! —estalló Luz, pateando lo que encontraba al paso—. ¡Él me lo advirtió y no quise escucharlo! —la puerta del comedor se le resistió.

—Esperá; no te me chiflés ahora —la hizo a un lado Severa y apoyando la cadera consiguió abrirla. Un charco las miró desde el suelo como una pupila descomunal.

La mesa estaba intacta, rodeada de sillas; uno que otro mueble adecentaba el conjunto.

—Deben haber usado esta pieza como puesto de mando —dijo Luz, repentinamente serena.

—El sillón de guadamecí de tu vieja; sí que se pondrá contenta. Pero se llevaron el crucifijo los infames y no ha de ser por devoción: era de plata y ébano.

—¡El Cristo! —recordó Luz y, dando media vuelta, atravesó el patio y subió la escalera hacia los dormitorios. Al trasponer el umbral de su cuarto, notó el nicho astillado.

—Pensarían que habría plata —jadeó Severa a su espalda.

Con manos inseguras —desde que se había entregado a Enmanuel no había vuelto a mirarlo— Luz comprobó que estaba intacto. Dos velas miserables contaban una muda historia de cuarteleras o desesperados. Severa sacó el yesquero y las encendió, golpeándose el pecho en un "mea culpa".

—Dejá de echarte culpas ajenas —la cortó Luz— y pedile que se apiade de nosotros, porque de ésta, no sé si salimos.

Y como si la mesa y el Cristo fueran símbolos más poderosos que el clavicordio y el algarrobo herido, recorrieron la casa espantando la estupidez humana. No las amedrentaron colchones manchados de sangre y vómito, murciélagos emboscados ni la comadreja que, en la cocina, las enfrentó con ferocidad.

—Decí que no nos han dejado un difunto de regalo —se consoló la negra mientras la espantaba hacia el campo.

Llamaron a los demás, acomodando a doña Carmen en la galería, en su preciado sillón, encarando después la limpieza como una operación bélica.

—Lo primero, la sala para acomodar a tu madre —exigió Severa.

198

Isabel no paraba de recriminar a Luz la espantosa situación en que se hallaban, mientras doña Carmen repetía:

—¿Por qué no ha venido Carlos a recibirnos? ¿Dónde está Inés?

Luz guardó sus fuerzas para hacer lo más pronto posible un refugio de aquella ruina.

En los arcones no quedaba nada, pero Severa, que desobedeciendo a Luz había cargado un bulto de sábanas y mantas, las sacó a relucir. Calandria y Luz lavaron los cotines, agradeciendo el sol que no se mezquinaba.

—Qué joder —dijo la mulata—. ¿No decís que en las postas se duerme peor?

Ana hizo un ramillete de flores silvestres para su madre. Severa, que luchaba con la leña húmeda, mandó a Simón y a Carlitos por restos de muebles, en las habitaciones.

Viendo la sala respetablemente aseada, Isabel, ayudada por Gracia, acarreó el equipaje de labores y devociones; alcanzó a su madre el bastidor, cerró la puerta y con un aire de invulnerabilidad que nadie discutió, comenzó a leer en voz alta la vida de la Santa de Ávila. Los demás se dedicaron a cosas más prosaicas.

—Por suerte no han envenenado el agua con carroña —observó Calandria, izando a Gracia que había estado inspeccionando el pozo—. Al aljibe habrá que limpiarlo, pero el surgente estaba cubierto. Tendremos que desyuyar las acequias. —Y contemplando el tajamar—: Lindo, se está hinchando con la lluvia…

El atardecer les ordenó descansar: estaban agotadas.

—Tenemos comida para unos días —dijo Luz—. Después, no sé qué haremos.

Sentada entre Severa y Calandria, escuchando el patético rosario que dirigía Isabel, quedó pensativa.

—No se ve una guampuda ni por chiste —rezongó la negra—. Ni gallinas, ni cabras han dejado… Para mí que se comieron hasta los perros. Por suerte encontré unas semillas en el sótano.

—Con un fusilito, yo me atrevería a cazar —alardeó Calandria.

—¡Esos Reynafé, incautarnos las armas! —se indignó Luz—. ¿Pensarían que íbamos a salir de guerrilleras?

Severa le ofreció un mendrugo:

—¿Te queda plata?

—Poca; mayormente se me fue en las mulas. Me las cobraron como si fueran de oro. ¡Qué vida! —suspiró con amargura.

¿Dónde estaba lo que apuntaló su casta? ¿Los campos sembrados, las reses y tropillas, los saladeros, la curtiembre? La idea de que Harrison no conocería Los Algarrobos más que como una ruina le llenó los ojos de lágrimas y el corazón de rabia.

En la cena, observó los rostros que la rodeaban; los criados parecían más íntegros, quizá porque venían de naufragios mayores.

—Escribí a Mr. Harrison antes de salir de Córdoba —los tranquilizó—. Pronto lo tendremos por acá, con su bonito coche y muchas monedas de plata.

—Mañana ha de venir Oroncio —meditó Severa, más realista.

Fue una noche larga y amarga para Luz, infestada de malos recuerdos, de errores admitidos y arrepentimientos tardíos. El amanecer la encontró en la ventana, mirando hacia el camposanto. De pronto, un halconcillo dorado —como el que había visto la última tarde del último verano en Los Algarrobos— se elevó desde el bosquecito, buscando el favor de la brisa. Con un espasmo, recordó a Enmanuel y volvió entonces el rostro hacia las sombras de la habitación. Junto con su padre y Los Algarrobos, Enmanuel se iba desdibujando en un pasado irrecuperable.

Temprano en la mañana se presentó Oroncio, sin aquel lujo paisano y aire de ser alguien que siempre lo había distinguido; vestía un tosco chiripá sujeto no ya con la rastra potosina —regalo del abuelo Lorenzo a su padre— sino con una lonja. El chaleco bordado y el pañuelo de seda habían desaparecido con la bota de potro blanca, otra de las elegancias que guardaba para cuando iba a recibirlos.

—Oroncio —saludó Luz, adelantándose.

—Niña —respondió él, llevándose dos dedos a la frente.

—¿Cómo no se acercó anoche? Pusimos el candil en el campanario para que se avisara.

—Ahicito hubiera venido, pero me dio vergüenza, así que fui por unas vaquitas, para que los chicos tuvieran leche, aunque. Y le traje un gallo, con los respetos de mi vieja; capaz les llene un puchero...

—Se agradece; dígale a doña Juana que cuando guste, se arrime. ¿Y qué hay de los hijos?

—Y... la Lorenza se casorió nomás con el santafesino que venía por el sebo y se han ido para Santo Tomé. La Aurorita, trabajando en lo del juez pedáneo, en el Cuarto. La señora me la vido un 9 de Julio y la apreció —bajó la vista, pues ninguna mujer de la familia había sido servidumbre en lo que pudiera recordarse—. Andaban tan mal las cosas, vea, que nos pareció más seguro... por las tropas, ¿no?; siempre que no caigan los indios haciendo diabluras por allá, claro.

—¿Y los varones?

—... ta suerte, niña; me los llevó la leva, menos al Ciriaco. Ése se fue con Echevarría y ahora que al hombre lo han afusilado, andamos con el Jesús en la boca, porque a la gente del Comandante la andan persiguiendo todavía. Mi mujer meta rezar para que le vuelva el hijo y yo que le alvierto: "Pará de molestar a la Virgen, no sea que te lo mande de comedida y nos lo achuren a la vista...". Que sea lo que Dios disponga, mire —terminó, mortificado.

—Son malos tiempos, Oroncio.

—Verdad. Y yo siento en el alma cómo ha quedado esto, pero fue indefendible, crea. En cuanto cayó el general —a José María Paz se refería—, se largaron los forajidos derechito a cobrárselas a sus parciales. Y en después, se iban unos y caían otros. A la gente, como a ganado la arreaban. Dejamos esto así para disuadirlos de buscar nada. Santafesinos hambreados —escupió—, ladinos como langostas, engordando con lo ajeno... ¿Se acuerda del Ramón Carrizo, el que le enseñó a montar al Payo? Bué... se resistió a la leva y lo azotaron. ¡Si parecía un Cristo, pobre! Por insurrecto, dijeron. Así medio muerto se lo llevaron. ¡Había que ver el contento cuando le echaron el ojo a la caballada! "Con esto nos cobramos la caballería que el be... bellaco de tu patrón le regaló a ese Manco inútil, que no supo salir parado de una boleada", me refregó el mandamás. Entonces el Salvador, ¿se acuerda?, el del ojo añublado, tuvo la mala idea de zafarse —porque le era muy leal a Paz el hombre— y dijo así, con un tonito...: "¿Inútil oí decir, general?", se chanceó —tenía una tirita nomás el otro—; "¿dónde estaban sus mercedes en el San Roque, La Tablada y Oncativo? ¿Jugando a las escondidas?". ¡Qué desgracia, niña!; el otro sacó un chumbador y me lo dejó seco de un tiro al hombre. Nos quedamos fríos, vea. El oficial guardó el aparato y dijo: "Para que apriendan a no acollararse con gente que no es de a caballo". ¿A usted le parece? A uno ya ni su lealtad le dejan tener. Pero sabe, el Ramón apareció a los días; se les hizo repeluz cuando andaban diezmando la peonada de los Martínez. Lo escondimos en los puestos por miedo a que lo denunciara algún rencoroso... como era tan enamorado. Le han quedado unos costurones así de brutos por los guascazos —le mostró el pulgar—. Y hará una semana para atrás le dio por irse a los toldos con Baigorria, otro que supo ser del

Manco —oficial dicen—, pero no les envideo la suerte, no. La indiada es muy brava. Sabe, es que no aguantaban más: ninguno se arruga de morir peleando, pero es fiero eso del degüello en seco, mucho. Y ese capricho han traído ahora, sepa, el de degollar al cuete y con cuchillo sin filo.

Se apoyó en el pilar de la galería, los brazos cruzados, mordisqueándose el bigote encanecido.

—¿Y del mozo Fernando, saben?

—Ni apareció el matrero. ¿Sabía usted que al viejito Simón lo mataron por defender a mi padre?

—Si lo digo yo, ya no hay dignidad… pronto se atreverán con los guaguas. ¿Y del mozo Sebastián?

—Se fue del país, Oroncio.

—La pucha; los hombres son para defender sus patrias y sus mujeres, no para andar pateando suelos ajenos.

—Qué se le va a hacer, Videla; a estas fechas, capaz estaría muerto si se quedaba. Tío Felipe tuvo que sacar a mi primo de Córdoba; lo habían sentenciado por unas coplas.

—Era burlista el mozo, si me acuerdo. ¿Y sabe lo de su tío Lezama? Se tuvo que refugiar en La Punta. Aunque lo que se dice daño, no le han hecho, porque ellos, todos federales, sabido. Eso sí, el ganado no se lo han respetado, no vaya a pensar.

Carraspeó y soltó lo atragantado:

—¿Y el señor gringo, su marido, estará al caer?

—Prontito —repuso ella—. Mientras tanto, se hará lo que se pueda.

El capataz se enderezó como un soldado:

—Nunca le he esquivado al bulto; su padre y su abuelo podrían dar fe —y con ademán gentil en su vastedad, la invitó—: Veamos el corral, si gusta.

Allí, encerradas, no había más que unas reses costilludas.

—Como se perdió el forraje y fue año de seca… Además, se alzaron con lo mejor del rodeo, supongasé. Hasta algunos vecinos andaban cuatreriando por acá, así que me fui a Pampayasta y se los nombré a don Quebracho. Si le han dejado algo, ha sido porque el hombre les metió miedo en el cuerpo.

—¿Y no habrá forma de agrandar el arreo? —insistió Luz, acuciada por el presente.

—¿Y para qué, diga? ¿O usted se ilusiona con que no volverán las tropas? —se sobó la quijada, pensativo—. Y ya es rara la hacienda baguala. Si vamos al sur por ella, los indios nos atajarán; están envalentonados. Por acá cerca han maloqueado, pero a nosotros, ni un amague. Que su

202

tata, en la gloria, me perdone —se santiguó—, pero me da que por el Fernando es la deferencia.

—Entonces, ¿qué me aconseja? —preguntó Luz, desalentada.

—Consígase unos pollos, unas cabritas; yo reservaré las reses en los puestos de adentro; ahí difícil las hallen, porque van de rápido y siempre tirando para las casas, ¿vio? No es cuestión tampoco de aliviarles el trabajo a esos malandras… —expectoró, limpiándose con la manga—. Uno no es sonso, qué joder… y disculpe usted.

—Tiene razón, hombre —admitió la joven.

Días después aparecieron los Cepeda.

—No sé si usted está sabiendo, niña, que somos del Puesto Encerrado que le dicen, costeando Las Corzas.

Luz los recordaba: Silverio la había escoltado a Buenos Aires y Benito solía cazar chanchos del monte con Fernando.

—Con su venia, pensamos con don Videla que como el campo no está para mujeres, con toda esa tropa suelta, mejor le traemos las cosas de la población…

—Y podemos venderle la hacienda en las postas o en el camino a Cuyo.

—… como un decir, para la yerba.

Sus voces cadenciosas, con un dejo puntano, tranquilizaron a Luz; eran hombres de buena voluntad que no habían formado queja del patrón.

—Se agradece —respondió ella, tocada por aquella fidelidad.

Armando un cigarro, Benito desvió pudorosamente la mirada; su hermano le arrimó yesca sin una palabra.

—Y sepa que guardamos unas yeguas de reserva, para un apuro. Las mulas —señaló el corral— se las han de quitar de verlas nomás.

En los días siguientes se turnaron para presentarse, pues temían ser emboscados "en yunta": también ellos estaban sentenciados por haber servido de prácticos al general Paz y se habían librado por casualidad de la desgracia.

Aliviaron las tareas pesadas: quemaron las inmundicias, acondicionaron el tajamar, desbarraron el aljibe, hicieron leña del algarrobo; con puertas y ventanas, sólo pudieron sellar las rotas para procurarles seguridad.

Vendieron unas reses a una tropa de carretas y se hicieron las compras indispensables. Cuando Luz juntaba unas monedas, les daba "para la misa", pues si la campaña estaba tranquila, se organizaban cuadreras, juegos y bailes alrededor de las capillas, los domingos.

De algún modo, la familia se fue adaptando a aquellos rigores, salvo Isabel, que solamente colaboraba en atender a doña Carmen.

Luz continuaba acosada por el recuerdo de su padre, y que aquel sitio existiera sin él era algo que le costaba aceptar. A veces se sobresaltaba ante un eco de su presencia y tenía el sueño recurrente de verlo tras los cristales empañados del amanecer.

Calandria, en cambio, subía y bajaba del campanario, en la esperanza de ver aparecer al causante de sus desvelos.

La preocupación de Severa era más terrenal: ¿qué sería de ellos en el helado invierno del sur cordobés?

25. EL APARECIDO

"El éxodo de los hombres hacia el campo de combate,
el consiguiente abandono de las familias, la imposibilidad de dedicarse
a la cría de ganado, la requisa de hacienda para uso militar, la ruina
de la industria, el abandono de toda actividad de cultura
son, indudablemente, penosos corolarios de aquel estado de cosas."

León Benarós
Estudio a "Los Montoneros" de Eduardo Gutiérrez

LOS ALGARROBOS
OCTUBRE DE 1831

A pesar de que era media mañana, Severa encendió una vela, guiando a Luz por la capilla, hasta el altar. Habiendo sido robada la parte que sostenía el sagrario, la mesa quedaba distanciada de la pared y generalmente se cubría a ésta con un mantel que Isabel mantenía impoluto.

—Mirá —dijo la mujer, levantando la tarima posterior del altar, que cedió sobre bisagras, descubriendo un talud—. Tropecé con el escalón, me apoyé aquí y se hundió. La cerradura del piso estaba podrida.

Sostuvo el tablero sobre la espiga y Luz vio un hueco hediondo de encierro, en cuya negrura se adivinaba un ensanchamiento a medida que caía.

—Parece un túnel —y recogiéndose la falda como chiripá, Luz tomó la vela y se deslizó hasta que la inclinación del terreno le permitió erguirse. Adelantó la palmatoria y descubrió unos escalones, un recodo y otros escalones que desembocaban en una puerta de algarrobo. Una viga sobre soportes la atravesaba. Regresó y comunicó a Severa—: Es una cripta. Vení, acompañame.

—Yo no bajo ahí ni con promesa. Si no es una salamanca, anda raspando.

—Entonces entraré sola y si me ocurre algo, será tu culpa.

—¡No seás, caracho, salí de ahí! —manoteó la negra sin alcanzarla—. ¿Quién me habrá mandado decírtelo?

—Puede ser un refugio para cuando caigan las tropas...

205

—Debe haber bichos —se resistió Severa—. Ratas, chelcos… si te pica un chelco, te morís. Son muy ponzoñosos, Luz.

—Te juro que no vi moverse nada; vamos, no me dejés sola.

—¡Ay, Diosito, que no me voy a morir de vieja, que me vas a matar vos con tus atrevimientos! —pero incapaz de desampararla, acomodó el corpachón y ayudada por la joven se deslizó en el pasaje.

Quitaron la vara con esfuerzo y abrieron la rústica puerta; más escalones y se encontraron con una bóveda sostenida por pilares y arcos. Dieron unos pasos en las tinieblas enrarecidas, apartando telarañas y trastos.

—¡Santas Ánimas, protéjannos! —se sofocó Severa, señalando a la tenue claridad de la candela una figura humana recostada en un rincón; después de unos segundos, Luz comprendió que era un esqueleto vestido. Tomando valor, se acercó a observarlo, la palmatoria en alto: las ropas parecían las de un gaucho adinerado, y bajo el sombrero andaluz asomaban restos de una larga cabellera ensortijada.

—¡Pero si es un cristiano! —exclamó Severa sobre su hombro.

—¿Cómo pudo quedar encerrado? —se preguntó Luz. Al dar otro paso, tropezó con algo que cayó sobre el bulto que se desmoronó en un polvillo acre.

—¡Salgamos, es peste! —chilló Severa, cubriéndose boca y nariz con el delantal.

Abandonaron el túnel gateando, atropellaron la puerta del campanario buscando aire puro y se dejaron caer sobre el pasto.

—¿El indio de don Ignacio?

—Esos bucles no eran de infiel —jadeó Severa y luego—: Nunca oí de ese sótano. Claro que en la época en que yo fui con doña Adelaida, poco veníamos por aquí…

—Tuvo que ser construido junto con la capilla —razonó Luz—, en tiempos del bisabuelo quizás y vaya a saber por qué se dejó de usar después. —Y pensativa, recapacitó—: Habrá que darle sepultura.

—No tocaré esos huesos ni con un cirio bendecido —se plantó la negra—. Dejemos que se ventile el lugar, luego quemamos alcanfor y después pediré a los Cepeda que lo entierren. Habrá que dar una mano de cal para purificar. Y no vendría mal pintar unas cruces en las paredes…

Aquella noche Luz se desveló con el misterio. ¿Quizá quedó dormido o borracho y el que puso la tranca lo ignoraba? ¿Fue víctima de alguno de sus antepasados? Y si era así, ¿qué afrenta se habían cobrado en él?

Horrorizada, imaginó a la víctima tropezando en la oscuridad, llamando inútilmente, sufriendo hambre y sed, volviéndose loco antes de expirar…

206

Al amanecer, Severa se presentó con cara de no haber dormido. Restregándose los ojos, murmuró:

—Tu abuela o misia Francisquita deben tener la mera idea de quién era el desgraciado.

—Antes muero que preguntarles; que cada cual vele sus crímenes —respondió Luz.

Los Cepeda enterraron los restos en el lugar, los cubrieron con cal y sellaron la sepultura. Quemaron los trastos de la cripta lejos de la casa y blanquearon sus paredes. Después de una discusión encarnizada, consiguieron de Isabel agua bendita, que Severa asperjó a tiempo que comenzaba una novena a las Almas del Purgatorio para que el espíritu del infeliz descansara en paz.

Convirtieron el sitio en un escondrijo aceptable: se trasladaron bebederos y cántaros, echándoles alumbre para mantener el agua pura. Unas mantas, algo de forraje y velas completaron las provisiones.

Isabel puso el grito en el cielo al enterarse de que pasarían por la capilla con cabras y gallinas y atacó a Luz:

—Nada me extraña de una mujer capaz de casarse con un cismático.

—Y como su hermana sonreía, agregó, punzante—: ... con un cismático que además la abandonó al hartarse de ella...

La mano de Luz se disparó en una cachetada antes de explicar:

—Puedes ir enterándote, mocosa ignorante, que el oratorio no está consagrado. Severa puede atestiguarlo.

—¡Ella mentiría por apoyarte! —pateó Isabel, babeando por el golpe.

—Cuidadito con lo que dice, señorita —terció la negra, separándolas—. ¿Acaso no has visto la ceremonia con que el padre Iñaki prepara la capilla antes de dar misa?

Como la discusión seguía, Luz se exasperó:

—¡Basta, Severa! ¡No tenemos por qué dar explicaciones a esta trastornada! ¡Ya me cansó con sus taras! —y salió con un portazo mientras la negra, paciente, calmaba a la llorosa.

Aquel día Luz tomó aversión al fervor místico de su hermana, a su mirada fanática, a sus gestos crispados; por Gracia supo que Carlitos y Simón tenían pesadillas a causa de que los amenazaba con que el Diablo vendría por ellos mientras dormían; Anita confesó haberla visto aplicándose tormentos, instándola a imitarla. Todos la acusaron de pellizcarlos cruelmente si se distraían en los rezos.

Luz le quitó la potestad de darles clases de catecismo y las oraciones nocturnas volvieron al dominio de Gracia.

Aquellas disposiciones empeoraron las relaciones entre ambas. Para agregar una nota truculenta comenzó a oírse, bien entrada la noche, el grito desgarrador de un pájaro desconocido.

Lo bautizaron "el Gritón" y el cuento se extendió con rapidez; los pobladores de la zona comenzaron a evitar el cruce nocturno por los campos de los Osorio y espeluznantes relatos de trasnochados eran conversaciones corrientes entre las gentes de posta y los viajeros.

Severa dijo que era el alma en pena del Aparecido —el esqueleto de la cripta— que vagaba buscando el camino al Purgatorio. Luz desarmó la rastra del difunto, sorprendiéndose al ver que estaba hecha de valiosas monedas chilenas: fuera quien fuese el muerto, no había sido en vida, evidentemente, un "don Nadie".

Dividió el botín entre Oroncio y los Cepeda, a modo de sueldos, y retuvo una cantidad considerable.

Las primeras tropas llegaron una semana después. Benito galopó a advertirles que se pusieran a resguardo y todos fueron trasladados al sótano, salvo Luz, que continuó arando el campo de maíz. Benito se apostó en los techos, con un fusil escamoteado en el campo de batalla de Oncativo, con orden de disparar sólo si las cosas se volvían peligrosas.

La partida llegó poco después: eran cinco hombres de uniforme, requisando ganado para el ejército de Córdoba.

—Vacas, van a tener que campearlas —dijo Luz, rogando para sus adentros que no revisaran la quebrada del camposanto donde, lejos de la vista del camino del alto como de las tierras llanas, habían improvisado un corralito—. Caballos, quedan dos matungos que nos perdonó Echagüe —y continuó con su trabajo.

Mientras sus hombres iban a revisar los corrales, el cabo preguntó:

—Y... ¿no hay varones por acá?

—Mi padre y mi hermanito, pero hoy están en lo de don Quebracho López —mintió ella; y con malhumor—: ¿Qué andan buscando ustedes, hombres o reses?

—Tenemos orden de leva si hay disponibles.

—Mi padre no entra en esa ley y mi hermano tiene siete años —presionó sobre la horqueta para disimular los nervios, arrancando una piedra del surco.

—... ta bien, lo dejaremos al chico entuavía —dijo el cabo con insolencia—. Tal vez el año entrante, cuando crezca...

—Ni hay animales pero se ve guano —dijo uno de los milicianos, mirándola con desconfianza.

—Lléguense hasta Pampayasta, a reclamárselos a don Quebracho —arriesgó ella con altanería.

El nombre del jefe de milicias les impuso respeto, cuanto más que estaban en su territorio. El cabo se tocó la gorra:

—Con su venia, daremos una recorrida.

Cuando Luz vio que se alejaban del camposanto, se envalentonó.

—Si encuentran algo, no se olvide de darme el comprobante de requisa. Ya tengo un buen alto: ¡Pronto me alcanzarán para comprarme otra estancia!

Se llevaron un poco de hacienda, pero ella respiró de alivio al verlos partir.

Quince días más tarde cayeron sorpresivamente restos de una división unitaria batida por los santafesinos.

Pleiteando con el oficial que la escuchaba cansadamente, Luz tuvo que contemplar cómo arreaban con cuanto animal había a la vista.

Persiguiendo gallinas hasta la cocina, un soldado recibió un sartenazo propinado por Severa y pensó enfrentarla —estaban hambreados—, pero una hueste de chiquillos y mujeres con palos se aprestó a la defensa.

El oficial, un hombre no mal dispuesto, atendió a Gracia cuando llegó quejándose de la tropa y los llamó al orden. Antes de partir preguntó a Luz si tenían armas o platería.

—¿Cree que la suya es la primera partida que nos toca? Desde mayo venimos sufriendo a razón de dos por mes. ¿Qué supone pueda quedarnos? —contestó Luz y con rabia señaló hacia el sur—: ¡Y pensar que mis antepasados siempre creyeron que nuestros enemigos venían de allá, de las tolderías!

Se fueron de prisa después de llenar los chifles y al atardecer, temprano, la familia se atrincheró en la casa, temiendo que aparecieran los que los perseguían. Contemplando la oscuridad ventosa, Luz casi no podía razonar de miedo y desaliento. Maldijo a Harrison y derramó algunas lágrimas por las circunstancias que habían desmembrado a su familia.

Se había retirado un rato a su habitación, huyendo de todos, la vela apagada para no llamar la atención de alma viviente que atravesara los campos. Afuera, se oyó el lúgubre lamento del Gritón. No la asustó: lo sobrenatural se volvía menos temible a medida que se insinuaba ese horror más real de las milicias.

Severa entró silenciosamente:

—¿Oíste?

—¿De qué te asustás? No es más que un pájaro al que un mal viento habrá hecho perder el rumbo.

Con las pupilas adecuadas a la oscuridad, se miraron en la simplicidad de sus fuerzas de hembras, una especie de terca esperanza, de grandeza en la aflicción: habitaban un mundo milenariamente ocupado por los varones; las mantenía la voluntad de sobrevivir haciendo lo que consideraban debido, aguardando que algún remoto día los hombres cambiaran.

—Las mulas es lo que más rabia me da —murmuró Luz, cubriéndose los ojos con las manos—. Y tendremos que esconder una rueda del coche: se me hace que alguien pensará en requisarlo y entonces se hará difícil irnos de aquí.

Cuando quedó sola, se acostó con las palabras de Harrison en la memoria: "Nunca te abandonaré". Era la mentira más infame que le habían dicho y la promesa más confiable por la que hubiera jurado.

El primero de noviembre, nubes pesadas y oscuras cubrieron el cielo desde el alba. Mientras encendía el fuego, Severa comentó:

—Es época de tormentas dañinas, de las que voltean árboles o traen granizo.

Más tarde, tiroteos lejanos que parecían acercarse las llenaron de inquietud.

—Se me hace que es por Tegua —prestó oídos Calandria.

—Mmm... para el ojo de agua —localizó Severa.

—Eso fue un cañonazo —se sobresaltó Luz, temiendo que la batalla alcanzara la casa.

—No; fue un trueno, estoy segura —la tranquilizó Severa.

Poco después se hizo sentir el viento. Habían salido a la galería para apreciar la magnitud de la tormenta cuando vieron aparecer, entre ráfagas que doblaban las ramas de los árboles y enturbiaban el aire, una patrulla de uniformados que traían a rastras una angarilla. El oficial se adelantó al trote.

—Tengo que dejarles un combatiente —les anunció a gritos sobre el estruendo de la borrasca.

—Apenas si alcanzo a mantener a mi familia —protestó Luz con igual tono—. No puedo andar amparando extraños.

—Señora —se molestó el hombre—, él está luchando por la patria.

210

—No me diga. Todo lo que usted ve destruido se lo debo a hombres que luchan por la patria. Me está pareciendo que no tenemos la misma ciudadanía.

—Serán los del otro bando, que son unos salvajes.

—En campaña, todos los gatos son tigres; yo no he podido distinguirlos.

—Pero es un oficial...

—Por favor —lo cortó ella—. En estos días, los oficiales son plaga.

—Mire, señora, no puedo trasladarlo en ese estado. Usted lo está sentenciando, ¿comprende? ¿Usted cree que me hace feliz la decisión de abandonarlo?

—Si no es así —respondió ella, inconmovible—, usted equivocó de profesión. Debió meterse a misionero.

—Que caiga sobre su conciencia, entonces —maldijo el otro, sombrío.

—No se preocupe; Dios está en deuda conmigo. Algo me habrá de descontar.

—Mierda —barbotó él—; ¿dónde quedó la misericordia femenina?

Exasperada, Luz lo enfrentó bajando los escalones.

—Ustedes, que hacen una fiesta de la matanza, ¿reclaman misericordia de nosotras? ¡Vuelvan a trabajar, a sembrar, a construir y cuando se comporten como seres humanos y no como bestias salvajes, nosotras volveremos a ser ángeles! —y desconsolada, vociferó sobre los aullidos de la tormenta—: ¡Ordene el tiro de gracia! ¿No es ésa la ley de la guerra? ¡Degüéllelo, despénelo, sacrifíquelo, abandónelo por ahí, pero llévese su carroña, que ya estoy harta de enterrar muertos ajenos!

Los soldados se habían acercado y en el silencio —hubo algo así como un tomar aliento del vendaval— se oyó al herido balbucear pidiendo agua.

Luz se cubrió la cara con las manos; Severa, apiadada, le susurró:

—Ese infeliz podría ser el Payo... ¡tenele compasión!

Y viéndola dudar, hizo una seña alentadora al oficial, que se había apeado a dar de beber por propia mano al moribundo.

—Ánimo, hombre, que saldrás del trance. Dios lo ha de querer.

Luz, derrotada, hizo un gesto a Severa, que transmitió:

—Déjelo nomás, señor, que yo me hago cargo. Soy médica.

Con alivio, el oficial ordenó a los suyos:

—Llévenlo donde disponga la señora.

—... y hay que agradecer todavía —masculló uno de ellos.

—¡Silencio, carajo! —bramó él, sacando autoridad de su agotamiento.

Severa atemperó la situación con un guiño:

—Primera vez que me mentan señora y me juego las tabas que ha de ser la última.

Dirigiéndose a Luz, que pálida y desmelenada le daba la espalda, el oficial se justificó mientras hacía vanos intentos de encender un cigarrillo en el viento que los envolvía:

—Tratamos de construir un país mejor para nuestros hijos, señora.

De cara a la tormenta, Luz replicó:

—Ustedes no tienen hijos; sólo van desparramando huérfanos y bastardos.

Sin mirarse, ambos guardaron un silencio hostil en medio de la orquestación de la naturaleza.

—A ver, comandante, favor por favor —lo encaró Severa al regresar, los soldados de mejor talante porque los había convidado con pan y mate—; déjele el caballo al mozo, para que cuando sane, no se lleve nuestro matungo.

—Veo que se tiene fe —accedió él, ordenando entregarle el animal.

Montó y desde la silla se inclinó con un ruego:

—Trátemelo bien, comadre; lo quiero como a un hermano y es un soldado valeroso y de buen corazón —intentó deslizarle una moneda de plata en la mano, pero la negra la rechazó.

—Dios me dará una manito —le dijo a modo de promesa.

—La Patria la bendiga —dijo él, conmovido, y ordenó partir.

Luz caminó hacia la casa con demasiada prisa.

—¡Qué jorobar, vos! —la sermoneó Severa—. Hoy es día de Todos los Santos. Alguno nos ha de reconocer la caridad.

Como si aquello mereciera respuesta, estalló el trueno y comenzó a diluviar.

El temor de Luz era que llegara una patrulla enemiga del herido y ellos sufrieran las consecuencias por haber auxiliado a un contrario: la esposa de Oroncio le había comentado que en Chucul, una familia completa fue exterminada bárbaramente en similares circunstancias.

—Se va a reponer pronto, no te preocupés —la tranquilizaba Calandria, llena de respeto por la ciencia de su madrina.

—Es de buena encarnadura —asentía Severa, moliendo hierbas en su preciado morterito—. Nada se le ha infestado.

—… pero me dan gómitos cuando entro a la pieza; ¡esos manojos de ruda que le has metido en los sobacos! ¡Hiede a zorrino!

—Ahá; pero le bajó la fiebre, ¿no?

Sin embargo, Severa no se confiaba: aún oscuro, caminaba hasta el camposanto y esperaba pacientemente en la tumba de Enmanuel que el sol naciente tocara las verbenas que crecían sobre ella. Convencida de las cualidades prodigiosas de esas plantas, nacidas de la tierra en que reposaban ajusticiados, las cortaría entonces para usarlas en el herido.

La reseña contable de la estancia —que Luz se empeñaba en llevar, como en tiempos de su padre— había terminado por parecerse a un diario, encontrando ella alivio en la tarea.

Después de una cena especialmente irritante —por las quejas y actitudes de Isabel—, estaba dedicada a ello cuando apareció Severa con el oficial, apoyándose éste en una muleta improvisada.

—Acá está el mozo; y como es hora de que se miren la cara, los dejo para que conversen —y sin más, abandonó el comedor.

Luz observó al intruso: Calandria le había cortado el pelo y la barba, pero lucía demacrado y temblaba al estar de pie.

—Tome asiento —concedió ella.

—Con su permiso —murmuró él y se presentó—: capitán Gaspar Indarte, oficial del ejército federal del general Pacheco. En unos días podrá contar con mi…

—No quiero contar con nada suyo —lo interrumpió ella, aclarando—: Espero que entienda que su presencia pone en peligro a mi familia, ya sea usted celeste o colorado.

—Sí, lo comprendo. Me iré en cuanto pueda montar —y mirando el entorno, dijo con amargura—: Los hombres de armas sembramos la destrucción y el dolor, por más buenos propósitos que alberguemos.

A Luz le pareció que aquel pensamiento podría haber sido expresado por el mismo general Paz y de inmediato se sintió mejor dispuesta con el hombre. Iba a cerrar la carpeta cuando él preguntó:

—¿Cuentas de la estancia?

—Sí… si así puede llamárseles. Es bien poco lo que hay para anotar, realmente.

—¿Le serviría de algo si… por unos días, me ocupo de eso? Tenemos con mi familia un campo en Traslasierra y yo solía llevar las cuentas… antes de enrolarme.

Señalando las ventanas chapuceramente cegadas, se recomendó:

—Tengo mano de carpintero; si usted tuviera herramientas, podría arreglarlas. Las van a necesitar en invierno si continúan aquí.

Luz lo miró con curiosidad: no tendría más de treinta años, era alto y de huesos fuertes y armoniosos (Sebastián le había enseñado a mirar bajo los músculos); en pocas semanas recuperaría prestancia, calculó.

—Veré de conseguirle las herramientas —se avino.

—¿Puedo pedirle algo?

—Si está en mis manos —respondió ella con reserva.

—Un libro. En la pieza donde duermo hay algunos.

—Ah, sí; era el despacho de mi abuelo. Poco quedó de la biblioteca. Cuando Echagüe ocupó la estancia, asaron los libros para encender el fuego. Lea el que desee.

Al ponerse de pie, después de titubear, Luz le extendió la mano. La de él estaba calenturienta y sus labios resecos cuando se la besó. Al erguirse, dijo seriamente:

—Tiene un bello nombre, señora; le va a su gracia.

Enrojeciendo, Luz le dio las buenas noches y dejó apresuradamente el comedor.

A partir de entonces, Indarte notó que ella evitaba estar a solas con él. La alianza matrimonial lo llevaba a especular con la ausencia del marido: ¿exiliado, enrolado en el ejército, tal vez muerto, ya que vestían —los mayores— de luto?

No se atrevía a preguntar: la joven había levantado un muro y no parecía dispuesta a permitir que mirara sobre él.

La salud le mejoró al sentirse útil: Severa lo reñía cuando emprendía tareas pesadas, Calandria lo ayudaba entre bromas y los pequeños le habían cobrado un fuerte apego. Hasta esa niña huraña, Isabel, lo trataba con hosca consideración.

Al no asumir actitud de mando, se ganó el aprecio de Oroncio y los Cepeda. El capataz le consiguió —en lo del juez pedáneo— las herramientas y él se pasaba las tardes con los niños, dedicado a la carpintería.

Conociendo el desvalimiento en que vivían, se afligía por lo que pudiera pasarles cuando él partiera. Como le habían contado algunas cosas de la familia, una tarde se atrevió a preguntar a los chicos:

—Comprendo que Fernando no pueda socorrerlos, ¿pero qué pasa con el otro, el mayor?

—Difícil —dijo Carlitos—, se fue del país.

—A Europa —aclaró el moreno.

Indarte le dio un coscorrón:

—¡Qué sabrás vos de Europa…!

—Sí sé. Es una… un… está bien lejos y se va en barco. La niña nos mostró el mapamundi, en Córdoba. Y alguna vez, capaz que voy con ella.

—Luz estuvo allá —y al ver la sorpresa de Indarte, Carlitos aclaró—: Con el gringo.

—¿Qué gringo? —se desconcertó el capitán, limpiándose las virutas de los brazos.

—Su marido, pues. El inglés que le dicen.

—Tiene estancia en Buenos Aires…. con ovejas —dijo Carlitos despectivamente.

—Luz dice que cuando venga —tiene una sopanda enorme— nos llevará a todos a Buenos Aires.

Indarte cargó la caja y se dirigió a las barracas.

—¿Qué les parece si vamos a pescar?

—¿Y con qué?

—Ah, soy hombre de recursos. Encontré unos mosquiteros; con una varilla de sauce haré unas mangas. Así pescábamos con el brigadier Bustos en el Paraná.

—No me gusta el pescado —rezongó Simón—; es pinchudo, me caga la…

—Cuide su lenguaje, amigo —lo zamarreó Indarte.

—… antes no comíamos esos bichos.

—A buen hambre no hay pan duro —sentenció el capitán y propuso—: Podríamos invitar a las señoras; a doña Carmen le sentará tomar aire y ustedes se darían un baño, que falta les hace.

—Pero es hondo el Tercero…

—Yo sé de un lugarcito, por los sauces del alto. Además estaré ahí para cuidarlos.

Mientras buscaban la gasa, Carlitos pateó un tronco, la vista baja.

—Quedate a vivir con nosotros.

—Se escuende en el sótano y nadie sabrá que desertó —dijo Simón, evidenciando que lo habían planeado.

Sacando el cuchillo de la bota, Indarte cortó un gran redondel de gasa, sintiéndose conmovido.

—Ah, caramba —gruñó cuando pudo hablar—; no me esperaba esta aflojada de ustedes. Los hombres deben cumplir con su deber y no hay otra —se calzó el cuchillo y les indicó que lo siguieran. "La cara que pondría el gringo si me encontrara instalado", pensó. "Se lo merecería; dejarla en semejante trance... Seguro que no quiso cargar con la familia el desalmado. Inglés tenía que ser."

—Es buenazo el muchacho —comentó Severa mientras aporreaba la masa para el pan. Y al recibir el mate que le alcanzaba Luz, preguntó con malicia—: ¿Y si no tuviera que irse?

Como la joven callaba, insistió:

—En un mes, lucirá como un patacón. ¿No se te hace agua la boca?

—¡Severa!

—¿Qué, acaso no se lo merecería el gringo paspado? A ver, decime, ¿cuánto hace que le escribiste? Para mí que te dejó en la estacada —le devolvió el mate y continuó amasando—. Y por lo que él recela... ¿Qué le hace una mancha más a la tigra?

En aquel momento entró Indarte con los niños, proponiéndoles que fueran todos hasta la costa del río.

26. EL ÚLTIMO BESO

"La crueldad, el terror, no son patrimonio exclusivo
de un bando. Los defensores de las formas pretendidamente
cultas se reclutan habitualmente entre quienes
tienen también hecha la mano al degüello."

León Benarós
Eduardo Gutiérrez: Una pasión de la verdad

LOS ALGARROBOS
DICIEMBRE DE 1831

Poco antes de Navidad, cerca del mediodía, llegó Oroncio al galope: habían visto tropas avanzando desde el sur.

—Deben ser unitarios, niña. Oí que el Fraile Aldao les ha dado una paliza tirando para Cuyo —y agregó—: Suerte que el capitán anda con Silverio, rejuntando ganado. Si lo encuentran en la casa, capaz hacen un estropicio.

Apantallándose con el sombrero, aconsejó:

—Yo que usted mando la familia a las caleras. Con estos calorones, no aguantarán el sótano. Si vivaquean acá, se quedarán por horas: es un montonazo de gentes.

—¿No serán peligrosas las caleras?

—Vea, jamás se han torcido para allá. A según el capitán, ni lo harán; no hay pasturas y es buen sitio para emboscadas... —dice él—, y sabe el mozo. Niña —la urgió—, con dos caballos cuantimás, movemos el coche. ¿Se anima?

—Está bien —aceptó Luz con amargura—; habrá que dejar la casa desamparada.

En pocos minutos acondicionaron la galera y acomodaron en ella a todos, Calandria con las riendas y, a su lado, Gracia cargando agua y comida. Videla, al verlas tan dispuestas, se dejó convencer de que él no les hacía falta y decidió arrear la hacienda para los puestos de adentro.

217

—Yo las alcanzo con el petizo —les aseguró Luz cuando se ponían en marcha.

—Andá por el monte, es más seguro que el bajo —le aconsejó Calandria.

Ayudada por dos perros cimarrones que se habían aquerenciado, Luz guió a las cabras hasta el corralito del camposanto. Al regresar, subió a recoger las monedas del Aparecido y estaba haciendo un atadito con las pocas alhajas que había traído de Buenos Aires cuando oyó llegar un caballo. Esperó entre la enredadera que cubría la ventana: era un jinete que miraba cautelosamente en torno. Luz comprendió que ya no tenía modo de escapar. Se apretó nerviosamente la cintura y, decidiéndose, tomó la tranca de hierro de la puerta y bajó sigilosamente al comedor.

Segundos después entraba el hombre con el facón en la mano. Era un gaucho fuerte y aindiado, vestido con cierta pretensión; debía ser un práctico del ejército y lucía la divisa celeste con insolencia. En el pañuelo, provocador, un ramillete de junquillos azules bordados; Luz recordó el estribillo que corría en Buenos Aires: "Horca y cuchillo, mazorca y junquillo".

—¿Quién es usted? —lo interpeló ella, altanera.

—Baqueano de Videla Castillo.

Aunque Luz se tranquilizó al saber que era gente que había respondido al general Paz, el sujeto le pareció peligroso.

—¿Y dónde están los peones? —desconfió él.

—Los que no se enrolaron con el general Paz, se los llevaron a la fuerza los de Echagüe, después de Calchín.

—Qué cosa —comentó el otro, envainando el arma—; ónde cáimos, dicen que son de los nuestros. Si juera así, ya habríamos ganado esta puta guerra, ¿que no? —empleó el modismo santiagueño y caminó hacia la mesa que los separaba, sin advertir el hierro que ella disimulaba en los pliegues de la falda.

Una descarga de adrenalina advirtió a Luz que debía golpear duro la primera vez: con aquel hombre no tendría una siguiente oportunidad.

—No me interesa lo que usted piense —lo distrajo—; Videla Castillo, La Madrid y Deheza nos conocen bien. Los hombres de mi familia han luchado bajo sus órdenes; de nuestros corrales salió la caballada que ayudó al general Paz a entrar en Córdoba y mi esposo, Mr. Harrison, donó fuertes sumas para la Campaña de las Sierras.

—Un gringo… —y el baqueano se desplazó mañosamente hacia ella—. Uno a pelarla fiero y ellos cada vez con más tierra, más plata… y las mejores hembras. No son sonsos —terminó con una sonrisa feroz pero admirativa.

El brazo de Luz se tensó:

—¿Cuándo llegará el general?

—Al ratito; claro que yo podría ir y decirle que sigamos la costa… si su merced me convence.

—Prefiero convencer al general —lo despreció ella, retrocediendo hacia el sillón de guadamecí.

—¡Orgullosa sería! —y con una risotada, el paisano tiró un zarpazo que Luz no devolvió: tenía que estar más cerca para que el golpe fuera realmente efectivo.

Después de varios amagues, el tiempo comenzó a apurar al baqueano; pensó que, si llegaba un cajetilla cordobés y ella se quejaba, podían apretarlo fiero. Mejor acabar cuanto antes —se dijo—, esconder después el cuerpo y que le echaran los perros si se dejaba descubrir.

El golpe de ella le llegó, inesperado y violento; sintió ruido de huesos y el brazo se le paralizó desde la muñeca. Perdida toda prudencia, arremetió como un toro, pero ella descargó otro golpe, esta vez entre el cuello y el hombro, que él le había entregado al agacharse.

Detrás del sillón, protegida por el ángulo de la pared, el brazo de él no la alcanzaba y el de ella, en cambio, suplía su extensión con la tranca. Intentó saltar sobre el asiento, pero ella empujó el mueble contra sus rodillas, volteándolo al suelo. Cuando, desde el piso, intentó sujetarla por la ropa, la joven saltó sobre él, lo castigó sin piedad en la nuca y desapareció por el patio.

Con juramentos y amenazas, el hombre se arrastró hasta la mesa buscando apoyo para levantarse; la sangre se le escurría por la espalda en largos escalofríos, se sentía marcado y la vista le jugaba malas pasadas.

Oyó pezuñas en el patio: no lo asustaban los perros, pero la joven debía haber ido por una pistola que antes no tuvo tiempo de buscar. Maldijo pensando que tendría que volver con el coronel e inventarle que lo habían emboscado, que se apartaran de la casa. ¡Vergüenza que una hembra lo pudiera…!

Consiguió incorporarse y se tanteó la muñeca, que respondió con un dolor inaguantable. Menos mal que era la zurda.

Cuando quiso salir, los perros lo atajaron mostrándole los colmillos y gruñendo roncamente. Buscó instintivamente el facón y los encaró dando alaridos. Acosado por las dentelladas de los cimarrones que, duchos en aquellos lances, no se le ponían a tiro, retrocedió hasta salir a la galería exterior.

Al volverse para saltar los escalones, el estómago se le enfrió ante la inesperada presencia de un hombre.

—Pero mírenlo al matasiete de Deheza… encontrármelo al fin —dijo el otro y el baqueano supo que le cobrarían una vieja deuda… de las tantas que debía.

Estaban tan cerca que se obligó a buscar el cuerpo a cuerpo, pero el cuchillo del otro, un arma corta y ancha, de punta corva, que él siempre había menospreciado, se le hundió en el vientre, cortando eficazmente hacia arriba.

—Por aquel chico que degollaste en el San Roque —le refrescó el otro la memoria antes de que los perros le clavaran los dientes sin misericordia.

"… ja de puta", pensó en la niebla en que caía con los últimos estertores de la vida; "me cagó, éste es oficial y de los otros… el coronel caerá en una trampa… cómo le fallé… y por una…".

La voz de Indarte, subiendo la escalera, cortó la respiración de Luz.

—Aquí estoy —respondió, soltando la tranca y cuando él cruzó el umbral del dormitorio, tuvo que sostenerla porque se le aflojaron las piernas.

—Repóngase, llegarán en cualquier momento y necesito su ayuda —la urgió. Tenía manchas de sangre en las manos y en la ropa.

—¿Lo mató?

—Sí; deme algo para envolver el cuerpo. Lo llevaré a la cripta. No deben encontrarlo aquí. Usted limpie la sangre de la galería.

Luz le arrojó una manta y bajó corriendo a la cocina por agua y una escoba. Oyó a Indarte espantando los perros a chicotazos y después, la puerta de la sacristía cerrándose. Afiebradamente, baldeó y escobilló, arrojando agua por todo el suelo y los escalones para disimular; había una mancha de sangre en la columna y la cubrió con barro. Luego fue por los perros, que gemían queriendo entrar en el oratorio y tentándolos con los cuartos de una cabra carneada aquella mañana, se los arrojó hacia las barracas. Los cimarrones se apoderaron de ellos y desaparecieron campo adentro.

Se encontró en el patio central con Indarte, quien la arrastró hacia la capilla.

—El cuerpo está en el recodo —la previno al bajar el tablero de tras el altar.

Sosteniéndose de las paredes, pasaron sobre el muerto y cerraron tras ellos la puerta de algarrobo. Se apoyaron en ella sin aliento.

—Esto no hubiera sucedido si usted tuviera más juicio —le recriminó el capitán—. Suerte que Oroncio me avisó que usted todavía andaba por la casa. —Más calmado, preguntó—: ¿Le hizo daño ese hombre?

—No, pero yo le rompí la muñeca. Y usted, ¿está herido?

—Un rasguño —y enrollándose el pañuelo en el brazo, recordó—: Era un desalmado, no lamento haberlo matado. Usted se ha salvado de milagro; era un asesino y la hubiera muerto después de ultrajarla.

Luz pensó que difícilmente se diera aquello, porque mientras aguardaba tras la puerta de su dormitorio al baqueano, se había preparado para golpearlo ferozmente en los testículos.

Indarte la tomó de la mano y la guió hasta la segunda columna, dejándose caer de espaldas al muro. Muy quietos, esperaron tensamente la llegada de la tropa; Luz sintió el brazo de él rozándole la pierna y comenzó a temblar.

A poco se oyó acercarse un rumor sordo que crecía y crecía, y en minutos la caballería hizo vibrar la estructura de la cripta. En un arranque de pánico, Luz se incorporó, pero Indarte la sujetó con firmeza.

—Quieta, Luz; aquí estamos a salvo.

Sintiéndose desfallecer ante el contacto de sus manos, la joven comprendió que no se le resistiría. Él la atrajo con rudeza, buscándole los labios mientras la recostaba sobre el suelo.

—Soy casada —alcanzó a protestar mientras él le desprendía la ropa. Inmediatamente dejó de luchar, sintiendo que ya no era importante negarse, puesto que estaba en un túnel rodeada de espectros y de promesas incumplidas. La guerra continuaría, sus hermanos no regresarían, el perdón de su padre le sería negado por toda la eternidad. Ella terminaría tan loca como su madre…

Arriba, la tropa sonaba como una marca incontenible. Hicieron el amor sin palabras, las voces apagadas en la carne del otro, inmersos en la oscuridad y con el sonido de miles de cascos sobre ellos.

Alguien gritó afuera:

—¡No hay nadies, coronel!

—¿Y Farías?

—Ni rastro… qué joder, ¿dónde se habrá ido?

—Desertó el hombre, de juro —malició un porteño.

—¡Nunca! Tiene todos los vicios, pero es leal a morir. Debió seguir detrás de algo. ¿Hay comida?

—Ni hacienda, ni tropilla... ta jodida la cosa.

—Seguro que se han largado al monte. Haremos alto y me daré el gusto de sestear en cama. Usted, Iriarte, tome el mando; ceben unos amargos y no me descuiden las guardias.

—Hay gallinas por ahí.

—Pásenlas a degüello, que deben ser federalas.

Y al rato, otro soldado, seguramente correntino:

—Che amigo, habría guainas.

—Como no te desquités con las pollas... —las risas se alejaron; alguien entonaba unas coplas.

—El caballo de ese hombre —se sobresaltó Luz—. Si lo encuentran...

—No te preocupes; le saqué el apero y lo tiré aquí dentro. Si la hallan en pelo, pensarán que encontró remuda.

Con solicitud de amante, Indarte la abrigó en sus brazos:

—Duerme un rato. Esto irá para largo.

Luz acomodó la mejilla sobre el pecho de él, aturdida por lo que había pasado, pero más anonadada por lo que ahora sabía: amaba a Harrison, lo extrañaba, quería que viniera por ella. Hizo un esfuerzo por contener las lágrimas y cerró el pensamiento al ausente, dolorida, indefensa, pero aun así, rencorosa.

El ejército se retiró al atardecer; por lo que escucharon, se dirigían al Tucumán, a apoyar al gobierno de allí contra la invasión de Quiroga.

Bebiendo y refrescándose cada tanto, hablaron en susurros mientras Indarte, a la luz de una vela, controlaba cada tanto el reloj, calculando que se alejara el peligro para poder salir e ir a buscar a la familia, cosa que lo tenía afligido por demás.

Iban a salir de la cripta cuando él la detuvo tomándola con firmeza del hombro.

—Y de ahora en más, ¿qué? —le preguntó y como Luz no atinara a contestarle, manteniéndose con los ojos miserablemente bajos, la presionó—: ¿Crees de veras que tu marido vendrá por ustedes?

—Sí; quizá mi carta se haya extraviado, pero tarde o temprano, él vendrá por mí.

—¿Y qué pasará conmigo?

Ella no tenía respuesta, así que dibujó sobre el polvo del piso figuras indescifrables con el pie.

—¿Le dirás que soy un peón? —le echó él en cara—. ¿Dormiré en la barraca, con los perros? ¿Te acordarás de mí alguna vez? ¿O simplemente tomarás tus cosas y te irás a Buenos Aires con tu marido?

222

—¡No me atormentes! —imploró Luz, la frente sobre el muro, y la cabeza protegida por los brazos. Él descargó una patada sobre los bebederos, volcándolos.

—Yo sé el final de esta historia —maldijo—: terminaré matándolo, o él me matará a mí —pero oyéndola sollozar, la abrazó, limpiándole las mejillas con su pañuelo.

—Dime qué quieres, qué pretendes que yo haga y lo aceptaré, aunque con eso me condenes —dijo, desesperado.

Ella se aferró a él en una total confusión.

—¡Qué maldita guerra! —juró Indarte, acariciándole la cabeza. Al rato le anunció—: Tendré que irme en unos días.

—No quiero saber cuándo, Gaspar —rogó ella, prendida a su camisa.

—Está bien —y la besó en la frente—. ¿Me olvidarás, entonces?

—Nunca, pero si lo hiciera, los niños me lo recordarían.

Él le dio el último beso, el último abrazo y se encaminaron hacia la realidad.

Una mañana, poco después, encontraron la pieza que ocupaba Indarte vacía, las sábanas prolijamente dobladas y el colchón recogido a modo de señal. Encima, el reloj de él.

Tuvieron que explicar a los niños conceptos tales como honor, compromiso y deber; no fueron muy convincentes, seguramente porque todos lloraban.

Aquejada de un difuso malestar, aquella siesta Luz se recostó en la penumbra de su dormitorio, apretando el reloj en el puño. Días antes, ella había obsequiado a Indarte aquel libro que él le pidió la noche en que comenzaron a tratarse.

Severa le llevó una tisana de menta para fortalecerle el ánimo.

—No volveremos a verlo —se dolió, los ojos enrojecidos—. Ése sí que hubiera sido marido y patrón de ley; más bueno que el pan y bravo como león si se daba el caso. A tu viejo le hubiera gustado.

Luz abrió la tapa del reloj y contempló el lirio esmaltado en su interior. Luego lo cerró, lo puso bajo la almohada y apoyó la mejilla en él, cerrando los ojos.

—Ya tengo marido —contestó amargamente.

La negra espió bajo la cama como si lo buscara allí.

Luz se recuperó en unos días, pero una especie de seriedad le volvía menos frecuente la risa. La ironía, que nunca la había abandonado, se le iba tornando cinismo y, en el mejor de los casos, resentimiento.

—Jurame que no tuviste ni un besuquito con el mozo —la sondeó Calandria una mañana que tendían la ropa en los arbustos.

—¿De qué te serviría mi palabra? ¿Acaso no sabés que soy muy capaz de jurar en falso? —se burló ella y pensó: "Se lo confesaré a Harrison en cuanto aparezca. Eso le dolerá más que cualquier recriminación que yo pudiera hacerle".

Porque, en última instancia, no dudaba de que su marido iría por ellos.

27. ESPECTROS EN LA OSCURIDAD

"Fue interrumpido por la entrada del famoso Quebracho. Tenía
expresión dura y no inteligente y parecía de carácter adusto y áspero.
Circulaban anécdotas sobre su ignorancia."

Manuel Gálvez
Han tocado a degüello

LOS ALGARROBOS
ENERO DE 1832

Luz bajó los escalones hacia la patrulla, donde destacaba un hombre alto, corpulento y de aspecto rudo. Tenía la cara salpicada de verrugas y vestía a lo gaucho, aunque con chaquetilla militar y bota española.

—La bendición, padrino —solicitó, inclinando la cabeza.

—Dios la haga buena, ahijada —farfulló él, apeándose y poniendo la manaza sobre la coronilla de la joven. Se encaminaron hacia la casa.

—Don Prudencio está muy enojado, ¿sabe? —le reprochó con su vozarrón—. Haciéndose mala sangre, por culpa de usted.

—¿Gusta unos matecitos? —ofreció ella, guiándolo hacia el comedor. Él asintió con la cabeza y tomó asiento, algo envarado.

—Y mi comadre Carmen ¿cómo anda?

—Mal nomás; no se ha recuperado de aquello.

Él murmuró algo mientras dejaba rebenque y sombrero sobre la mesa.

—¿Y qué pasa por acá? ¿Cómo están?

—Durando, padrino.

—Hay que irse, m'ijita; está bravo el campo. De cuete no les ha pasado nada.

Luz calló. ¿Cómo explicarle a don Quebracho López el problema de la subsistencia sin que él insistiera en ayudarlos?

—Estamos en eso, señor —mintió—. Mi esposo viene por nosotros.

Severa saludó respetuosamente al hacendado y caudillo, ofreciéndole mate y torta de chicharrón.

—¿Seguro? —preguntó él, engullendo buena parte del convite.

—Ha habido demoras porque la carta se extravió, pero ya me la alcanzaron.

Él gruñó devolviendo el mate:

—¿Te han jorobado los indios?

—Ni una sola vez, señor. Sólo las tropas que pasan cada tanto.

—Por ahí se me hace que ésas son peores —masculló el brigadier, sombrío y mirándola de reojo—: ¿Te has enterado de lo de tu casa en Córdoba? —y al ver la ignorancia en la expresión de Luz, dijo con torpeza—: Andan queriendo incautarla.

Ella palideció, incapaz de encontrar comentarios.

—... pero ya sabés, en lo de tus tíos...

—Siempre hemos contado con ellos —repuso la joven, esforzándose por dominar la voz.

—Prudencio está tratando de frenar los trámites; le ha escrito a tu marido avisándole. Y yo he apretado algunas clavijas, que uno tiene su crédito, qué jorobar.

Severa entró con otro mate y él señaló con la barbilla deprimida las migas del convite:

—Y... ¿no habrá más chicharrón?

—Ahorita, patrón —dijo la negra y corrió a satisfacerlo.

—¿En qué te puedo ayudar? —ofreció el hombre palmeando la mano de la joven.

—Su disposición, padrino, siempre nos ha protegido. Jamás lo olvidaré.

—¿Y para qué somos vecinos, la pucha? Y para qué son los amigos, sino para las estacadas —y atusándose el bigotazo, dijo entre dientes—: Tan jovencita y buena moza la ahijada... usted debió casarse con uno de mis hijos.

—¡Oh, padrino! —se sonrojó Luz—, ¡si nunca me miraron!

—Porque son unos sonsos. ¿Y quién era el mozo que andaba por acá? —preguntó de sopetón, vuelta a mirarla de reojo.

—Un oficial herido. Lo dejaron moribundo —tartamudeó Luz, que ignoraba que el jefe de milicias estuviera al tanto—. Severa lo curó y en cuanto se puso bueno, se fue; no quería ser desertor.

—... de ley, entón... —recibió otro mate y acabó golosamente con el pan. Se puso de pie desdoblando el cuerpo formidable—. Paso en una quincena o mando alguien que te eche el ojo... ¿tamos?

—Gracias, don Manuel —y lo siguió al exterior.

—¿Seguro que viene tu marido? —receló, calzándose el sombrero—. ¿No será medio pasmado el gringo?

—¡Padrino, si es hombre de palabra!

—Mejor para él —dijo, amenazante. Montó y ya se despedía cuando hurgó en la faltriquera, tendiéndole una carta—: Casi me olvido, caracho; lucido iba a quedar con la niña.

Se despidió con dos consejos, ofreciéndole con llaneza su propia casa para refugio.

Parada en la galería, Luz lo vio perderse en una polvareda hacia el camino realengo.

—¿A qué vino el hombre? —preguntó Calandria, atreviéndose a salir.

—Quería saber cómo andábamos… don Prudencio ha estado quejándose de mí. Le ha escrito a Harrison. Ahora sí que vendrá el desgraciado. Además —miró a las otras con aflicción—, parece que quieren quitarnos el solar de Córdoba.

Sentándose en los escalones, se friccionó los brazos, preguntando al cielo:

—¿Qué más irá a sucedernos?

La vida parecía un absoluto descalabro. ¿Y cuándo le habrían escrito a Harrison? Le hubiera gustado saberlo para sacar conclusiones.

Por primera vez imaginó que podía haber regresado a Inglaterra y se sintió descompuesta.

Isabel tuvo la mala idea de presentarse en aquel momento.

—¿Piensas seguir de plática con las sirvientas hasta que mamita desfallezca de hambre?

Luz la observó con maldad.

—Pobre, pobrecita Isabel. Ya no tendrá la vajilla de la abuela Ana y los candelabros flamencos del tatarabuelo para pagar la dote del convento.

—¿Qué dices?

—Que es posible que nunca volvamos a Córdoba; hablan de confiscarnos el solar, así que adiós al hábito, a las musas y…

—Ay, mamá, mamita, ¡oiga lo que dice Luz! —gimió la jovencita, buscando a doña Carmen.

—Ya te va a entender —se burló Luz, esquivando la reprobación de Severa. Al ponerse de pie, la carta cayó al suelo; la levantó: era de Jeromita. Secándose los ojos, caminó hasta los algarrobos, se sentó con los pies en el agua de la acequia y la abrió.

Con frases sencillas y términos rebuscados, su amiga lamentaba no haber estado en la ciudad al mismo tiempo que ella: su padre había con-

227

siderado que era más sensato alejarse mientras el ejército santafesino la ocupaba. No dudaba de que el espíritu de Luz soportaría el vendaval de la desgracia, transformando el dolor por la muerte de su padre en provecho para los suyos. Estaba orgullosa del temple de su amiga y consideraba su fama de rebelde no como tal, sino como fortaleza de ánimo. La llamaba "báculo en la tragedia de tu madre, pastor de tus hermanitos, guía de Isabel, a quien trasladarás la profunda fraternidad que te unía a Inés".

Riendo y llorando, Luz exclamó:

—Qué carta tan ridícula —pero la apretó contra su cara como un bálsamo bienvenido.

Y aquella tarde, junto al tajamar, oyó cómo se apagaban las voces de los pájaros mientras el cielo se desmayaba sobre los campos afiebrados. Sintió que parte del dolor desaparecía y todo se aclaraba en su corazón. No había adjetivo posible para aquella niña que, con estilo cursi y graves faltas de ortografía, le dedicaba un mensaje de fe, esperanza y caridad.

Esa noche se sentó a escribirle, aunque sabía que todo lo que le decía era una sarta de simplezas y que nadie llevaría aquella carta a destino.

28. ENCUENTROS EN LA CIUDADELA

"Políticamente —la Batalla de La Ciudadela—, era el broche
que cerraba la contienda, dejando triunfante la forma federativa,
marcada por torrentadas de sangre desde Coneta al Rincón,
desde Río Cuarto a Córdoba."

David Peña
Juan Facundo Quiroga

TUCUMÁN
FEBRERO DE 1832

Después del combate de La Ciudadela, el espanto que señalaba el paso de los ejércitos comenzó a enervar a Fernando.

Rosas, que había prometido apoyar la Convención Constituyente antes de la captura de Paz, retiró su representante después de ella, asestando un golpe mortal al proyecto. Fernando sospechaba que por años había perdido la oportunidad de pacificar el país mediante la organización nacional.

Le dolía ver a Quiroga vacilar en sus reclamos, enredándose en combates estériles, como si no se diera cuenta de que aquel gaucho adinerado —el patrón de Los Cerrillos— lo estaba jodiendo para centralizar el poder: quizá Luz tuviera razón y el Manco Paz fuera más federal que muchos federales.

Su mentalidad de hacendado se ofuscaba al ver animales sacrificados sin objeto, campos improductivos, peones enganchados por la fuerza en las milicias. La educación recibida se ofendía al ver mujeres burladas —cuando no ultrajadas— mientras rogaban por la vida de los suyos. Hacía unos días, había presenciado cómo se las demoraba de propósito —simulando atender sus peticiones— mientras los suyos eran conducidos a la muerte. La vida no dependía de la justicia, si no de los humores del vencedor.

Mientras reflexionaba sobre aquello, Fernando vio a un oficial que, sacando un libro de la alforja, se disponía a leer. Inesperadamente, recordó el despacho de su padre, de su abuelo, y el remordimiento por haberlos defraudado y, además, por haber desprotegido a su familia, le pesó angustiosamente.

Al encontrar su mirada, el oficial le sonrió.

—¿Qué lee, capitán? —se enderezó Fernando, apoyándose de espaldas en el árbol bajo el cual descansaba. Estaban al reparo de un montecito fresco, algo alejados del campamento.

—*Don Quijote de la Mancha* —respondió un acento pausado.

"De Traslasierra", calculó Fernando y dijo:

—En mi familia teníamos dos ejemplares: uno en el solar de Córdoba y otro en la estancia. Mi abuelo juraba que no podía pasarse sin él.

—Su abuelo sería un hombre sabio.

—¿Me lo permite? —pidió, acercándose al otro—. Se me ha antojado mirarle las estampas.

El oficial se lo extendió y el libro se abrió en las primeras páginas. Un segundo después, Fernando se echaba sobre el otro, levantándolo por la chaqueta.

—¿Dónde consiguió este libro, hijo de puta?

Varios soldados pasados de vino levantaron la cabeza, pero la fama de Chañarito los volvió prudentes; uno atinó a despertar a Lienán, que dormitaba cerca.

—Aguarde —dijo el agredido, sujetando a Fernando por las muñecas—. No sé qué imagina, pero le advierto que este libro me fue obsequiado.

—¿Por quién? —lo sacudió Fernando contra el árbol.

Lienán se incorporó, pero no intervino: entre bragados, no había charretera que pesara más que una ofensa.

—Carajo, hombre; me lo dio una joven a quien le debo la vida —dijo el oficial y exigió—: Suélteme. Hablemos con sensatez.

Fernando lo soltó y dijo a los mirones:

—Cada carancho a su rancho, que éste es un pleito privado.

—Todo está bien —lo apoyó el oficial, pero indicó a Fernando—: Que se retire también su ayudante.

El ranquel obedeció a medias, acuclillándose a tiro de piedra. La mano en el cuchillo, Fernando dio un paso atrás; el otro se acomodaba la ropa.

—Cuente —exigió.

—Me lo regaló doña Luz Osorio, de Los Algarrobos. Y a usted, ¿qué le debo?

—Ahí está el nombre de mi abuelo escrito por propia mano —y recogiendo el libro, señaló la rúbrica amarillenta.

—¡Oh, comprendo! Entonces, usted debe ser Fernando, el hermano de doña Luz...

—¿Ah, sí? ¿Y usted quién es? ¿El Niño Diablo? —respondió él, tratando de hacer retroceder la cólera.

—Capitán Gaspar Indarte, de las fuerzas del general Pacheco. Estoy acá por encargo de mis superiores. —Y con ademán apaciguador—: Tranquilícese, puedo darle noticias de su familia.

—¿Y cómo es que fue a dar allá? —preguntó Fernando mientras se echaban bajo el árbol.

—Desde Yacanto de Traslasierra queríamos pasar a Santa Fe, así que acortamos por Rodeo de las Mulas, hacia San Ignacio, pero caímos en un nidal de unitarios. Se me hace que algún cabecilla estaba juntando gente, porque dimos con una partida tras otra. Como a mitad de camino para las tierras de usted, nos derrotaron, más por la sorpresa que por los medios. Debió ser un antiguo del Manco que no echó en saco roto su experiencia. Me dejaron mártir y al cruzar Los Algarrobos, el comandante de la Peña me confió a su familia; Severa me salvó la vida cuando iba para difunto. Y bueno, que allá quedé hasta que pude montar; mes y medio, digamos —miró rectamente a Fernando—. Y sin que me crea fanfarrón, puedo decir que salvé la vida de su hermana. Quizá por eso, debiéndoles yo tanto, ella me obsequió el libro que había comenzado a leer mientras me restablecía.

Luego, pausadamente, le contó cuanto sabía de la familia.

—El esposo de mi hermana ¿no estaba con ellos?

—No, pero lo esperaban.

—Larga la espera —rumió Fernando y explicó—: Se armó un lío por… —chasqueó los labios—. En fin, que liquidé a los asesinos de mi padre y del viejo Simón. Yo andaba disimulando —los Reynafé me la tienen jurada— y como el inglés no me conocía, de acuerdo con Luz me hice pasar por un peón. Ya me había encaprichado que aquellos forajidos iban a quedar enterrados en Córdoba. Supe que paraban por la orilla del Suquía y me les presenté como San La Muerte. Luz me había prestado unas pistolas inglesas que traía para protección, así que a los dos primeros los bajé a fuego y a los otros, con éste —y tocó el facón—. Cuando me iba retirando, los que estaban en el río, al oír el batifondo, se me vinieron al humo. Ya me habían marcado, pero Dios quiso que me alcanzaran las fuerzas y los dejé tendidos; no creo que se salvara ni uno.

—Todos murieron —le confirmó Indarte y señaló el brazo—: Fea la herida.

—Vistosa nomás —y Fernando hizo jugar los músculos ilesos—. Limpita, como de barbero. Bueno, me agencié un poncho que ya no iban a necesitar —para cubrirme la traza— y medio atontado por la hemorragia, me fui como pude; tranquilo, eso sí, para no llamar la atención. Las mujeres casi se mueren, pero Luz, que se levantaba de la siesta, me cosió con una aguja de oro —sonriendo, se ufanó—: Tiene entrañas mi hermanita.

Lienán, con las cosas del mate, se tumbó cerca de ellos.

—Bueno, que estábamos discutiendo "que me voy", "no, que te quedas", cuando entra el gringo y yo... medio en cueros y Luz, en camisa, sujetándome. Y va aquel pazguato y se imagina otra cosa, ¿puede creerlo?

—Pero, ¿no pudieron explicarle?

—Boqueó como vieja del agua y en minutos dejó la casa. Le dije a Luz que fuera por él, pero ella se empecinó en sacarme de la ciudad. Me dejó en manos de Lienán y no supe más de ellos —recibiendo el mate, lo pasó a Indarte—. Luz no estaba preocupada; dijo que en cuanto hablara con el hombre, todo se arreglaría. Pero por lo que usted me dice, él no le dio la oportunidad.

—¿Y si le hubiera hecho la injuria de no creerle?

—Siendo así, a mí me rendirá cuentas —aseguró Fernando con fiereza. Tomó el libro y se lo tendió—: Tenga, es suyo. Y dígame, ¿cómo está Calandria?

—Poniéndole el hombro a su hermana. Tiene más temple que bayoneta de Beltrán.

—Cabal. Y... ¿tuvo suerte con ella?

—Eso se lo aguanto porque usted no me conoce todavía —replicó Indarte, pero al ver la expresión taimada del ranquel, comprendió y se avino a declarar—: Además, esa mujer no da pie a veleidades.

Fernando clavó el cuchillo entre ambos. El azul de sus ojos parecía casi negro:

—Me gusta la respuesta.

Indarte le sostuvo la mirada.

—¿Y cómo es que no está con ellos? Pasan penurias y el territorio se ha vuelto peligroso.

—Ah, es que he hecho tal estropicio de mi vida y mi fama, que si me apersonara a protegerlos, acarrearía a los míos incontables desgracias —reconoció con amargura—. Y usted ¿tiene familia?

—Mis hermanos andan con las montoneras y mis hermanas, casadas y en otras provincias. Sólo mis padres y unos tíos viejos han quedado en el valle —dijo con tristeza el capitán—. Tal parece que las familias argentinas han sido lanzadas a los vientos... —y con nostalgia, comentó—:

Somos del Valle de San Javier, ¿sabe? Tenemos un campito harto lindo por el lugar.

—Conozco, conozco —y mientras hacían silencio, viendo pasar la línea de carretas cargadas con los despojos de los vencidos hacia La Rioja y Cuyo, Fernando apoyó el mentón en las rodillas y barbotó—: Dígame, capitán, ¿qué hacemos en esta guerra mal parida?

Se miraron largamente y al fin Indarte le palmeó la espalda, desviando la vista.

Lienán les arrimó asado frío, después de sacarle las queseras y echárselas a los perros que seguían a la tropa.

—Hoy han muerto seis llaneros —les advirtió en voz baja—. Dicen que es la peste. Sería mejor largarse, Chañarito, antes que nos toque.

—Ando con ganas de unirme al Chacho Peñaloza —confesó Fernando con expresión hosca y desdeñosa—: A Quiroga le ha dado por gustar de Buenos Aires. Para allá se va, oí.

29. EL MENSAJERO DEL DESTINO

"Los estancieros y las casas de negocios se defienden con sus
hombres y sus armas. La desorganización y los delitos cunden en la
Provincia de Córdoba, y falta la acción orgánica del poder público."

Ramón J. Cárcano
Juan Facundo Quiroga

BUENOS AIRES
MARZO DE 1832

A pesar de haber decidido innumerables veces dejar el país, una esperanza tenaz retenía a Harrison en la Argentina.

Había organizado su vida en el trabajo y como solaz, algún amorío con viajeras que partían sin causarle molestias. Pasaba mucho tiempo en la estancia y comenzó a echar fama de misántropo; sus compatriotas murmuraban que lo habían visto bebiendo antes de que cayera el sol.

Cuando contemplaba el retrato de Luz —sobre la enorme estufa que había mandado construirse— se preguntaba si habría cambiado. Estaba en una edad tan frágil, de paso a otra apariencia más estable.

Una noche, James Olivier le preguntó:

—¿Has tenido noticias de tu esposa?

La pregunta, tan personal, inimaginable en Olivier, lo dejó mudo. Su amigo, incómodo, se excusó: llegaban versiones inquietantes de Córdoba y las provincias cuyanas; daban por sentado que Quiroga preparaba una invasión contra los Reynafé y que no descansaría hasta haberlos ahorcado.

Al quedar solo, Harrison pensó que era en verdad alarmante que don Prudencio no le hubiera escrito, pues ello no calzaba en el puntillismo del letrado. Aquello lo desveló y al día siguiente se presentó muy temprano en la oficina.

—Murray —ordenó al administrador—, indague cómo están las cosas en Córdoba.

Y como si todo correspondiera a una trama difusa para él, pero clara para la Providencia, horas después recibió aviso de que un enviado del

234

doctor Cáceres iría por su casa. También le entregaron una carta de su mano.

"… No le escribí antes, porque he estado enfermo y el clima que se vive en ésta no es propicio para mi mal. Mi mayor preocupación proviene de doña Luz, que se ha trasladado a Los Algarrobos haciéndome suponer que su hermano la aguardaba y esto me ha llenado de inquietud (don José María Achával lo pondrá al tanto).

"Pero ahí no acaban las desdichas; don Manuel López, vecino del Tercero, me asegura que aquello es una desolación: federales de toda laya se han cebado en la zona y tropas unitarias la cruzan como por corredor, además de la gentuza que pulula por aquellos campos olvidados de Dios.

"Imagine usted mi angustia, tanto más que no puedo apersonarme; tampoco don Felipe, con su esposa gravísima, ni el comandante Farrell, castigado por desacato con la ciudad por cárcel. De todos modos, don Quebracho ha prometido proveerlos de escolta para que regresen o ayuda mientras permanezcan allí, que de rigor será que doña Luz se avenga a recibir socorro, pues su terquedad sobrepasa los límites de la cordura.

"Quizás usted no ignore estos hechos, pues yo mismo despaché la carta de su esposa comunicándole el viaje, pero no puedo dormir en la incertidumbre, ya que el correo está muy desmejorado y yo he dado a usted palabra de tenerlo al corriente.

"Hago votos para que a estas alturas ustedes se hayan reunido y…"

Había un pie de página después de los saludos: "Han librado orden de confiscación sobre el solar. He presentado recurso de amparo, pero sería conveniente, ya que lo sé en amistosos términos con don Juan Manuel de Rosas, trajese aval de él y mejor aún, de don Estanislao López, mentor del gobierno de los Reynafé, para que detengan el asunto. Esperando noticias que Achával (hijo de la familia y sobrino de un muy distinguido colega) se ha ofrecido a transmitir, me despido de usted como Su Muy Seguro Servidor".

Estaba fechada a principios de enero. Harrison estrujó la carta sintiendo un confuso alivio: ella le había escrito, después de todo.

Cuando Murray regresó, su informe confirmaba lo peor y aquello terminó con las dudas de Harrison: iría por ella, aceptaría cualquier absurda versión que pergeñara y los pondría a salvo. Si el amante de Luz andaba por ahí, lo entregaría a la justicia así tuviera que llevarlo a punta de pistola.

—Que Owen prepare el viaje con urgencia —indicó—. Y usted, Murray, haga venir de la estancia hombres prácticos en armas de fuego. Consígame granadas; en el puerto, entre gente de nuestra bandera, no será difícil adquirirlas. Y no ponga esa cara: obtendré permiso de portación para un arsenal si es preciso. ¡Dios, tengo que hablar con Rosas! Espero que no se haya retirado al campo...

Se apresuró a volver a su casa, no fuera cosa que, como excepción, el enviado de Cáceres resultara un sudamericano puntual.

Contra sus prevenciones, el joven llegó a la hora indicada. Era delgado y alto. Vestía ropas muy usadas, aunque elegantes. Tenía una apostura aristocrática, con todo el aspecto de un cordobés de "buena cuna", con su apostura española un tanto sombría y su dignidad a toda prueba.

—José María Achával —se presentó— para servir a usted. Tengo el honor de ser amigo de confianza de don Felipe de Osorio.

La característica forma de hablar de los ilustrados de allí, echando atrás y sobre el hombro la cabeza, despertaron en Harrison un vívido recuerdo de don Carlos y Sebastián.

—Mis obligaciones en Santa Fe me demoraron más de lo pensado —se disculpó, entregándole dos pliegos sellados, de Cáceres y de don Felipe, que lo recomendaban.

Mientras el visitante se quitaba la capa y el sombrero, Harrison se preguntó si no le faltaría edad para funcionario, por más que sus maneras lo hubieran acreditado en el mismo Parlamento.

—¿Ha tenido buen viaje?

Con algo de dandismo, el joven suspiró:

—Cuanto puede esperarse en semejante país —y aclaró—: Disculpe mi agotamiento, pero quise venir de inmediato; don Prudencio está preocupadísimo.

—Y yo desconcertado —confesó Harrison—. El doctor Cáceres sugiere que la presencia del hermano de mi esposa...

—Se refiere a don Fernando, por supuesto —y con una parquedad de movimientos digna de un inglés, se apoyó negligentemente en el respaldo de un sillón—. No sé si recuerda usted un incidente sangriento, en julio pasado...

—Por supuesto —enrojeció levemente Harrison.

—Aquel oficial de Quiroga, señor, el que ultimó a esos hombres, era Fernando de Osorio.

Harrison contuvo el aliento, atónito.

—Al parecer —continuó Achával—, llegó a Córdoba ignorando el asesinato de don Carlos y de incógnito, pues tiene enemigos poderosos. Una vez al tanto de lo sucedido, determinó hacer justicia por propia mano ya que, es triste decirlo, no podía esperarla de los jueces. Y bien, ya sabe usted el resto.

—¡Por vida de…! —juró Harrison, comprendiéndolo todo.

El joven mostró una sombra de sospecha:

—Entonces, ¿usted lo ignoraba? Don Prudencio así lo creía, pero yo supuse que Luz, después del incidente…

—Me lo ocultó porque siempre discutíamos por cosas de su familia. Ya ve, insiste contra toda lógica en permanecer en Córdoba y, aparentemente, ha minimizado los peligros para asumir el cuidado de los suyos.

—Es que, ¿sabe usted?, los lazos de parentesco son tremendamente fuertes entre nosotros.

—No comprenderlo ha sido mi pecado —respondió Harrison con amargura y Achával adoptó un tono confidencial.

—Camargo, el asistente de Farrell, le prestó ayuda localizando a aquellos malhechores, cubriendo después su retirada; hace muy poco lo ha confesado a don Eduardo y hemos mantenido una celosa reserva para proteger a la familia. En fin, caballero, que han librado bando de captura contra Fernando —como Chañarito, jefe de guerrillas—, pero con su apariencia y modos, no pasaría desapercibido. Si lo encuentran en la estancia, podría sobrevenir una tragedia. Eso es lo que teme nuestro común amigo, el letrado.

—Pero, ¿no habrá muerto ese joven? Estaba… decían que está muy malherido.

—Por lo que sabemos, se repuso, Luz le cosió la herida.

—No es posible —murmuró Harrison, sintiéndose enfermo.

—Asombroso que se haya atrevido, ya que es una joven muy delicada.

—¿Y qué fue de él?

—Su hermana tuvo el ingenio de transformarlo en hidalgo. Dos antiguos libertos de misia Adelaida —gente fidelísima, reclutados por Severa para el trance— oficiaron de cochero y escolta. Los detuvieron varias veces, pero los dejaron pasar: buscaban un "indio blanco", como llamamos a los proscriptos cristianos asimilados a las tolderías, y no una pareja "paqueta" viajando con la sirvienta. Parece que sus parciales lo esperaban en un punto convenido y allí lo dejó Luz María, regresando sin problemas. Una audacia increíble.

—¡Por todos los demonios! —maldijo Harrison, acercándose a la ventana y dándole la espalda al visitante para ocultar su emoción. ¡Qué coherentes eran los hechos así explicados! ¿Cómo, cómo no pudo pensar en aquel demente del hermano? Y por otra parte, ¿podría Luz perdonarle a él tamaña ofensa?

—El valor de nuestras damas es ponderable —discurseaba Achával—; se parecen a aquellas matronas romanas que contaban su riqueza por la intrepidez de sus hombres y no por el oro de sus arcas.

Harrison se mostró condescendiente con él. Por primera vez en meses, sentía el corazón aligerado.

—Joven, lo invito a regresar a Córdoba conmigo. Viajaremos con rapidez y cierta comodidad, se lo prometo.

—Nada me gustaría más, pero mis gestiones... me harán hacer antesalas, ya sabrá usted cómo nos tratan los porteños a los del Interior.

—Amigo mío —le palmeó las espaldas—, lo guiaré por ese laberinto. Tengo que mover algún papelerío y ciertas influencias para el viaje. Y ahora, sin excusas, insisto en que se mude aquí; la hospedería de Buenos Aires es calamitosa y Luz no me perdonaría que deje a un amigo librado a semejante suerte...

Aquel joven distinguido, de impecables modales, capa raída y palidez de poeta, acababa de levantar la condena que pesaba sobre su vida.

30. UNA TIERRA INHABITABLE

"Son más tristes los recuerdos/ que guardo dentro del alma/ que
los cantos lastimeros/ que se oyen en las montañas."

Cancionero de Asturias

LOS ALGARROBOS
ABRIL DE 1832

En otoño, la cocina se transformó en el centro de reunión y Severa, como otrora, revivía para los niños las antiguas historias familiares mientras Luz aguardaba algo esperanzador o terrible que cambiara el curso de sus vidas.

Sabía qué día era porque Isabel recitaba, cada mañana, el santoral. Y los domingos, como una actriz de provincias, recordaba cuántos años —o siglos— había permanecido un hábito, un misal, un rosario de piedras preciosas, una talla sagrada en la familia y por vía de qué parentesco les había llegado.

Luz escuchaba en silencio, sintiendo que el porvenir se parecía a la cripta: un lugar tenebroso e inhabitable. Huyendo de aquella evocación, recorría los cuartos vacíos, las escaleras heladas, cerraba puertas, trababa postigos y al fin, agotada, se adormecía.

Otras veces, Calandria y Anita cantaban algún aire añejo, de aquellos que les había enseñado la abuela Adelaida:

Fuente clara, fuente clara
donde me lavaba yo
y ahora ya no me lavo
que para mí se secó.
Dice la fuente
que triste está,
que aquellos años
no volverán…

y Luz caía en un tumulto de emociones, traicioneras todas, porque en la desgracia, hasta los buenos recuerdos saben amargos.

Severa le alcanzaba un mate, una taza de caldo:

—Y hoy mismito, ¿qué te ha dado?

—Vivir en esta época y en este país es excesivo para cualquiera que tenga un poco de sensibilidad —contestaba ella.

—Ajá, ¿y cómo te pensaste que era vivir?

—Oh, algo… —e intentaba bromear—: ¡grande, lindo y sencillo!

—Ah, m'ijita, que la inocencia le valga —decía la mujer—, pero si creés así, es porque esperás el milagro y el que espera aguanta. Y eso, criatura, es lo que nos mantiene vivas. Vamos a dormir, que la noche es mala consejera.

A fin de abril pasó por la estancia un buhonero irlandés, pelirrojo y estrafalario con su sombrero de copa del que colgaban infinidad de cintas y medallas religiosas. Iba rumbo a Cruz Alta y mientras daba de beber a las mulas, les advirtió que había unos facinerosos en un bosquecito cercano; quiso su buena estrella que los avistara antes que ellos a él y pudo eludirlos. Mientras cinchaba los bultos de baratijas, farfulló:

—Mala gente, muy, muy mala.

Y como Luz lo interrogó en inglés, se explayó en esa lengua:

—Carne de patíbulo, *milady*. Por el camino oí que venían incendiando desde La Amarga. Podrían ser ellos, por San Patricio.

—¿Hombres de los Pincheira, de Hermosilla? —se estremeció Luz. Severa y Calandria se santiguaron ante aquella pavorosa posibilidad: eran un enorme ejército de forajidos chilenos, españoles e indios —sin faltar renegados argentinos— que desde 1818 asolaban las fronteras de Mendoza, San Luis, Córdoba y Buenos Aires. Nada se salvaba de sus atrocidades, pero en los últimos años se habían alejado de la zona, quizá debido al movimiento de tropas unitarias y federales.

El hombre negó terminantemente:

—El general Bulnes los exterminó en Chile, el pasado enero. Cuentan los aborígenes que fue una horrenda carnicería, que por días se han sentido las ayes de los moribundos. Dicen que sólo Mulato, el ranquel de tenebrosa fama, pudo salvarse. Muertos son Neculmán, Coleto y Trocomán, pero centenares de sus guerreros, de las tribus pehuelches, ranqueles y pehuenches, los escoltarán a sus Walhalla.

Se lavó la cara, se mojó la cabeza y las miró con ojos brillantes, como si relatara, pensó Luz, una crónica ya legendaria. Pensando en los antiguos bardos, infaltables en las historias de Harrison, ella quiso aportar algo:

—Pues voy a regalarle un nombre; ellos llaman a su Walhalla Mapú-Cahuelo, el País de los Caballos. Allí van los valientes, con sus mejores prendas, sus mejores armas y sus mejores potros, a participar de una eterna cacería. Recuérdelo: el Mapú-Cahuelo...

—Hermoso y digno nombre, señora —captó el inglés. Limpió el sombrero con el antebrazo y agregó—: Pero no teman por Mulato; se ha refugiado en Sierra de la Ventana... en Buenos Aires.

Luz mandó a Gracia por un pan y algo de azúcar, que él aceptó con irreverente cortesía, despidiéndose así:

—Que Santa Brígida, patrona del fuego, las proteja.

Apenas se perdió de vista el personaje, ya habían decidido ellas esconderse en la quebrada del camposanto, temiendo que, si incendiaban, quedaran atrapadas en la cripta.

Desde allí vigilaron la casa. Menos de una hora después los vieron llegar: arrastraban a un infeliz a tiro de lazo, seguramente un paisano de las cercanías.

—Le prometo una vela a San Cristóbal para que los caminos sean afortunados para ese gringo —se persignó Severa—. ¡De buena nos libró!, son de lo peor que nos ha tocado y algunos son infieles.

—Como que los cristianos se privan de algo a la hora de malonear —retrucó Luz.

Por horas escucharon ruidos de destrozos, alaridos, aullidos de los perros, lamentos del cautivo y risotadas. Los niños lloraban apretados contra Severa y Gracia. Luz tuvo que esconder el rostro en tierra, tapándose los oídos. Calandria, de color ceniza, le murmuró al oído:

—¡Le están dando tormento al infeliz!

Apenas declinaba el sol cuando partieron como una legión infernal, dejando atrás el humo de las fogatas.

—Tendré que ir —se inquietó Luz—; puede arder todo.

—¿Y si quedó un rezagado?

—No creo, se mueven en manada. Pero nos han dejado un muerto —se amargó Luz, enfilando hacia la casa—. Si hay peligro, les haré señas con un trapo.

—¡Ojalá se allegue Oroncio, en viendo la humazón! —rogó Severa.

La lluvia caída al amanecer y la falta de viento no alentaban las llamas, así que Luz se preocupó primero por el humo que venía de adentro. Rodeó la casa con cautela, escuchando cada tanto, y entró por la cocina, donde encontró a uno de los perros lanceado; del compañero, ni rastro.

Descubrió el fuego en la capilla, donde ardían los reclinatorios arrimados al altar. Fue por agua y estaba apagándolos cuando, alertada por un secreto instinto, giró y vio a un hombre de aspecto salvaje sosteniéndose del confesionario; el agrio olor a heces viejas y vómito reciente se sumó al de la quemazón.

No parecía bastante ebrio para ser inofensivo, y el botín celosamente guardado —el poncho de Severa, un almohadón bordado, el último vestido decente de ella— se le enredó en las piernas. Lo vio erguirse como una pesadilla recurrente y, apelando a su agilidad, corrió hacia el exterior. Manoteó el picaporte, cedió la puerta y cegada por el sol en descenso, intentó salvar el pequeño atrio, pero un golpe la hizo trastabillar. Algo le goteó encima: a la altura de los ojos, unos pies mugrientos y llagados se balanceaban. El prisionero, mutilado, la cabeza casi separada del tronco, colgaba de la viga y su oscilación arrancó un tañido desagradable a la campana.

La repugnante sensación de estar bañada en sangre la inmovilizó. Unos brazos nervudos la sujetaron y ella se debatió entre arañazos y mordiscos. Cuando el hombre le desgarró la ropa, gritó, desesperada, el nombre de su esposo.

—Entre los árboles sería —señaló el práctico que le había recomendado Farrell. Desde el alto, Harrison miró la vastedad del territorio que se extendía a sus pies; de no sentirse tan impaciente, se habría detenido a admirar el paisaje.

Detrás, la sopanda descendía escoltada por sus hombres, un grupo silencioso y bien armado.

—Han pasado jinetes —notó el baqueano—… tal vez todavía anden por aquí…

—Apuremos, entonces —exigió Harrison, sumando el dato al humo que flotaba sobre la casa.

—… será para pleito; hay que andar con cuidado en estos tiempos, míster.

—Cuento con recursos —contestó, ordenando a su gente que descubrieran las armas y se aprestaran a pelear.

Un grito los hizo mirar hacia la izquierda del camino: desde una arboleda que surgía entre enormes piedras, bajaba un niño con sorprendente agilidad.

—¿Quién eres? ¿Qué pasa? —gritó Harrison destempladamente.

—¿Es el gringo? ¿Usted es el gringo? —repetía el morenito sin detenerse. Reconociéndolo, el guía contestó:

—¡Pero sí, Simón, el mismito marido de doña Luz! ¿Qué hay, dónde están todos?

—¡Ella se fue a la casa! ¡Vayan todos, hace rato salió con la señal!

El lúgubre sonido de la campana les llegó como un mal presagio.

—Adelante, Owen —ordenó Harrison y lanzó el caballo cuesta abajo, a campo traviesa. Con angustia midió la distancia que lo separaba de la construcción y fustigó al animal sin fijarse si sus hombres lo seguían. Aquel sonido sólo podía venir de la torre, así que enfrentó la última cuesta por el costado de la casa, buscando la entrada del oratorio.

Oyó los gritos de Luz y descabalgó a la carrera —hazaña que nunca supo cómo ejecutó— y llevándose por delante el colgado, patinó en la sangre, sacó la pistola y atropelló las puertas con el hombro. Vio la espalda arañada del hombre con el trasero descubierto y las desnudas piernas de Luz debatiéndose bajo él. Gritó en inglés con furia homicida, pateándolo para separarlo de su mujer. El otro se incorporó manoteando el facón, pero él le disparó a quemarropa. Mientras caía, le aplastó ferozmente los genitales con la bota.

La sangre había salpicado a Luz que, gritando histéricamente, rodó hasta hacerse un ovillo.

—¿Está usted bien, señor? —preguntó Owen detrás de él, impresionado.

—Sí, muchacho, sí —resolló entregándole la pistola—; espera afuera.

El ayudante cerró las puertas y él se acuclilló junto a Luz, que se estremecía en largos lamentos animales, la cabeza protegida por los brazos.

—Luz, soy yo, Brian —le tocó el hombro—; ya pasó —murmuró, enderezándola con cuidado.

—¿Harrison? —balbuceó ella y lo miró como temiendo estar alucinada—. ¿Por qué demoraste tanto? ¿Por qué no viniste cuando te escribí? —sollozó.

—No recibí tu carta. Vamos, sujétate a mi cuello, que voy a alzarte. ¿Dónde queda tu pieza?

Sintiendo un nudo en la garganta al comprobar su delgadez, la cargó en brazos y, siguiendo sus balbuceantes explicaciones, atravesó la sacristía,

243

cruzó el patio, subió las escaleras y entró al dormitorio de ella. La recostó y desde la galería dio órdenes a Owen.

Cerró la puerta, se quitó el abrigo y usando agua de la jarra y un pañuelo, la desnudó y la lavó concienzudamente.

—No me forzó —dijo ella entre espasmos—, pero casi me arranca la oreja.

La mano de él tembló al limpiar la mancha cárdena. Mientras le ponía la bata, indicó:

—Tomarás un té con quinina; te sentará bien.

—... tú dijiste... en el barco... prometiste...

Owen golpeó la puerta, trayendo un jarro de té y las alforjas, librándolo de tener que responder la recriminación de su esposa. ¡Bien recordaba él sus propias palabras!

—Estamos poniendo orden, señor. El guía trae a la familia en el coche.

Instándola a tomar la bebida, Harrison buscó el brandy, sintiendo un temblor en las manos al imaginar los mil inconvenientes que podían haberlo demorado. Unos minutos más y hubiera sido irremediablemente tarde.

—... todos nos han saqueado... tengo un alto de papeles... con eso nos pagaban las reses, ¡y no siempre! —gimió Luz—. Ya no nos quedan hombres... ¡los últimos, desesperados, se fueron a las tolderías!

—Descansa, Luz —le acarició la frente, poniéndose de pie para ir a recibir a la familia.

—¿No nos dejarás de nuevo? —preguntó ella con ansiedad.

—No me iré aunque me lo ordenes —le aseguró él.

—Gracias a Dios —suspiró la joven, cayendo como en letargo.

—Ha llegado mejor que Espíritu Santo en Pentecostés, señor —lo saludó Severa.

—Hemos traído víveres —la interrumpió él—; vea de preparar comida para todos.

—Así mismo, patrón —pero contrariándolo, la negra se dirigió a la escalera.

—No deseo que se moleste a mi esposa —se impuso él.

Se midieron con la mirada y Severa cedió. Harrison salió a la galería exterior, donde Owen le comunicó que estaban enterrando a los muertos y al perro, apagando los fuegos y organizando la defensa, por si los maleantes volvían.

244

Isabel y Calandria, lidiando con doña Carmen, descendían de la sopanda; ninguna se mostró muy expresiva con él.

Detrás bajó una criadita con los tres niños, que lo saludaron efusivamente. Él respondió con afecto, elogiando al moreno por su resolución.

—Yo quería seguirlo, pero "ella" me agarró del brazo —acusó Carlitos a la niñera, furioso de que el moreno se hubiera llevado todos los laureles.

—Cumplía con su deber, Carlos. De todos modos, me siento orgulloso de ustedes.

—Y nosotros de usted, señor —retrucó el moreno con desparpajo.

—Oh... bien. Vayan a asearse que pronto estará la cena —y retuvo al impertinente—. ¿Cómo te llamas?

—Desde que murió Simón, me dicen Simón nomás —respondió el niño con lo que a Harrison le sonó como un acertijo.

—Bien, Simón. No debes decirme gringo, ¿oyes? Debes llamarme míster... o señor Harrison.

El muchacho pareció cavilar:

—¿Y no tendrá un nombre cristiano usté?

—Con que digas "señor" al dirigirte a mí, estará correcto.

—Como mande su mercé —y con un remedo de venia militar, Simón corrió llamando por sus nombres de pila a los hermanos de Luz.

"Increíble trato", se consternó Harrison y sacando la pipa se permitió encenderla mientras daba una recorrida por el terreno.

La casa le pareció soberbia, un ejemplo de la mejor arquitectura del país, que amalgamaba lo bello, lo práctico y lo tradicional. La tierra era inmejorable, con una buena red de agua. Con nostalgia, sintió que debería haber conocido a Luz allí, cuando reinaba el orden y la prosperidad. Cuando ella era feliz...

Por otra parte, su mente, más calculadora, sopesaba el potencial de la estancia y se irritaba por las circunstancias que impedían su productividad. Y si multiplicaba aquel desastre por cientos de establecimientos similares, por todo el territorio argentino, el resultado económico era una pérdida pavorosa. Se necesitarían años para reparar aquel siniestro.

Cuando regresó al dormitorio, encontró que casi todos estaban allí aturdiendo a Luz con sus charlas y exigencias. Antes de que ella pudiera intervenir, los hizo salir de la pieza y como la joven protestó, le aseguró:

—No hay discusión, Luz. Tienes que descansar. Armaré aquí el catre de campaña.

Intuyó que la debilidad de ella se desvanecía y pronto tendrían problemas.

Cuando trajeron la comida, Owen había agregado un jarro de vino.

—Toma; te ayudará a dormir y a mí a descansar el cuerpo.

Luz, que desde hacía rato lo observaba sobre el tazón de sopa, preguntó:

—¿Por qué viniste, en realidad?

—Juré ante Dios y tu padre cuidar de ti.

—No, señor. Lo has hecho porque soy tu propiedad y no eres hombre de descuidar mucho tiempo lo que te pertenece, bien lo sé —y con extremo cansancio y sin comer otra cosa, cerró los ojos y le dio la espalda.

"Tengo que pedirle perdón, pero... ¿podrá ella concedérmelo alguna vez?", se preguntó él acabando con el vino.

31. LA TRAMA QUE AÚN TEJEMOS

"Como si no bastara con la red de fatalidad que, con nuestros
inevitables actos, vamos tejiendo, otra hay a menudo más opresora:
la que nos tejen los otros."

Arturo Capdevila
Del libre albedrío

LOS ALGARROBOS
ABRIL DE 1832

Al día siguiente, el autoritarismo de Harrison y el rencor de Luz no hallaban vías para entenderse. Harrison abrió fuego al prohibir que Severa atendiera a la joven, aduciendo:

—Definitivamente, la familiaridad con la servidumbre me resulta inaceptable. Y no cambiaré mis órdenes.

—¿De veras? En cuanto me ponga de pie, veremos a quién se obedece en esta casa —se rebeló Luz.

—Pues no seré yo el que ceda; he hecho más de mil millas para...

—Por mí —lo cortó ella—, puedes volverte por el mismo camino.

Él la contempló fríamente antes de decir:

—Creí que eras una mujer de temple, no una chiquilla caprichosa... que ni siquiera me ha dado un hijo.

Herida, Luz recuperó la voz para enrostrarle:

—Después de todo, yo he dado muestras de que puedo concebir. Quizá seas tú quien no puede preñarme.

Harrison palideció, aunque guardándose de mostrar enojo; metió las manos en los bolsillos del pantalón y preguntó con altanería:

—¿Acabaste con tu declaración de guerra? Bien; ahora quiero que te vistas y bajes para que demos un paseo. El aire puro fortalecerá tus nervios —salió dejándola a solas con su berrinche.

Cuando entró Calandria, que se lo había cruzado en la escalera, comentó:

—La pucha que va cabrero. No lo toriés, que lo veo muy capaz de dejarnos en la estacada. A ver, salí de la cucha; ¿qué te vas a poner?

247

—¿Se pensará que me va a doblegar, el muy bruto? —rabió Luz y, arrancando el vestido de manos de la morena, gritó—: ¿Y desde cuándo necesito que me vistan, estúpida?

—Pare, paisana —se amoscó la muchacha—, que yo no tengo vela en este entierro. —Desde la puerta, se inclinó burlona—: Con su pan se lo coma, dueña y señora —y cerró esquivando el banquito que le arrojó Luz.

Durante la cabalgata —su esposa en enconado silencio— Harrison desesperó al ver que cuanto hacía parecía crear nuevos abismos entre ellos. ¡Qué miseria de gestos, de palabras, en comparación con lo que quería expresarle! Quizá Luz cediera si, espontáneamente, cayera a sus pies implorándole perdón... Desgraciadamente, no estaba en él llevar adelante tan lamentable escena, aunque en ello le fuera la vida.

Al llegar al pie de los cerros, insistió en que desmontaran para dar una caminata. Escalaron un promontorio y al reparo de la arboleda que surgía entre las rocas, tendió la manta para que ella descansara.

Mirando hacia las fértiles tierras del llano, donde las sombras del primer atardecer alargaban todo relieve sobre la superficie, concedió, admirado: —Es una región excepcional; se podrían hacer fortunas aquí.

—¿Nunca sospechaste que pudiera haber otros placeres, aparte de hacer dinero? —replicó ella, hiriente.

Él preguntó con engañosa suavidad:

—¿Vivir en la barbarie será uno de ellos? —y estudiando su agraciada insolencia, se golpeó la bota con la fusta—. Bien, bien; mientras tus hermanos se dedican a más sublimes quehaceres —el Arte y la Guerra—, este obtuso comerciante les dará las gracias por permitirle mantener los restos de la Ilustre Casa de los Osorio —y puntualizó con frío realismo—: Porque vuestro capital se esfumó, Luz; de ahora en más, tú y los tuyos dependerán del mío.

—Puedes guardártelo, que no lo quiero —rechazó ella, intentando ponerse de pie.

Exasperado, Harrison la tomó de la muñeca, obligándola a sentarse.

—¿Que no lo quieres? ¿Podrías jurar que deseas seguir exponiéndote —y exponiendo a los niños— al hambre, la muerte, el ultraje, la indigencia? ¡Júramelo, entonces, por la sagrada memoria de tu padre!

Lívida ante aquella invocación, Luz dejó de debatirse y murmuró:

—Suéltame; me haces daño.

Asustado por lo que sentía —con gusto la hubiera golpeado hasta agotar la ira que, como una marea, lo inundaba—, aflojó la presión y desesperado, le reprochó: —¿Por qué me hostigas? ¡Quiero ayudarte! ¡Por mi fe de cristiano, que he puesto las mejores fuerzas en hacerlo!

Turbada ante la sinceridad de su tono, Luz escondió el rostro sobre el hombro. Aquel movimiento, tímido y hasta pueril, conmovió a Harrison profundamente, obligándolo a soltarle la muñeca.

Luz dijo como ahogándose:

—¿Cómo quieres que reaccione? ¡Nuestros bienes, mi familia, el porvenir… todo se ha derrumbado y aún no sé cómo sucedió! —y para consternación de él, rompió en llanto.

—Lo siento —murmuró, agotado, pasándole el pañuelo—; será mejor que regresemos. En estas condiciones sólo conseguiremos herirnos sin llegar a nada práctico.

—Oh, sí —replicó ella con desesperada mordacidad—; tenemos que ser prácticos por sobre todo.

Antes de la cena, Harrison hizo otro intento de acercamiento.

—¿Comprendes que no pueden permanecer aquí?

—Es posible que ya no dispongamos del solar de Córdoba.

—Cáceres me lo advirtió y he arreglado eso —hizo una pausa y carraspeó—: Mi desconsideración me ha llevado a decirte cosas desagradables esta tarde. Te pido disculpas y te ruego aceptes mi ayuda para los tuyos.

—¿Acaso tengo otra alternativa? —preguntó ella con amargura.

—En realidad, no.

Se paseaba por la pieza, las manos en los bolsillos —como si temiera que ellas expresaran más que su rostro—, y Luz lo observó disimuladamente: había adelgazado, su resistencia se quebraba y no era uno de esos días en que aparentaba menos de los treinta y siete años que tenía. Inesperadamente, aquello despertó en ella el antiguo afecto, que se obligó a sofocar.

—… habrá que cerrar la estancia por un tiempo —decía él—; la guerra continuará hasta que una de las facciones se imponga a la otra. Dejaremos a Videla de encargado, con el respaldo de don Manuel López, como me aconsejó Cáceres. Tú, Ana y Carlos vendrán conmigo a Buenos Aires. Simón puede ir como criado de tu hermano.

—¿Y los demás? —receló ella.

—Tu madre no resistirá el cambio y tu hermana no quiere separarse de ella, así que permanecerán en Córdoba. Además, Isabel aspira a recluirse en las Descalzas… si es posible que eso exista.

—Está bien, pero Severa vendrá conmigo.

—Severa tomará la mayordomía del solar.

—Calandria es más que suficiente; ella podría…

—No estoy de acuerdo.

—Entonces no iré a Buenos Aires.

Con ofensiva indiferencia, él le comunicó:

—Lamento informarte que, por el bien de todos, estoy dispuesto a recurrir a la ley si es preciso. Como tu esposo, tengo derechos casi omnímodos sobre ti.

A ella le llevó un parpadeo digerir aquello.

—¿Sabes a lo que te expones, Brian? ¿Sabes hasta dónde puedo hacerte imposible la vida? Mi abuelo tenía un dicho sobre el que deberías meditar: "El que almuerza con la soberbia cena con la vergüenza".

Él sacó a relucir su sonrisa asimétrica:

—Esta vez no lograrás enredarme en…

—¿Enredarte? ¿Por ventura crees que me habría fijado en un extranjero maduro, miope y excedido de peso? ¡Fuiste tú quien me persuadió, con tus buenas palabras, tus promesas y tus cuentos de amor! ¿Lo has olvidado? —se enfureció Luz, arrojando el cepillo del pelo contra la pared.

Harrison, viendo que se gestaba una escena, aclaró con una buena dosis de flema británica:

—No discutiré contigo mientras persistas con el melodrama —caminó hacia la puerta y, con la mano en el picaporte, aseguró, refiriéndose al plan que le había presentado—: Ésa fue mi última propuesta, Luz.

Viendo que él optaba por la retirada, Luz tomó la jarra y la vació en la cara de su esposo; si esperaba provocar una reacción quedó decepcionada: Harrison se sacudió la ropa con mucha dignidad, murmurando:

—Soy algo maduro para estos juegos.

—¿Algo maduro? —se mofó ella—. Sé realista, Brian, para usar una palabra que tanto te gusta. Para una mujer de mi edad, eres un viejo.

Harrison salió cerrando la puerta con algo de énfasis y Luz se arrojó sobre la cama en plena pataleta.

Amaba a Severa, pero su yaya se había convertido en el nudo del conflicto: el que impusiera su voluntad en ese punto dictaría las reglas en el futuro.

—Niña —Gracia estaba en el umbral, mohína—, dice el hombre que baje a comer. Prontito le parece mejor.

—Dile que no me siento bien —resistió ella la orden.

La chica se fue y al rato apareció Calandria con una bandeja, seguida de Harrison. Al retirarse, la morena le hizo gestos de advertencia a espaldas de él.

—Tienes que alimentarte; desde ayer que te sustentas a líquidos y eso no ayudará a que te mejores.

Luz miró la comida y la rabieta dio lugar a la náusea. Azorada, comprendió que perdería la poca dignidad que le quedaba si llegaba a vomitar. Harrison le acercó un bocado, pero una arcada repentina la dobló en dos.

—Yo... creo que... que...

Él atinó a alcanzarle la servilleta: devolvió una saliva escasa y amarga. Profundamente avergonzada, enterró la frente en las sábanas.

—Por un demonio —dijo Harrison, la voz inusitadamente alta—; ¡no estamos en una sesión del Santo Oficio! ¡Muy bien, dejemos las cosas como están! Nunca debí venir y... ¡Vete al infierno, Luz!

Barrió con la bandeja, pateó la silla y salió dando un portazo. A los gritos ordenó a Gracia que limpiara el resultado de su ira.

Sintiendo un enojo desproporcionado, Harrison bajó al despacho de don Carlos, donde guardaba las maletas y las bebidas. Existían situaciones, pensó, en que el idioma inglés carecía de términos lo bastante fuertes para desahogarse.

—Me lo merezco —se recriminó en voz alta mientras encendía la lámpara— por haber dudado de ella.

Se sentó frente al escritorio, se cubrió los ojos unos segundos y luego echó mano al brandy. Con el primer trago, distinguió la carpeta sobresaliendo de la estantería de libros.

La tomó y se encontró con los resúmenes de la estancia. Mientras bebía, paseó la vista sobre ellos a modo de distraer su agitación. Había sido un establecimiento bien administrado, se sorprendió, aunque no comprendía por qué ceder parcelas en propiedad a antiguos trabajadores. Él las hubiera tasado a bajo precio si eran para fieles servidores, pero opinaba que las dádivas envilecían al individuo y corrompían a los pobres.

Vio la última anotación de don Carlos y la línea que cerraba el período. Abajo, la hermosa caligrafía de Luz aclaraba cuándo y cómo había muerto su padre y los atropellos sufridos por la finca. También constaba la fecha en que se había hecho cargo de Los Algarrobos y firmaba con su nombre de soltera, cosa que lo mortificó.

Estudió lo que venía a continuación: indudablemente, la joven se había esmerado; las exiguas ventas, las miserables compras daban pena. De vez en cuando, una aclaración sobre el paso de las tropas, incautaciones y demás martirios.

A partir de noviembre, había comprado tabaco, clavos y elementos de carpintería. Lo último lo entendía, pero le costaba creer que, en la diligencia, Luz obsequiara tabaco al capataz.

Y al volver la hoja, se encontró con otra letra: eran caracteres desparejos, vigorosos, una letra masculina. Retrocedió buscando una explicación y la encontró: "Hoy me obligaron a alojar a un oficial moribundo. Que Dios me perdone, pero en principio me negué a socorrerlo". Aquel hombre no había muerto, el tabaco era para él. Nerviosamente buscó la fecha de su última anotación: finales de diciembre y nadie había continuado la tarea.

Intentó tranquilizarse diciéndose que quizá fuera letra del hermano. Hizo correr las hojas en blanco y vio escrito "Gaspar Indarte" y a su lado una L mayúscula, como un ensayo reprimido.

Cerró la carpeta transpirando. ¿Un hombre, en aquella pieza, pensando en Luz?

Severa entró sin anunciarse:

—¿Podemos hablar? —le soltó.

—Permiso, señor, para hablar con usted —parodió él, ya que para entonces estaba decorosa pero ciertamente ebrio: las discusiones, las revelaciones y el alcohol no eran buenos compañeros.

Severa se sentó como si tal cosa.

—Aunque lo respeto más de lo que usted se piensa, "señor" —acentuó—, no voy a gastar pólvora en chimangos.

Atónito ante la impertinencia, iba a ordenarle que se retirara cuando la negra lo detuvo con un ademán señorial:

—Mire, muy me sé que llevo las de perder: soy negra, servidora y mujer. Usted es de los que mandan, es hombre y es blanco. Y como me conozco de memoria ese credo, no voy a pedirle permiso para asentar mi... trasero. El perdedor puede darse esos lujitos, ¿sabe?, porque el resto no vale un ajito, "señor".

—¿Qué pretende? —se escandalizó él.

—Voy a romper una promesa que le hice a Luz, porque las cosas no pueden seguir así —lo miró especulativamente—: A ver, ¿quién se pensó que era aquel mozo? ¿Un amorcito que la niña guardaba en el ropero?

Movió la cabeza como indicando que los gringos no tenían remedio.

—Sabe, yo nunca me tragué que Usía le hubiera perdonado lo del infiel —señaló.

Tras un momento de introspección, violentando su rígido sentido de clases, Harrison confesó:

—Todo lo que usted añada no podrá molestarme más que mi conciencia. Pero... ¡parecía absurdo dudar de lo que había visto! ¿Cómo imaginar que aquel demente era su hermano?

—Veo que le adelantaron la noticia. Bueno, estoy segura de que lo que Su Merced ha inventado para acomodarnos ha de ser lo mejor. No es vida la que está llevando Luz y todo por ampararnos.

Los ojos se le enturbiaron y se puso de pie.

—Llévesela, señor, con Ana y Carlitos. Es lo mejor para ellos.

—¿Y usted? —desconfió Harrison.

—¿Qué ilusión cree que tengo? Soy esclava; vivimos de prestado, como dice Cala. Hasta los patriotas nos jugaron una mala pasada. Pero Lucita me ha dado muchas alegrías. En adelante, que San Francisco me proteja —y puso el puño sobre su corazón, como para espantar presagios.

—¿Estuvo su hermano aquí?

—Desde la matanza que no sabemos nada del chúcaro.

—¿Quién es Gaspar Indarte?

Una leve vacilación y la mujer contestó:

—Un pobre que dejaron medio muerto, pero lo curé y se fue hace rato.

Cuando Severa salió, Harrison encendió la pipa, pensativo. Luego abrió la carpeta y el tintero; como la tinta se había espesado, le echó una gota de brandy, mojó la pluma y escribió: "Suspendidas las labores por tiempo a considerar". Puso la fecha, firmó y aclaró: "Esposo de doña Luz Osorio".

Esperó que se secara la tinta, ató las tapas y guardó la carpeta en su maleta.

Luz oyó entrar a Harrison y cerró los ojos. Él se acostó a su lado vestido y apagó la lámpara, cubriéndose con la manta.

—He sido injusto con Severa, la llevaremos con nosotros.

—Es inútil —dijo Luz, resentida—; ahora dice que se quedará con mamá.

La voz de él sonó decepcionada al murmurar: "Lo siento". Después de una pausa, comenzó:

—Don Prudencio me dijo… mejor dicho, fue Achával quien… en fin, que aquel hombre… era tu hermano.

—Ah, caramba; por fin encuentro explicación al misterio de tu regreso.

—No es así —se defendió él—; me preparaba a venir porque estaba preocupado por ustedes, cuanto más que Cáceres no me había escrito, siendo que le pedí…

Luz oyó el aliento entrecortado y sintió lástima —aunque no podía perdonarlo— por aquel hombre al que la Providencia había puesto en su camino.

—… y llegó apenas antes de mi partida; me conoces, tengo muchos defectos, pero soy incapaz de mentir.

—En verdad, estoy pensando cuán admirable es tu actitud, Brian. ¡Absolver a la que creías adúltera!

—No, no en esos términos —la encaró él en la oscuridad—; quería que comenzáramos de nuevo, que…

—¿Olvidando el pasado, como la primera vez? ¿Eres de los que perdonan, evangélicamente, setenta veces siete?

—¡Por favor! —se llevó él las manos a la cara—. Estos meses han sido un tormento. Puedes creer que he pagado con creces mi error.

—¡Pues yo he pagado más y era inocente! —y ciega a toda piedad, sorda a toda prudencia, agregó—: Pero me alegra que vengas a levantar condenas, porque si aquella vez te equivocaste, después, yo… te he sido infiel.

Y aterrada por lo que acababa de confesar, tartamudeó:

—U… una vez, con… con un hombre.

Él le volvió la espalda y reinó en la pieza el más absoluto silencio. "Jesús, ¿qué hice?", se arrepintió Luz. "¡No merecía que se lo dijera así." No pudo llorar, pero se mordió la mano hasta que sintió el gusto de la sangre. El sueño la tomó de pronto, como una agonía de tristeza.

Cuando despertó de un reposo sin alivio, vio a Harrison frente al espejo, afeitándose.

—He ordenado los preparativos para el viaje; no debemos exponernos más de lo necesario —dijo él a través de la luna, pero sin mirarla.

Luz produjo ruidos de conformidad.

—Me decía el capataz que cuentan con dos sótanos. Podríamos guardar allí los muebles de valor.

—Es una buena idea.

—He llegado a un acuerdo con Videla; le aseguraremos a él y a los Cepeda el derecho de permanecer en las tierras hasta...

—Se las daré en propiedad.

—¿Por qué?

—Por más de un siglo, ésa ha sido la práctica de mis mayores.

—Bien —dijo él, contrariado—; es tu tierra. Hoy iremos con Videla a lo de don Manuel López —con la toalla retiró los restos de jabón de su cara y prosiguió—: Deseo apurar los documentos de familia con Cáceres, pues tengo cosas pendientes en el puerto que me apremian —se arregló el pañuelo al uso inglés—. Hay que considerar que, con los niños, el viaje a Buenos Aires llevará su demora.

Luz soltó la respiración que había retenido. Harrison se calzó la chaqueta y tomó el sombrero, la fusta y las pistolas a tiempo que preguntaba con desapegada amabilidad:

—¿Te sientes lo bastante fuerte como para ayudar?

—Sí, ya estoy mejor; además, no es mucho lo que tenemos que empacar. Si encuentras a don Quebracho, pasado mañana podemos partir.

—Excelente.

Cuando oyó sus pisadas en la galería, Luz metió la mano bajo la almohada y junto con su rosario, sacó el reloj de Indarte. Contempló el lirio esmaltado que ahora le parecía un símbolo de lo efímero del amor. Los ojos se empañaron y el corazón aceleró sus latidos advirtiéndole que, nuevamente, algo irrevocable había sucedido en su vida, aunque todavía no sabía qué.

32. DAME EL ALMA QUE TE DI

"Vivían en sus dominios como señores de raza privilegiada,
llevando una vida rodeada de peligros, porque la autoridad pública
no puede ampararlos. En ese medio, nace un sentimiento
de capital importancia en la futura evolución argentina:
el culto nacional del coraje."

J. Agustín García (h)
La Ciudad Indiana

LOS ALGARROBOS
ABRIL DE 1832

Harrison observó a Simón y a Carlitos que lo esperaban en la galería; los meses vividos en la inseguridad y la pobreza no parecían haber dejado rastro en ellos: se los veía íntegros y perspicaces, aunque algo ansiosos de atención. Quizá, recapacitó, la educación familiar de aquellas tierras no fuera tan perniciosa como él suponía…

Se les unió y bajaron la escalinata hacia la franja de pasto que bordeaba la acequia. Del otro lado de ésta, el terreno descendía suavemente hacia los algarrobos y mirando al noroeste, el prado tocaba una pequeña colina —la primera de otras más altas— y al pie de ellas, Harrison distinguió un muro con su portal de piedra.

—¿Qué es aquella construcción?

—El cementerio de mi familia —contestó Carlitos.

—¿Quiere que vayamos? —saltó Simón, siempre dispuesto a caminar.

Harrison consultó el reloj; faltaba media hora para su cita con Videla, así que consintió.

Comenzando la marcha, Carlitos le anunció:

—Pronto traeremos a papá, para que descanse aquí, en su tierra. Luz lo ha prometido.

—¿Usted oyó al Gritón anoche, señor? —interrumpió Simón.

—¿Qué gritón? —se desconcertó él.

—El alma del Aparecido.

256

—... el que encontraron en la cripta; llevaba muerto añares, dicen.

—No sé nada sobre eso.

—Severa nos hizo rezar la novena de las Ánimas, pero fue peor, porque el alma del difunto salió del sótano y se perdió antes de llegar al Purgatorio...

—Está buscando el camino, ¿sabe?, por eso anda de noche llorando que da miedo.

Harrison no entendía la fábula, pero le desagradó la ignorancia de aquellas creencias.

—Carlos —instó al niño—, no debes prestar oído a supersticiones y mucho menos repetirlas.

A pesar de la amonestación, Simón agregó:

—Pero el cuatrero que achuró el capitán no saldrá a llorar, de juro; ése se fue con patas y todo al infierno.

—¿Qué capitán?

—¿No le contaron?, al hombre lo dejaron medio difunto, pero Severa lo curó y...

—Porque Severa es médica, ¿sabía, señor?

—Lo ignoraba —pero comprendiendo de quién hablaban, preguntó—: ¿Y qué fue del capitán?

—Quedó rengo; caminaba así, ¿ve? —imitó el moreno—, con una horqueta que le hizo Silverio.

—¿Era viejo, entonces? —deslizó con malicia, demasiado interesado en el intruso para respetar sus propios códigos.

—Como Sebastián sería.

"Bien, ya sé que hubo un huésped en la casa, que se llamaba Indarte, que era oficial y que no tendría mucho más de treinta años", pensó y volvió a preguntar:

—¿Y dices que mató a un hombre?

—Sí, al matrero que atacó a Luz —y ante el sobresalto, Carlitos lo tranquilizó—: Pero ese hombre no alcanzó a tocarla, en cambio Luz le rompió los huesos con un fierro. Además, Gaspar llegó a tiempo y le calzó el cuchillo en la panza, así —y el niño hizo un rotundo ademán, con tanta naturalidad, que dejó frío a Harrison.

—Yo espié cuando lo sacaron del sótano para tirarlo al río —confesó Simón.

—¿Quieren decir que ese hombre descubrió el refugio?

—No; es que tuvieron que esconderlo ahí porque venía el ejército y él era ojeador del general. Si hallaban el cuerpo, nos quemaban la casa. Dice

Luz que estaba tan asustada que creía que el muerto la "cacharía" de los pies…

—¿Tu hermana estuvo encerrada con un muerto en… en esa cueva? —se consternó Harrison, que había recorrido la cripta con Oroncio: la oscuridad y el olor a encierro lo habían impresionado, recordándole una mazmorra medieval.

—¡Oh, pierda cuidado! Indarte se quedó con ella. Pasó así: nosotros nos escondimos en las caleras, pero ella no pudo escapar, por eso el capitán volvió a buscarla. Entonces mató al matrero y como venía el ejército, lo tiraron por el túnel y se escondieron en el sótano. La tropa se quedó todo el día y… —se desvió del relato, indignado por el agravio perpetrado a sus necesidades—: ¿Puede creer, señor, que nos comieron todas, pero todas las gallinas, los hijos de puta?

—No uses esos términos, que no son de personas educadas —lo reprendió él mientras meditaba amargamente que aquel héroe había protegido a Luz sólo para aprovecharse de su debilidad. "Una vez, con un hombre", había dicho ella. Estúpida frase. Sí, debió suceder aquel día…

—Al capitán tampoco le caía que dijéramos malas palabras —concedió Simón y añadió con entusiasmo—: ¿Sabe, señor, que nos enseñó a pescar con manga y a nadar? A mí me regaló esta flauta de caña hembra —y sacó el instrumento que sostenía a la espalda. Llevándoselo a los labios, le arrancó un sonido dulce y hondo que traspasó a Harrison—. La hizo él —aclaró el chico con tristeza.

—Una tarde nos llevó a acampar a la orilla del río; hasta doña Carmen estaba contenta. Prendió un fueguito y Cala frito las mojarras…

—Con una fiesta, ¿no? Y cantó "Dame el alma que te di".

Harrison imaginó tan vívidamente la escena que se sintió enfermo. Se acusó de haber abandonado a Luz, de no haber creído en ella, de haber faltado a sus deberes: el precio de tantos errores aún no estaba estipulado.

Al aproximarse al camposanto, unas cabras, desde lejos, los miraron sin dejar de rumiar. Con un estallido discordante, una bandada de urracas voló sobre ellos mientras subían los escalones comidos por la hierba. De la puerta de rejas sólo quedaban los soportes.

—Se la robó Echagüe, para su estancia de Guadalupe —indicó Carlitos con desdén.

Al cruzar el pórtico embellecido con una talla de piedra-sapo, Harrison sintió un ahogo premonitorio, a pesar de que el predio dormía, beatífico, rodeado de árboles y formaciones pedregosas. Todo estaba verde, porque la lluvia se iba tarde aquel año.

—Mire —señaló Carlitos—, aquí está el abuelo Lorenzo, el papá de mi papá. Era puro coraje, una vez peleó con un montón de ranqueles y los mató a todos. Y ahí —indicó una antigua cruz de hierro, con un escudo casi ilegible— don Ignacio, el que levantó la estancia, le decimos el fundador para distinguirlo de mi tío Nacho, hermano de mi papá, que murió mucho antes de que naciera Sebastián. Tío Nacho está acá, ¿ve? Venía por el camino de Cuyo cuando se topó con unos bandidos chilenos, un montón; tantos, que por más que los enfrentó y dejó tendidos a varios, lo ataron y como no llevaba plata encima, lo latiguearon, lo tajearon y después lo colgaron, sangrando como estaba, pero lo dejaron vivo. Y vino un tigre y se lo comió. Mi abuelo salió a buscarlo, lo encontró y lo trajo para enterrarlo en suelo bendecido.

—¿Y sabe quién era el tigre?

La excitación de los niños iba en aumento a medida que se adentraban en aquel pasado sangriento. Harrison intentó interrumpirlos, pero él mismo estaba fascinado con aquellos relatos.

—Yo lo cuento —se enojó Carlitos, empujando al moreno y explicó—: Una vez, los jesuitas nos mandaron un indio —creo que era santero... o carpintero, no me acuerdo— y resulta que el infiel se enamoró de mi tátara-tátara abuela Blanca —aquélla, ¿ve?—, la segunda esposa del fundador, de ella venimos nosotros —Luz le dirá—, y don Ignacio se dio por ofendido y le pegó y lo quebró —al indio, ¿no?— acá y acá, ¿ve?, así no podía arrastrarse ni con brazos ni con piernas. Después lo desbarrancó para que se muriera solo, porque no quería quedar en pecado mortal, ¿comprende, señor?

Harrison no comprendía.

—Pero fue para pior —dijo Simón—, pues el infiel sufrió mucho, estuvo días haciendo "Aay, aayyy", hasta que se lo comieron los perros cimarrones, que son malazos y siempre andan hambrientos. Hasta las víboras se comen, ¿se da cuenta?

—Y al morir —le quitó Carlitos el hilo del relato— se volvió tigre y cada cincuenta años sale de allá, de la barranca, y se come a un Osorio. Pero nosotros no le tenemos miedo. Y don Ignacio tampoco le tuvo, porque siguió cazando infieles y cortándoles las orejas para...

—¡Basta! —se impuso Harrison. Con la mano sobre el hombro de su joven cuñado, trató de explicarle—: Hijo, no es de esas barbaridades de las que debes enorgullecerte...

El niño se volvió con altivez:

—¿Cómo que no, señor? Hace mucho que peleamos por la tierra; los

259

ranqueles son más que nosotros, pero los tenemos a raya. Papá siempre alardeó de tener limpio de infieles el campo —y al ver la expresión de Harrison, se alzó de hombros—: Es cosa sabida que no nos damos tregua: ellos nos invaden para robar las vacas y las mujeres y nosotros los matamos en cuanto los agarramos. Listo —y se sacudió las manos.

—No se dice "agarrar" sino tomar prisionero. Y a los prisioneros se les concede un juicio antes de ejecutarlos, ¿entiendes?

—¿Acaso es pecado? —fue la desconcertante pregunta.

—Digamos que... —y Harrison se despeñó en una confusa argumentación sobre principios legales y humanistas.

—Menos entiendo —confesó el niño—. Estamos en guerra con ellos, ¿no? ¿Y acaso las guerras son i... ilegales? —y con cara de avisado, se sonrió—: ¿O usted se piensa que ellos nos darían un juicio cuando caen a maloquear? —Y ante la consternación del hombre, añadió con un dejo de sospecha—: Usted me hace acordar a Fernando, que se peleó con papá cuando mataron a ése —e imprevistamente, señaló detrás de Harrison. Éste se volvió y se encontró con un montículo apartado, con el solo distintivo de dos ramas atadas con una cinta descolorida. Sobre la rudimentaria sepultura, señalada con piedras, verbenas violetas crecían apretadamente. Harrison sintió como si lo hubieran golpeado en el estómago.

—Pero la niña Luz pensaba como el Payo —terció Simón, la flauta al hombro a modo de fusil—. ¿Acaso no le pidió al capitán que hiciera una cruz para ponerle el nombre? —Y explicó—: Indarte era carpintero, señor.

—Volvamos —dijo Harrison, desesperado.

Iniciaron el regreso, él arrepentido de haber aceptado ir allí. También pensó en que había una suprema dignidad en ser carpintero; entre todos los oficios, aquél gozaba de un prestigio evangélico. Para alguien como Luz, quizá fuera más meritorio que el de comerciante...

Detrás de él, Simón hizo sonar la flauta en una melodía doliente mientras Carlitos entonaba a media voz: "Dame el alma que te di, que el pedirla no es ofensa...".

A la tarde siguiente comenzaron las despedidas. La mujer de Oroncio derramó lágrimas por las comunes desgracias y preguntó:

—¿Usted cree, niña, que mejor no le pido a la Virgencita que me lo vuelva al Ciriaco?

Luz la consoló animándola a tener fortaleza en espera de tiempos mejores. Juana, como si no la oyera, comentó:

260

—Como anda la campaña, ya ni la Aurorita viene. Y la Lorenza...
¡qué decir! —se dolió, añorando los hijos.

Cuando salieron —la despedida había sido en el comedor—, Oroncio y los Cepeda los esperaban bajo los algarrobos. Luz tomó las monedas de plata del Aparecido que aún le quedaban, separando dos más, que entregó a Juana, a modo de dote para sus hijas. La mujer las tomó sin empacho, pero los hombres se resistieron.

—Para un apuro —insistió Luz—; así no se olvidan de nosotros.

—Cuándo —se ofendió Videla—; ni en lloviendo iguanas.

Después de mucho rogar, las aceptaron a regañadientes.

—Bueno, ya sabe la niña —Benito sacudió el sombrero sobre los guardamontes—. Cualquier cosa, acá estaremos.

—Y... se agradece lo del campito —añadió Silverio con parquedad.

Luz les estrechó largamente las manos, se abrazó con la mujer y entró para que no la vieran llorar.

Harrison se apartó de la ventana —la misma por donde Luz había observado a Enmanuel años atrás— con un nudo en la garganta.

Al día siguiente se levantaron con la última noche, antes de que los pájaros empezaran a alborotar. Se vistieron furtivamente, cuidando las pisadas, como si no quisieran que la casa supiera que partían por años.

En el viento frío que parecía echarles encima oleadas de tristeza, bajaron los escalones exteriores y ocuparon sus lugares: los criados en la galera, la familia en la sopanda.

Luz y Harrison quedaron atrás, cerrando las puertas de entrada; él pasó la cadena por las argollas, pero la joven le quitó el candado de las manos, lo calzó y esquivó la mirada al ruido del cerrojo. Luego se cubrió la cabeza con la capucha del abrigo y se dirigió apresuradamente al coche. Al acomodarse frente a ella, Harrison distinguió un movimiento convulsivo en su garganta al contemplar —mientras le fue posible— la sombra de la construcción. Por fin, Luz se echó hacia atrás como obligándose a dormir.

Él, embotado por los sufrimientos, deseó desesperadamente que no hubiera amado al capitán. Más que el trato corporal, lo que lo hacía sentirse despojado eran los momentos compartidos, la reunión bajo los sauces —los niños le habían mostrado el lugar y él no quiso rehusar aquel suplicio—, la melodía que recordaban, aquel intento de escribir el nombre de Luz... Él nunca había escrito el nombre de su esposa más que en documentos especiales...

Afuera, sombría, la carretera semejaba un embudo enorme que los iba devorando.

Clareaba cuando doña Carmen salió de su letargo, miró fijamente a Luz y volviéndose hacia Harrison le clavó los dedos en el brazo.

—Es impura, aunque parezca un ángel —susurró echándole el aliento agrio en la cara—; fornicó con... con un...

—¡Cállese! —estalló Harrison y la mujer se retrajo hacia Isabel, que contemplaba a su hermana con turbia satisfacción. Furioso, sacó el bastón por la ventanilla y aporreó el pescante. Owen gritó deteniendo los caballos y saltó a tierra, pero ya su patrón había descendido.

—Ven, Luz —ordenó tendiéndole la mano—; y ustedes también, niños.

Detrás de ellos, la galera se detuvo y Calandria voceó: —¿Pasa algo, patrón?

—Bajen; irán con doña Carmen.

—¿Simón puede venir con nosotros? —pidió Carlitos, despertando.

Isabel corrió tras ellos hecha una furia:

—¡Esto es un insulto! ¡No viajaremos con la servidumbre!

—Por mi alma, Isabel, que tú y tu madre pueden seguir a pie si así lo desean —respondió él con rudeza.

La jovencita enfrentó a Luz con los puños crispados.

—¡Tú tienes la culpa de esta infamia! ¡Jamás, jamás te lo perdonaré!

Harrison se interpuso entre ambas.

—No colmes mi paciencia, jovencita. Luz, al coche.

Chasqueó los dedos hacia Owen, indicando que los demás lo siguieran. Cerró la portezuela con ímpetu y sacando la cabeza, se impacientó:

—¿¡Qué espera, hombre!?

—¡A la obediencia de usted, patrón! —aseguró el guía de Farrell haciendo restallar el látigo.

Al rato, cuando se atrevió a mirar a Luz, Harrison notó un rastro de lágrimas secas sobre la piel maltratada. Hubiera querido consolarla, hacerla mínimamente feliz, pero al parecer, había perdido la capacidad de controlarse y persuadirla.

—Chajá.

—Quintové.

—Benteveo.

—Perdiste, es el mismo pájaro y yo lo dije primero —jugaban Simón y Carlitos.

Ana, muda desde el episodio, se inclinó sobre Harrison, afligida:

—Brian, ¿qué quiere decir fornicó?

Luz se mordió los labios, enrojeciendo.

—Si mal no recuerdo, querida —contestó él con serena malignidad—, uno de los Diez Mandamientos habla sobre ello. Debes preguntarle a Isabel, que es maestra en catecismo.

33. DE DUDOSOS PRIVILEGIOS

"Como Santa Fe, integrante con Entre Ríos y Corrientes de una denominada Comisión Representativa, insistió en convocar un Congreso Constituyente, el gobierno cordobés envió como diputado al canónigo Juan Bautista Marín. Pero el proyecto fracasó: Rosas no deseaba ningún estorbo en su camino."

Efraín U. Bischoff
Historia de Córdoba

CÓRDOBA
ABRIL DE 1832

A una legua de la ciudad, el baqueano se adelantó para anunciar que llegaban.

El solar los recibió, acogedor, con Farrell y don Felipe en la calle, paseándose con impaciencia, y Fe y Nombre de Dios felices de librarse al fin de los rigores de misia Francisquita.

Luz se emocionó al ver el júbilo de los niños ante sus tíos y cuánta preocupación mostraban éstos.

Doña Mercedes llegó de la cocina, atolondrada y oliendo a fritanga: estaban preparando empanadas para agasajarlos. En un instante, los patios se llenaron de risas y corridas; menudearon los abrazos, alguna reconvención, lágrimas en las mujeres, atusarse de barbas en los hombres.

Parientes y amigos les hicieron llegar "criaditas de razón" con mensajes verbales, licores caseros y golosinas de las monjas.

Misia Francisquita mandó por el padre Iñaki, que se presentó en el tiempo de un credo; oyó confesiones, administró la comunión y en un aparte hizo saber a Harrison que esperaba de él que cumpliera con los preceptos.

Más tarde, en procesión, fueron a lo de la abuela Adelaida, que los esperaba, temblorosa en su majestad, sobre el estrado de la sala mayor, vestida de negro pero con todos los encajes.

264

Después del almuerzo, se retiraron a descansar en la rigurosa siesta, pero apenas bajaba el sol, la casa volvió a llenarse de gente. Un poco más tarde llegaron Achával y don Prudencio; el alivio del letrado, viendo a Harrison al frente de la familia —muy en patriarca—, era tal que lucía casi festivo en su empaque.

José María lo dejó en la rueda de hombres y prefirió unirse a Luz, Jeromita y Laura —que pronto cumpliría dieciséis años—, que hablaban hasta por los codos con las tías mientras los niños y sus primos jugaban ruidosamente en los patios y doña Amalia se quejaba que tanto barullo le producía mareos y nadie, por supuesto, le llevaba el apunte.

Después del ángelus se sacaron las bebidas y los caballeros reclamaron de Harrison noticias de Buenos Aires, "aquella Babilonia", como solía mentarla el ex gobernador Bustos.

—Las más interesantes son las solicitudes de Corrientes pidiendo que se cumpla el Tratado Federal y la reacción de Rosas ante las exigencias del Interior en ese mismo sentido.

—Bah, don Juan Manuel no soltará el bocado —y don Felipe ironizó—: Ahora resulta que somos infantes, pues arguye que carecemos de experiencia política para llevar adelante la Constituyente.

—... siendo que antes de la captura del Manco sostenía lo contrario.

—Sí, los porteños suponen que por las provincias nos chupamos el dedo —barbotó Farrell.

—Achával que, como saben, acaba de volver de su gestión —comentó Cáceres—, contó que López discutió por días con Rosas: mientras el gobernador de Santa Fe aseguraba que ya estaban dadas las condiciones para formalizar el estado legal de la nación, Rosas insistía en lo contrario.

—También dice José María —intervino don Felipe— que López no se reponía del estupor que aquello le había causado. "Lo primero que se me ocurrió en aquel desagradable momento", dijo don Estanislao, "fue que esto causaría más males a la república que los que le han causado los unitarios". Textual —aclaró.

—Y un tinterillo con el que hizo amistad nuestro común amigo le mostró la copia de una carta que López mandó a Quiroga, proponiéndole una línea de presión sobre Rosas, de quien decía "padece extravíos en sus ideas" al oponerse a los reclamos de las provincias. Aseguraba que don Juan Manuel estaba sugestionado por los que no desean que el Interior prospere...

—¡Qué le importarán a Rosas los decires! —exclamó Farrell, haciendo circular la caja de puros que le había obsequiado Harrison—. El puerto y la aduana le pertenecen, que es como decir la llave del país.

El dominico, que había regresado a hacer sociales, encontró manera de intervenir sin comprometerse:

—Desde el virreinato, se ha considerado que el progreso de las provincias es incompatible con los intereses de Buenos Aires —se volvió al letrado—: ¿Qué respondió el general Quiroga?

—Desparramó a los cuatro vientos que López conspiraba contra Rosas.

—Carajo —soltó el comandante—; ni que le hubieran dado gualicho en Buenos Aires al riojano.

—Mientras López no le devuelva el Moro, el país no tendrá constitución —bromeó don Felipe.

—¿A qué se refiere? —preguntó Harrison, intrigado.

—Una vieja historia, amigo; el Moro era el corcel de batalla de Facundo y, como la cierva de Sertorio —al decir de mi camarada Paz—, le auguraba derrotas o victorias, le daba consejos y lo libraba de peligros. Después de Oncativo, no me pregunte cómo, el Moro fue a dar a los corrales de López y por más que el Tigre rugió y se quejó al Gran Tata Rosas —parodiando a Edmundo—, el santafesino no se lo ha devuelto. Eso los tiene muy enemistados y andan tirándose con flores: uno grita "¡Ladrón!" y el otro replica "¡Traidor!", y la patria, en banda.

Don Prudencio se atusó el bigote:

—La realidad se está tornando inverosímil, como decía Sebastián.

Luego se quejaron del deterioro económico provocado por la guerra y aquel estado de cosas.

—Aunque parezca increíble —aseguró Harrison—, algunas disposiciones del gobierno de Buenos Aires han beneficiado a la colonia extranjera. Por ejemplo, mientras los hacendados argentinos se quedan sin peones a causa de la leva o la deserción, nosotros no padecemos esa sangría. Tampoco se nos requisa el ganado: sólo se nos pide una contribución voluntaria, a la que no estamos obligados los que hemos firmado el Tratado de No Intervención…

Poco después, don Prudencio consultó el reloj y se levantó la tertulia.

Todavía cansado, Harrison se retiró al dormitorio. Luz subió más tarde, con color en las mejillas y muy animada. Cuando apagaron la lámpara, buscó a tientas el hombro de su esposa; la sintió tensarse para luego ceder, volviéndose hacia él. Iba a abrazarla cuando la sospecha de que pudiera estar embarazada de Indarte lo dejó trastornado. ¿Quién podía asegurarle que el capitán se había ido en diciembre y no dos meses después?

El deseo lo abandonó y fue reemplazado por una malhumorada consternación. Se levantó y salió a la galería, sentándose en el poyo de las arcadas. Durante largo rato se quedó en la oscuridad. La luna filtraba, a través de las nubes, una pálida mancha que se alargaba lentamente hacia los patios. Lamentó no tener a mano los cigarrillos o la pipa. Y recordó un viejo dicho: "El destino de un hombre yace en su propio corazón". Se cubrió la cara con las manos y permaneció allí mucho, mucho tiempo.

Mientras Owen lustraba la sopanda, observó a las criadas lavar la ropa: le atraía Gracia, con su falta de malicia y su sonrisa candorosa. Cuando la jovencita comenzó a tender las prendas, se le acercó y le preguntó en su media lengua si no le gustaría seguir a la señora a Buenos Aires.

—Al patrón no le gustan los morenos, sepa —contestó la chica y preguntó—: ¿Y cuál es su apelativo?

Como él no había entendido, aclaró:

—El nombre de su mercé, usté.

—Owen Gruffydd.

Gracia soltó la risa, corriendo hacia sus amigas.

—¡Vele el nombre, ni de cristiano parece!

—¡Hereje, hereje! —corearon las otras.

Comprendiendo —habíanlo insultado varias veces con aquel epíteto—, se acercó a ellas persignándose.

—Católico —aseguró y levantando el balde, lo vació sobre su cabeza—. Bautizado.

Entre carcajadas y corridas, ellas lo salpicaron con espuma, lo castigaron con los trapos y luego se pusieron a salvo tras Severa, que apareció preguntando:

—¿Y qué será este escándalo? Shus, shus —y con la mano partió el aire en una cruz—. ¡Salga de ahí, gringo diablo!

A la tarde, la negra fue con el cuento a Luz:

—Podrías llevarte a Gracia —sugirió mientras acomodaba lo planchado en los arcones—. Allá no tenés gente de confianza y ya viste, esa chica es de una pieza.

—Pensaba, señor —dijo Owen mientras ensillaba el caballo—, que la señora necesitará ayuda con los niños en el viaje.

Sospechando que el muchacho estuviera encaprichado con la mulata, aunque ésta le llevara sus buenas pulgadas, Harrison lo sondeó:

—Al parecer, Calandria prefiere quedarse en Córdoba.

—Sí, señor; tiene un pretendiente; el rubio que vino el año pasado del campo de la señora. Dicen que anda de soldado, pero ella lo espera para irse con él.

Estupefacto, Harrison comprendió que Owen se refería al hermano de Luz. Casi no escuchó lo que seguía.

—... y los niños la obedecen.

—Ya veré, ya veré —gruñó, apurándolo para que colocara el banquito de montar.

Camino a lo de Cáceres pensó, escandalizado, que Luz debía saberlo. Pero, ¿cómo tratar tan espinoso tema sin caer en nuevos desentendimientos? Apretando los labios, prejuzgó que la relajación moral era la causa de que todo anduviera mal por aquellas tierras. ¡Habráse visto!, el hermano de su esposa enredado con una sierva, ¡y negra por añadidura!

Recordando un sinfín de episodios, se preguntó si sabía, en verdad, con quién se había casado.

Aquella noche, mientras repasaba los documentos a firmar, Luz lo interrumpió para decirle que llevaría a una de las criadas.

—La amiga de Owen no —se plantó él—; detesto las componendas entre la servidumbre.

Como Luz calló, concedió:

—Lleva a la más blanca... ¿Gracia se llama? Parece dócil y trabajadora.

Luz continuó cepillándose el pelo y él encaró lo más urgente:

—Me convertiré en albacea de los bienes y tutor de la familia hasta que uno de tus hermanos varones aparezca. Si no regresan, a medida que crezcan los niños o se casen tus hermanas, se les entregará lo correspondiente, preservando la estancia, como quería tu padre.

Ante el asentimiento de ella, continuó:

—He tomado disposiciones para proteger a los domésticos y...

—Quiero emancipar a Severa y a Calandria; las otras han nacido libres.

Sospechando de sus motivos, Harrison se esforzó en contener la indignación:

—¿Puedo saber el porqué de tu deseo?

268

—Aparte de razones personales que no discutiré, por ley, ya que no por costumbre, en nuestro país no deberían quedar esclavos. Además, Calandria no fue adquirida ni heredada: Severa la recogió de la parroquia de San Francisco.

Y sin mirarlo, aclaró:

—Quiero evitarle problemas cuando no estemos, pues muchos la hacen esclava.

Harrison dijo fríamente:

—Como quieras —guardó los papeles y le comunicó—: En una semana, a más tardar, emprendemos el viaje. Tienes que apurar a las costureras con las ropas de medio luto —aquélla había sido la excusa para proveer de ropa a todos sin herir susceptibilidades.

Cuando se disponía a dormir, en la certeza de que Luz estaba allanando las cosas a la mulata para que escapara con Fernando, ella dijo a media voz:

—Tenemos que hablar, Brian.

—¿De qué?

—Sobre lo que nos ha pasado. Creo que si…

Ofuscado, la cortó con dureza:

—Nada tenemos que discutir o aclarar, Luz. Todo está dicho.

Se encerró en un mutismo lleno de cólera y confusión, apartado pero oscuramente satisfecho de tenerla con él. Aquél era un dudoso privilegio, pero no lo entregaría hasta morir.

Meses después, en Buenos Aires, se repetía que, llegado casi a los cuarenta, un hombre debía ser lo bastante sensato para restar importancia a los reveses de amor; de otro modo se era un imbécil.

Enfermo de soledad, luchando por adaptar a los niños a otras pautas, se dijo que al menos ya era evidente que Luz no estaba embarazada.

Fue en aquel estado de ánimo que decidió llevarlos a Gran Bretaña. Viajar era el remedio que todo buen inglés reserva para una gran variedad de males.

Se alejaban de la costa, perdiendo de vista aquel puerto incómodo y absurdo, cuando recordó la melodía que había oído a Carlitos: "Dame el alma que te di, que el pedirla no es ofensa, porque no quiero que esté donde no hay correspondencia". Poética y sencilla; los dos últimos versos dejaban un resquicio a la esperanza: quería creer que su rival la había elegido al comprender que el corazón de Luz —ya que no su cuerpo— era impenetrable.

No podía olvidar la mañana en que —en el dormitorio de soltera— ella se le había entregado en plenitud, haciéndole concebir las más torpes ilusiones, puesto que el corazón de Luz, ahora lo sabía, estuvo siempre enterrado en aquella tumba sin nombre, cubierta de flores azules.

34. A TRAVÉS DE LA NIEBLA

"En la época del desposeimiento forzado (por los españoles, en 1770), el título de Gran Bretaña —sobre las Falklands— estaba colocado, ciertamente, sobre fundamentos muy fuertes; tenía para alegar prioridad de descubrimiento, posesión formal y ocupación real; y no había derechos aborígenes para suprimir."

Del Encargado de Negocios de los Estados Unidos de América
al Ministro de Gracia y Justicia de Buenos Aires, julio de 1832

CARDIFF
DICIEMBRE DE 1832

Desde la sala que miraba hacia las caballerizas, Luz veía a los niños jugando entre las pérgolas mientras esperaban los ponies para dar un paseo.

Hacía un mes que habían llegado; pronto sería Navidad y los recuerdos del viaje anterior la sumían en una miserable tristeza.

La adaptación de sus hermanos la llenaba de contradicciones: le reconfortaba que fueran felices, pero la angustiaba verlos alejarse de unos orígenes a los que inevitablemente se debían.

Viéndolos correr al encuentro de Owen seguidos por los perros, se apartó de la ventana, tomó la capa y el sombrero y avisó a Gracia que daría un paseo.

Se dirigió al río buscando que el aire libre y el cansancio le despejaran el ánimo.

Los últimos de su raza, eso eran Ana y Carlitos. Entre todos sus hermanos, sólo ellos podían cumplir la promesa debida a sus mayores.

Moderó el paso, reprimiendo la creciente atracción por aquella tierra. "Es un buen país... para quien nace entre los privilegiados", se dijo.

—Mis alumnos —había comentado el maestro de un pueblo minero en la feria de la parroquia— sólo llevan para comer pan de cebada, raras veces fresco, suero y un pequeño arenque que deben compartir.

Al notarla impresionada, preguntó cómo eran las cosas en la tierra de ella; se asombró al saber que los pobres comían carne vacuna en abun-

271

dancia y una bebida que Luz equiparó al té, amén de la leche. También se admiró de que no hubiera restricciones de caza y llevado por alguna secreta frustración acotó:

—Pero seguramente, con respecto a la pesca...

—A nadie se le ocurriría impedirla, pero le aseguro que mi pueblo es poco afecto a pescar.

—Extraordinario —repitió el maestro varias veces.

—Mi esposa debería aclararle que en Sud América, pocos niños tienen acceso a la atención médica y a la instrucción escolar —intervino Harrison para equilibrar las cosas.

—De qué sirve educarlos, en mi caso —dijo el hombre con desaliento—, si en las aldeas del carbón, las enfermedades y los derrumbes, cuando no simplemente el hambre, hacen estragos en ellos antes de que completen la enseñanza.

Luz llegó hasta el río recordando aquella conversación y se detuvo a contemplar una barquita que navegaba a la velocidad de la corriente; alguien en ella cantaba en gaélico una canción dulcísima.

... Brian consentía a los niños; si no lo conociera, pensaría que pretendía sobornarlos, pero aquello no encajaba en el código moral de su esposo. Probablemente quería compensarlos por el abandono y el resto de los Harrison confabulaba inconscientemente con él.

El incipiente castellano de William y Sarah los había acercado: años atrás, la familia decidió que, en vista de que los negocios en el Río de la Plata prosperaban, era conveniente que los niños aprendieran español. Miss Margaret había dado en Londres con un exiliado granadino —Valentín Sotomayor— que aceptó trasladarse a Cardiff. Por aquel entonces trataba de que Ana y su hermano aprendieran algo de inglés antes de pasarlos a manos de la institutriz.

Al despreocuparse de velar por los suyos, un vacío que no podía llenar con la frivolidad del primer viaje hacía sentir a Luz inútil y aislada del círculo mágico de Harrison y los niños, de los afectos libremente expresados.

Como había comenzado a lloviznar, emprendió el regreso acortando por el bosque. Unas hojas cayeron, pesadas de lluvia, y a la distancia oyó la campana de la capilla. Estremecida, recordó la estancia y el solar, pero una se le volvía irreconocible en la ruina y la ausencia del padre y el otro, ingrato con la demencia de la madre y el desmembramiento de la familia. Ahora, sólo Severa la asía al pasado.

Atravesando la niebla que desdibujaba el paisaje, imaginó que ésta podía tragarse el sendero, los árboles, la mansión y ella se encontraría, por un hechizo, regresando a la Córdoba anterior a la ejecución de Dorrego, a la muerte de Enmanuel... cuando todos aún eran inocentes...

Los recuerdos, la belleza del lugar y un algo silvestre que nunca perdería la hicieron que, con cierto salvajismo, se soltara el pelo y se dejara arrastrar en una carrera irreal entre los bancos de niebla, sobre el helechal, en la soledad —supuso— en que siempre viviría.

La Navidad estrechó los vínculos de los niños con la familia política: las costumbres anglosajonas —que a Luz se le antojaban paganas— los habían atrapado como un sortilegio. Cuando fueron de compras al centro comercial, el asombro los aturdió: todo estaba engalanado con moños rojos y ramas de acebo; en las tiendas, el muérdago colgaba sobre los escaparates decorados. Las frutas de lejanas tierras, entre papeles primorosamente festoneados, provocaban el deseo de adquirirlas. Los juguetes de latón —a cuerda— los dejaron boquiabiertos, lo mismo que las cajas de muñecas, las minúsculas vajillas de porcelana y las muñecas vestidas de encaje: ellos sólo habían conocido los juguetes salidos de las manos de Simón Viejo.

La gente inundaba las calles de Cardiff en contrastes violentos entre pudientes y pordioseros, señores, campesinos y sombríos mineros.

Todo despertaba la atención de Ana y Carlitos: los trajes regionales que abundaban en las afueras —las mujeres con sus ridículos bonetes—, los peludos caballitos con collares de ramas, la diversidad de carruajes.

Gracia no participaba del entusiasmo; le costaba el idioma, el frío la entontecía y sólo el afecto de Luz y la solapada atención de Owen la rescataban de la melancolía.

Al regresar de las compras, se sentaban en familia frente al fuego y asaban castañas mientras Edith pontificaba sobre las buenas costumbres inglesas y la gobernanta y el maestro de español los ayudaban a confeccionar tarjetas: los niños debían pintarlas y las niñas bordarlas.

Cuando quedaban a solas con Sotomayor —que por esas fechas extrañaba dolorosamente su Granada natal—, los niños le tiraban de la lengua para que les hablara de los pesebres, los Reyes Magos y los villancicos cantados de puerta en puerta, a veces acompañados por el solo repicar del almirez.

—Nosotros —comentaba el español— festejamos quince días de Navidad.

—¿Y cómo es eso?

—Porque empezamos el 24 de diciembre y terminamos el 6 de enero, en Reyes. Nosotros decimos que tenemos tres Nochebuenas: la de Natividad, la de Año Nuevo y la de Reyes. Y delante del Nacimiento, o pesebre, si queréis, tocábamos la zambomba y el rabel y las cañas… y tomábamos lo que se llama "sopa de almendras", que en todas las casas se come en la noche de Navidad —y murmuró—: *Pauperum tabernas regumque turres.*

—¿Qué es lo que dijo?

—¿En qué idioma habló?

—Era latín, pero como no me pagan para que os enseñe latín, lo he dicho para mi placer.

Carlitos, muy seriamente pero con intención de burla, le pedía entonces un villancico. Sotomayor solía tararearles entonces el "Campana sobre campana" o aquel que comenzaba:

> Dime niño de quién eres
> todo vestido de blanco.
> Soy de la Virgen María
> y del Espíritu Santo.

Anita, más sensible que los otros, lo acompañaba en la última copla:

> Dime niño de quién eres
> y si te llamas Jesús.
> Soy amor en el pesebre
> y sufrimiento en la cruz.

Los días de descanso, Sotomayor se perdía en el parque, un libro bajo el brazo y el rosario en la muñeca. Simón solía seguirlo hasta que fue descubierto, amonestado y finalmente perseguido.

A prudente distancia del bastón del granadino, el moreno se quejó:

—¿Y qué, maestro?, ¿no es que éramos amigos?

Y ante el silencio asmático del otro, se puso de pie y dijo guasamente:

—… ¡qué carajo! Usté se lo pierde.

—¡Misericordia! —clamó el joven—. Hale, ven aquí.

Simón no se hizo rogar; caminaron, conversaron, se sentaron bajo un árbol, y mientras saboreaban unos pastelillos Sotomayor le leyó unas páginas de Ginés Pérez de Hita, *Enemistad de Zegríes y Abecenrrajes*, que hizo las delicias del inquieto con aquello de las venganzas, las carreras de caballos, las corridas de toros, las conjuras, los derramamientos de sangre y otras lindezas.

—¡Quién supiera leer! —suspiró el niño.

274

Tras meditarlo, Sotomayor preguntó:

—¿Eres criado de doña Luz o de Mr. Harrison?

—¿Está de broma? Yo no soy de ningún gringo. Soy de los Osorio y de San Ignacio, por la gracia de Dios.

—Las personas no son propiedades, zagal —replicó el maestro y luego—: ¿Crees que la señora aceptaría que te dé lecciones? Quiero decir, aparte de las que tomas con los jóvenes amos.

—¿Qué quiere decir amos?

—Patrones. ¿Piensas que ella consentirá?

—Seguro.

—Mira, Simón, quiero que cada vez que salgamos a pasear, le pidas permiso a doña Luz.

—¿Por qué? Ella no me anda persiguiendo.

—Puede que los ingleses piensen que debas estar en otra parte, haciendo otra cosa.

—¿Como qué?

—Mira, haz lo que te digo y en santa paz. Algún día comprenderás.

Enterada, Luz estudió el proyecto brevemente, al maestro mucho más y dio su consentimiento. Agregó un sobresueldo, de la asignación "para alfileres" que dejaba Harrison rigurosamente, en un conspicuo sobre, en su secreter todas las semanas.

Cerca de Navidad sorprendió a su esposo pidiéndole que la acompañara a comprar un abrigo para el granadino.

—Se le paga lo suficiente; no debería faltarle nada.

—Sostiene madre y hermanos menores en España; poco guarda para sí.

Harrison ignoraba aquello y le molestó que ella hubiera tenido una conversación tan personal con el asalariado; pasó revista al infeliz —un perfil lastimoso de mentón huidizo— y decidió que era improbable que Luz se pusiera romántica con él, pero le advirtió:

—Es un obsequio demasiado personal.

—Se lo daré en privado.

Harrison le dio otra de sus lecciones sobre el sistema de clases en Gran Bretaña, Luz lo escuchó atentamente y terminaron comprando un abrigo de cardigan en el puerto.

Para Harrison, enterarse del aprendizaje de Simón fue un choque, especialmente porque no se hubiera opuesto a la instrucción del niño.

Sucedió una tarde en que lo buscaba para que lo ayudase en la biblioteca

y nadie pudo encontrarlo. Horas después lo vio venir con Sotomayor y asomándose a la terraza, lo llamó con un ademán; cuando Simón entró en la
habitación, se volvió, las manos a la espalda, y preguntó al niño con disgusto:

—¿Dónde demonios te habías metido?

—Fui de paseo con don Valentín, señor.

—No recuerdo haberte dado permiso. Es más, tampoco recuerdo que
me lo solicitaras.

—Creí que no era necesario, señor, ya que mi ama me lo concedió.

Batido con sus propios argumentos lo despidió y fue, muy molesto,
en busca de Luz. La encontró en su salita privada, contestando correspondencia.

—¿Le diste permiso a Simón para que pasara la tarde con el profesor?

—Sí, le da lecciones de refuerzo. ¿Cuál es el problema?

—Pues que lo necesitaba y... —con gesto de disgusto, concluyó—:
La próxima vez desearía enterarme.

—¿Por qué? Simón no es tu criado, es el mío —Luz lo miró calmosamente, acariciándose los labios con la pluma—. No entiendo qué es lo
que te molesta, Brian; eres muy riguroso sobre quién debe obedecer a
quién. ¿O he interpretado mal tus explicaciones?

Sospechando que hubiera aleccionado al moreno, insistió:

—¿Le has indicado a Simón que tú eres su ama?

—Si de alguien ha oído esa palabra, es de ti; en Córdoba casi no la
usamos.

—Tienes razón —murmuró, en retirada—. Es un chiquillo muy listo.

—¿Acaso te ha faltado el respeto?

—No, no; es un poco familiar en el trato, pero no un impertinente
—reconoció sintiendo que había hecho el ridículo—. ¿Crees que sacará
provecho de...?

—Sin ninguna duda; es excepcionalmente vivaz —y sonriendo, ella
continuó con sus cartas sin prestarle más atención.

Sintiéndose miserablemente despedido, Harrison volvió a la biblioteca, pensando: "¡Qué caprichosa, qué altanera, qué difícil de llevar! ¡Oh,
si lo hubiera sabido!", y pasando de la amargura a la admiración: "Pero,
¡qué hermosa, qué hermosa es, Dios mío; y qué voluntariosa!".

Una tarde en que Luz practicaba piano, Sotomayor se asomó por la
puerta ventana de la terraza y, al verla sola, se deshizo en disculpas.

—Pase usted y hágame compañía, maestro —lo invitó ella, señalando una butaca. Y al acercarse él, notó sus ojos inflamados—. ¿Ha recibido malas noticias, Valentín?

—No, señora, y le agradezco… Sólo que al oírla tocar, he recordado a una muy querida amiga que fue ejecutada por los absolutistas: Mariana Pineda. Para dos años va que le dieron garrote.

—¿Y cuál fue su delito? —preguntó Luz, impresionada.

—¡Tener ideales libertarios! —se exaltó el joven—. Oponerse al yugo de Fernando VII. Bordar la bandera de la causa… y no ceder a la lujuria del inquisidor Pedroza.

Y a borbotones relató la vida, pasión y muerte de la hermosa conspiradora.

—Alguien debió delatarnos. Yo alcancé a huir a Gibraltar, en la certeza de que ella había sido puesta a salvo, pero a último momento se negó a dejar España. Varios compañeros trataron de rescatarla de la prisión, muriendo casi todos en el intento. —Se llevó el pañuelo a los ojos y continuó—: Dicen que Granada se puso de luto al paso del jumento —así la llevaron al cadalso, *madame*, ¡a ella, que tenía sangre de nobles!: descalza y vestida ruinmente—. Mi madre me escribió que el pueblo arrojó rosas a su paso y que, como cuando murió Nuestro Señor, el cielo estalló en tormenta al dar ella el último ay.

Con un hondo suspiro, el maestro acomodó sus desgarbados miembros, el perfil ennoblecido por los recuerdos.

—Hay algunos expatriados en Bristol que, al igual que yo, han conseguido un modesto trabajo. Una vez al mes nos reunimos, hablamos de ella y renovamos el dolor y la indignación… Porque es preciso no olvidar, doña Luz. Los pueblos de mala memoria están destinados a la ignominia —terminó, apretando el pañuelo en el puño.

Muy inoportunamente entró Harrison y la conmoción fue demasiado para el joven, que se retiró con una balbuceante disculpa.

Harrison quedó aguardando una explicación a tan insólita escena, pero Luz se limitó a cerrar el piano y acomodar las partituras.

Irritado, él arrojó una carta sobre la mesita:

—He recibido noticias alarmantes. Un amigo del Almirantazgo me escribe que se ha enviado un proyecto al Foreign Office para ejercer derechos de soberanía sobre las Falklands… vuestras Islas Malvinas.

Y como ella lo miró consternada, comentó:

—Antes de embarcarnos fui a despedirme de Fox, que me dijo que si la Corona intentaba algo así, tendríamos problemas con los norteamericanos, que navegan por allí como por aguas propias.

—Al parecer, a tu ministro en Buenos Aires no le preocupa lo que los argentinos podamos opinar sobre el tema —dijo ella desabridamente, sentándose nuevamente en el taburete.

—Calma, que yo estoy tan molesto como tú; esto no beneficiará a los británicos residentes en el Río de la Plata; antes bien, nos perjudicará.

—¿Y qué dice vuestro ministro de Asuntos Exteriores?

—Ése es el quid —rumió él—; nadie sabe qué piensa Palmerston.

Después de Año Nuevo, cuando se habló de regresar a la Argentina, Anita salió con lo que Luz venía temiendo.

—¡Oh, Brian, por qué no quedarnos aquí! ¡Es tan bonito! Tenemos amigos y... —vaciló ante la expresión de su hermana y concluyó—: A Charles y a mí nos encanta, de verdad.

Luz intervino con brusquedad:

—Pues entérate, señorita, que allá está nuestro hogar y allí regresaremos. Y hazme el favor de llamar Carlos a tu hermano. En buen castizo.

—Nuestro hogar está en Córdoba —replicó la jovencita, algo encocorada—; y como no viviremos en Córdoba, ¿verdad?, da lo mismo un lugar que otro.

—Dejemos el tema por unos días —les propuso Harrison.

Ana se inclinó hacia él, persuasiva:

—¿Pero lo pensarás, querido Brian?

—Lo prometo, jovencita, aunque antes debo conversarlo con tu hermana.

—Pero el que manda eres tú —dijo taimadamente Carlitos.

Indignada ante tamaña deslealtad, Luz guardó silencio por el resto de la velada.

Y esa noche, cuando Harrison se presentó en su dormitorio con dos copas de oporto, lo recibió con una rotunda declaración:

—No aceptaré que los niños crezcan lejos de su país.

Harrison le alcanzó la copa y se apoyó en la repisa de la chimenea.

—Sin embargo, sería muy razonable que...

—No todo ha de ser cálculo y racionalidad.

—Discutámoslo.

—¡Por favor! Hace rato que perdí la capacidad de argumentar contigo.

—Veámoslo con sensatez, dejando de lado lo emocional. ¿Qué hay de malo en que tus hermanos completen aquí su educación? Posiblemente...

—Éste no es su país.

—¿Y a qué país quieres devolverlos? —se fastidió él—. Te diré lo que nos espera: Rosas no aceptará nuevamente el poder si no viene con poderes extraordinarios, con los que piensa aplastar a la oposición —y hablo de exterminio en el cabal significado de la palabra—; entonces te pregunto: ¿a eso quieres exponerlos?

Como ella guardó un silencio obstinado, se enfadó:

—¿Acaso deseas que vivan en una sociedad con los derechos suspendidos, las instituciones aniquiladas, la educación menoscabada? —hizo una pausa y juró después de un trago—: Por San Jorge, que si está en mis manos impedirlo, lo impediré. Bastante han sufrido y se han degradado por tu voluntarismo.

La expresión demudada de Luz lo hizo apurar la bebida y moderar el tono.

—Y no debes olvidar a Palmerston y sus planes expansionistas. Si las Falklands son tomadas por la Marina Real, es de esperarse la violencia en Buenos Aires. Cuando las turbas asalten la morada de un inglés, considerarán a todo blanco como "gringo". No expondré a los niños.

Apoyó la copa en la repisa y hundió los puños en los bolsillos de la bata.

—En fin, que si se produce la invasión, es posible que tengamos que establecernos aquí... por un tiempo.

—¿Y mi familia? ¿Y la estancia? —exclamó Luz alterada.

—Tranquilízate; aún no sabemos que la Marina haya emprendido esa malhadada aventura. De cualquier modo, tú y yo debemos regresar a poner en orden nuestros intereses.

—Con los niños —insistió Luz—. No admitiré separaciones; son de mi sangre y, al parecer, la única familia que me queda.

—Y yo soy el tutor y haré lo conveniente para ellos. Cualquier Corte me dará la razón —y salió cerrando con impaciencia la puerta que separaba los dormitorios de ambos.

Luz se dejó caer en el sillón, aturdida; pensó en los niños cabalgando, jugando al ludo frente a la estufa, protegidos en sus privilegios entrelazados. Al levantarse en la mañana, la mesa los esperaba tendida: era absurdo temer que les faltara el alimento. Siempre habría ritos domésticos que les infundirían seguridad: la hora del té no se posponía ni un minuto, todos los miércoles los visitaba el vicario con sus hijas, el reloj mayor de la sala jamás enmudecía, porque un día determinado, con los niños de espectadores, Thomas le daba cuerda.

Un dilatado parque, un alto muro los protegían de extraños. Los soldados que veían salir del Fuerte sólo eran jinetes vistosos y arrogantes: era muy improbable que se convirtieran en enemigos...

Angustiada, deseó comunicar a alguien su negativa de dejarse absorber por aquella civilizada y prepotente racionalidad. Sólo cuando veía niños mendigando, madres escuálidas de ojos alucinados, pordioseros tosiendo desgarradoramente, creía retornar a la realidad, porque toda aquella "gentry" ufana de sí misma, del Reino y de su historia, la ponía fuera de sí.

Trasladó la lámpara al secreter, dispuesta a escribir a alguien... Y tarde comprendió que estaba demasiado lejos de cuantos podían entenderla.

Poco después de aquella conversación, se supo en Cardiff que las Malvinas ya habían sido invadidas: a principios de 1833, el navío de Su Majestad, Clío, había arribado a Puerto Luis (Egmont para los británicos), intimando al capitán de la Sarandí —que acababa de sofocar un motín en la penitenciaría local— a que arriara la bandera argentina y entregara el territorio. Pinedo protestó, pero comprendiendo la inutilidad de un enfrentamiento tan desproporcionado, puso proa a Buenos Aires dejando las islas en poder de la Corona.

Meses después, al llegar Luz y Harrison al Río de la Plata —los niños habían quedado en Cardiff—, la situación seguía siendo confusa.

En Londres, Manuel Moreno presentó sus quejas, pero Gran Bretaña se atuvo a los argumentos anteriormente expuestos sobre sus derechos a las Islas, derechos que los Estados Unidos de América avalaron.

A principios de invierno, se extendió por Buenos Aires el rumor de que el gobernador Balcarce retiraría a sus delegados de la Corte de Saint James, obligando así a sus pares británicos a abandonar la Argentina.

Esto motivó enorme inquietud entre la colonia británica, pues al faltar la cobertura diplomática, los asentamientos anglosajones no esperaban que las autoridades argentinas pusieran empeño en protegerlos de las represalias populares.

Como el periódico El Monitor daba los rumores por ciertos, Olivier, Harrison y otros compatriotas presionaron al Encargado de Negocios británico para que obtuviera de Maza —ministro del gobernador— la verdad. Éste les aseguró que no tenía intención de convertir el conflicto por las Islas en controversia fundamental entre ambos países.

En verdad, Balcarce tenía graves problemas para, con una Marina inexistente, intentar la recuperación de los lejanos territorios: estaba en ciernes la Revolución de los Restauradores.

35. LA SANTA O LA HECHICERA

"Es interesante seguir la evolución de la exportación lanera, que pasa de 33.500 arrobas a $1.- la arroba, a 165.000 arrobas a $2.- durante el período de 1825-1837."

Adolfo Dorfman
Historia de la industria argentina

BUENOS AIRES
PRIMAVERA DE 1833

En la primera mitad del siglo XIX, las fábricas de tejidos de lanas, en Inglaterra, incrementaron de tal forma la demanda de este producto que, por más que se llegó a expulsar campesinos para dedicar las tierras que ocupaban a la cría de ovinos, la producción no alcanzó a cubrir el consumo fabril. Esto llevó al gobierno de Gran Bretaña a suprimir casi por entero el pago de derechos de importación sobre la lana en bruto; se convirtió, entonces, en un buen negocio —especialmente para los ingleses— criar majadas en el Río de la Plata.

Como los Harrison prosperaban con este beneficio, Brian iba y venía de la estancia; dada la frialdad existente entre él y Luz, aquellos viajes le servían de alivio. Pero la joven, hábil por instinto más que por cálculo, sabía que no era con recriminaciones o desplantes que demolería tanta flema británica, sino con ambigüedades. A poco de arribar, puso llave a la puerta entre sus dormitorios. Esa noche sintió moverse el picaporte y esperó, intrigada, pero nada sucedió. A la mañana siguiente, Harrison dijo "Buenos días" y "Pásame la mermelada, por favor", desplegando el *British Packet* —el periódico de la comunidad británica en Buenos Aires— ante la cara de su esposa. "No importa", pensó Luz; "puedo esperar".

A principios de primavera, como había comenzado la selección de animales para la esquila, él le advirtió que iba a permanecer un tiempo más prolongado en el campo. Luz comprendió que era una velada insinuación para que lo acompañara a la estancia, así que simuló pensarlo y terminó preguntándole si quería que sirvieran el té. Harrison dijo que sí con hastiada resignación.

Aquella noche, Luz se contempló en el espejo de su dormitorio, satisfecha: un año de descanso le había devuelto la lozanía y hombres de todas nacionalidades se le acercaban en cuanto entraba en un salón o paseaba por el Jardín Inglés.

Desarmando su peinado, segura de haber amurallado su corazón, se dijo: "Que se vaya solo; ¡feliz aburrimiento!" y se atrincheró en el recuerdo de las indignas noches en que él le había hecho el amor en silencio… Especialmente irreductible al recordar que la había separado de sus hermanos.

… Todavía dormía con el reloj de Indarte bajo la almohada, a modo de fantasmal adulterio.

Un día, después de ausentarse su esposo, Luz recibió una carta sin remitente y con la "z" de su nombre cambiada por una "s"; escrita en inglés y sin firma. Decía que Harrison se citaba en el "farm"… con su amante.

Tuvo que sentarse a releerla, pues manos y piernas le temblaban. Al fin la sepultó en el bolsillo de su traje de mañana y se dedicó por horas a la jardinería, quehacer al que había tomado gusto en Cardiff, con Edith.

De vez en cuando, consternada por la revelación, levantaba la vista y miraba el ancho brazo del río que se deslizaba al pie de las barrancas sobre las que daba el jardín de atrás de la propiedad. Al atardecer, con el flujo de la marea, entrarían algunos barcos de poco calado buscando refugio, que abandonarían con la bajante, al amanecer.

¡Harrison, amante!, no podía dejar de repetirse y escarbaba y cortaba y apretaba sin ser consciente de lo que hacía.

Con el paso de las horas fue ganándola un creciente enojo y a la hora de la cena se negó a probar bocado, preocupando a Gracia, que insistía:

—Pero alguito, niña, aunque fuera…

—No puedo… estoy nerviosa, no sé qué tengo…

—¿No será que está…? —risueña, la morena se palpó el vientre.

—No, a menos que sea María Santísima —negó, desconcertándola.

Y atónita ante síntomas que suponía desterrados a un remoto pasado emocional, se acostó vestida.

¡Harrison, amante!, volvió a repetirse. ¡No quería imaginar qué aspecto tendría su "partner"!

Cerca del alba, odiosa, molesta y aún insomne, distinguió sobre los vidrios de la ventana las arboladuras de los barcos —como un bosque sin hojas— y el reflejo de las llamas de los candelabros —que seguían encendidos— danzaban alrededor de los distantes mástiles en un espejismo de inquietante belleza.

Cerró los ojos y evocó todas las tragedias vividas; tan increíbles hechos, pensó, burlona, merecían pertenecer a los relatos de Harrison: un hada cambió el filtro, equivocó el conjuro, enredando así el destino de ella y de la patria. ¡Muerte y escombros heredarían a cambio!

Pero en el mismo momento en que iba a anegarse en un pantano de autocompasión, una especie de energía la rescató del pozo de recuerdos.

Sin pensarlo dos veces, se levantó y se dirigió al cuarto de Gracia, despertándola. —Levántate; me cebas unos mates y nos vamos a la estancia.

Apenas clareaba cuando mandó por el administrador de la firma, que se presentó sospechando una nueva locura de la señora.

—No es prudente, *madame* —intentó disuadirla el escocés después de haberla escuchado—. Usted sabe, con el juicio que se está llevando a cabo sobre ese pasquín, *El Restaurador de las Leyes*, los campesinos se movilizan en la creencia de que se juzgará a don Juan Manuel de Rosas. Puede ser peligroso encontrarlos en el camino.

—Entonces, Administrador, consígame escolta. He recibido noticias impostergables y debo comunicarlas a Mr. Harrison.

—*Madame*, yo iré y usted se evitará...

—Murray —aclaró ella con agresiva llaneza—: a media mañana, con la ayuda de usted o sin ella, saldré para la estancia.

El hombre, espantado, le aseguró su colaboración. Luz, entre tanto, mandó a la pulpería cercana por varios metros de cinta punzó, artículo muy reclamado por aquellos días.

Al atravesar la ciudad con el coche, vieron los cartelones convocando al pueblo en defensa del Restaurador y, frente a ellos, hombres de expresiones hoscas; no se veían mujeres en la calle.

Cuando salieron al descampado, el mayoral apuró los caballos. Gracia se amodorró, pero Luz, envuelta en la capa de esclavina, la barbilla en el puño enguantado —y sombrero, que era lo que a Harrison le gustaba ver sobre su cabeza—, quedó pensando en la identidad de su rival.

A la estancia, rememoró, iba un reducido grupo de amigos, casi todos británicos. Y como ella suponía que Harrison no daría que hablar delante de don Ceferino o de Mariano Ezcurra, la arpía debía pertenecer a la comunidad anglosajona. Pero… ¿¡quién!?

No imaginaba a tales damas escondiendo su "affaire" en la pampa: esas señoras eran irredentamente dignas, aun en sus flaquezas.

Súbitamente recordó a una irlandesa emparentada con los Towers y con alguien de la firma Sheridan, Harrat y Whitefield, la envidia de Harrison. Había oído comentarios insidiosos: decían que desaparecía por semanas sin que se supiera dónde paraba, aunque era creencia general que se dedicaba a cazar a alguno de los socios, no recordaba a cuál.

Venía esta mujer de algún escándalo, acompañada de su madre —una anciana respetable que parecía una miniatura del siglo XVIII—, que bregaba por recomponer la reputación de su hija. Ésta debía tener treinta años, era más alta que Brian, de rostro anguloso y mirada directa y burlona. Y sí, Luz las había visto —a ella y a su madre— varias veces en un aparte con Harrison. Quizás el muy zopenco, al no poder superar a aquellos magnates ovejeros, había creído compensatorio acostarse con semejante mujer. Una irlandesa era otra cosa, pensó; los celtas en general se le antojaban tan anárquicos como los argentinos, pero mucho más irrespetuosos de las convenciones, tan rígidamente guardadas por los ingleses.

Con la casi certeza de tener ubicada a su enemiga, pasó a imaginar el disgusto de Harrison al verla aparecer. ¡Pobre Brian!, suspiró con ácida piedad mientras bajaba el velo del sombrero para protegerse del polvo.

Sorprendido en delito carnal, él, el puritano mayor del Reino Unido y del Río de la Plata. Si hubiera divorcio, podría armar un escandalete que incidiera en la imagen pública y en los negocios de su marido. Sin embargo, al ser católica, sólo le cabía resignarse en silencio.

Jugó con la idea de coquetear con Harrat (o Sheridan, o Whitefield); ¿qué haría el muy hipócrita de Brian en tal caso?

Bien; si se mostraba intratable, ya conocía el remedio.

Llegaron al atardecer, después de cruzarse con partidas de gauchos vestidos con chiripás o ponchos colorados, la divisa federal orgullosamente prendida en sus altos sombreros; vivaban a Rosas y a la Santa Federación; como la escolta de Luz respondió en el mismo tono y la sopanda iba adornada con grandes moños rojos, no los molestaron.

Al entrar en el patio de la estancia, nadie salió a recibirlos, salvo la jauría de Harrison, que enseguida reconoció al mayoral. Lejos, la remezón de la marea latía sobre los arrecifes del bajo.

—Este lugar da chucho, niña —bostezó Gracia.

284

Luz se estremeció ante la inmutable pradera; le volvió la espalda y contempló la construcción remodelada: la casa iba quedando espléndida, aunque faltaba que el jardín y los árboles le prestaran la dignidad que sólo daba el paso del tiempo.

—Bonita es —reconoció la morena, admirando los canteros, la fuente y la glorieta, incuestionablemente ingleses.

Mientras Gracia se hacía cargo de las maletas, Luz abrió la puerta principal sin llamar; adentro, oyó veces y el sonido vacilante del piano.

Comenzaba a quitarse los guantes cuando Owen, que traía más candelabros, quedó inmovilizado al verlas.

—Ayude a Gracia con mis cosas, Owen —ordenó Luz, que quería evitar que el muchacho diera aviso a Harrison, frustrando la sorpresa.

Y como el galés miró con inquietud hacia la sala grande, insistió:

—Ya, por favor. Deje esas luces y avise a Payne —era el ama de llaves de la estancia— que prepare más habitaciones.

Y mientras el muchacho obedecía, malhumorado, seguido por Gracia y sus burlas, Luz escuchó atentamente: reconoció las voces de Richard Towers y su esposa Ethel, también las de los Morton, hermano y hermana —Charles y Harriet—, ambos solterones; y por fin, "el inevitable acento de Erín", como decía Thomas. ¡Era ella, entonces! ¡La irlandesa!

Temiendo que Owen se apresurara a volver, separó los cortinados y entró en la sala sin que nadie lo notara. Ethel y Harriet estaban al piano y Richard, gordo y coloradote, intentaba hilvanar una tonada.

Junto a la chimenea encendida, Harrison y la irlandesa ocupaban el mismo sillón mientras Charles, algo apartado, entretenía a la anciana dama. La compañera de Brian, notó Luz, lo escuchaba con un interés casi estúpido —simulado, por cierto—, lo que la llevó a pensar: "Jamás me habría atrevido a injuriar así la inteligencia de él"; y el que Harrison aceptara tamaño insulto la enardeció.

El aire, mientras tanto, olía reconfortantemente a vino calentado con frutas y especias.

Cuando por fin la memoria de Richard y el piano coordinaron letra y melodía, Luz se adelantó aplaudiendo con entusiasmo.

Fue como descargar un arcabuz en misa: todos enmudecieron y se volvieron a mirarla, congelados. Harrison, con expresión de espanto, se puso de pie pisando a su compañera.

"Valió la pena el maldito viaje", se regocijó Luz, "aunque más no sea para verlo tan miserablemente confundido".

Su esposo se le acercó torpemente.

—Pero... ¡qué sorprendente! Yo... no te esperaba... es decir, ¿no dijiste que...?

—¿Qué dije? —preguntó ella con candor, levantándose el velo del sombrero para ofrecerle la mejilla.

Contrastando con el desconcierto de Harrison, Charles demostró una decidida capacidad de reacción. Se le acercó con sus modales algo floridos, le besó la mano, luego se la palmeó cordialmente y dijo:

—¡Querida, querida amiga! ¡Bienvenida sea! —y preguntó, preocupado—: ¿Pero, ¿ha viajado usted sola?

—No me atrevería, con los Colorados de don Juan Manuel de Rosas en pie de guerra. El bueno de Murray, con algo de persuasión, me cedió algunos hombres armados. Gracias, Charles —y tomó el jarrito de ponche humeante que solícitamente le ofrecía su amigo.

El primer trago le quitó el temblor y le devolvió la seguridad en sí misma. Volviéndose hacia los otros —los Towers tenían un dejo de inculpación—, preguntó:

—¿Qué es lo que se proponían, queridos míos? —refiriéndose a la tonada, pero la doble intención los consternó.

Hubo cruces de miradas y algunas toses para tapar la incomodidad, que Harrison salvó interviniendo.

—Luz, creo que no conoces a Mrs. Fitz-Alan. Señora, mi esposa, doña Luz Osorio.

—Sin traducción al inglés como nombre propio —ironizó la aludida—, y se escribe con "z" al final.

El escote de la otra se tiñó de manchas rojas, pero Harrison no lo notó, pues ya presentaba a la anciana de acento nasal.

—Hace un frío horrible, verdad, para ser primavera —dijo la señora muy predeciblemente—. Siempre creí que estas tierras eran cálidas.

Hablar del tiempo tranquilizó a los huéspedes, que se acercaron a ellos cruzando las inimitables estupideces que, en general, los ingleses reservaban para aquellos trances.

Habiendo terminado Luz su bebida, la Fitz-Alan se le acercó:

—Permítame, Mrs. Harrison; le serviré más ponche —dijo con formalidad de dueña de casa; y con aquel irremediable traspié, hizo comprender a Luz que no era de un día o dos que se daba aires de propietaria.

Harrison intervino tomando el jarrito y sirviéndole él mismo el ponche a su esposa.

En aquel momento apareció la señora Payne anunciando la cena y luego, con su modo seco pero sincero, mostró complacencia al saludar a la señora de la casa, como si desaprobara —y Luz no dudaba de su sinceridad— aquellas reuniones en ausencia de ella.

Cuando, después de concederle tiempo para que se cambiara, tomaron asiento alrededor de la mesa, Luz cedió su puesto natural —para incomodidad de todos y disgusto de Brian— a la Fitz-Alan, insistiendo en sentarse al lado de su esposo.

En un murmullo disimulado entre el ruido de las fuentes y de los cubiertos, le endilgó entonces con desdén:

—Veo que, como expresa Walter Scott, la franqueza te resulta una flauta de dos notas y prefieres todo el teclado de la hipocresía.

—No sé de qué hablas —contestó él con la más genuina expresión de inocencia que pudo rescatar.

Sentada ante el tocador de su cuarto, mientras se cepillaba con furia la cabellera, Luz se preguntaba quién era ella. ¿La manceba de un indio, la cuartelera de un soldado, la esposa de un inglés adinerado? ¿O la hija proscripta, la hermana tiránica, la santa, el demonio, el ángel o la hechicera en que la habían convertido cada uno de los que la trataron?

Se estaba trenzando el pelo para acostarse cuando llamaron a la puerta: era Harrison, que no intentó pasar del umbral.

—Quería saber si todo estaba a tu gusto; como no te esperaba…

—Todo está bien; Payne es muy competente.

Se hizo un breve silencio y al fin él preguntó con más curiosidad que irritación: —¿Qué te decidió a venir?

Luz fue por el anónimo y se lo entregó; Harrison lo ojeó con dificultad —no calzaba los lentes—, pero se le escapó un gesto de desagrado.

—Buenas noches; que descanses —y entró en su habitación, pegada a la de ella.

Luz terminó de cambiarse sintiendo crecer el encono; era denigrante comprobar que aquel tonto aún le importaba. Más que las pretensiones de la Fitz-Alan, la enfurecía tener que competir por un hombre.

No lo haría, era indigno; regresaría a Córdoba después de buscar a Ana, Carlitos y Simón. Vivirían al amparo de Severa, única persona que jamás la había decepcionado.

Apagó la vela al acostarse y ahogó un sollozo en la almohada, sin aceptar que lo que sentía provenía más de su corazón herido que de su vanidad lastimada.

Harrison buscó las gafas y estudió la nota.

¡Increíble! No hubiera supuesto a Maureen capaz de aquello —era, evidentemente, letra de ella—. Seguramente quiso precipitar las cosas, ya que su madre insistía en regresar a su añorado Kilkenny.

Molesto con ella, con Luz y consigo mismo, se metió en la cama y apagó la lámpara. Al rato le pareció oír a Luz llorando y tuvo que hacer un esfuerzo para no acudir a consolarla. ¡Vaya papel que haría si ella había estornudado y él se presentaba en camisa de dormir! Eso, suponiendo que la puerta común estuviera sin traba...

Muy tarde, en ese instante incierto entre el sueño y la vigilia, recordó vívidamente aquel amanecer en que llegó a Córdoba, antes del desastre.

Quizá por eso fue que soñó que se encontraba al borde de un inmenso trigal y que veía venir a su esposa hacia él, vestida de blanco, con los cabellos sueltos y coronada de flores azules. Despertó cuando iban a abrazarse; tenía el rostro mojado de lágrimas.

A la mañana siguiente, cuando se presentó a desayunar, descubrió que Luz había salido a cabalgar con sus dos amigos, así que tuvo que compartir la mesa con las mujeres. No le gustaba, se sinceró; no sabía cómo había llegado a enredarse con Maureen, que exhibía a aquella hora temprana su malhumor, no al modo de Luz —emocional y efímero— sino más bien con una pesadez germánica.

¿Qué había supuesto esta mujer cuando mandó la nota a Luz? Evidentemente, no que la joven se presentaría allí.

—... pensé en cordero con salsa de menta y papas chic, pero Mrs. Harrison ha dispuesto un potaje nacional —se quejaba ahora, revolviendo el cadáver helado de un huevo pasado por agua cuya sola vista lo descomponía.

—Locro; a Charles le encanta y anoche logré convencerla —acotó Harriet—; anduvieron por la cocina poniendo el grano en agua como chicos conspiradores.

"¿Cuándo fue eso, que no me enteré?", parpadeó Harrison, aunque se guardó de manifestarlo.

Después de un trabajoso intervalo —el humor de Maureen no ayudaba y el hermetismo de Harrison inhibía a las otras—, las señoras decidieron dar un paseo hasta los discretos acantilados.

A pesar de la insistencia de su madre, Maureen se negó a acompañarlas y Harrison, disgustado por su imprudencia, murmuró una excusa y la dejó sola, saliendo a examinar las obras del jardinero escocés.

Por fin, como las buenas maneras se imponían y además regresaban los jinetes, volvió a la sala. La vigilia le había devuelto los interrogantes: ¿Cuál era el verdadero motivo de la presencia de Luz en la estancia? ¿Sería una maniobra para romper el vínculo matrimonial con el pretexto del adulterio? Por suerte, no los había encontrado solos.

Con satisfacción, se dijo que ahora era inevitable que hablaran, forzando el laberinto en el que se habían extraviado.

Atrincherado de cara a la ventana, suspiró de alivio al ver los caballos deteniéndose en la fuente, pues Maureen parecía a punto de hacer planteos desatinados. Vio a Luz desmontar ayudada por un solícito Charles (¿pretendería darle celos con aquel tonto?). En verdad, lucía animada y vestía el más bonito traje de amazona de los que habían comprado en Londres. Llevaba la cabellera alborotada, sostenida con torzadas, y la montera en un ángulo impertinente.

La vieja ansiedad de poseer su cuerpo y su alma, mantenida a raya el último año, volvió a apoderarse de él.

Oyó a sus espaldas a Maureen decir en tono despectivo (indudablemente se había perdido el resto de la perorata): —... y temo, querido amigo, que usted se ha adaptado demasiado a este pueblo de salvajes.

Con la sonrisa asimétrica de cuando estaba irritado, le contestó burlonamente: —Querida, me recuerda usted a una inglesa hablando de los irlandeses.

La oyó contener el aliento, pero Charles interrumpió cualquier comentario al entrar de muy buen humor.

—¡Estimulante paseo, viejo! Y vuelvo a felicitarte, ya que tu esposa tiene el más delicioso carácter de ambas costas del Atlántico. ¡Hombre afortunado!

Aquello fue demasiado para Maureen, que se retiró hacia la chimenea y se dedicó a admirar algunas piezas de la vajilla Wedgwood que Harrison había acomodado en la repisa, esperanzado en que alguna vez Luz lo acompañara y recordara los días en que la compraron.

También él, aceptando sin un gesto los elogios de Morton, dejó vagar los ojos por la porcelana que tanto había entusiasmado a Luz en aquella temporada maravillosa que pasaron con Thomas y Edith en el Valle del Trent.

Y entonces, vaya a saber por qué alquimia de sus sentimientos, se desataron los nudos gordianos de su razón y comprendió que, infiel, amoral, virtuosa o desconsiderada, amaría a Luz por el resto de sus días. El alivio —barriendo con todas sus dudas— lo inundó como una lluvia balsámica.

—Es una pena que piense irse mañana —decía su amigo, dejando fusta y sombrero sobre la mesilla—. Podríamos haber organizado algo en casa...

—Oh, no la dejaré ir —lo interrumpió él—; se siente muy sola sin sus hermanos y yo, con tanto trabajo, la he descuidado un poco.

El ruido de la porcelana estrellándose los obligó a volverse.

—Lo... lo lamento —se sonrojó la culpable—; no sé cómo...

Contrariando sus instintos, Harrison se agachó a recoger los pedazos para que Luz no los viera, pero ella y Towers entraron en aquel momento.

Luz, que decía algo a su compañero, se interrumpió al ver a Harrison acuclillado.

—Por Santa Rita, abogada de los imposibles; jamás pensé verte postrado ante ninguna mujer, Brian —dijo en castellano y dirigiéndose en inglés a la invitada—: Felicitaciones, *madame*. Puede usted jactarse de tener un león rendido a sus pies.

El león se incorporó rojo de enfado, pero ella no había acabado con él.

—¿Qué ocultas con tantos melindres? —se burló—. ¿Será un pañolito, como ofrenda a tu ardiente corazón?

—No —contestó furioso—; es la jarrita Wedgwood que se ha roto.

Luz palideció y ambos se miraron como reconociéndose en el mismo crimen.

—Debiste ser más cuidadoso, puesto que sabes cuánto... a pesar de... ¡oh, maldición, no puedes decir que ignoras cuánto quiero a ese juego, Harrison! —y abandonó la sala con un coletazo del vestido que arrastró la pequeña mesa con miniaturas, además de una silla francesa que había pertenecido a la madre de él.

Maureen se mostró muy turbada, pero él se quedó considerando, con satisfacción, que era auspicioso que Luz lo hubiera llamado por su apellido: siempre lo llamaba por su nombre cuando se mostraba inaccesible.

—Perdón —se decidió—; iré a calmarla. Ya sabéis cuán desmesuradas son estas pequeñeces para las mujeres.

Llegó al dormitorio convencido de que forzosamente tendrían una explicación, una riña o lo que fuere, pero encontró a su esposa haciendo las maletas.

—He ordenado el coche; me voy.

—Vamos, ¡actúa con sensatez! Los invitados se irán después de almorzar y entonces podremos hablar con tranquilidad.

—Es inútil, Brian —lo cortó ella mientras amontonaba cosas sobre la cama—. Lo que debimos decirnos… no nos lo diremos nunca.

Determinado a que no saldrían de allí sin haberse entendido, Harrison puso llave a la puerta disimuladamente, retirándola de la cerradura.

Luz tironeaba de la montera, olvidando quitar el alfiler que la sujetaba a su peinado.

—Espera —la liberó él, clavando el pincho en la almohadilla—. Mi caballerosidad debería imponerse, pero estoy harto de malentendidos. No fui yo quien rompió…

—¡Preferiría que hubieras sido tú y no esa… esa mujer imposible! —gritó ella enfrentándolo con furia.

—¡Por un infierno, Luz! —estalló él, dando un puñetazo sobre la cómoda—. ¿Qué demonios nos ha pasado?

Ella observó las chucherías desparramadas y se rehizo de inmediato.

—Rehúso darle nombre. Tendría que usar palabras obscenas y no pienso perder los estribos cuando necesito toda la montura —y mirándolo a la cara, apoyada en la columna de la cama—: Puedes gritar "¡albricias!", porque te dejo el campo libre para que retoces con tu vaca. Quiero divorciarme.

Él metió las manos en los bolsillos del pantalón con ademán displicente.

—Pero eso es imposible, Luz —le comunicó—. Estamos casados según tu credo, no el mío.

—Pero… tú dijiste, cuando nos comprometimos…

—¡Ah!, entonces confiaba en que nunca me lo pedirías.

Por un momento creyó que Luz se le echaría encima y la posibilidad de un forcejeo le pareció excitante. Y entonces, como leyéndole el pensamiento, ella se obligó a serenarse.

—Sinceramente, Harrison; estoy admirada de tu cinismo —y con ademán de armarse de paciencia—: Está bien. Iremos a Inglaterra, nos casaremos como sea preciso y pondremos fin a este… esta…

Incapaz de encontrar adjetivos, calló.

—Bien —dijo él—. Y luego, ¿qué harás?

—Me iré a Córdoba con los chicos. Y no recibiré de ti ni para alfileres, así tenga que trabajar de… —al ver la sonrisa de él y reconociendo su incapacidad manual, especificó—: … de maestra.

—Soy tutor de los niños y no renunciaré a ello.

—¿Que no renunciarás? Vaya, ¿crees que eso es algo así como la Orden de la Jarretera, un privilegio o qué sé yo qué?

—Esos niños me son muy queridos; y como ante la ley...

—¡No te dirijas a mí en inglés! —lo señaló ella con la fusta que había manoteado de la banqueta.

—... y como ante las leyes argentinas y la Iglesia Católica siempre —acentuó, hablando en español— seré tu esposo, ellos continuarán bajo mi tutela.

—Pero... ¡no es justo!

—Tienes razón, pero es legal —dijo él ganando en seguridad—. Y me ampara tanto la jurisprudencia de tu país como la del mío.

—¡Misericordia! —clamó Luz al cielo—. ¡Y todo por casarme contigo!

—Consuélate; la Providencia recompensa de muy extrañas formas.

Esta vez la fusta se disparó hacia su rostro, pero él, prevenido, le aferró la muñeca a tiempo.

—Suéltame —exigió ella.

Harrison le quitó el latiguillo arrojándolo lejos. Luz tironeó, intentando desasirse.

—Maldito gringo —lo insultó—. No sé qué es lo que más me indigna de ti, si tu inaguantable soberbia o tu asquerosa malicia.

—Rechazo lo de asqueroso, pero acepto lo demás.

Luz le mordió la mano, pero él la sujetó con ambas, así que la joven, con un esfuerzo evidente, intentó serenarse.

—No te creo capaz de separarme de mis hermanos —concedió, mirándolo a los ojos—. En realidad, eres insoportable, pero no un malvado.

—Gracias por recordarlo —y, conciliador, aflojó la presión de los dedos—. Claro que, si aceptaras rever las cosas, si quisieras acompañarme nuevamente al Valle del Trent...

Y aprovechando el desconcierto de Luz ante su inesperada claudicación, la atrajo hacia él.

—Fue la época más feliz de mi vida, Luz... si exceptuamos aquella mañana en que llegué a Córdoba a buscarte. ¿Puedes imaginarlo?, por un insensato momento, llegué a pensar que podías amarme. ¿Es que me equivoqué tanto? —y la besó en el cuello.

Turbada por el abrazo, el beso y la confesión, acalorada por la cercanía de sus cuerpos, ya sin saber cuáles eran los términos de la discusión, ella esquivó la cara.

—Está bien —cedió—; me quedaré, pero tendrás que disculparme con esa gente; no podré, de veras...

Y rompió en llanto, apoyándose en él.

—¡Oh, Harri, mejor te vas ahora! ¡Sé que odias las escenas y siento que voy a caer en una espantosa!

—En vista de lo pasado —la retuvo con firmeza—, las prefiero a tus silencios.

—Harri, ¡no me dejes! —sollozó ella—. ¡No puedo, no puedo vivir sin ti!

—¿Dejarte? Pero, si eres tú quien... si yo jamás... si nunca...

—¡Es que te quiero tanto, que voy a enfermar si me abandonas de nuevo!

—¡Pero si estoy loco por ti! ¿Cómo pudiste suponer que yo...?

Apenas tuvo tiempo de apartar las maletas y cayeron sobre la cama abrazándose, besándose y haciéndose frenéticos juramentos. Se escucharon las más increíbles explicaciones y Harrison sospechó que quizá Maureen tuviese razón y que él se iba pareciendo, insensiblemente, a aquel pueblo de dementes. Todo, sin embargo, resultaba tan satisfactorio que no pudo entender por qué las cosas se le habían dificultado tanto en el pasado. En aquellas circunstancias, los argumentos, la moderación se reducían a estorbos. Y quizá porque venía a cuento, recordó —mientras forzaba los innumerables botoncillos de la casaca de ella— algo que le había dicho una vez don Ceferino Zabala: "Vea, amigo, a las mujeres hay que alzarles la voz y si se da, también la mano. De no, le tantean a uno el culo en cuanto se distrae".

Hicieron el amor sin moderación, a medias vestidos, a medias desnudos, hasta que, indefensos, quedaron abrazados sobre el desorden de la cama.

—Mi mujer, mi locura, mi única amiga —enumeró Harrison cuando recuperó el aliento.

Entre burlona y sentida, ella le retribuyó:

—Mi esposo, mi amparo, mi único amor.

Manteniéndola abrazada, él recordó:

—Una vez dijiste que podíamos hacernos razonablemente felices. Como soy ambicioso, no me conformé. Pero debes saber ahora que, dentro de mis expectativas, me has hecho razonablemente desdichado... y mucho más feliz de lo que imaginé.

—Harri —y cuando él se prestaba a oír alguna deliciosa confesión, Luz le echó la cabeza hacia atrás tomándolo de los cabellos—: De verdad, pero de verdad, Harri: ¿te gusta realmente ese granadero con faldas, o la cortejaste para molestar a Sheridan, Harrat o Whitefield?

36. SI MI AMADO ME ESPERA

"Pero sólo él sabía que aquel lindísimo y moreno rostro le traía
el recuerdo dulce y lejano de otra mulatita muy bella que amó
en su primera juventud."

Héctor Pedro Blomberg
La mulata del Restaurador

CÓRDOBA
PRIMAVERA DE 1833

Nombre de Dios entró en el cuarto de Calandria, que estaba recostada después de una siesta de lavado.

—Cala, te busca un hombre —susurró—; es alto, lindón y parece milico. Preguntó por la niña y cuanti le dije que ya no vivía acá, pidió por vos o por Severa.

—¿Será posible? —se levantó la morena, sospechando la identidad del visitante; y mientras atravesaban los patios, inquirió—: ¿Y dónde me lo has dejado?

—Afuera, pues; no me atreví a darle paso.

Alisándose el pelo cortísimo, la mulata corrió hacia el zaguán. Al abrir la puerta, dio con Indarte y una sonrisa campeó entre los dos.

—¡Pero veanló a mi capitán! —palmoteó; y haciéndole una cortesía, le indicó que pasara—. ¡Dichosos los ojos!

Gaspar vestía de civil, a lo criollo, y se lo notaba saludable. Lo acompañaba un peoncito que se hizo cargo del caballo.

Mientras él se descubría la cabeza al trasponer el umbral, terciando el poncho sobre el hombro, ella señaló el poyo.

—¿Y qué anda haciendo por Córdoba, si lo puede confesar? —preguntó cuando tomaron asiento.

—Visitando parientes, ya que estoy de licencia de la Campaña —se refería a la Campaña del Desierto, emprendida contra las tribus del sur del país—. Y trayendo un mensaje para usted... de alguien que no la pue-

294

de olvidar —pero al verla retraerse ante lo que tomara por insinuación, se apresuró a aclarar—: De Fernando, moza; ¿de quién si no?

Calandria se recostó en la pared, la mano sobre el pecho. Desde el aljibe, la morenita los observaba, intrigada.

—Usted me quiere matar, capitán —le reprochó ella, apantallándose el rostro con la mano— ¿Y de dónde me lo conoce al forajido?

—En Tucumán. Por allá andaba el loco, con la gente de Quiroga. En fin, nos hicimos amigos y como él no puede entrar en Córdoba, me ha mandado de emisario.

Calandria se puso de pie, tironeándole el brazo.

—Venga, que le cebo unos mates mientras me cuenta —ofreció; y al pasar junto a la chinita—: Avisale a Seve que tiene visita, pero que no te oigan las "quías". —Y preguntó al militar—: ¿Y qué pretende el Payo, ah?, ¿que le mande una pestaña de recuerdo?

Él miraba con admiración la casa y el jacarandá florecido. Cuando trasponían el último cancel, respondió pausadamente:

—Dice el amigo que consiguió un ranchito… que si usted gusta…

Ella dio un traspié por la sorpresa y al entrar en la cocina se sentó, temblorosa, el rostro entre las manos. Indarte dejó el poncho y el sombrero y miró, afligido, a la muchacha. Volteó una silla y se sentó a horcajadas; apoyó los brazos sobre el respaldo y le recriminó afectuosamente:

—Yo ¡creyendo que la haría dichosa!

—Y eso ¿con qué se come? —balbuceó ella, secándose las lágrimas.

—¿Acaso no es libre?

—¡Claro que soy! —exclamó—. Luz me dio el papel antes de irse.

Y la sospecha de que el mozo había tenido algo con Luz la hizo olvidar su emoción.

—Usted vino a verla, ¿no?

—Tenía la ilusión. Traigo una carta de Fernando para ella y otra para el comandante Farrell. Pero ya veo; su marido apareció al fin.

—Sí, se llevó también a los chicos y a Gracia.

—A Buenos Aires, supongo.

—Los chicos están en… en… ¡qué sé yo cómo se llama la patria esa del gringo!

—¿Inglaterra? —se sobresaltó Indarte—. ¿Y doña Luz?

—Ya la va a dejar tan lejos —se burló la joven, quebrando el pulgar—. No, a ella la tiene con él, en Buenos Aires. Luz nos escribió hace poco. Se me hace que han tenido una pelotera por los chicos; no son cosas que Luchi aguante sin roncear. ¡Pero qué le va a hacer!, el muy hereje se salió con la suya. Es malo como un alacrán. —Con una nota de duda, la morena agregó—: Aunque dice el comandante que mejor están allá; que en Buenos Aires no se puede vivir.

—Pero ésta es nuestra tierra, caramba —protestó el joven—; si todos nos marchamos…

La figura de Severa ocupó el vano de la puerta y las expresiones de contento volvieron a prodigarse. Calandria recibió un coscorrón por no haber comenzado el mate; y mientras la morena se afanaba en los preparativos, la negra y el capitán se despacharon a gusto. Al rato, circulando el mate con cedrón, destaparon un pan y unas morcillas, de las famosas de la mulata.

Indarte preguntó como al pasar:

—Y doña Luz ¿será feliz?

—A cada cual su destino —sentenció Severa—. Pero, ¡qué quiere!, se me rompen las carnes pensando en esos chicos, tan lejos y sin familia al lado. ¿Y cómo me lo tratarán al Simón los gringos, ah? No que mucho les gustamos los morenos a ellos, ¿eh?

Lo que pensaba Gaspar se lo tragó, pero una sombra le oscureció la frente. Después de un silencio, volvió sobre el tema de su misión.

—¿Y, buenamoza? ¿Se atreve a venirse conmigo?

—Ya me estoy yendo —se atolondró la muchacha, sacándose el delantal—. Solamente que alzo un atadito.

—¡Y no te olvidés del Santo Pilato que tenés en penitencia en el pozo! —bromeó Severa.

—Sería mejor marchar cuanto antes. El tirón hasta San Roque es largo.

—¿Que no vamos al sur, entón? —se inquietó la mulata.

—Es que el Payo anda ahora con el Chacho Peñaloza, que es buena gente. Así que después rumbearemos para Santo Domingo, en La Rioja.

—Ésa es otra tierra —protestó la joven—. No me gustan los riojanos… Sobre que vinieron a invadirnos…

—Mire, amiga; mientras acá manden los Reynafé, ya sabe: el Payo debe mantenerse lejos. Y al sur, ni pensarlo, después de la insurrección de Del Castillo en Río Cuarto.

—Verdades —lo apoyó Severa—. No sea que quieran colgarle también ese sambenito al Fernando, como han hecho con otros.

—Entonces, a lo que diga Dios —se resignó Calandria y miró a Severa con ojos implorantes.

—Andá, que yo me encargo de taparte —la empujó su madrina—; vamos, ¿que no sabés ser libre vos?

296

—Cuesta, doña.

Cuando la morena salió, Indarte explicó a la negra:

—La casita es modesta, pero la estamos mejorando; tiene nogales, un campito y con dos o tres vacas y una majada, se arreglarán.

—¡Si es para reírse! Nunca pensé ver a un Osorio viviendo de dos mamones —y pensando en el pasado, lo miró de reojo—. ¿Sabe?, a esa chinita la recogí de los Seráficos —es San Francisco, pues—. Venía envuelta en una preciosura de mantilla. Siempre sospeché que era… no quiero pensar que hija de una niña de familia, pero quizá de un mocito adinerado. Don Carlos me permitió tenerla, como al Simón. ¿Sabe dónde lo hallamos al chico? Atadito al palenque de atrás; no tenía ni año. Y le pusimos Simón por el negro viejo, pues siempre lo embromábamos al pobre con que el chiquitín era fruto de sus zafadurías en el Abrojal…

Con los ojos nublados, murmuró:

—¡Cómo nos vamos yendo! Al fin, solamente esta reina va a quedar para semilla —se tocó el pecho garbosamente—. Y vea, eso me mandaba el patrón viejo: "Usted, negraza, se me queda ahí, no se venga abajo la casa en de no, ¿estamos?". Y la señora Adelaida, mismito. Ella no se fiaba de las Núñez del Prado, que por algo son primas de las Villalba. Y todavía me comisiona esa mujer: "Confío en que cuidarás del solar, Severita, hasta que no quede teja sobre piedra". Y yo, por darle gusto, le digo: "Confíe, señora; ni muerta me salgo". —Hizo una pausa y admitió—: Por eso no me fui con la Lucita, ¿ve?

Tocado, Indarte le tomó la mano.

—Vamos, amiga, que no son horas de tristezas. Todo saldrá bien.

En aquel momento entró Calandria.

—No tengo caballo —anunció, afligida.

—No se preocupe, que ya apalabré remuda en lo de mis tíos —y recogiendo poncho y sombrero, la tranquilizó—: Le dejo mi matungo, que está descansado. ¿Qué le parece si nos juntamos en el Calicanto, donde levantan la horca, así no llamamos la atención? Por ahí rumbeamos derechito para Punilla.

—Sea. No me han de espantar ajusticiados si mi amor me espera.

Cuando el capitán se marchó, entre ella y Severa juntaron las modestas pertenencias.

—¿La llevaré? —dudó la joven, levantando la cadenita de oro con el Corazón de Jesús—; algún desalmado podría pensar que me la he robado.

—Hacé como Luz, llevala escondida, que fue para un apuro que te la dio ella.

—Cierto —y riendo nerviosamente, se tapó la cara—. Es difícil sentirse libre.

—Vaya aprendiendo, m'ijita. Y llevate el poncho puyo, el que me regaló el patrón para mi negro.

—Eso no.

—... son frías las sierras. Ya me conseguiré otro. Vamos, ¡si el Pantaleón te quería como a hija!

Llorando, se abrazaron largamente.

Más tarde, ya sentada de costado en el apero, la muchacha preguntó:

—Madrina, ¿él la quiere, no es cierto?

—Hubiera sido lindo marido para Luz, siempre lo dije. Qué distinto, ¿no? Si en vez de... ¡Bah, para qué soñar! Y andate antes de que te junen; ya van a empezar a regar las veredas. Y no comás, ni comprés ni tomés agua hasta que salgan de la ciudad, ¿entendés? Acordate que hay viruelas.

—Che Comandante —Camargo asomó la carota guaraní al despacho de Farrell—, ahí está la doña de don Carlos.

El advertido dejó la pluma y las *Memorias de la Guerra con Brasil* que venía escribiendo desde el año 29.

—Hacela pasar, hombre.

Severa, majestuosa en su pulcritud, entró en el cuarto.

—Siéntese, siéntese —la instó don Eduardo—. ¿Qué la trae por casa? Ella rebuscó en el escote y le tendió un papel lacrado.

—Me lo dejaron para usted, patrón.

Farrell rompió la cera con un estilete y desdobló la carta. Leyó detenidamente y al concluir, dudó en destruirla para terminar por disimularla entre sus papeles. Luego se frotó los párpados vigorosamente.

—¿Calandria es liberta?

—Sí, señor. Lucita le dio el papel y le dijo que lo cuidara mucho. El gring... su marido y don Prudencio estaban presentes.

—O sea que nadie puede denunciar que se ha escapado.

—Yo diría que no, patrón. Y no se ha llevado nada ajeno: yo misma le armé el atadito.

—¿Sabe que hay otra carta... para Luz?

—Así me dijeron, sí.

Farrell fue hasta la ventana que daba a la calle y se recostó contra el marco, mirando afuera, pensativo.

Apenada, Severa intuyó que debía estar recordando cosas pasadas. Nadie hablaba ya de eso, pero los viejos servidores tenían larga memoria: también él —como el Payo— en sus no muy lejanos años mozos, se había enamorado de una cuarterona de la casa paterna.

La muchacha quedó gruesa y él la escondió en una quintita por el Bajo de Galán, donde tuvo a su hijo y vivió, decían que recatadamente, varios años. Y aunque él no le hacía faltar nada, cultivaba la huerta, criaba gallinas y continuaba con el telar.

Por esa época, Farrell se había enrolado en el ejército de San Martín, donde José María Paz, su amigo, ya era teniente. En una de sus licencias, los padres lo habían presionado para que se casara con Mercedes Villalba, amenazándolo con usar el poder eclesiástico y de justicia para expulsar a la morena de la ciudad.

Farrell cedió, pero continuó viendo a la joven y a su hijo como si nada hubiera cambiado. Los padres confiaban en que un heredero legítimo acabaría con aquello, pero doña Mercedes no pudo concebir.

Y vuelto él a la guerra, se desató una epidemia de tifus —como ahora la había de viruelas— que se llevó a la muchacha y al hijito a un tiempo.

Cuando él regresó con licencia —por la herida de la pierna— y se enteró de sus pérdidas, casi enloqueció. Se encerró en aquella misma pieza por días, se emborrachó a lo bruto y destruyó cuanto encontró a mano. Doña Mercedes atinó a buscar a su ahijadita —Laura Osorio—, por quien él sentía un fuerte apego. Y sólo ante el reclamo de la criatura había accedido a salir de aquel acantonamiento.

Laurita lo consoló en su media lengua, prometiéndole su cariño de por vida, cosa que venía cumpliendo: no era secreto el amor y la dedicación que guardaba ella por su padrino.

—Bien, bien —salió él de su mutismo, tironeándose la barba—. ¿Y cuándo se alzó la pícara?

—Reciencito, señor; en la casa no lo saben. Como no iba a aparecer para el rosario, mentí que estaba con un aire. Y cuando acabaron los rezos, me vine a verlo a usted.

—Bien. Bien —repitió el hombre con fuerza. Luego se sentó y jugó con la pipa de su padre: él prefería los cigarros.

—Dejaremos las cosas así hasta mañana, si puede disimular su ausencia —y ante el asentimiento de Severa, continuó—: Después veré cómo arreglo el asunto. Cualquier problema, manda por mí, que yo sabré qué hacer, ¿eh?

Se friccionó la pierna dolorida por los recuerdos y preguntó:

—¿Qué dirá Luz?

La negra, que ya se retiraba, se volvió con la mano en el picaporte.

—¿Por qué cree que le dio la libertad? —retrucó.

—Ya veo —carraspeó el Comandante, aunque sin disgusto.

El nombre de Fernando no se había pronunciado.

37. EN TERRITORIO BENDECIDO

"Rosas volvió a emplear la milicia para desplazar a su sucesor, el general Balcarce, cuando aquel hombre desdichado permitió que elementos liberales conquistaran demasiada autoridad en su gobierno."

H. S. Ferns
Gran Bretaña y Argentina en el siglo XIX

BUENOS AIRES
OCTUBRE DE 1833

Cuando Luz y Harrison regresaron de la estancia, vieron en los caminos, en los campos, multitudes de gauchos dirigidos por cabecillas locales o hacendados rosistas viajando rumbo a Buenos Aires. Se concentraban en Barracas y crecía el temor de que se lanzaran a las calles.

Las cofradías de negros, incondicionales de doña Encarnación —esposa de Rosas—, dejaban oír sus tambores todas las noches, irritando a los moderados y desvelando a los unitarios. La vida comercial se hallaba empantanada y la prensa enmudecida.

A poco de llegar a la ciudad, don Ceferino Zabala anunció visita a los Harrison: iría en compañía de su mujer y una de sus innumerables hijas; esa misma tarde, Olivier se presentó a cambiar impresiones con Harrison.

—Yo me esperaba el conflicto —aseguró éste, sirviendo las bebidas—. Era entendido que Rosas no permitiría el avance de los liberales.

—Pero Rosas está en el confín del país, en campaña contra los indios —señaló Olivier, pues se había puesto en marcha la llamada Campaña del Desierto.

—Doña Encarnación, su esposa, es su más eficaz agente: le manda partes diarios de la actividad del gobierno.

—Oh, vamos; ¡eso parece una intriga italiana! De cualquier modo, el gobernador cuenta con el Ejército Regular...

—... y Rosas con sus Milicias Gauchas; las empleó eficazmente en otras ocasiones. Las está usando ahora para socavar la posición del gobernador.

301

—Estos días he recordado el comentario que hizo Parish cuando ejecutaron a Dorrego. "La Argentina", dijo, "es un lugar desagradable y desalentador para vivir".

Y preguntó a Harrison:

—¿No te sientes tentado de volver a Inglaterra? —y como su amigo vaciló, agregó—: Entiendo. Es por tu esposa.

—No, no sabes todo —se sinceró Harrison—. Luz tiene una relación casi biológica con sus propiedades en Córdoba y con su familia. Porque a veces lo he olvidado, la he hecho desdichada. Yo… le tengo un profundo afecto. Sólo en desesperada necesidad iré contra sus más arraigados sentimientos.

Algo avergonzado de esta confesión, fue por cigarros; Olivier retrocedió, con tacto, a la política.

—El juicio a ese mal llamado periódico *El Restaurador…* ha servido de detonante, no cabe duda.

—Sí, el infundio de que iban a enjuiciar a don Juan Manuel operó eficazmente: con la muchedumbre congregada al frente de la Casa de Justicia, el Jury se abstuvo de sesionar. ¿Qué jurado se atreve a dictar sentencia con mil personas amenazándolo? —hizo una pausa mientras encendían los cigarros y continuó—: ¿Sabes que don Prudencio Rosas está movilizando el sur de la provincia? Dime, James, ¿crees que él puede ignorar que no es a su hermano a quien pretenden juzgar? ¡Bah! Todo es una maniobra. Rosas no cederá una pulgada del poder adquirido. Es más —se admiró—, después de cada crisis se las ingenia para acumular más y más poder. Ahora ha decidido que la paz vendrá a través de él o no habrá paz.

—Mirando por nuestros intereses, ¿nos conviene o no este hombre? Te lo pregunto porque en esta tierra de nadie en que se ha convertido la ciudad, con Rosas ausente y los exponentes de poder sin dirección, estoy menos capacitado que tú para moverme en algunos círculos, dada mi condición de funcionario.

—Bien, te diré que por lo que he podido sondear en ambos campos, nos conviene Rosas, sin duda. Los unitarios están más identificados con los franceses, que les están dando toda la ayuda que se pueden permitir. Por lo que he conversado con don Juan Manuel, puedo asegurarte que, con un margen de error razonable, ese hombre nos favorecerá —comercialmente— en todo lo que no sea desmedido. Políticamente es otra cosa; creo que más bien endurecerá las cosas. Y por otra parte, seamos realistas: en este momento, sólo él parece garantizar el orden. Lo que me aterra son los métodos que puede llegar a emplear para lograrlo.

—Eso no nos concierne.

—A mí sí. Mi credo es el orden público y la libertad privada, pero intuyo que este país camina hacia una tiranía despiadada. La familia de mi esposa, muchos apreciables amigos sufrirán las consecuencias. Me asusta; me desagrada. Por esa razón dejé a los niños —los hermanos de Luz, ya sabes— en Cardiff, a pesar de que ella se oponía. —Con irritación, continuó—: Si las cosas empeoran, nosotros seremos más o menos intocables, el Imperio se encargará de eso. Pero, para los argentinos, ¿qué? Para los del Interior, especialmente, la prosperidad les está negada, sean del bando que sean. ¡Si supieras lo que era el establecimiento de mi padre político! ¡Es demencial que el esfuerzo de generaciones pueda desaparecer en meses!

Dio unos pasos por la sala y apagó el cigarro.

—¿Y la educación, la cultura, la vida en sociedad? No puedo dejar de pensar qué distinto podría haber sido todo si el general Paz no hubiera caído prisionero y le hubiese sido dado el llevar adelante el plan Constituyente —y con amargura, comentó a Olivier—: ¿Sabes que hace jaulas para pájaros en la prisión? ¿Puedes imaginar a un hombre de su valía reducido a eso?

—Lo que me extraña es que aún no lo hayan eliminado.

—Es muy valioso. Sospecho que Rosas lo está ablandando para hacerle una proposición.

Alma entró a avisarles que la señora los esperaba en la sala de música. Al acercarse al gran hall circular que unía varios salones —una novedad "a la inglesa" introducida por el arquitecto británico, amigo de los Towers—, mientras caminaban por los enormes mosaicos blancos y negros que cuadriculaban el piso, Olivier prestó oídos a la melodía.

—Me recuerda a la Vieja Inglaterra.

—Sí; Luz compró algunas partituras en Londres.

Tomaron asiento, esperando que ella concluyera la pieza.

Harrison, al lado de su amigo, el brandy a mano y escuchando los aires de su tierra, se sintió bochornosamente feliz. Su mujer lo amaba, era una persona divertida y estimulante, los negocios no podían andar mejor. Las decisiones que había tomado parecían haber sido las adecuadas —al fin de cuentas, los niños, en Cardiff, escribían que se sentían muy felices—; ¿qué más podía pedir?

Una voz le susurró: "Los hijos, los hijos". Le faltaban los hijos, pero ya vendrían.

Cuando la joven retiró las manos del teclado, Olivier se acercó a saludarla.

—Toca usted maravillosamente —le concedió—, pero, ¿cuándo la oiremos cantar? Lo supremo, para un inglés, en música, son las voces humanas.

—Olivier, soy muy desentonada. Necesito un profesor de canto que eduque mi voz —y añadió—: ¿Sabe usted que una de mis tías abandonó a su prometido al pie del altar y huyó con su profesor de canto?

—¿Y fueron felices y comieron perdices? —preguntó Olivier, impávido.

—Lo ignoro. Se los tragó la tierra, aunque alguien aseguró años después haberlos visto en la corte del Brasil. Mi tía debió tener algún talento, ya que decían representaba un número artístico para el emperador.

—Extraordinario —contestó Olivier con un levantamiento de cejas—. Supongo que el galán sería italiano o francés. Son más propensos a... hm... en fin, tienen el corazón débil y la voluntad indisciplinada.

—No prejuzgue, Delegado. Y sí, era italiano. Mi padre ya había matado en duelo a un hombre por ella —era su hermana—, así que el galán sabía lo que le esperaba y esto no lo detuvo. En fin, que mis tíos rastrearon los campos desde Córdoba a la Banda Oriental, pero fue inútil.

—Imagino que pretenderían regularizar por las bendiciones lo que nosotros llamamos "matrimonio de naturaleza".

—Oh, no. Querían regresar a la perdida, pero pretendían matar al atrevido —aseguró ella.

—Antes de criticar a tu tía —se recuperó Harrison—, deberías recordar las fallas del prometido. Por lo que oí, aparte de no tener "dónde caerse muerto", como dice Farrell, era lelo y padecía del "petit mal" o como ustedes llamen por acá esa enfermedad.

—¡Harri! ¿Así que conocías tan viejo escándalo? —rió Luz—. ¡Y yo, que pretendía sorprenderte!

En aquel momento Owen anunció a don Ceferino, que entraba pisándole los talones.

—¡Ciudad de porquería! —bramaba—. ¡Tres veces nos han parado los Regulares! —se refería al ejército gubernamental.

Besó ruidosamente la mano de Luz y presentó a las mujeres que lo acompañaban: doña Rosario era robusta y de buen ver; lucía imponente peinetón que contrariaba la ley de gravedad por su tamaño y el escaso sustento en que se apoyaba: medía no menos de treinta centímetros de alto y quince de ancho. Sobre él, una mantilla de espeso encaje.

La matrona miró con evidente desencanto el peinado clásico de Luz. Era la primera vez que se encontraban y acudía allí con el propósito de saciar su curiosidad —la argentina inglesa le decían a Luz en su círculo— y además, llevada por el propósito de encontrar un pretendiente adinerado para su hija mayor. Tenía nueve por casar, aunque, gracias a Dios, algunas estaban todavía en la edad del catecismo.

Su hija, Rosario, era bonita y tímida. Tal vez por contentar al padre —furibundo rosista— o por mandato de la madre —íntima de doña Josefa Ezcurra, cuñada de Rosas—, vestía de punzó de pies a cabeza.

Como hacía calor, puertas y ventanas se abrían hacia la terraza que daba al río. Un juego de caña de la India, almohadones y unas mesitas alhajadas —es decir, cubiertas de finos manteles y servilletas bordados primorosamente por las monjas de algún empeñoso convento— esperaban a los invitados.

Doña Rosario prefirió la sala, pero los hombres salieron al fresco mientras Owen mandaba encender los faroles.

Como en el salón no había estrado —el estilo Adam no lo admitía—, la invitada sospechó que aquella casa no fuera tan de postín. Desconfiada, se arrellanó lejos de las corrientes de aire. Ella no le temía al pampero, pero las corrientes de aire...

—Así no se puede seguir —rezongaba afuera su marido con una copa de tinto en la mano—. No sé qué esperan esos leguleyos para entregar a Rosas los poderes extraordinarios...

—Ni las monarquías modernas tienen poderes tan absolutos —se exasperó Harrison.

—¿Usted duda de que él lo amerita? ¿No sabe que este pueblo solamente puede ser domado con nazarenas?

—Si alguien es capaz de hacerlo, ése es Rosas —dijo Harrison, maniobrando como un jesuita.

Luz, en la sala, llevaba adelante una trabajosa conversación.

—Esa idea de Cefe... A mí, por estas fechas, me gusta el campo. Si he de serle sincera, siempre me gusta el campo. Yo soy así, muy sencilla. Con los calores, sacamos los catres afuera y dormimos al fresco...

Tímidamente, Charito comentó:

—Es linda Buenos Aires...

—¿Y de dónde era usted, señora?

—De Córdoba, doña Rosario.

—¡Cierto! Fue donde Quiroga derrotó a ese manco maula que...

—Se equivoca —se acaloró Luz—; fue el general Paz quien...

—... en Laguna Grande o algo así. Nuestro Restaurador le hizo flor de recibimiento a Quiroga cuando vino a ofrecerle el triunfo. Nosotros fuimos al sarao, ¡mire si estaré sabiendo! —se ufanó la señora.

Y abanicándose con brío:

—Gaucho feroz el Facundo; daba miedo mirarle los ojos al riojano. Bien puesto el apelativo: con ese Tigre, la Santa Federación aplastará.

—Perdón; iré a ver si está listo el *lunch*.

—(¿Qué será eso, Charo?)

Ofuscada, Luz se adelantó a la cocina con el deseo de buscar un cuchillo pero con la intención de tranquilizarse. Gracia le salió al paso dando saltitos de contento.

—¡El mozo Achával, niña, ahicito viene! —exclamó, feliz de ver un cordobés.

—¡Qué sorpresa, José María! ¿Cuándo has llegado?

—Ayer, Luci. Y aquí me tienes, rindiéndote pleitesía. Permíteme presentarte al caballero De Bracy; amigo mío, la dueña de casa —y muy al estilo cordobés, mencionó todos los nombres y apellidos de ella—: Luz María de Osorio y Luna de Núñez del Prado de Harrison.

Tomó aliento y consultó a la joven:

—¿No molestamos, querida amiga? Vi coches afuera y dudé.

—¡Tonto, si sabes cómo espero tus visitas! Dame el brazo y cuéntame. ¿Me traes correspondencia de casa? ¿Es verdad que Jeromita está al casarse? ¿Qué saben de Edmundo? ¡El muy traidor hace meses que me tiene olvidada! ¿Y la salud de abuelita... de mi madre? ¿Y Severa, cómo está?

—Traje muchísimas cartas, Luz, pero se las di a Gracia para que las deje en tu gabinete: me deformaban el frac.

—Te ves guapísimo. Ven, pasemos y luego me cuentas. Voy a pedirte un favor: invité a una jovencita enteramente tímida; conversa con ella, ¿sí? Tenle paciencia a la madre, es una pesada. ¿Qué sucede, Owen?

—El señor y la señora Ezcurra, *madame*; y otra señorita.

—Hágalos pasar; Harrison, mira quién ha venido a visitarnos... Querido, por favor, preséntalos, que voy a recibir a... ¡Evangelina, Mariano, encantada de recibirlos!

—Mi hermana Magdalena, Luz. Recién llega de Entre Ríos. Quería que ustedes se conocieran y me tomé el atrevimiento...

—Evangelina, ha hecho usted muy bien. Aquí, doña Rosario de Zabala y su hija Charito. Y Mr. Olivier, del Servicio Exterior Británico y...

—Mucho gusto.

—Encantada.

—¿Cómo está usted?

—A sus pies, señorita.

306

—¡Qué calor!, ¿eh? ¿En Córdoba hace tanto calor, diga?

—No molesta tanto, porque allá es muy seco el clima.

—(Luz, ¿qué demonios vamos a hacer con toda esta gente?)

—(Shh, Harri; me han salvado de cometer un estropicio con esa mazorquera.)

—(¡Bueno!)

—¿El joven es funcionario del gobierno de Córdoba, Brian? ¿Es que ahora los reclutan en los baptisterios?

—Es de noble cuna, James; y muy preparado. Además, conoce al dedillo los códigos genealógicos de la provincia y eso, en Córdoba, abre muchas puertas.

—Oh.

—Dígame, joven, ¿Quiroga ha conspirado contra los Reynafé?

—No es probable, señor Zabala, pero Ruiz Huidobro sí lo ha hecho. Existe la certeza de que él es el instigador del levantamiento de Del Castillo, en Río Cuarto. En fin, el Gobierno ya acabó con eso.

—¿Ah, sí? ¿Y cómo?

—Se fusiló a ocho de sus participantes. El resto huyó.

—Bien hecho, hijo. No hay que tolerar el desorden. La letra con sangre entra.

—Ahora falta que el gobierno de Buenos Aires condene a Ruiz Huidobro, que se ha refugiado aquí. Para eso me han comisionado y contesto a usted un refrán con otro: "Ley pareja no es rigurosa".

—¿Evangelina Bermúdez? ¿Y su apellido materno? ¿Reyes? ¡Mire qué cosa!, yo fui a las monjas con una Evangelina Reyes. ¿Será su mamá? ¡Ay, cómo me gustaría verla de nuevo!

—¿Quién es ese dandy, Brian?

—No sé, James; Achával tiene predilección por los tipos raros.

—Y usted, Magdalena, ¿es casada?

—Soltera, doña Rosario.

—Hay que apurar, m'ija. Los años se vienen y por áhi… se quedan de a pie.

—Y su hija, ¿está prometida?

—Bueno, no, pero…

—¿Qué sucederá en el gobierno, Ezcurra? Háganos un pronóstico.

—Balcarce tendrá que renunciar; toda la guarnición se ha plegado a los sublevados.

—Sí, la posición del gobernador es insostenible, especialmente ahora que escasean los alimentos a causa de que estamos sitiados por el gauchaje.

—Mr. Harrison, mi tío, nuestro magnánimo Restaurador, no permitirá que las cosas pasen a mayores, ni que el pueblo sufra por la revolución restauradora...

—¿En verdad?

—... Balcarce ha declarado que se someterá a la Legislatura.

—Republicano hasta el fin.

—Un mandatario débil con los enemigos del pueblo, Mr. Olivier.

—Le sucederá Rosas, imagino.

—Mi tío detesta el poder, Harrison, pero si la patria reclama de él ese sacrificio, su predisposición para...

—Supongo que intenta decirme que tendremos nuevamente gobierno provisional.

—Eh... sí. Viamonte, con Guido y García por ministros.

—... así que cordobés. Dicen que por aquellos lares son todos doctores. ¿Ya estaría prometido usted, eh? Un mocito de su buen ver...

—No, señora Zabala; mis obligaciones familiares... la enfermedad de mi madre...

—Pero ella no se opondrá a que forme usted un hogar cristiano, como Dios manda...

—Luz, rescata a José María. Doña Rosario lo tiene acorralado.

—Harri, es el destino de todo soltero. Y deja de preocuparte; José María se irá en unos días y si no, en cuanto don Ceferino sepa de su pobreza, lo dejarán en paz.

—Debería visitarnos, señor De Bracy...

—Hubert, por favor.

—Mariano ha viajado por Europa y podrían cambiar impresiones.

—(Mamita, ¡invite usted también a ese mozo!)

—(Chitón, Charito; prefiero un buen criollo a esos franchutes degenerados.)

—¿Tiene negocios aquí, señor De Bracy?

—¡Nombre de Dios, no! Vivimos de las rentas de nuestras propiedades en Francia y en Inglaterra, Mr. Harrison.

—Y díganos, usted que es tan andariego, ¿qué usan las damas en París? ¡Cuéntenos!

—Cuando salimos para Madrid, estaban en moda grandes escotes, telas bordadas al tono, mangas impresionantes, sin hombros y...

—¡¿Sin hombros?!

—Los peinetones, diga, ¿se usan mucho?

—Ni en España los he visto tan exagerados como aquí.

—¿Cómo hace Guido para ser el comodín de unitarios y federales sin que ninguno de ellos le pida cuentas, como a otros?

—… parece mariquita pero, ¡qué lindo viste!

—… látigo y cepo, no entienden otra ley.

—A mí, denme churrasco y mazamorra, que estas lindezas no llenan la tripa, hijita.

—… y ella lo dejó por un tiempo porque él tenía una querida. Gringa, por supuesto.

—… Quiroga siempre le quiso poner las manos encima a Córdoba, pero le venimos esquivando.

—Paz hace jaulas en su celda.

—Le llevé unos libros a la prisión, Luci, pero no me permitieron verlo.

—Has sido muy valiente, José María. Sé que los santafesinos no ven con buenos ojos que nadie lo visite. A su misma madre y a Margarita las tienen de aquí para allá.

—¿Viste lo que son los uniformes de las criadas?

—…el otro gringo ¿será soltero?

—Las ovejas son el porvenir de la Argentina.

—Las vacas, y eso no me lo discute, Harrison.

—¿Qué es el Servicio Exterior, Evangelina?

—Oh, algo como… le preguntaremos a Mariano, Magdalena.

—¿Quién tocará el piano? Usted, Magdalena, tiene cara de saber. No se niegue, que estamos en confianza.

—Doña Luz, Charito toca flor la guitarra.

—¡Ay, mamá, qué dice!

—¿Qué hablabas con el repollo carmesí?

—Shh, De Bracy; Rosarito es una joven dulce y sencilla.

—¿Influyen en tu condescendencia las miles de reses y de hectáreas que te han refregado en la cara, José María? ¿O estarás pensando dar el braguetazo?

—¿Por qué eres tan cínico?

—Realista, querido. Y dime, la dueña de casa ¿le será fiel al vejestorio?

—¡Pero, se aman sin ninguna duda!

—Tu ingenuidad llega a ser de mal gusto, querido.

—Ella pertenece a una muy ilustre familia de Córdoba, Hubert, que son las de más clara estirpe del país.

—¡Mon Dieu, qué tendrá que ver!

—Luz, estoy seguro de que el amigo de Achával es un falsario.

—Jamás lo sabremos con certeza, Harri.

—Dígame, joven, por la parte inglesa, ¿de qué condado proviene su familia? Perdón, ¿no le agrada el jerez?

—Lo detesto; prefiero el coñac... no habiendo un buen champagne.

—Owen, coñac para nuestro invitado.

—¿De qué habla Harri con ese muchacho, Olivier?

—Lo está sondeando. Felicitaciones por el *lunch*, querida. Exquisito.

—Olivier, usted necesita una esposa.

—Amiga mía, no comencemos...

—Indudablemente, la señorita de rojo, descartada. Pero, ¿qué opina de Magdalena? Su piel es perfecta y sus ojos...

—Decididamente seductores.

—Así que la ha estado observando. ¿Por qué se finge tan frío? Buenas noches, Mariano. ¿Se divierte?

—Agradabilísima reunión, doña Luz, como todas las que da usted. Hola, Mr. Olivier. ¿Qué nueva maldad planea el Foreign Office para nosotros?

—Perdón; Brian me hace señas.

—¿Por qué ha ahuyentado a nuestro común amigo, Mariano?

—Nuestro no, Luz. Ya conoce mi opinión respecto a...

—No fastidie, Mariano. Su desagrado por los ingleses es un aburrimiento, sin considerar que sabe que estoy casada con uno.

—Lamento profundamente ese hecho, Luz. Quise decírselo desde el primer día en que la vi. ¿Y qué hará ahora? ¿Prohibirme la entrada a su casa? ¿Desterrarme de su amistad?

—¿Sería suficiente condena? Mm... no. Lo sentencio a ser mi amigo por siempre jamás y contemplar cuán feliz soy con mi esposo.

—Dura sentencia, señora.

—Sus pecados la ameritan, Mariano.

—¿Crees que aceptará la invitación, Evangelina?

—Espero que sí. Me gusta para ti, Magdalena. ¿No sabes otra pieza, menos...?; él parece tener gustos más...

—Después de esta campaña, los indios se dejarán de joder. Con Rosas no se juega, carajo.

—Brian, me retiro. Mañana pasaré por tu oficina.

—Mr. Olivier, haremos una reunión el viernes y esperamos contar con usted.

—Por supuesto que irá, Evangelina. Yo misma me encargaré de llevar al Delegado.

—¡Luz, qué gesto encantador!

—Y yo tengo antojo de ver a su mamá. ¿Estará ella, por un casual?

—Por supuesto; mamita no se pierde tertulia, doña Rosario.

—¿Invitarán a... al...?

—¡Cierra el pico, Charito!

—... esperamos que cumplan; dicen que los cordobeses son de palabra.

—¡Cefe, es hora de alzar el vuelo!

—... le puse un pie en el cogote y le dije... (¡va, mujer, no amole!)

—Fue una linda velada, Harri. Creo que todos se divirtieron mucho.

—El amigo de Achával es un absoluto embustero.

—Estaba segura. ¿Y sabes que Magdalena le ha echado el ojo a Olivier?

—Pobre James; no me di cuenta.

—Y doña Rosario, a José María.

—Eso era evidente.

—Y Charito, a De Bracy.

—Que el Señor la proteja. ¿Y qué te decía Ezcurra cuando te arrinconó en la glorieta?

—No me acuerdo; alguna tontería.

—¿Por qué mientes?

—¿Estás celoso?

—No, pero me irritan las intrigas.

—¡Intrigas! Está bien; me propuso que nos escapáramos a Madrid.

—¡Qué mal gusto! A las queridas se las lleva a París o a Viena. Madrid es para las esposas. ¿Y qué le contestaste?

—¿Tú qué crees?

—Un día de éstos tendré que matarlo.

—¡Uy, qué malo eres, Harri!

—Además, en España cuesta todo un dineral; no podría mantenerte con decoro... ¿Me escuchas, Luz? ¿Y por qué dejas que Achával te llame "Luci"?

—¡Pero si nos conocemos desde el bautismo! Y después de todo, ya que sabes tantos pecados míos, confiésame uno tuyo: ¿cuántas veces y con quién me has sido infiel?

—¿Yo?; yo siempre te he sido fiel.

—¿Siempre?

—... digamos... siempre que hemos estado juntos.

—¡Qué noble eres!

311

—No ha sido por bueno, te lo confieso, sino por práctico. Las aventuras son costosas. Eso de regalar esmeraldas y que no queden en la familia no es buena inversión. Y los Harrison, como sabes, no malgastamos el dinero: lo invertimos. Una esposa es más segura, especialmente si es católica.

—Y ya que estamos sacudiendo el mantel, ¿qué ha sido de la nunca demasiado ponderada Honorable Maureen Fitz-Alan?

—Luz, mañana muy, pero muy temprano, tengo que estar en el puerto, pues llega un cargamento. Apaga la lámpara y a dormir.

—No me parece justo que siempre te quedes con la última palabra.

—Bien, te la cedo; pero que no sea una pregunta.

—Quiero un hijo.

Como respondiendo a una orden secreta, el primer día de noviembre los revolucionarios ocuparon la ciudad. Balcarce se sometió a la Legislatura, que nombró a Viamonte en su reemplazo. Buenos Aires tuvo un respiro: la prensa se quitó la mordaza, se publicaron los actos de gobierno y el comercio se oxigenó.

Muy pronto fue evidente la fragilidad de aquella calma: las turbas se negaban a replegarse, atemorizando a la población y atacando las propiedades unitarias. La emigración fluyó nuevamente hacia la Banda Oriental.

Rosas permanecía en el sur, pero doña Encarnación Ezcurra organizaba festejos para negros y menesterosos que tomaron carácter permanente. Bailes, fuegos de artificio, riñas de gallos, juegos de pato, de taba, bebidas y naipes atraían hechos de sangre, asaltos y vejámenes.

Sin embargo, el último mes de aquel año Harrison consideró que su hogar era territorio bendecido: Luz estaba encinta. Cuando el doctor Campbell lo confirmó, él tomó la costumbre de regresar temprano, delegando en Murray muchas obligaciones. Su monomanía pasó a ser la salud de su esposa, quien le advirtió que seguiría con su vida normal hasta que el médico —o su cuerpo— se lo impidieran.

Cuando Harrison pidió refuerzos a sus amistades, doña Rosario le carcajeó, dándole un campechano golpe en el pecho: —¡Pero vea, hombre, si yo habré galopado hasta quince días antes de largarlos!

Luz no lo decía, pero añoraba a Severa, confiando más en sus brebajes, buen tino y "mano de santa" que en toda la sabiduría de la Universidad de Glasgow —Escocia—, donde se había diplomado el bueno de Campbell.

Escribió a Farrell y a don Felipe, con el anuncio protocolar a la abuela Adelaida y a misia Francisquita y a los demás parientes y amigos. Adjuntó dos notas aparte: una era para la buena de Jeromita; la otra, para ser leída por Laura, a su yaya, decía: "Se han cumplido varios de tus augurios... y otro viene en camino. ¡Espero un hijo! ¡Ojalá estuvieras aquí, Severa querida!".

Harrison anunció a Cardiff, a Londres y a Devon la buena noticia. Tía Margaret le contestó: "Como ya supongo te has decidido a fundar una dinastía en aquellos países, abandonando la buena tierra de Devon que dio prosperidad por siglos a tus antepasados, te sugiero resucitar una antigua costumbre: de nuestro viejo roble, he de mandarte dos retoños —no sea que uno muera en el viaje— para que los plantes en tu granja el mismo día en que nazca tu hijo, si es varón...".

No aclaraba qué debía hacer con el roble en caso de nacer una niña, tema que dio para muchas bromas entre él y Luz.

Harrison agradeció la sugerencia a su tía, e informó a todos sus parientes que después del alumbramiento viajarían a Gran Bretaña para presentar al pequeño "en sociedad"; Ana y William serían los padrinos. Además, escribió a Thomas: "Luz pide noticias del moreno llamado Simón, pues se siente responsable de su bienestar. Por mi parte, me interesa saber si podemos, según tu criterio, esperar logros de la educación que está recibiendo. En cuanto al proyecto Wedgwood, olvídalo. Porque no lo creerás, pero ha comenzado —y sé muy bien cómo terminan las cosas por aquí— una especie de fobia por todo lo que es celeste o azul. Antes de que nos percatemos, de desagrado se volverá imposición y entonces habrá que esconder, romper o tirar al río toda la vajilla que tenga un detalle en esos tonos. No es tan irracional la cosa como supones: el emblema de los unitarios es un ramo de junquillos celestes y los federales, que todo lo usan o lo pintan de rojo, le han declarado la guerra a aquel color. Lo cual termina resultando extremadamente contradictorio, ya que la bandera del país es, como sabes, celeste y blanca...".

Años después, las hordas mazorqueras llegaron a destruir incluso las vajillas que tenían algún tono de verde, pues éste llegó a ser también sospechado de tendencias unitarias.

38. LINAJES DE ESPÍRITU

"Quiroga se da cuenta, a raíz de la Revolución de los Restauradores, que Rosas reproducía el juego de la mujer de Ulises para faltarle a su promesa, pues si estaba en sus manos mantener la inquietud, nunca llegaría el momento de dar al país la Constitución soñada."

David Peña
Juan Facundo Quiroga

BUENOS AIRES
PRIMERA MITAD DE 1834

Los métodos empleados por el Partido Federal comenzaron a repugnar a algunos de sus adeptos; la facción más intolerante —llamados los "apostólicos"— tomó nota de ellos, tildándolos de "lomos negros" y una lenta marca comenzó a separarlos del tronco rosista.

A fines de 1833, Quiroga y su familia habían puesto casa en Buenos Aires. Pronto se rumoreó que el caudillo maliciaba que don Juan Manuel no tenía intenciones de constituir el país; decían que en una de sus acostumbradas partidas de naipes, de aquellas en que se amanecía, lamentó en público haberse opuesto al proyecto constituyente de Rivadavia. Nadie se hubiera atrevido a llamar "lomo negro" a Facundo, pero a muchos tenía inquietos esa manía que le había dado, en los últimos tiempos, de lanzar indirectas contra Rosas, aunque seguía siendo su incondicional aliado.

Mariano Ezcurra apareció un día por lo de Harrison, ofendido porque el Tigre de los Llanos había tratado con grosería a su tío, don Prudencio Rosas... ¡nada menos que delante del general Alvear!

—¿Y qué esperaba usted? —contestó Harrison encendiendo su pipa—. Quiroga es un muy leal amigo de Balcarce y su tío de usted dirigió la revolución contra él. Porque para todos es claro que don Prudencio no podía ignorar que no era a su hermano don Juan Manuel a quien pretendían juzgar, sino a un pasquín con el nombre de *El Restaurador*...

Harrison hizo una pausa mientras cebaba la pipa.

—Sin embargo, él levantó la campaña e inundó Buenos Aires de gauchos con el pretexto de que el amado Restaurador —su hermano— estaba en peligro.

Antes de que Ezcurra reaccionara, Luz golpeó sobre caliente:

—¿Y qué ha pasado con el juicio a Ruiz Huidobro?

—Lo han declarado inocente de sedición —murmuró Ezcurra, incómodo.

—Los Reynafé le cobrarán esa deuda a Quiroga, teniéndolo por responsable de ese veredicto —dijo Luz—. Aunque estoy en contra de esos cuatreros, considero esa sentencia una burla a Córdoba y al Interior.

Ezcurra protestó:

—Cuando asuma mi tío, doña Luz, las cosas se enderezarán.

—Ansío verlo —dijo Harrison con tanto acento que el joven no pudo determinar sinceridad o sarcasmo en el comentario.

En mayo de 1834, se publicaron los resultados de la Campaña del Desierto: 10.000 indios batidos, 4.000 cautivos rescatados y 200 leguas, a partir de las fronteras, recuperadas.

Cuando Harrison le pasó la proclama a Luz, ella le echó una mirada y estrujó el papel.

—No era ésa la solución que esperábamos con Fernando —reconoció con amargura—. Nosotros pretendíamos integración, no aniquilamiento.

Mientras tanto, el desorden continuaba en la ciudad; los gubernamentales eran incapaces de aplacar las masas y doña Encarnación se quejaba de la moderación de Viamonte con respecto a los unitarios.

En medio de aquellos disturbios, llegó a Buenos Aires don Bernardino Rivadavia, pero no se le permitió desembarcar. Tuvo que permanecer como prisionero de hecho, aunque no de derecho, en el barco hasta que le llegara la hora de partir.

En junio, la familia Ezcurra dio una fiesta en honor a los oficiales que volvían del desierto. Los Harrison fueron invitados, pero Luz se negó de plano a asistir.

—No concilio con el motivo que se festeja, pero como todos saben que estoy muy adelantada en el embarazo y me han aconsejado reposo, no tendrás que dar ninguna explicación retorcida.

Harrison prefirió asistir, ya que sus compromisos lo obligaban.

—¿Qué se dice por tus círculos que sucederá con Viamonte? —preguntó Olivier.

—No le dan más de tres meses de gobierno. Luego comenzarán nuevamente el juego de las escondidas entre Rosas y la Legislatura: él se recluirá en alguna de sus estancias, mandarán delegaciones que no lo encontrarán o no podrán entrevistarlo, etc., etc.

—Justamente, me enteré de que hace unos días Quiroga viajó a "Los Pinos" para hablar con él, pero se desencontraron.

—Es que el Tigre se le está volviendo molesto a don Juan Manuel con sus afanes constitucionalistas.

—El general Quiroga es hombre de mucho peso en el Interior y aun aquí, en Buenos Aires. No podrá eludirlo eternamente.

—Pero puede sacarlo de en medio.

—No sugerirás...

—... mandándolo a alguna misión alejada. Digamos, al Noroeste, por el conflicto entre Salta y Tucumán.

Olivier rumió aquello y al ver que entraba un hombre de edad, distinguido y que fue recibido con grandes muestras de respeto, se puso de pie y dijo a Harrison:

—Regreso enseguida. Necesito hablar con Anchorena, que acaba de llegar.

En el salón donde lo más selecto de la sociedad federal se daba la mano, Harrison se encontró conversando con don Juan Madero, un personaje conspicuo que navegaba en política de desaguas. Éste, después de mostrarse algo caviloso, le confesó: —Mire en qué situación me encuentro, Mr. Harrison: Quiroga, a quien poco trato —le gusta hacer unos chistecitos que... vamos—, me ha pedido que lo acompañe a ver a Rivadavia en el barco. Sabe que somos amigos —yo de política poco entiendo, con Bernardino somos compinches de tomarnos un chocolatito, nada más— y bueno, que este hombre —... el riojano, digo— dice estar molesto por la forma en que han tratado al prohombre (sí, don Briano, así lo mentó) y hasta se propone de fiador para que pueda desembarcar. Yo sé que a mi amigo eso lo haría muy feliz, pero temo... ¿Qué opina usted, podré confiar en ese beduino de Los Llanos? ¿No estará de acuerdo con Guido para meterme en un embrollo?

—Señor Madero, no conozco mucho —ni siquiera hemos sido presentados— al general Quiroga. Pero por lo que sé de él, lo creo incapaz de semejante doblez.

En aquel momento, Harrison vio venir a Ezcurra con una sonrisa de oreja a oreja, seguido por un apuesto oficial.

—Harrison, le tengo una sorpresa. Aquí, el comandante Gaspar Indarte, de las fuerzas del general Pacheco, me acaba de comentar que es gran amigo de su cuñado de usted, don Fernando de Osorio.

Harrison permaneció impasible, rogando a la Providencia que no se le notara un cambio de color en el rostro, una vacilación en la mano, una caída de la voz. Se puso de pie usando de todas sus facultades; tuvo que elevar la mirada, porque efectivamente, los niños no habían exagerado: Indarte era casi tan alto como Calandria y además, uno de los hombres más apuestos que él había encontrado...

Haciendo un esfuerzo, presentó a Madero.

—Doña Luz debió contarme que su hermano es un prestigioso oficial federal —parloteaba Ezcurra—. ¡Enterarme recién ahora! ¡Qué modestia la de su esposa, Harrison! —lo palmeó, obviando el Mr. en la emoción: sabía al inglés en muy buenos términos con Rosas, pero siempre había sospechado a Luz encariñada con los unitarios.

—Por mi parte —dijo Harrison fríamente—, no recuerdo haber conocido al Comandante en Córdoba.

—Mi amistad con Fernando data de principios del 32 —aclaró el militar, con una voz profunda, suave y apenas cantarina.

Ezcurra apremió al criado para que les sirviera bebidas y se llevó a Madero, a quien Facundo, en una sala cerrada y entretenido en una partida de naipes, volvía a reclamar.

Harrison no vio más remedio que sentarse a conversar con aquel hombre; aprovechó para preguntar algo sobre la vida de Fernando, que era una especie de obsesión para él.

—¿Y qué es de la azarosa vida de mi hermano político?

—Está bajo las órdenes del comandante Peñaloza, en La Rioja. Vive en el interior de la provincia —Indarte hizo una pausa—. Y se ha casado.

—¿Con alguna joven de allá?

—No; con un antiguo amor que tenía en Córdoba.

Comprendiendo, Harrison dijo secamente: —Lo ignorábamos.

—Entonces... será que la carta se ha extraviado.

El criado les sirvió un Madeira excelente y Harrison preguntó a su compañero qué hacía en Buenos Aires.

—Esperando que me destinen. Parece que nos enviarán al Norte, pues Santa Cruz, desde Bolivia, está tratando de atraerse a los jujeños.

Indarte observó a aquel hombre discretamente elegante.

En el tiempo que llevaba en la ciudad, lo había ubicado y estudiado. Había dado con su casa, rondándola con la esperanza de ver a Luz, sin lograrlo.

Enterado de que frecuentaban a los Ezcurra, consiguió ser incluido entre los oficiales agasajados. Cuando Mariano, entre medias palabras y sobreentendidos, le explicó el porqué de la ausencia de Luz, enfermó de frustración. Ahora tenía un motivo adicional para detestar a Harrison: el haberla preñado.

—Veo que lo han ascendido desde que estuvo en Los Algarrobos —lo sorprendió el inglés—. Y debo darle las gracias por haber salvado la vida de mi esposa.

La mano de Indarte tembló, derramando un poco de vino; con la siniestra, se acomodó nerviosamente el sable, extendiendo las largas piernas. Salió del paso murmurando:

—Era un deber natural.

—Contrario a los porteños, ustedes, los cordobeses, son discretos en sus hazañas —dijo el otro con una sonrisa helada.

—Verdad. Somos moderados en el triunfo… aunque no nos resignamos a las pérdidas —contestó, comprendiendo que Harrison sabía más de lo que él suponía.

—Me he preguntado muchas veces por qué se fue usted de Los Algarrobos —lo sondeó el inglés.

Indarte terminó de un largo trago la bebida; el alcohol le calentó la sangre y se llevó la prudencia. Harrison, en cambio, mantenía su copa intacta.

—Si doña Luz me hubiera dado la mínima muestra de desear mi presencia, ni un ejército me movía de allá —admitió—. Pero, maldición, hasta hoy me pregunto por qué me arrugué tan pronto.

La palidez de Harrison acusó recibo de intención y la expresión de su semblante recordó a Gaspar que aquel hombre había matado (¡quién lo diría, tan pulcro y calladito!) por Luz: durante el viaje a San Roque, Calandria, algo salvaje y acomodada a las barbaridades de Fernando, se había estremecido al contarle la mutilación que siguió al disparo sobre el montonero.

Ahora se midieron con la mirada y Gaspar casi disfrutaba ante la posibilidad de un duelo, cuando los dueños de casa vinieron a interrumpirlos.

—Quiroga pide conocerlo, Harrison —le comunicó Ezcurra—, pues recuerda muy favorablemente a Fernando Osorio…

—Y yo me llevo a este valiente, pues las damas lo reclaman para el minué —dijo Evangelina, tomando a Indarte del brazo.

Harrison pareció tan frustrado como él por la intromisión, pero se despidió con correcta cortesía.

318

Indarte hizo sonar los talones y correspondió con un:

—Al servicio de usted —que se oyó más sarcástico de lo que en verdad era su intención.

Contemplando la inconsciente satisfacción de su esposa, Harrison comenzó a desvestirse. Sin mirarla, comentó:

—Ezcurra me presentó a Gaspar Indarte —y sin darle tiempo a reponerse, la increpó—: Fue con él, ¿verdad?

Después de una breve vacilación, ella preguntó:

—¿Cómo lo supiste?

—Quizás, ignorando quién era yo, él se jactó de ello.

—Imposible. Indarte no haría algo así.

—¿Acaso hicieron un pacto de silencio? —y ante su negativa, preguntó, mordaz—: ¿O vas a decirme que hablaban del tiempo?

—Él no es inglés, Brian —contestó ella en el mismo tono.

—¿Cómo pude olvidarlo? Los latinos prefieren temas más excitantes.

—No te pongas grosero —le advirtió ella y explicó—: En verdad, sólo hablábamos de cosas prácticas, generalmente, en presencia de otros...

—Salvo, como bien puntualizaste, en una ocasión.

Luz lo miró largamente y por fin, tomándole la mano, se la colocó sobre el vientre distendido.

—Perdóname —cedió él—. No pretendo pelear.

—¿Cómo supiste lo de Indarte?

—Atando cabos; la carpeta con tus anotaciones... y las suyas, los relatos de los niños... —se inclinó y la besó en la cintura—. Dime la verdad, ¿te forzó?

—¡Oh, él sería incapaz de...!

—Tienes razón; sus buenos modos fueron más eficaces.

—Harri, tampoco fue así.

—Muy bien; no hubo violación ni seducción. ¿Qué fue, entonces? ¿Algo que no existe palabra para definirlo?

—Creo que sí.

—Eres muy desvergonzada —se admiró él—. ¿Acaso lo amabas?

—No, pero me gustaba como persona; era valiente, moderado y de buen corazón. Hasta Isabel y mamá lo querían.

—¿Pensaste que le debías algo por haberte salvado?

—No, aunque...

—¡Vas a volverme loco! —estalló Harrison.

—¡Solamente recuerdo que pensé en ti! —y dándole la espalda—: ¡Fue cuando comprendí que te amaba!

Repentinamente sereno, él la atrajo hacia sí, besándola en la nuca.

—¿Por qué te creeré cada vez que me vienes con una explicación absurda?

Pero ya acostado, manteniéndola abrazada, recordó algo que quedaba por aclarar: —¿Sabes que es amigo de Fernando? ¿Que tu hermano vive en La Rioja?

Ella guardó silencio.

—Así que recibiste la carta —la acusó—. ¿Por qué no me lo dijiste? ¿Sería porque ese demente se ha amancebado con una ex esclava de tu familia?

—Caramba, es la noche de las sorpresas —se burló ella—. En fin, no te lo dije porque temí que, si te enterabas de... los pormenores, te diera un soponcio.

—Eres demasiado desprejuiciada.

—Y tú exasperantemente prejuicioso, así que estamos a mano. A propósito, ¿te gusta el nombre de Tristán para nuestro hijo?

—... siempre que no me condenes a hacer el papel de rey Mark —rezongó, subiéndose las mantas hasta la frente.

A la mañana siguiente, mientras iba en coche hacia la oficina, el *British Packet* abierto en las cotizaciones, el pensamiento de fondo era cómo evitar que Luz e Indarte se encontraran. Le quedaba el recurso de aislarla, pues todos conocían su estado; hasta podía usar su influencia para acelerar el pase de aquel hombre...

La berlina se detuvo en mitad de camino y Owen saltó del pescante mientras el conductor apaciguaba los animales.

—¿Qué pasa, muchacho?

El galés parecía preocupado.

—Días atrás, señor, me pareció que un militar rondaba la casa. Y juraría haberlo visto ahora, apostado, a unas yardas de distancia...

—¿Da permiso, niña, para una sorpresa? —dijo Gracia risueñamente.

Luz levantó los ojos del libro de medicina que devoraba a escondidas de Harrison y se sobresaltó al ver a Gaspar en la puerta de la sala, apuesto y de uniforme, descubriéndose la cabeza ante ella.

El primer pensamiento fue: "Harri se enfurecerá", pero una cálida alegría lo borró de su mente. Le tendió las manos y él atravesó la habitación, se las besó y la contempló entre cohibido y admirado.

—Perdón por no haberme anunciado. Temí que... ¡deseaba tanto verla y...!

—¿Les preparo un té, niña? —se comidió Gracia.

—¿Y por qué no unos mates? —sugirió él; al quedar solos, se volvió hacia Luz.

—Está usted tan hermosa, a pesar de... o será por... —se embrolló, enrojeciendo.

—Vamos, Gaspar, basta de ese "usted". Sentémonos. Estás muy buen mozo —bromeó—. Las porteñas no te dejarán en paz.

Y notándolo turbado, lo ayudó:

—Cuéntame de Fernando. ¿Cómo se conocieron ustedes dos?

—Ah, somos casi compadres —se complació él, aflojándose mientras relataba el encuentro en Tucumán y las posteriores andanzas.

—Viven con modestia, Luz, pero no mal —y atusándose el bigote con una secreta sonrisa, aclaró—: Ellos también esperan un hijo.

—¡Virgen Santa, me convertirán en tía! —rió ella, pero luego, preocupada—: ¿Qué será de Calandria cuando quede sola porque Fernando sigue incorporado al ejército...?

Indarte iba a responder cuando la puerta se abrió violentamente y Harrison, bajando la cabeza sobre el cuello de becerro, robusto y combativo, se le fue encima. Indarte alcanzó a ponerse de pie pero el puño lo golpeó dolorosamente sobre la cintura. Se desplomó mientras Luz gritaba:

—¡No, Harri, escucha! —e intentaba sujetar a su marido.

Aquellos segundos de forcejeo entre ambos dieron tiempo al caído para incorporarse haciendo a un lado la silla que lo estorbaba.

—No me parece correcto —protestó entrecortadamente— golpearnos ante una dama. —Y tragando aire, barbotó—: Vayamos afuera, si se atreve.

—¡No, no! —dijo Luz colgándose de su marido, que pugnaba por echarse sobre el otro.

—¡Suéltame! ¡Ronda mi casa como un ladrón, espera que salga para introducirse y ahora me provoca! ¿Y tú pretendes detenerme? ¿Qué clase de hombre crees que soy?

Luz comprendió que no era el mejor momento para darle una explicación que, de cualquier modo, él no quería escuchar, así que cerró los ojos y fingió desmayarse, con quejido y mano en la frente.

Harrison atinó a sostenerla, le palmeó el rostro, la llamó varias veces y ante la inutilidad de todo esto, gritó a Indarte:

—¡Traiga el frasco que está sobre la mesa y un vaso de agua!

Y mientras intentaba que ella tragara el remedio, lo amenazó:

—¡Si le pasa algo a mi esposa o al niño, yo... yo... le juro que lo mataré!

Como siempre que se salía de sí, la mitad de las palabras iban en inglés, pero su tono no dejaba dudas a la intención.

—A sus órdenes —replicó Indarte y viendo que Luz reaccionaba, tomó los guantes y el sombrero—. Hágame saber lo que disponga —braveó, tanteando el sable y enderezando la silla caída.

—¡Basta, por Dios! —gimió Luz, los ojos cubiertos por el antebrazo—. Tienen que prometerme que no se harán daño —y llorosa, explicó a su marido—: ¡Sólo hablábamos de Fernando, de que ellos también esperan un hijo, como nosotros!

—Cómo nosotros, no —se plantó Harrison—. Esperan un bastardo y además, mulato.

—¿Qué mérito se arroga usted para juzgarlos? —lo interpeló Indarte, comenzando a perder la paciencia.

—Por desgracia, ese desequilibrado es mi cuñado. Y su inconducta nos ha traído amarguras y desentendimientos.

—Si es justo, reconocerá que usted se los buscó con su soberana necedad.

—¡Salga de mi casa! —vociferó Harrison.

—¡Cállense, demonios! —juró Luz, sorprendiéndolos con su energía—. Quiero que juren respetarse... ¡Por favor, me siento realmente mal!

—... está bien. ¡Está bien! —cedió Harrison, desesperado—. Pero lo condiciono, maldición, a que no intente verte, a que no lo recibas sin mi conocimiento, a... ¡Por un infierno, Luz, cómo pretendes que consienta estas entrevistas!

—Te prometo que no lo veré ni recibiré mensajes de él, pero di con todas las palabras que no intentarás vengarte.

—Juro que... no intentaré nada contra él, por ningún medio, de ninguna forma, en ningún tiempo.

—Y yo juro respetar la vida de Mr. Harrison, Luz.

—Llamen al médico —se dobló Luz sobre sí misma.

—Atienda a su esposa —ofreció Indarte, pálido—; yo avisaré a su criado.

Cuando salió al hall, Gaspar se topó con Owen cerrándole el paso. Se calzó el sombrero con displicencia y sujetó los guantes al cinturón.

—Gracia —llamó, sabiendo que no estaría lejos; la chica salió de atrás de unos helechos gigantescos.

—Mande, capitán.

—Que vayan con urgencia por el médico —y habiendo cumplido, se abrió la chaqueta como al acaso, deslizando la mano hasta empuñar el cuchillo que disimulaba en la espalda.

—Veamos —se enfrentó al muchacho—. ¿Qué tenemos aquí?, ¿un héroe?

—¡Ya oíste, sonso! —intervino Gracia, recordando al paisano despanzurrado que sacaron del sótano—. ¡El patrón dice que traigás al doctor!

De mala gana, el galés retrocedió, Indarte saludó a la muchacha y ajustando el cuchillo a su funda, abrió la puerta con violencia y abandonó la casa.

Gracia corrió tras Owen, hacia la caballeriza.

—¡Estúpido, ya tenía el cuchillo en la mano y vos ni te diste cuenta! ¡Te hubiera abierto antes que dijieras ay!

—Seguro —respondió él, palpando la pistola que Harrison le permitía calzar.

Gracia escupió despectivamente.

—¡El capitán te hubiera desbraguetado sin que pudieras tocar el chumbo, gringo pasmado! —y retrocediendo ante la furia del muchacho, le advirtió—: ¡Esto ha sido cosa tuya, bien lo sé! Es la segunda que le debés a mi señora. ¿Te creés que no me avivé que le tapabas al patrón lo de la gringa?

Como él soltó una sonrisa de revancha, lo insultó:

—¡Maricón, manflor, chupababas!

Algo debió entender Owen porque volvió sobre sus pasos, pero ella, a salvo de un salto en la escalera de los dormitorios —territorio vedado para él—, lo provocó levantándose la falda y mostrándole el trasero.

Campbell llegó con sus modales eficientes; habló paternalmente a Luz y le prohibió recibir visitas por unos días. Luego bajó con Harrison a tomarse una copa y le endilgó un sermón sobre cómo manejar los "caprichosos estados de ánimo de las primerizas".

—Sea flexible —resumió—. Salud y adiós; debo pasar por lo del almirante Brown, que ha tenido otra de sus recaídas.

Hacía años que Campbell trataba las cíclicas melancolías del marino.

De regreso con Luz, Harrison reconoció:

—Lo lamento; fue una escena de ópera bufa.

—Te perdono —condescendió ella lánguidamente—. Si yo te hubiera encontrado a solas con la irlandesa, también habría armado un escándalo.

—Oh, vamos —dijo él, corrido—; si yo nunca, realmente...

Días después, más serenos, hablaron de Fernando mientras iban en coche hacia la quinta de los Brown, en Barracas.

—Cuando el país vuelva a la normalidad —argumentaba Harrison—, ¿qué hará tu hermano con una negra por esposa y su prole mulata?

—No seas cruel. Aunque la piel de esos niños fuera verde, seguiría considerándolos mis sobrinos.

—¿Le escribiste que podía llevarse a Calandria?

—No, pero él sabía que yo le daría la libertad.

—¿Acaso se lo prometiste?

—No, pero...

—Entiendo —apoyó la barbilla sobre las manos enlazadas al puño del bastón—. Entre tú y ese hermano que tienes hay una secreta complicidad que no termina de cortarse, a pesar de que en los últimos cinco años se han visto dos veces y por contadas horas. Me ha llevado tiempo comprenderlo. Y además, la considero desleal para conmigo.

—¡Jesús! Tienes la facultad de comunicar intriga a cuanto hago —protestó ella.

—Quizás algún día comprendas que Fernando, con sus alocadas acciones, ha anulado períodos enteros de tu vida.

Y celoso de aquel afecto, insistió:

—Tu hermano repudió su sangre, su apellido, su posición. Lo que es peor, olvidó sus responsabilidades. ¿Cómo puedes disculpar tanta desconsideración?

Luz, pensativa, jugó con el abanico.

—Y ahora, esto. Tu padre debe estar revolcándose en su tumba.

—No te pongas melodramático —dijo ella dándole un golpecito con el abanico plegado—. A veces pienso que mis antepasados te han mandado para fastidiarme.

—De alguna manera, siendo la víctima de tus manejos, te las ingenias para que aparezca como tu verdugo —refunfuñó él.

—¿Qué podía esperarse de Fernando, cuando todo en lo que creía se esfumó en la lucha más irracional? —defendió ella a su hermano.

—Ahora resulta que pertenece a los mansos.

—No, pero concédele su idealismo; quería concordia entre las tribus y lo resolvieron con exterminio; pretendía respeto a las potestades provinciales y nos han anulado esas aspiraciones... Sobre todo, quería una sociedad más sana, más justa... —y angustiada por los recuerdos que removían aquellas premisas, hizo un gesto de desaliento—. Todo ha quedado reducido a una matanza sin sentido, a una jerga incomprensible: el Nuevo Orden, el Ejército Libertador, dicen los unitarios, es el mismo viejo desorden y sus tropas, de las más abusivas. La Restauración de las Leyes, la Santa Federación, dicen los otros, mientras transgreden todas las leyes humanas y divinas, aplastan las hegemonías de las provincias, sofocan las libertades privadas. ¡Linda sarta de embustes han acuñado! Hemos quedado atrapados en un paralelo insensato, como dice Sebastián.

Se hizo una pausa que Harrison rompió, mordaz:

—Es el más feliz alegato que he escuchado para defender lo insostenible. Te felicito; tus argumentos son la victoria del talento sobre la lógica.

Pero con aquella habilidad para las transacciones que lo caracterizaba, extendió la mano, reclamando la de ella.

—Después de todo —peleó Luz sus últimos baluartes—, el hijo de Fernando será Osorio por derecha o por revés, porque nuestros libertos toman el nombre de sus antiguos dueños, ¿lo sabías?

Él le apretó los dedos esbozando una sonrisa.

—Me reconozco incapaz de prescindir de mis prejuicios, pero concédeme que, al menos, no soy activamente intolerante. Mientras esté en nuestras manos, los ayudaremos en todo.

Aquello, como suponía, desarmó a la joven.

—No creas que me ilusiono pensando que todo les será fácil. Comprendo que él nunca... que... —con ansiedad, volvió el rostro preocupado hacia él—: ¿Crees que si se quedan en Santo Domingo, puedan vivir en paz?

—Seguramente. Y por lo que veo, tu hermano no tiene intenciones de volver a la civilización.

—Siempre le desagradaron las ciudades y los lugares cerrados —recordó Luz con nostalgia fraterna.

A la inquieta claridad que filtraban los árboles, Harrison distinguió, con un nudo en la garganta, un antiguo linaje espiritual animando su rostro. Suspiró, esperando que no volvieran a discutir aquel tema de por vida.

El coche se detuvo. Habían llegado a la finca del almirante Guillermo Brown. Su esposa, Elizabeth Chitty, los recibió con la parquedad que la caracterizaba, acentuada ahora por la preocupación.

Los guió por la austera vivienda hacia la parte posterior de la casa.

—Está en la huerta —susurró—. Cuando se siente así, perdido, sólo ocuparse del arado y de sus sembrados parece aliviarlo...

39. EL RETOÑO DE ROBLE

"Por una de esas extrañas ironías de que la historia suele hacer víctima a los pueblos, la no muy santa vida de Facundo se había vuelto especialmente preciosa hacia el año fatal."

Francisco Luis Bermúdez
La copa de agua

BUENOS AIRES
SEGUNDA MITAD DE 1834

Gaspar Indarte y el teniente Ignacio de la Torre —también cordobés— se alojaban en el bajo, en lo de una viuda que daba alojamiento a hombres de armas.

Indarte y De la Torre se conocían de años: sus padres eran amigos y cuando Ignacio huyó de la casa para unirse al Brigadier —el gobernador Bustos— en el San Roque, aquel preludio de La Tablada, Indarte tomó cierto cuidado sobre el muchacho, algo menor que él, jaranero, violento, aunque de cierta nobleza. Debido a que pasaban años sin verse y a la supremacía del cargo de Indarte, se trataban con soltura de "usted".

Días después de la visita a Luz, encontrándose Gaspar decaído, De la Torre lo convenció de que salieran, recorriendo fondas hasta que consiguió que comiera algo y tomara un vaso del popular carlón.

El vino soltó la lengua de Indarte, que contó su historia sin dar nombres, aunque quedó claro para el de Ascochinga —De la Torre— que su mentor amaba a una casada que no había hecho nada por alentarlo.

—Las mujeres hermosas y honestas deberían ser encarceladas —protestó Ignacio— porque nos inflaman con su belleza pero su virtud les impide apagar el fuego, condenándonos a arder sin remedio —y viéndolo sonreír, le palmeó la espalda—. Ande, concédame una partidita de truque —lo instó, arrojando la casaca a un negrito encargado de cuidarlas.

Cuando les sirvieron la caña, sobre la mesa de juego —el truque semejaba el billar inglés, en pequeño—, De la Torre exigió en el mostrador:

—No mezquinen, que tenemos metálico de Córdoba —moneda más

327

apreciada que el papel divisa que ya corría en Buenos Aires y otras provincias.

Hablando de campañas pasadas, recordaron la muerte del ex gobernador Bustos a consecuencia de las heridas recibidas en Laguna Larga, cuando fueron vencidos por el general Paz.

—No sé qué hace López, que no fusila al Manco —maldijo Ignacio, calculando la distancia de la bola.

—Hombre, basta de muertes. ¿No aprendimos nada con la de Dorrego? —protestó Indarte.

—Es que Paz es muy bicho; si llegan a soltarlo, o se les escapa, nos hace mierda a todos —y golpeando la bola, lo tanteó—: ¿Y qué me dice de don Juan Manuel?

—Que hay que ser quedado para seguir creyendo, a estas alturas, que tiene intenciones de convocar a constituyentes. La única esperanza descansa en Quiroga, que se ha empecinado en el proyecto.

—A mí, todo eso no me va ni me viene; no me gusta la política. Solamente aspiro a caer bajo el mando de un oficial con más pelotas que un padrillo y lo de politiquear se lo dejo a los lechuguinos de frac y bastón.

—¿Realmente le gusta el ejército? ¿No está harto de matar?

—Sofrene, que no soy matarife —lo atajó Ignacio—, aunque sé que tengo fama porque en el entrevero me gusta gritar fuerte y arremeter en primera línea.

—¿No le teme a la muerte?

—Con el sable en la diestra, el caballo en las verijas y el olor a pólvora en las narices, me siento inmortal. Sería glorioso morir así. A lo que le tiemblo —y se apoyó en el taco— es a quedar lisiado o que me marquen.

Estudiando las viriles facciones del joven, Indarte lo comprendió. De pronto se sintió viejo y cansado.

—¿No extraña sus días de estudiante, Ignacio?

—¡¿Qué?! —rió el otro—. ¿Y usted?

—Extraño mis horas de carpintería, la vida en familia, el trabajar la tierra… Estoy harto de esta existencia miserable, pero no quería tomar ninguna determinación hasta haber hablado con… ella. Y ahora, ni siquiera podré despedirme —concluyó, comprando un atado de cigarros de chala que ofrecía una negra vestida de bermejo.

—Escríbale —aconsejó De la Torre.

—Ella le prometió al marido…

—Entonces, deje la carta en manos de él —golpeó la bola con pericia e hizo lugar para que jugara su vuelta mientras él encendía un cigarrillo—. Pásele el problema de luchar con sus principios al míster —le aconsejó—. Estos ingleses son muy retorcidos, llenos de escrúpulos, éticas y etcéteras. Apuesto a que se la entrega a su esposa.

Gaspar se enderezó después de una jugada mediocre.

—Ignacio, ¿qué haría usted en mi lugar?

—Oh, a mí los maridos nunca me han incomodado —confesó el joven—. Yo la raptaría y tendría una ballenera lista para sacarla del país.

—¿Y después? ¡Ella podría aborrecerlo!

—Lo dudo; confiaría en obligarla a amarme.

—No se puede obligar a una mujer a amarnos —se escandalizó Indarte.

—¿Qué no? —respondió el joven con petulancia—. Mire, las mujeres de clase son idiotizadas con la educación que les imponen y además aderezadas con un montón de mierda religiosa, pero no conozco una que no se sienta fascinada con la locura que puede desatar en un hombre. Usted sólo tiene que halagarlas un poco, asustarlas otro, pedirles perdón y echarle la culpa de nuestros extravíos a la pasión que ellas han provocado en nosotros.

—Usted no tiene hechura —se admiró Indarte—, pero no me creo capaz de esos métodos, especialmente porque mi dama está esperando un hijo.

—Esto arruina mi plan —reconoció el otro y al notarlo desganado para el juego, arrojó una moneda al negrito y recuperó las casacas.

—Por lo que sé —dictó cátedra—, la madre ahoga a la hembra: así que pretenda separarla del niño, le cobrará a usted odio. Y tampoco me parece correcto despojar al padre de su hijo. —Y le palmeó la espalda—: En fin, compañero, su caso no tiene remedio.

Cuando dejaron el interior opaco de humo de tabaco y salieron al exterior neblinoso, De la Torre propuso:

—Oiga, ¿qué me dice de unas manos de baraja? Hay una pulpería en la Recova donde me guardan una ginebra holandesa. Auténtica. Sólo hay que tener estómago para aguantar unos tantos Colorados del Monte hediendo a orines y pedorreando a discreción.

Gaspar se dejó llevar por aquel entusiasmo.

—Carajo —iba protestando De la Torre—: debimos traernos los ponchos. Hace un frío de mearse.

De las sombras, como esperándolos, surgió una mujer envuelta en un modesto mantón.

—Mozo —se plantó ante el muchacho—, deje en paz a mi hija.

Y como Ignacio parecía no comprender, le aclaró:

—A la salida del novenario, en la parroquia del Monserrat. ¡No me la desgracie! —y sin más desapareció en la noche.

—¿Y no era que usted andaba en amores con una ministra? —se burló Indarte.

—En la variedad está el gusto —alegó el muchacho alzándose de hombros con una sonrisa de don Juan.

Después de almorzar, cuando se disponían a una corta siesta, Harrison tiró sobre la cama una carta sin lacrar.

—La dejaron en mi oficina —aclaró, todavía sin digerir el gambito que tan acertadamente le había jugado Indarte.

Y mientras él se acomodaba a releer a Scott en *Cuentos de mi huésped*, Luz repasó la nota.

—Indarte ha sido destinado al Norte, por el asunto de Bolivia. Parte mañana con su regimiento. Toma, léela.

—Si crees que puedo leerla sin enfurecerme, es porque debe ser muy aburrida. Gracias —se permitió ironizar, arrojándola sobre la alfombra.

—Harri, si tenemos una niña, ¿qué nombre le pondremos?

—Isolda no, por favor.

—Me gustaría un nombre que se escribiera igual en inglés y en español —divagó Luz, indiferente a su malhumor.

—Edith, Antonia, Gloria…

—Horribles.

—¿Amanda? —propuso Harrison, inspirado.

—Amanda Harrison —repitió Luz en variados tonos—; me gusta. ¿No suena muy exótico para ustedes?

—No, aunque sí romántico. Los ingleses tenemos debilidad por las Amandas, las Melindas y hasta las Mirandas.

Su esposa se acomodó sobre su costado, la mejilla sobre el torso de él, el brazo rodeándole la cintura y con un suspiro, se quedó sumida en un sueño leve. Toda la inquietud y el malestar fueron desapareciendo del ánimo de Harrison. Continuó leyendo y su mano acarició afectuosamente la mano de la joven.

La tarde lo encontró reacio a volver a la oficina, sospechando ya la caída de Viamonte. De pronto, lo asaltó una enorme nostalgia por Córdoba.

Luz, que acomodaba el ajuar de su hijo en un pequeño *bahut*, pareció sorprender su estado de ánimo.

—¿Qué pasa, Harri? Te ves muy pensativo.

—Es la situación del país. Desearía que hubiera un largo período de paz... y me gustaría vivir en Córdoba —y un poco avergonzado, disimuló—: Tiene mejor clima que Buenos Aires para criar un niño, ¿no te parece?

—Sí, querido. Y supongo que todo es más tranquilo. Es decir, quiero creer que en algún lado queda todavía un rincón tranquilo.

"Pero no será por mucho tiempo, me temo", reflexionó Harrison con amargura.

El 23 de julio nació Tristán sin mayores problemas para la madre. Era una criatura fuerte que berreó vigorosamente en cuanto le palmearon el trasero. Cuando el doctor Campbell salió a felicitar al padre, éste preguntó nerviosamente:

—¿Está bien? ¿Es un varón?

—Sí, y de los más robustos que he traído al mundo —se vanaglorió el médico, e indicó a Gracia que fuera a ayudar a la enfermera escocesa, cerrando la puerta en las narices de Harrison con un campechano: "¡Paciencia, hombre!".

Adormecida de fatiga, Luz preguntaba a la morenita:

—Dime cómo es, que esos dos apenas me lo han mostrado. No tendrá defectos, ¿no? Su boquita, ¡mírasela bien! —porque el terror particular de ella era el labio leporino—. ¿A quién se parece?

—¡Es un Osorio pintiparado, niña! —se alborozó la muchacha mientras la escocesa, más seca que una estaca, le quitaba la criatura para vestirla.

Reanimada después de las friegas, la abundante colonia, las sales de olor, las ropas cambiadas, la cama mudada y la habitación aireada, Luz desnudó el pecho. La enfermera acomodó a Tristán en su brazo, dio un toque al pezón y dejó escapar la primera sonrisa al verlo prenderse con avidez.

—Haga pasar a mi esposo, doctor.

—Antes, mi buena señora, una taza de caldo de gallina y...

—Tonterías —se impuso Luz—; ese hombre ha esperado demasiado por su hijo. Déjelo entrar.

Cuando Harrison, compuesto pero pálido, se sentó a su lado, la joven dijo con algo de engreimiento:

—Bueno, aquí tienes a tu hijo y heredero. Tu trocito de eternidad, el depositario de tus afectos, la justificación para que sigas acumulando libras esterlinas como si fueran estampitas. ¿Estás feliz?

Él le tomó la mano y, emocionado como nunca, la puso sobre su corazón, como aquella primera tarde de noviazgo.

—Temí tanto, en verdad... Por los dos, pero por ti... ¡por ti...!

Ella le secó las lágrimas con la cabellera, intentando también dominar la voz, para al fin decir:

—No seas tonto, Harri. Los Osorio somos difíciles de exterminar. Así, al menos, decía mi abuelo.

Una hora después, Harrison y sus amigos discutían dónde plantar el tan ponderado retoño de roble de Miss Margaret mientras Owen preparaba la sopanda para llevarlos a la estancia.

—¿Es que va a dejarla sola? —se sobresaltó Ezcurra, que creía haber oído mal.

Los británicos —Morton, Towers, Olivier, Harrison y Campbell— lo miraron como si hubiera dicho una imbecilidad.

—La enfermera permanecerá con ella y yo vendré durante la noche —aclaró el médico.

—Y no creas que me quedaré a ver brotar el árbol —bromeó Harrison, tuteándolo por descuido.

Olivier preguntó:

—¿Y estás decidido a viajar a Gran Bretaña?

—Cuando el doctor Campbell me lo aconseje.

—Cuarenta días es tiempo prudente —aclaró el médico—; dada la fortaleza de la madre y del pequeño, no espero complicaciones.

—¡Viajar a...! —se atragantó Ezcurra.

—Oh, el aire marino es vigorizante para los recién nacidos y Cardiff no es tan frío —respondió el médico.

—Bravo nombre, Tristán —dijo Morton, que se sentía tontamente feliz de que en aquel grupo de hombres maduros y sin hijos, uno de ellos hubiera procreado un pequeño.

—A mí no me parece que sea nombre de santoral —desconfió Mariano, que estando cerca del inglés, nunca dejaba de olfatear ardides protestantes.

—No lo bautizaré Liborio —se exasperó Harrison, al que doña Rosario había dado una lista de los santos de cada día del mes. Pero como la felicidad lo volvía condescendiente, aclaró al joven, a quien sabía amigo de heráldicas y linajes—: En Córdoba, un esforzado caballero, Tristán de Tejeda —emparentado con la familia de mi esposa—, fundó hace siglos una ilustre y católica casa, Mariano.

Towers, que observaba por la ventana, les anunció:

—Ya está el coche en la puerta, amigos.

Harrison sirvió generosamente la última ronda y parado bajo el retrato de Luz, aquel que había pintado Sebastián, carraspeó:

—Por mi amada esposa y mi esperado primogénito —levantando la copa.

—¡Y que vengan otros más! —propuso Morton.

Vaciaron las copas y luego Mariano los siguió hasta la calle con el talante de un chico a quien los mayorcitos han excluido del juego.

El doctor Campbell subió a ver a su paciente antes de retirarse y mientras el coche se perdía en el camino y Ezcurra decidía pasar por lo de los Zabala a llevarles la noticia y emborracharse un poco, Gracia se asomó por la ventana de la sala.

—Don Mariano, dice la niña que vaya por doña Evangelina y la traiga para que conozca a su hijito.

Con un grito de alegría, Ezcurra saltó sobre el caballo y galopó en la tarde soleada llevando el mensaje que inmortalizó Belén: "¡Ha nacido el niño!".

Aunque Viamonte había renunciado, la Legislatura dudaba aún en entregar a Rosas los tan exigidos "poderes extraordinarios". Finalmente en octubre, Maza, presidente del cuerpo legislativo, aceptó tomar el cargo.

Todo el país padecía de inquietud: en el Litoral se tramaban conspiraciones con los exiliados residentes en la Banda Oriental; las provincias del Norte mostraban signos separatistas; entre don Javier López —aquel aliado de Paz en La Tablada— y el gobernador Heredia desafiaban el poder federal dando asilo en Tucumán a unitarios perseguidos, que preferían refugiarse allí a salir del país; la influencia de estos dos hombres penetraba en Catamarca, y desde Santiago del Estero uno de los más fuertes caudillos del Interior —Felipe Ibarra— les proponía alianzas.

También Salta se mostraba rebelde: Latorre, su gobernador, considerado un tirano, estaba malquistado con sus pares de las provincias vecinas, quienes amenazaban con invadirlo. El mayor peligro provenía de Jujuy, que se había declarado autónoma bajo la influencia de un español

—Fascio—, quien respondía a los planes de Bolivia para ganar fronteras sobre territorio argentino.

Buenos Aires comenzó a temer tanto los planes expansionistas de aquel país como el que los unitarios consolidaran su posición en el Interior, siempre en pugna éste —más o menos solapada— con el puerto. Había que detener aquella marca y Rosas eligió a Quiroga —aunque éste fuera mirado con el ojo izquierdo por los "apostólicos", dada su manía constitucionalista—, quien poseía suficiente influencia personal, sin olvidar el legendario prestigio que ejercía sobre los pueblos, para desbaratar aquella amenaza.

Luz y Harrison no habían prestado atención a tanta inquietud, ya que habitaban su propio paraíso: embarcados con Tristán para Gran Bretaña apenas iniciado septiembre, se sentían felices por las circunstancias que vivían y porque se encontrarían con los seres amados.

En Buenos Aires, finalmente, después de muchas conversaciones secretas, de chasques que se movían solamente en la noche y nadie sabía adónde se dirigían, mensajes verbales o papeles destruidos de inmediato por el fuego, Facundo partió, en diciembre de aquel año, a detener la guerra: enfermo y desde el primer día acuciado por el problema de conseguir suficientes caballos para apresurar el viaje. Seguramente no recordaba las predicciones de la agorera tucumana que, después del combate de La Ciudadela, le advirtió que perdería la vida en Córdoba, por donde él debería regresar de aquel viaje infernal.

La carta de Isabel que comunicaba el agravamiento de la salud de doña Carmen llegó un mes después de haber zarpado el barco que llevaba a su hermana hacia Gran Bretaña. Murray, que muy prejuiciosa pero realistamente sólo problemas esperaba de Córdoba, en vez de remitirla a Cardiff, la archivó en espera de que regresaran.

40. RETORNAR AL PASADO

"Mi imperio fue de lanzas y de gritos y de arenales y de victorias
casi secretas en lugares perdidos. ¿Qué títulos son ésos para el
recuerdo? Yo vivo y seguiré viviendo en la memoria de la gente
porque morí asesinado en una galera, en el sitio llamado Barranca
Yaco, por hombres de a caballo y con espadas."

Jorge Luis Borges
Diálogo de muertos

CÓRDOBA
PRIMERA MITAD DE 1835

En febrero de 1835, después de haber apaciguado el caldero de re-
beliones en el Norte y de haber firmado un tratado que prolongaba la tan ansiada Organización Nacional —fusionando las fuerzas
unitarias con el federalismo del Interior—, Quiroga fue emboscado y
muerto en el norte de Córdoba, en un paraje de triste fama por los asaltos
y crímenes que allí se sucedían.

En Buenos Aires, el funesto suceso obligó a Maza a renunciar y la
Legislatura, atemorizada por las posibles consecuencias, ofreció a Rosas la suma de los poderes, como él venía exigiendo. Sin embargo, don
Juan Manuel no se apresuró a aceptarlos, contestando que debía pensarlo antes.

Mientras las provincias pedían a gritos las cabezas de los hermanos
Reynafé —"el clan", como le llamaban, debido a su origen irlandés—,
Rosas usaba de su influencia para achacar aquel crimen a los unitarios,
asegurando que Manuel Moreno, desde Londres, le había prevenido que
sus enemigos preparaban un magnicidio, cuyas víctimas serían Quiroga
y él.

Pero algo sucedió que lo cambió todo: una idea colectiva tomó forma
entre los pueblos y las gentes, que comenzaron a señalar al Restaurador,
en connivencia con el caudillo de Santa Fe, como instigador —si no mandatario— de aquel asesinato.

Aquellos rumores que crecían sin que hubiera argumentos que los desbarataran, unidos al hecho de que García, desde La Rioja, amenazaba arrasar Córdoba, "envolviendo en cenizas la provincia toda", impulsaron a don Juan Manuel de Rosas a tomar rápidamente las riendas —que nunca había aflojado del todo— del poder absoluto. Porque nada era más funesto para Buenos Aires que el Interior se asociara con cabecillas embanderados en el prestigio del muerto de Barranca Yaco, reclamando además el cumplimiento de los tratados firmados por Facundo.

Rosas se hizo cargo del gobierno en abril; su proclama decía que había sido elegido por la Divina Providencia para sacar a la Patria del abismo.

El fervor de los adeptos, el deterioro de las instituciones, la falta de dirigencia, el feroz individualismo de unos y la obsecuencia de otros, sin desdeñar el amor —ni olvidar el temor— que aquel hombre infundía, llevaron a hombres y mujeres de las llamadas "clases patricias" a arrastrar por las calles de Buenos Aires, uncidos como animales de tiro, la carroza con el retrato del Restaurador adornado con bandas granates y rodeado de flores purpúreas. Como un presagio de lo que vendría, la ciudad y sus habitantes lucían del más rojo color; las casas de los "ilustres" mostraban sus muros, las puertas, la columnas pintadas de aquel tono; la ropa de la gente variaba del rosa al furioso punzó, incluso en los hombres; las estatuas eran adornadas con estolas o gorros de alegre bermellón. Y se veían doseles, alfombras, banderas, altares callejeros con Rosas entronizado.

Como río de sangre, la multitud se desparramaba alegre, vocinglera, exaltada; se mezclaban los discursos culteranos con los silvestres cielitos, se inventaban temas de una crueldad obscena y se cantaban himnos y odas elegíacas. Y entre el sonido de las alegres marchas y de la más alegre y popular media caña, sentidos versos sacaban lágrimas tanto a los borrachos como a los hombres de frac. A partir de aquel día, la efigie de Rosas todo lo presidía, porque se había establecido el ritual de la veneración.

Cuando aquello se supo en Córdoba, junto con las noticias de que en Santa Fe y en algún otro lugar se había festejado como día de Santo el asesinato de Quiroga, el comandante Farrell se llevó una botella de caña y se encerró en su despacho; no contestó la puerta ni las llamadas en la ventana, ni los susurros afligidos de las mujeres a través de las rendijas…

Felipe Osorio lo sacó de su mutismo y de su reclusión instándolo a que, con sus respectivas familias, se retiraran a Ascochinga.

—¿Qué se hizo, mi amigo —preguntó entonces el Comandante—,

336

de aquel pueblo que luchó tan denodadamente contra el despotismo español? ¿Dónde equivocamos el camino, dejando atrás la democracia y la grandeza?

—¿Quizás en Navarro, cuando mataron a Dorrego? —replicó don Felipe con amargura.

—Lavalle y Rosas —dijo Farrell con la voz pastosa—, el jefe unitario y el jefe federal —y sentenció con un ademán desdeñoso—: Aquí no hay héroes, compadre; sólo traidores a las causas más nobles de la patria. ¡Ojalá, contra mis convicciones, hubiera ayudado al Manco!

—Hay algo que me remueve los instintos...

—¿Y es ...?

—Paz fue boleado cuando estaba a punto de concretar la Asamblea Constituyente; Quiroga, asesinado cuando tenía en las manos los prólogos de la Constitución...

Farrell se puso de pie con la ayuda de su amigo:

—Vámonos. Quiero olvidar que pertenezco a una nación que sistemáticamente prefiere el error al acierto —y maldiciendo por lo bajo—: Saquemos a las mujeres y a los chicos de este ambiente contaminado por el crimen de esos bárbaros.

Y mientras se dirigían al patio interior:

—Me preocupa que Luz y Harrison lleguen mientras estemos ausentes y sean extraños quienes los pongan al tanto de sus desgracias...

—Para eso quedan aquí Camargo y Martina —lo tranquilizó don Felipe, refiriéndose al ayudante del Comandante y a la negra mayor de su casa—. Ellos nos mandarán aviso de inmediato.

El mismo día que desembarcaron, Murray entregó a los Harrison las cartas llegadas en su ausencia. Había tres para Luz, dos fechadas en los últimos meses del año anterior y ambas de Isabel: en la primera, le comunicaba la muerte de tía Amalia —la esposa de don Felipe— y la enfermedad de doña Carmen; en la segunda, el deceso de su madre. En la tercera carta, más reciente —estaba fechada en abril de 1835—, el comandante Farrell le decía que Severa había muerto para carnaval y urgía a Luz y a su esposo a viajar a Córdoba "por graves asuntos que a tu familia atañen".

Harrison se presentó en el Fuerte a pedir los salvoconductos para viajar al Interior y al día siguiente, cuando él mismo, para apresurar los trámites, fue a buscarlos, se encontró con un mensaje de don Juan Manuel de Rosas, que quería verlo de inmediato.

337

Isabel, con hábito de novicia y descalza, recibió a Luz en el locutorio, una pieza pequeña, fría y casi desamoblada.

—Nuestra orden es de reclusión —le advirtió de mal modo—. Podría no haberte recibido.

Luz se sentó después de quitarse la capa.

—¿Por qué lo has hecho, entonces?

—Por la memoria de mamita; ella...

—Oh, a ella no le hubiera importado que me hicieras un desaire. Yo no era, precisamente, su preferida.

—¡Mamá era una santa!

Luz hizo un gesto que enfureció a la novicia, quien apretando los labios se enderezó, rígida, al decirle:

—No dispongo de mucho tiempo. ¿A qué has venido?

—¿Por qué no me comunicaste la muerte de Severa?

—Imaginé que si no postergaste el viaje por la enfermedad de mamá, menos te interesarías por la muerte de una sirvienta.

Tamborileando con los dedos sobre el tablero de la mesa, Luz dijo con desprecio:

—Ya sabía que algún día te mostrarías como eres: miserable.

—Mi conciencia está en paz —se encogió la otra de hombros.

—No lo dudo —y después de un tenso paréntesis, Luz añadió—: Estuve en el solar y los vecinos me dijeron que hace tiempo está deshabitado. Las disposiciones de Harrison...

—¿Qué derecho tiene ese discípulo de Lutero a disponer de nuestros bienes?

—No discutiremos tu parecer —la cortó Luz—, sino lo que dice la ley: que Harrison es nuestro albacea y tutor —te recuerdo que eres menor— y don Prudencio...

—Pero Cáceres falleció, hermana. Ahora lleva nuestros asuntos el doctor Borja —y amparada en aquel nombre y en la conmoción de su hermana, dijo nerviosamente—: y él consideró que, por el resguardo de nuestro patrimonio, no convenía tener el solar abierto sólo por una esclava.

—¡Los Osorio siempre hemos cuidado de nuestra gente! —reaccionó Luz, indignada—. Además, Severa era liberta; le di la carta antes de irme.

—Pues perdió el documento, la ignorante... si es que alguna vez existió, lo que no me consta, ya que nunca me pusiste al tanto de nada.

Luz se contuvo a un paso del descontrol:

—¿Y qué fue de las chicas?

—Se las liberó de servir, sólo producían gastos. En cuanto a la otra —la cara se le descompuso en una mueca—, se escapó con un montonero.

—Corrección: Calandria se fue con nuestro hermano Fernando, que me lo hizo saber —retrucó Luz—. Y entérate que ya tienen un hijo que lleva nuestro apellido.

—¡Ningún sacerdote los casaría, ella es negra!

—Mulata, mezcla de negro con blanca o viceversa, diría mi querido Edmundo. Y no estés tan segura de que no estén casados. No todos los curas son como tu dominico. También los hay como el cura Aldao, famoso fornicador, o el cura Campos, que tiene su manceba. Y de cualquier modo, de no ser así... vivirán en feliz concubinato.

—¡Cállate, no digas blasfemias! —chilló Isabel tapándose los oídos.

—Si consideras al amor blasfemia...

Se enfrentaron con rencores de años; Luz había recuperado el terreno perdido e Isabel retrocedía hacia el muro, en retirada.

—Bien, dejemos eso, que es otra cuestión. ¿Dónde pasó Severa sus últimos meses?

—Aquí, las hermanitas le dieron cristiano refugio.

Aquello no apaciguó a Luz, que le dispensó una fría y especulativa mirada.

—No tomaré más de tu sacrosanto tiempo —se burló poniéndose de pie—. ¿Dónde la mandaste enterrar?

Isabel hizo un movimiento espasmódico, de retroceso.

—En la fosa común... ¿Qué te creías?

Luz tuvo que sostenerse de la mesa; cuando se recuperó del mareo que le había producido tan horrible noticia, se inclinó a recoger la capa y el bolso que se le habían escapado de las manos. Se dirigió a la puerta de salida, muda, pálida y descompuesta, pero desde allí la enfrentó, colérica.

—¡Pagarás, pagarás por eso, Isabel! ¡Te lo prometo, lo pagarás!

Y provocada por la sonrisa secretamente satisfecha de la otra, volvió sobre sus pasos y le golpeó el rostro con la mano abierta, arrojándola contra la pared. La vio resbalar al suelo y arrastrarse, asustada, lejos de ella. Entonces se recogió la falda y la siguió, diciéndole en un susurro:

—¡Llegarás a arrepentirte, te lo juro por la salvación de mi alma! Haré que te arrastres —y la tomó de la toca, apresándole el cabello, sacudiéndole la cabeza contra el muro con cada frase—. ¡Haré que te destrocen las malas lenguas, que seas el hazmerreír de la ciudad! ¡Haré que te desprecien tus superiores y no pases de novicia, que no sirvas sino para los más viles trabajos, que no sirvas más que para lo que siempre has estado destinada: el infierno! —e inclemente a los llantos y los ahogos de Isabel, miró con furia a las monjas que, escuchando el alboroto, se habían atrevido a entrar.

—Pero te reservo lo mejor para el final, Isabel —dijo Luz, consiguiendo dominar la voz—. Cuando ya nadie te quiera aquí, vendré a buscarte y te llevaré conmigo. Espérame, porque es un juramento.

—Usted no puede... —dijo una de las monjas con indignación, pero Luz la enfrentó con la autoridad de quien se sabe intocable.

—Retírese de mi camino, o usted recibirá el mismo trato que mi hermana.

El golpe con que cerró la puerta del locutorio sacudió el silencio de los claustros. Isabel, hecha un ovillo, gemía y balbucía incoherencias, la cara oculta entre las manos.

La negra salió del convento llevando un canasto, iba a recolectar la comida diaria —casa por casa— para la comunidad religiosa.

De un coche estacionado en la esquina, una joven señora le hizo señas de que se le acercara; obedeció sin apuro ya que era vieja y padecía de reuma.

Por la ventanilla, la mano enguantada le tendió una moneda de plata que ella tomó con desconfianza.

—¿Querría subir al coche? Necesito hacerle unas preguntas.

—Como mande vuesamercé —y trepó penosamente.

La señora —era joven y vestía ropas costosas— le hizo lugar a su lado a tiempo que le preguntaba:

—¿Conoció usted a Severa?

—Sí, misia, pero... ya murió —contestó, apretando la moneda.

—¿De qué fue que padecía?

—Del pecho, pues —y buscaba en su inventiva algo que conformara a la dama, cuando ella, a modo de promesa, sostuvo una segunda moneda entre el índice y el pulgar.

—Quiero la verdad. Y sosiéguese, nadie sabrá que hemos hablado. Severa... —la voz algo autoritaria se quebró— ella... era una de las personas que más he amado en mi vida.

—¿Será vuecelencia la niña Lucita? —y al ver el dolor en la joven se ablandó—. Mire, baje las cortinas, que si me ven las monjas... —y obedecida, se reclinó en el asiento.

340

—Severa llegó… hará para el año. Vivía hablando de usted —cuando abrió la boca, porque al principio andaba cabreada con medio mundo—. Después, dale con que su niña esto, con que su Luz esotro. Qué quiere, malicié que vivía de ilusiones… Un día se me fue la lengua y le canté que si su tan mentada niña la quisiera una pizquita de lo que ella presumía, no sería de permitir que su servidora pasara la vejez así, de pordiosera. ¡Viera usted el enchinche!, pero poco a poco se le pasó y me contó que lo que pasaba era que usted estaba lejos, en un país de gringos al que se iba en barco y demora ¡uy! para llegar. Menos le creí, pero esta vez me guardé mis pareceres, hasta que un día sospeché que había algo de cierto, porque cayó la tía de usted —esa que anda en recoger guachitos— y le trajo abrigo y comida de la buena. ¡Qué panzada nos dimos! Y más después, vinieron unos señorones. ¡Cómo no había de conocerlos yo!, uno era el que fue marido —por ponerlo decente— de la Florinda, la que murió con su hijito para el tifus… Y el otro era el tío de usted, el que enviudó hace poco de la niña de los Villalba, yo supe servir ahí… Y bueno, que oí al Comandante que dijo: "Luz tiene que enterarse; esto no tiene nombre" y don Osorio va y contesta: "No hay modo hasta que vuelvan de… (ahí no entendí), caracho". Cuando se fueron, Severa quedó hecha unas pascuas, porque le dijeron que las chicas —ya sabe, las negritas de usted— estaban en la casa de ellos.

Quedó pensativa mirándose los dedos deformes.

—Y ya ve, poco antes del carnaval, la pobre se amoquilló y no quería levantarse. "Arriba, negra, que si te mandan al hospital, es el moridero", le advertí. Entonces llegó la celadora nueva y la acusó de hacer flojera por no ayudar, que ésas eran cosas de criada consentida que no iban con el convento, dijo. Severa se retobó y hasta le soltó —primera vez, vea, que se le escapaba— algo de la hermanita de usted, la novicia, ¿no? Y la nueva le dice "desaforada", y la mandó a castigo…

Se detuvo, como temiendo seguir.

—¿Qué castigo?

—El sotanito, pues, helado hasta en verano. Yo le llevé de comer, pero ni me reconoció. Estaba tumbada en la paja, de cara a la pared, y cuando oía pasos, decía: "Luz, Luz, ¿sos vos?". Hacía un ruido feazo al respirar, así. Y aunque no me gusta ser alcahueta, me la crucé a la madre Superiora y la informé. Y la monja se pasma y dice: "¡Qué! ¡Ese hueco no se usa desde los tiempos del mártir Liniers!". Por las dudas, la hice acordar: "Sabe quién es la negra, ¿no? La que visita la misia de los huerfanitos". La pobre se puso verde y juntó las manos: "¡Santa Madre Teresa, ampáranos!

¿Qué va a pensar doña Mercedes? ¿Quién fue la desalmada que ordenó semejante castigo?". Y allí le cayeron a la verduga, que cargó sus buenas penitencias. Sacaron a Severa como se pudo, era de llorar. Y la mandaron para el hospital. Yo le llevé unos huevitos que saqué de la limosna —no creo que Diosito me los cobre—, pero fue al cuete. No quería comer y por ahí pedía mate. El padrecito que andaba repartiendo las bendiciones de gracia la retaba: "Como para cebar estamos, ya, ya". Severa me sopló al oído: "Guardá la comidita para los chicos, Cala, que ellos necesitan más que nosotras, están creciendo los huesitos…". Comprendí que desvariaba… Entonces creo que entendió algo, porque se quedó tranquila, me agarró la mano y me pidió que la ayudara con el padrenuestro. Después cerró los ojos y me dijo: "Pronto ha de venir". Como no entendí, se sonrió y… y me dijo: "Ya vas a ver, descreída, santatomasa, que mi niña vendrá por mí". Después se encomendó al Corazón de Jesús, a la Santa Virgen y a San Francisco y…

La joven rompió a llorar cubriéndose el rostro con las manos.

—¡Ay, San Ignacio, por qué no la obligué a seguirme! ¡Nada de esto hubiera pasado! ¡Y que la enterraran así!

—¿Sabe qué pasó, misia? Que cuando murió la pobre, sus tíos estaban en el campo. Oí a la celadora de camas que le decía al padrecito que a misia Mercedes no le iba a gustar aquello y el viejito le contestó: "Pero están todos en las sierras y con estos calores, vamos…". Así que allá la mandaron a la infeliz.

Y viendo sinceridad en el dolor de la joven, le palmeó el brazo. —Y donde esté, doñita, ella sabrá que usted le ha cumplido.

—¿De qué sirve ahora? —se desahogó Luz cubriéndose los ojos con el pañuelo empapado.

Con pena, la negra intentó devolverle el dinero:

—Tenga, no puedo aceptarlo. Yo también la quería a Severa.

Luz le cerró los dedos sobre las monedas.

—Consérvelas como si ella se las mandara.

—Siendo así… y disculpe, pero tengo que ir a la limosna o nadie comerá este día —bajó del coche y se volvió a decirle—: ¿Sabe?, ella nunca, pero nunca pensó que usted la había abandonado. Yo tenía mis dudas, pero veo que la quería usted de veras. Eso es ser agradecida, aunque muchos se piensan que solamente los pobres tenemos que agradecer.

Se envolvió en la pañoleta rotosa como si la hubiera tocado un viento helado.

—… una da tanto amor y servicio… para terminar corrida de todos lados, como perro sarnoso.

Mientras se alejaba con su andar reumático, Luz le preguntó:

—¿Cómo es su nombre?

—Benigna —contestó sin volver el rostro desolado.

Mientras esperaba en el despacho al que la había hecho pasar la criada, Luz recordó con tristeza a don Prudencio y también a los que amaba y estaban como perdidos para ella: Sebastián, Fernando, Edmundo, Calandria… ¿También ellos morirían lejos? ¿Sabría alguna vez dónde estaban enterrados?

Manuel Cáceres entró: se había convertido en un lindo mozo —sin superlativos— y con empaque de notario.

—¿Doña Luz? —se desconcertó—. Es decir, ¿la señora de Harrison?

Luz le tendió la mano que él se apresuró a besar; luego se acomodó detrás del escritorio, algo envarado.

—¿En qué puedo servirla?

Ella no se anduvo con rodeos:

—Don Manuel, usted se ha hecho cargo de los asuntos de mi padre. ¿Por qué ha transferido nuestro legajo?

Algo incómodo, el joven bajó la cabeza y levantó la mano como para corregirla:

—Perdón, no he sido yo quien lo transfirió. Fue la familia de usted quien me lo retiró.

Luz quedó sin habla. Luego, atropelladamente, comenzó a recapitular:

—Hace quince días, al regresar de Gran Bretaña, me encontré con una carta muy lacónica del comandante Farrell urgiéndome a venir. Me preocupó tanto que he dejado en Buenos Aires a mi hijito, en manos de criadas, por no exponerlo a los peligros del viaje. Al llegar a Córdoba, me encuentro con un desastre que nadie sabe explicar… —exasperada, presionó—: Mire usted, mi tía Francisquita está de retiro espiritual; mi abuela seguramente ignora todo y el resto de la familia está ausente. Por favor, ¿me dirá usted qué es todo esto?

—¿Ha venido Mr. Harrison con usted?

Luz enrojeció de furia.

—Llegará en unos días. ¿He de quedar en la incertidumbre hasta entonces?

Su voz fue tan expresiva que el joven cedió.

—El último año de vida de la madre de usted, la señorita Isabel trabó amistad con una mujer que frecuentaba la orden de las Teresas. Esa señora le presentó a Borja, el actual letrado de la familia de usted.

—¿Y por qué no se nos comunicó el fallecimiento de don Prudencio? No era únicamente nuestro apoderado, también era un muy querido amigo de la familia.

—Pero si le informé, señora. La señorita Isabel mandaba correspondencia a Buenos Aires con un amigo y me solicitó que le escribiera a ustedes. Entregué la carta en propia mano. ¿Quiere ver la copia?

Luz negó, aturdida. El joven se mostró menos renuente a hablar.

—Muchas veces dudé de haber confiado aquella carta a su hermana, pero parecía necio sospechar —se justificó—. En fin, cuando el trastorno por el deceso de mi padre pasó, me enteré de que ustedes estaban en el extranjero. ¿Qué podía hacer? —y atusándose el bigote dijo—: Evidentemente, no recibieron ustedes la notificación.

—No; llegué a Córdoba en la más absoluta ignorancia. Pasé por el solar y al verlo en semejante estado, fui de inmediato al convento —una vecina me dijo que allí estaba Isabel— y por ella supe lo demás. Tengo la certeza de que...

—¿Su hermana tampoco la interiorizó de las disposiciones de doña Carmen de retirarnos el legajo?

—¿Disposiciones? Don Manuel, usted sabe muy bien que mi madre estaba loca.

El joven se echó atrás en el sillón:

—Ahí está el quid, doña Luz. Un médico dictaminó lo contrario.

—¿Acaso mi madre recuperó la cordura y nadie nos lo hizo saber?

—Yo no dije que doña Carmen estuviera cuerda.

Después de un pensativo silencio, Luz indicó:

—Lo que usted sugiere implica graves anomalías.

—Por supuesto, pero la ley los amparó a ellos.

—¿Quienes son "ellos"? —se exasperó la joven.

Cáceres desvió la mirada.

—Desearía que usted entienda que prefiero tratar esas cosas con su esposo.

—¿Hay alguna bula que impida a las mujeres tener sentido común como el de los hombres? —se indignó ella.

—Son cosas siniestras, señora. Nuevamente su casa estuvo a punto de ser confiscada, ahora en beneficio de la Curia, que prefirió recibirla —de acuerdo con doña Isabel— en donación. Si las cosas se han detenido ha sido por el recelo de la continuidad de este gobierno y las influencias de don Felipe y del comandante Farrell.

—Si le prometo no mover un dedo hasta que llegue mi esposo, ¿me lo dirá todo? Porque presiento que se reserva lo peor.

Él sonrió sin ganas y Luz agregó con fastidio:

—Se lo juro por la salud de mi único hijo.

—Espero hacer lo correcto —masculló el joven y se acodó en el escritorio—. Mi creencia es que esa mujer a la que aludí convenció a la señorita Isabel de que se la trataba injustamente. Doña Isabel deseaba desesperadamente el permiso y la dote para entrar en el convento y sólo la detenía el cuidado de su madre —que decaía rápidamente— y la tutoría de Mr. Harrison. Esa malhadada señora instrumentó su liberación. La muerte de mi padre favoreció sus planes que, sospecho, maquinaban hacía tiempo, aunque no se hubieran atrevido a llevarlos a cabo en vida de él. Esa mujer y Borja contactaron a su hermana con el galeno que certificó la recuperación de doña Carmen, haciéndola asumir el control de sus asuntos.

—Y mis tíos ¿no lo sabían?

—Por entonces pasaron una larga temporada en las sierras, por el duelo de doña Amalia, que falleció casi junto con mi padre. Cuando regresaron, me pareció poco ético quejarme de haber sido desplazado. Aún no tenía la certeza de que hubiera una intriga, pero las murmuraciones comenzaron y don Felipe y don Eduardo Farrell vinieron a verme. Conversaron abiertamente y les pareció extraño que ustedes no hubieran contestado dando condolencias e instrucciones; pero sabiendo que estaban de viaje, decidimos esperar. Ya ve qué extrañas circunstancias se unieron para que estos delincuentes se salieran con la suya.

—¿Cómo pudo la justicia aceptar aquel certificado, cuando dos prestigiosos médicos afirmaban lo contrario?

—El doctor Gordon fue recusado por un tecnicismo y, siendo extranjero, prefirió no protestar. Y el doctor Pizarro, complicado en la revolución de Del Castillo, había huido a Chile. Lo que dejó el campo libre a Canseco, amigo de la intrigante —Sandoval es el apellido—, pero, sobre todo, protegido de los Reynafé.

—¿Qué beneficios esperaba obtener esa mujer?

—Oh, su tajada fue tan suculenta que prefirió desaparecer, abandonando a su... ¡ejem!... protector, un poderoso de esta administración.

—¿Y Borja?

—También de la camarilla gubernamental —asesor "iletrado", dicen por ahí—. Canseco es un ebrio perdido; los tres cuentan con la protección más alta. ¿Comprende por qué no quiero que usted se exponga? Por un lado, si se creen amenazados, podrían huir. Por otro, instrumentar... algo.

Con amargura, le advirtió:

—Si bien mi padre padecía del corazón, usted recordará, lo que precipitó su muerte fue un asalto donde lo golpearon ferozmente. Hasta hoy me pregunto si aquello fue casual.

—Entiendo. Si me mantengo al margen, pensarán que me he resignado y que no hay peligro para ellos.

—Exacto. Son venales y también imprudentes. Y como se sienten amparados por la actual comandancia...

—¿Es que no saben que Rosas ahora acusa a los Reynafé del asesinato de Quiroga, que ha exigido a López que deje de protegerlos y se los entregue? Quiere ejecutarlos públicamente.

—Sería ventajoso que su esposo llegara pronto. Los Reynafé tendrán que escapar; entonces, Borja, Canseco y los funcionarios corruptos quedarán a descampado. Hay que estar alertas para actuar con rapidez. ¿Cuándo llega Mr. Harrison?

—En unos días. Viajamos juntos desde Buenos Aires, pero se desvió hacia Los Algarrobos para ver cómo están las cosas por allá. Además, venía en comisión para don Juan Manuel de Rosas: debía entregar en mano una carta de él, para don Quebracho.

—Interesante —dijo Manuel; y reanimado, dio una palmada sobre el tablero—. Bien, doña Luz; aténgase a mis consejos. Mucha gente le buscará la lengua, usted diga que todo está en manos de su hermana. Por mi parte, haré contactos con hombres de justicia que me merezcan confianza —y le propuso—: ¿Estaría dispuesta a tomar gente para que vigile a Borja y a Canseco, para que los detengan si pretenden salir de la ciudad?

—Por supuesto. Le adelantaré el dinero —detuvo la negativa del joven con un ademán—: En el trato cercano a los negocios de mi marido, aprendí que todo marcha mejor si se cuenta con metálico.

—Veo que ha adoptado la filosofía anglosajona...

—Sólo en lo práctico, Manuel —sonrió ella por primera vez en el día—. Y llámeme Luz, por favor, que nos conocemos desde la infancia, ¿verdad?

Mientras él le extendía el recibo, le preguntó dónde se alojaba.

En lo de abuelita —doña Adelaida—; han avisado a Ascochinga de mi llegada, así que pronto estarán mis tíos de vuelta, supongo.

346

—Podríamos mandar acondicionar el solar. No creo que la Curia se atreva a intervenir, dadas las circunstancias.

—¿Sería posible, Manuel? No soporto ver la casa en ese estado.

—Todo es posible, *madame*, con dinero —la parodió él—. Y en Córdoba, aun sin él. Eso, al menos, sostenía mi padre.

41. EL REVÉS DE LA HISTORIA

"Al remover el piso de una de las habitaciones de la posta de Sinsacate (alrededor de 1913), el pico dio contra la bóveda de un pozo, en cuyo fondo yacían los huesos de un niño de diez a doce años y los de un caballo. Entre los restos se hallaba una medalla manchada de sangre, en la que se distinguía a San Cristóbal, patrón de los postillones."

Francisco Luis Bermúdez
La copa de agua

CÓRDOBA
JULIO DE 1835

Cuando Luz se retiró, Manuel fue en busca de su madre.

—¿Sabe quién estuvo a verme, mamá? —preguntó, algo fuera de sí—. La hija de don Carlos, la que se casó con el inglés.

—¿Y cómo está? —preguntó la señora, continuando con el telar.

—Espléndida y adinerada; su coche es soberbio.

—Tuvo suerte de bolear a aquel gringo —acotó ella despiadadamente y, dejando la lanzadera, giró los hombros cansados—. Para que sepas, no tenía diecisiete años y ya se había revolcado con un indio.

Manuel, turbado ante aquel término, protestó:

—No lo creo posible.

—Muchos ingenuos, entre los que se contaba tu padre, dijeron lo mismo.

Paseándose por la habitación, el joven insistió:

—Don Carlos no tenía ranqueles en sus dominios. ¿Cómo habían… de tratarse?

—El demonio allana las vías cuando hay mala intención.

—Eso no resiste la lógica.

—Así pensó el inglés y se ensartó. Debe haberse dado con verdades rotundas en el lecho de bodas, porque estuvieron años separados.

—Mamá, lo que usted insinúa no tiene pies ni cabeza. Fueron apenas

348

unos meses y sucedió mucho tiempo después del casamiento. ¿No le parece demasiado tiempo para tomar una decisión?

—Ustedes, los varones, ven un rostro bonito y están dispuestos a comulgar con ruedas de carreta y mientras tanto, las mujeres honestas… —resentida, la matrona despotricó contra las malas hembras que enredaban a los jóvenes crédulos "como ese chico de tan buena cuna que la pidió en matrimonio y por suerte su santa madre consiguió impedirlo".

—¿Usted se refiere a Páez?

—Sí; Luz le dio el portante porque el inglés tenía más caudales.

—Pero, ¿no acaba de decirme que misia Dolorita impidió la boda?

Doña Carmela se ofuscó en recriminaciones hacia el sexo opuesto. Un rencor de años hacia los favorecidos de la belleza y la fortuna —que poco había andado por su casa, o al menos no vestida con los ropajes que doña Carmela esperaba— la colgó de una retahíla maldiciente y agria. Desalentado, Manuel la dejó desahogarse. "¿Con un indio? ¡Qué absurdo! ¿Cómo iba una señorita de casta —y con lo celosos que eran los Osorio de sus mujeres— a relacionarse con un indio? Bien hizo el inglés en no creer semejante majadería." Sin embargo, recordaba la inquietud de su padre por la permanencia de Luz y los niños en el campo, sin un varón que los protegiera. Muchas veces lo oyó quejarse del carácter de la joven, dado más a caprichos y valentonadas que a falta de decencia.

Se hizo el silencio: su madre, con gesto hosco, desenredaba un nudo del hilado. Manuel se acercó a ella y le plantó un beso en la frente. Con áspera ternura, ella fingió rehuirlo.

—Como sea, mamá, es posible que, después de esta visita, acaben nuestros problemas pecuniarios. Y no pregunte, que por honor de letrado, aún no puedo darle detalles.

Después de azotarse con el cordón del hábito, al que había sumergido en su orín, Isabel se arrodilló sobre sal gruesa. Ya no se sentía tan segura de sus acciones: no estaba Remedios Sandoval para proporcionarle argumentos.

Tendría que avisar a Borja que Luz había llegado, pero temía que desapareciera como su amiga. No; dejaría que todo fuera según el Propósito Divino, que en su infinita sabiduría sabría protegerla.

Aquella tarde la Superiora le había preguntado si no surgirían problemas con la dote o los bienes donados a la orden.

—¿Qué problemas? —había preguntado ella, atónita.

—Legales.

Por supuesto que no; allí estaban las firmas oficiales avalando que mamita estaba sana y aprobaba sus decisiones.

Para su sorpresa, la Superiora no pareció convencida.

Sintió las piernas entumecérsele; pronto llegaría el olvido que borraría las noches en que permanecía ovillada mientras los lamentos de Luz traspasaban los corredores, las puertas, las galerías, los patios...

Severa hizo mal en traer a aquella hechicera que había salvado a su hermana, porque lo razonable es que Luz muriera en resguardo de la honra de su familia.

Y el padre Iñaki ¡amenazándolos con la excomunión! ¿Quién podía dudar de que mamita había pagado con la cordura aquella herejía y que Severa había sido el instrumento de Satán?

("—Gracia, ¿qué le pasa a Luz?

—Se está muriendo, Sabela, porque tu padre mató al hombre que amaba.")

El amor, el hombre, la sangre, la muerte... el pecado. También Indarte y Harrison habían matado por Luz. ¡Qué cosa pavorosa era ser mujer! Gracias a Dios, a ella nunca, nunca le había venido el sangrado mensual...

... Y aquel año infernal en Los Algarrobos, sin la protección de los sacramentos, viviendo como bárbaros bajo la tiranía de su hermana, ¡culpable además de sacrilegio! ¡Bien se merecían ella y Severa la fosa común!

Pero no debía temer más, porque ahora la orden la protegía. Estaba a salvo de las convulsiones mundanas... y de Luz. No tenía que salir con ninguna excusa del convento, no tenía que permitir que Luz...

Mareada, la lengua enorme de sed, el dolor la atravesó como una espada. Se sentó en cuclillas y a la macilenta luz de una vela, ya casi por entero consumida, metió los dedos en la bacinilla, los empapó de orín y se los chupó para mitigar la sed. El dolor volvió y esta vez se entregó a él. Su conciencia y la vela se apagaron juntas.

Manuel Cáceres, en el salón de truque de los Pizarro, midió el tiro de bola.

—¿Recuerdas a la hija de don Carlos, la que vive en Buenos Aires?

—¿Quién no? —contestó su amigo, arrojando al suelo la colilla—. La cazó al vuelo aquel inglés amigo de los Fragueiro; Eduardito la perdió por calzonudo.

—Pues ella no hizo mal negocio. Estuvo ayer a verme; se nota que anda en buenos términos con la diosa Fortuna.

—¿Y qué tal luce?

—Hermosa —y tomó un sorbo de ajenjo, que no le gustaba pero le parecía de mucho tono— y mundana, como salida de una novela francesa.

—Caray, ¿a qué se debió la deferencia?

—Venía a darme el pésame por la muerte de papá.

—¿Sabrá Eduardito que anda ella por la ciudad? Ayer lo vi entrar en el cabildo, seguramente con su vinito encima. A media mañana vuelve a salir, se rocía otro cuarto y regresa tropezando con los árboles; anda todo el tiempo así, como esperando una reprimenda, y ha adquirido una tartamudez, Manuel... ¿Y sabes cuál es el último refinamiento? ¡Chupa pastillas de violeta para disimular el tintillo con que se desayuna!

—No creo que dure en el puesto cuando caiga el gobierno.

—Oh, no te preocupes, los Páez "comen en todas las mesas".

Más tarde, regresando por las calles desiertas —la incertidumbre y el invierno le daban a Córdoba el aspecto de un barco abandonado—, Manuel recordó unas palabras de su padre.

"¡Mira lo que ha sido de estos heroicos muchachos que enfrentaron a Quiroga! Las circunstancias de la política los han molido como a trigo, haciendo desaparecer todo futuro razonable. Sebastián, Edmundo, Eduardito, Tejedor, el marido de Inés, Rafael Correa, sin olvidar a Fernando, a Gonzalo, a Martincito, aunque estén en el otro bando. Nada queda de ellos. ¡Tanta juventud perdida, sin porvenir ni esperanza en su país! Por mi amor de padre, ruego a la Providencia que a ti te toque transitar por derroteros más fecundos y pacíficos."

En la oscuridad de las seis de la tarde, gris el ánimo, gris el aire, demudada el alma, Manuel se limpió disimuladamente las lágrimas.

Al llegar al solar, Harrison encontró que estaban limpiándolo bajo la dirección de la negra mayor de don Felipe.

—La niña está ahicito, patrón, en lo de la abuelita.

—¿Qué ha pasado con la casa? —preguntó él, inquieto.

—Meses hacía que estaba sola mi alma —dijo Martina, rehuyendo explicar—. Los hombres de la niña andan por los fondos, ¿sabe?, ayudando.

Harrison indicó a Owen que se acomodaran en las barracas y taloneó el caballo hacia lo de don Felipe, sintiéndose cansado y disgustado. Muertas doña Carmen y Severa, esperaba que fuera la última vez que Luz acudiera como alucinada detrás de su familia.

Al llegar al portal, llamó con una irritación que no se concretaba más que en sus molestias corporales. Una criadita lo hizo pasar y Luz corrió por la galería, a su encuentro. Se abrazaron sabiendo que no tenían más que tristezas para comunicarse. Ella murmuró tratando de mantener la compostura:

—Isabel ordenó que echaran a Severa a la fosa común.

—¡Oh, querida! —la volvió a abrazar—. ¡Cuánto lo siento!

Subieron a la pieza de Edmundo, acondicionada para ellos, y mientras él se daba un baño, ella le contó cuanto sabía y había averiguado. Después, desahogada, preguntó:

—Dicen que don Quebracho López será el nuevo gobernador...

—Ignoro qué decía la carta, Luz, pero don Manuel se mostró muy impresionado al enterarse de que Rosas le había escrito. ¿Qué opinas, servirá para el cargo?

—Es un gaucho rudo, aunque de noble familia, como le gustan a Rosas. Lo aprecio, pero no lo veo para el puesto: aquí son muy leguleyos y él es muy mandón.

Insistiendo en afeitarlo, se atrevió a preguntar:

—¿Cómo están las cosas por Los Algarrobos?

—Como te imaginarás. Videla y su familia, bien. Me dijo que te alegraría saber que uno de sus hijos ha vuelto, aunque ha perdido un brazo. ¿Y sabes que hace un año don Manuel dejó de recibir nuestras remesas? Ha estado pagándoles de su bolsillo, pero ya lo arreglé. Por suerte no se atrevieron a meterse con la estancia.

—Por temor a don Quebracho. Los Reynafé lo prefieren neutral.

—Y los Cepeda fueron a saludarme a Pampayasta. Visité el campito que les cediste y me dio gusto ver cómo lo trabajan. Te mandan una fusta con puño de plata y alma de estoque; la hizo uno de ellos para ti y no sé qué dijeron que venía de la rastra de un muerto...

Mientras Luz le quitaba los restos de espuma con una batista, Harrison cambió de tema:

—¿Qué harás con Isabel?

—La demandaré —respondió ella, empapándose las manos en agua de Colonia y palmeándole las mejillas.

—Ya basta —protestó él—; me tratas como a un pashá.

Desde la espalda, ella lo abrazó, besándolo en la coronilla.

—¿Es el preámbulo a un soborno? —desconfió Harrison.

—Tú que pagas tantos, ¿no te complace recibir uno de vez en cuando? —se burló Luz.

Los Farrell fueron los primeros en llegar del campo y al atardecer se presentaron a saludarlos. El Comandante se mostró muy satisfecho con los habanos y el ron Medford —dominicanos— que lo esperaban y doña Mercedes prefirió abrir el frasco de caramelos brasileños antes que el perfume francés. En medio de aquel intercambio de exclamaciones, apareció misia Francisquita, que había escapado de los Ejercicios Espirituales con el pretexto de que le amenazaban cólicos, ya que seguramente aquel embrollo familiar no iba a arreglarse —suponía— sin su intervención. Un suntuoso y sombrío rosario de obsidiana, engarzado en oro, la dejó trémula de emoción; ¡nadie en Córdoba tenía algo parecido, ni en rareza, ni en suntuosidad, ni en precio! Tendría que llevar una criadita más a misa, con un bonito almohadón donde portaría aquella joya y además para que se la sostuviera mientras lo desgranaba…

Por último, Harrison, con una sonrisa enigmática, entregó a Farrell un abultado sobre: don Eduardo se apresuró a hacer saltar el lacre para ver qué contenía: era nada menos que de un amigo —y lejano pariente— que había conocido durante la guerra con Brasil. La carta anunciaba su visita para octubre.

—Pero… pero… ¿dónde se encontraron al aventurero?

—Cuando volvíamos de Gran Bretaña, en el barco. Viajó con nosotros hacia Buenos Aires. Compartíamos la mesa con el capitán y al oír hablar de Córdoba, nos preguntó por ti. Se sintió muy complacido al saber que éramos parientes.

—¿Y en qué anda ahora? ¿De soldado de fortuna? —una manera romántica de decir mercenario.

—No; escribe para un periódico de Edimburgo y colabora con una revista de Londres —aclaró Harrison.

—Entonces es gente de campanillas —se sobresaltó doña Mercedes—; si va a hospedarse en casa, Farrell, debe decírmelo con tiempo; tengo que hacer arreglos, o nos tomará por pueblerinos.

Para molestarla, Farrell hizo un gesto con la mano:

—¡Bah! Si supieras dónde ha dormido ese pirata, sabrías que unas cuantas chinches no le quitarán el sueño.

—¡Bichos en mis camas! —se sofocó la señora—. Pero... ¡pero qué está diciendo, Comandante! ¡Qué pensará Mr. Harrison!

Luz logró tranquilizarla mientras su tío contaba anécdotas de aquel escocés errante llamado Brandon R. Hardy. Agotado el tema, hablaron sobre los sucesos de Córdoba.

—Facundo se libró por una oreja de morir para Navidad, en el viaje de ida. Un oficial —Cabanillas— tenía las órdenes, pero le faltaron... agallas o maldad y se echó atrás. Para el viaje de regreso eligieron bien al verdugo: Santos Pérez, salteador, asesino y jefe de milicias, todo en uno. Hombre de fierro de los Reynafé, aunque no sé de qué le va a servir tanta lealtad, porque estos malditos hasta le dieron veneno del miedo que le tienen. Sin embargo, todos los santos de su nombre deben ampararlo, porque hasta de ésa se salvó el malnacido.

—¿Cómo es que el gobernador y sus hermanos siguen aquí, como si nada? ¿Acaso están esperanzados en que don Estanislao los proteja? Se dice —y Farrell se mesó la barba— que tienen un as gordo en la bota.

—¿Como qué?

—Pruebas contra Rosas y López como instigadores de este crimen.

—Si hubiera una prueba, Rosas no sería el Rosas que yo conozco —aseguró Harrison—. Y conste que no estoy diciendo que él lo haya ordenado hacer.

—En Buenos Aires —intervino Luz— se comentaba que Quiroga no quiso aceptar la escolta por una ostentación de coraje.

—Para mí —dijo Eduardo Farrell— que cuando comprendió que la conjura era real, estaba ya lejos de toda ayuda. Sólo le quedaba apostar a su prestigio y continuar la marcha, confiando en su estrella. Eligió morir como un valiente... —el Comandante se inclinó, dispuesto a tomar un habano, pero su esposa puso el grito en el cielo.

—¡Deje ese asqueroso vicio para después de cenar, Farrell!

—Pero tía —intercedió Luz—; si Jeromita aún no llega. No vamos a sentarnos sin ella.

—Usted, mutis —la reprendió misia Francisquita—; que empiezan por fumar y terminan jugando barajas delante de las damas.

Farrell echó una mirada resentida a ambas mujeres.

—Te envidio, viejo, por haberte casado con una mujer que carece de beatería, mojigatería y otros defectos semejantes. ¿En qué estábamos? Ah, sí, la matanza. ¡Dios nos guarde, esos desalmados hasta degollaron a los niños!

—Dicen... que uno se escapó...

354

—¡Silencio, mujer! —reprendió el Comandante a su esposa—. No hay que mencionar la cuestión, o el cuello de ese chico no valdrá una sandía —y aclaró a Luz y a Harrison—: Aún no se sabe cuánta gente estaba confabulada; una celada de tal magnitud tuvo que contar con el apoyo de los lugareños. Por eso no dejaron testigos.

Impresionada, Luz preguntó:

—Y esos chicos, los postillones, ¿cuántos años tenían?

—Diez o doce, no más.

—¡Es atroz! —dijo Luz cubriéndose los ojos.

—Cuando desembarcamos en Buenos Aires, el temor colectivo era que el Interior se alzara en armas.

—Y en Córdoba, Brian, que los riojanos nos arrollaran. Nadie durmió en semanas.

—Bueno, Rosas ha detenido esa embestida, pero sólo para hacer sentir su poder en las provincias, como no hubiera podido hacerlo de vivir Quiroga. Ahora exterminará los focos unitarios —incluso a los que habían firmado el pacto con éste— y cortará las ansias constitucionalistas de muchos. Se prepara un holocausto, pero controlado por Buenos Aires —les advirtió Harrison.

—¡Pero… si el asesinato fue perpetrado por federales y, además, entenados de don Estanislao López, que es la mano derecha de Rosas! En esto, los unitarios no han tenido arte ni parte…

—Oh, no te preocupes —dijo Harrison a Farrell—. Rosas descoyuntará la verdad y las pruebas cantarán esa canción, ya verás.

—Porque todo lo que está pasando es parte de la irracionalidad de nuestra política, tío —opinó Luz, sirviendo anís a las dos señoras.

—Ojalá ese gaucho de Buenos Aires aniquile a los Reynafé —dijo misia Francisquita, dejando de hacer encaje a bolillo—. Porque fueron esos malvados quienes expulsaron al Vicario Apostólico de esta ciudad y en Córdoba, antes que unitarios o federales, ¡somos católicos! —y la señora dio con el bastón en el piso.

—¿Expulsaron al obispo Lazcano? —se sorprendió Luz, recordando a aquel prelado que había festejado extemporáneamente el triunfo de Quiroga en La Tablada.

—El santo varón —dijo la anciana con unción—; tuvo que extrañarse de la provincia por esos facinerosos.

—¿Y no lanzó rayos y centellas, como era su costumbre? —se sonrió Luz.

—Excomulgó a unos cuantos —informó plácidamente doña Mercedes, sin levantar los ojos del tejido.

—Y después de algunos vagabundeos, nuestro controvertido obispo apareció en La Rioja, mandando notas insultantes al gobernador Reynafé.

—Le cantó las cuatro verdades, que en eso se parece a San Pablo...

—... lo cual terminó de enfurecer al clan contra Quiroga, por ampararlo y darle alas. La verdad es que Facundo les venía haciendo una de cada color.

—Merecidas —machacó la anciana—. Y ojalá no los fusilen, sino que les den garrote, que es muerte vil. Ya tienen ganado el Infierno los perdularios...

—Allí irán a hacerles compañía su apreciado de usted, Santiaguito Derqui —la provocó Farrell—; y su protegido de usted, José Roque Funes: no olvide que también ellos están excomulgados.

Tras un momento de confusión, la anciana se rehízo.

—La culpa la tienen esos libros que dejan entrar desde la Revolución de Mayo. Deberían quemarlos en la plaza, como en tiempos del obispo Mercadillo. ¡Corrompen a nuestros jóvenes!

—¡Tía! —se quejó Luz—. ¿Qué es esto, el Santo Oficio?

—Ay, hija —suspiró doña Mercedes—, que a ti no te tocó estar aquí cuando el obispo fue tan maltratado.

—Y por entonces, una noche, el aire olió a azufre y hasta oímos el pisón; añares hacía que no se dejaba sentir.

—¿El pisón? —se extrañó Harrison.

—Una rareza de Córdoba —explicó Farrell—. Un sonido ondulante y subterráneo, seguramente relacionado con actividades volcánicas, pues estremece la tierra y pasa rápidamente. Al parecer, no es peligroso, pero sí impresionante. Quiere la superstición que anuncie desgracias, como pestes, magnicidios, guerras...

—¿Y cómo se desencadenó el conflicto entre la Iglesia y el Estado? —se interesó Harrison.

—El obispo castigó a un sacerdote acusado de indecencia; partidario de los Reynafé era el cura. La camarilla del gobernador, por proteger a su adepto, pasó sobre el poder eclesiástico y después, cuando Lazcano peleó por sus fueros, no encontraron mejor solución que defenestrarlo.

—¡Pero qué imprudencia! —se asombró Harrison.

—Un desastre. Estos últimos tiempos, ¿sabes?, federales de ley me han confesado que añoraban la administración de Paz. El mismo Otero, delegado del gobernador, acusó a la Sala de Representantes de no haber actuado vigorosamente ante la captura del Manco.

—Brian tiene un término para estas cosas —intervino Luz—; lo llama "política de desgobierno".

—¿Y cómo definirías un buen gobierno, viejo? Ahí te quiero ver.

—Con mucho gusto —y Harrison carraspeó, recitando—: Justicia igualitaria, paz, comercio y amistad con las naciones, protección a las potestades provinciales, reconocimiento de las mayorías y respeto por las minorías, elecciones legales y limpias, ejercicio organizado de la economía y el gasto público, pago de deudas...

—Ahí salió el inglés.

—... amparo de los menos válidos, difusión de la enseñanza, libertad de expresión, libertad individual, libertad de credos...

—En fin —sonrió Farrell, retorciéndose el bigote—, el discurso de Jefferson, si mal no recuerdo.

Fueron interrumpidos por la entrada de Jeromita Carranza. La joven se había convertido en una señora buena moza y sencilla, pero sus ojos brillaron con afecto al ver a Luz. Ambas se confundieron en un apretado abrazo, lagrimeando un poco.

—¿No conoceré a tu esposo?

—¡Vaya a saber cuándo vuelve de Mendoza! Fue por los vinos. Si te quedas un tiempo en Córdoba...

—Me quedaré. Ay, Jero, ¡tengo tanto que contarte! Mira, mira esta miniatura. Es mi hijito, ¿puedes creerlo?

Esa noche, en la cama, Luz contó a Harrison los últimos chismes: Laurita Osorio se había convertido en una joven de temple, administrando muy capazmente el hogar después del fallecimiento de su madre, la siempre enfermiza tía Amalia.

El "nefasto" De Bracy y su progenitora —un esperpento increíble, según Jeromita— se habían mudado a Córdoba; el joven dandy había adquirido un marcado poder sobre ciertas señoras encumbradas —tía Mercedes era una de ellas—, que se mostraban subyugadas por él.

José María Achával había estado a punto de pedir en compromiso a Laura, pero aquello no se había concretado, algunos creían que por influencia de De Bracy, otros que porque Laura no toleraba a éste y Achával no parecía dispuesto a sacrificar esa amistad por ella. Edmundo había escrito desde París: la poesía había quedado sepultada por la amargura del exilio. Ahora pergeñaba artículos satirizando a Rosas y a los caudillos, publicados por la prensa de Europa y Norte América, apoyado por los liberales del mundo y posiblemente también solventado por ellos. El joven se había encontrado con Sebastián y Saint-Jacques en Suiza; el hermano de Luz, convertido en retratista de la intelectualidad viajera, se disponía a partir para las islas griegas, persiguiendo la sombra de Byron para una serie de cuadros encargados por una dama misteriosa, emparentada con la corona de Inglaterra. Saint-Jacques había desposado a una heredera de la Baja Sajonia pero, al parecer, aquel matrimonio no iba a durar...

Mientras caían en el sueño, Luz pensó en el pequeño postillón que se creía había logrado escapar de la matanza. Imaginó al niño —a causa de los temores de Farrell— buscando amparo entre amigos disimulados. Unió aquel presentimiento a las acciones de Isabel, a los sucesos del país, a la situación de Córdoba. Sumándolo a los relatos de su primo y de su hermano, el resultado se le presentó en dos paralelos demenciales.

Se apretó a su esposo, dando gracias a Dios por tenerlo, sólido y confiable, a su lado, porque el resto eran sombras.

Harrison también la abrazó, pensando en el entierro de Severa con un estremecimiento: años atrás, en la Recoleta, debió rescatar de la fosa común el cuerpo de un compatriota degradado por la bebida... La escena era dantesca: el apisonamiento despiadado de los cuerpos, los llantos de los miserables deudos, la indiferencia de los que hacían el trabajo aún le producían pesadillas.

Intentando olvidar aquello, preguntó a Luz:

—¿Y qué es de tu tío Felipe?

—Llegará en unos días... no sé qué inconveniente tuvieron. Harri...

—¿Hmm?

—¡Te amo tanto! ¿Qué habría sido de mí y de los chicos si tú no hubieras aparecido en mi vida?

Emocionado, él la abrazó más estrechamente, acariciándole la cabeza y besándola en los ojos.

—Y tú ¿te has puesto a pensar qué sería de mi árida y egoísta vida sin ustedes? —confesó.

42. DEL FIN Y LOS MEDIOS

CÓRDOBA
AGOSTO DE 1835

Bueno —dijo Harrison mientras recorría la casa desolada—; mañana podremos mudarnos, siempre que nuestros amigos nos provean de lo necesario...

Porque la casa estaba vacía: lo que Isabel no había donado se lo había llevado la Sandoval; y lo que ésta despreció había sido escamoteado, noche a noche, por los indigentes enterados de la situación.

Ahora, arreglados sus techos, blanqueada, limpia de hierbas en patios y canteros, tenía un aire melancólico, como de grandeza remendada. Sin la telaraña de los ritos domésticos, sin las voces y las presencias familiares, parecía indefensa ante los tiempos que corrían.

Harrison miró el jacarandá y recordó, emocionado, las flores en la cabellera de la joven, aquel agosto del año 29. Y llevado por el recuerdo de los ausentes de hoy a los presentes de ayer, preguntó:

—¿Y qué sabes de Inés?

—Tiene tres hijos; no pudieron venir al sepelio de mamá porque Luis tuvo una recaída; nunca se repuso de la herida que recibió en Oncativo.

—¿Y qué te contaba Jeromita?

—Se ha casado con un muchacho muy bueno y son felices; tienen un negocio de productos de la tierra, pero no les va muy bien económicamente. Sus padres los ayudan.

Parados bajo el jacarandá, echaron una mirada alrededor. Impulsivamente, Harrison la abrazó por la cintura, besándola en el cuello.

—¿A qué viene esto?

—A que recordé la noche en que te conocí, cuando dieron la fiesta para el general Paz.

—Oh, sí; te bajaste del coche de Fragueiro y casi te vas a tierra por mirarme.

—Durante años viví en la ilusión de que no me hubieras visto —y apartándole el cabello suelto, muy sencillamente peinado, le confesó—: A partir del momento en que escuché tu voz, no pude dormir en paz, ni trabajar, ni pensar: tu recuerdo se acostaba con mi corazón y se despertaba con mi cuerpo. Me puse a idear toda suerte de estratagemas para casarme contigo... —Y como ella rió, tratando de zafarse de su abrazo, la sujetó con firmeza.

—¿Es verdad lo que me dijiste anoche?

Luz le echó los brazos al cuello, besándolo en la boca:

—Dentro de cuarenta años, te daré la misma respuesta.

—Supongo que es de mal gusto amarse tanto. No debemos dejar que ese De Bracy se entere...

Y como si se hubiesen puesto de acuerdo entre pérdidas y ganancias, recorrieron el solar desde el frente hasta el fondo.

Luego regresaron a lo de la abuela Adelaida, dispuestos a trasladarse al día siguiente. Harrison se despidió de Luz en la puerta, pues tenía que reunirse con Manuel Cáceres. Ella entró en la casa esquivando a sus tías y subió al dormitorio de su primo. Se tiró en el lecho, mordiéndose los nudillos y sollozando con frenesí.

Atormentada por lo que había sucedido con Severa, ultrajada por el despojo, sintió un deseo irracional de matar a su hermana, como si al hacerlo consiguiera barrer con todo lo que en el pasado la había oprimido. En aquel estado de ánimo, no pudo comprender que lo que deseaba hacer se parecía demasiado a lo que odiaba.

—Luz María.

Se volvió, el rostro bañado en lágrimas, los cabellos pegoteados a las mejillas: Jeromita estaba a su lado con un ramo de flores y el devocionario en la mano.

—No te oí entrar —se disculpó, buscando inútilmente un pañuelo. Su amiga sacó uno del bolsillo y se lo ofreció. Luz se sonó con fuerza, respirando profundamente para desatar el nudo que le oprimía el pecho.

—¿Adónde vas con esas flores?

—He venido a buscarte para que vayamos a visitar la tumba de tu madre. Sé que esto es muy penoso para ti, pero te sentirás mejor cuando veas en qué bonito lugar descansa… Y mira, compré a Domitila un ramo bien grande, así podemos adornar también la tumba de tu querido padre…

Luz la miró consternada. ¿Cómo decirle que no quería ni siquiera saber dónde descansaba su madre? Y como en otras oportunidades, miró los límpidos ojos de su amiga y comprendió que no podía revelarle la verdad.

—Espérame un momento. Me recojo el pelo, me cubro con la capa y busco la mantilla.

Y llevada por el amor y los remordimientos, la abrazó, besándola en ambas mejillas:

—Tú eres mi ángel bueno.

La vio enrojecer de placer y, recordando las veces que una palabra de su amiga la había sacado del abismo, rogó al cielo que algún día le fuera dada la satisfacción de hacer algo por ella.

Sentados cómodamente en el despacho, Harrison aclaró a Manuel:

—En todo este asunto, no me interesa tanto recuperar bienes como demostrar la inmoralidad de los implicados. Quiero además poner a descubierto la política perversa que se usó para despojar a los menores y la utilización de una insana para llevar todo a cabo.

—¿Ha pensado usted que quizá yo no esté a la altura de este proceso? —preguntó el joven nerviosamente.

—Confiamos en su capacidad. Y debo advertirle que el dolor causado a mi esposa me ha irritado sobremanera; solicito su asistencia para moderarme.

—Descuide usted, Mr. Harrison: juntos lucharemos para apartar la revancha y afianzar la justicia.

Con la misma meticulosidad de su padre, Manuel pasó a rendirle cuentas de las medidas tomadas: en días, el gobernador cesaría en sus funciones y entonces se detendría a Borja y a Canseco.

—Además, contaremos con los testimonios del doctor Gordon y asimismo del doctor Pizarro, ya que por familiares de este último he sabido que vive en Mendoza bajo nombre supuesto. A partir de ahora, los federales enemigos del clan Reynafé serán reivindicados —y sacando una carta de la carpeta, se la extendió—. Por un golpe de suerte, he descubierto que Remedios Sandoval vive muy dispendiosamente en Santa Fe. Si, como aseguran, el gobernador Estanislao López está dispuesto a respaldar a don Quebracho, no es desatinado esperar que nos la entregue para confrontarla con sus cómplices; por medio de Camargo, el ayudante de Farrell, se la vigila, no vaya y se nos pierda de vista.

—Le daré una carta que Rosas tuvo a bien proveerme para don Estanislao López —y mientras la buscaba, le aconsejó—: Debería mandar por esa mujer. Entre el viaje de ida y vuelta, Reynafé habrá abandonado la provincia o estará preso.

Después de estudiar los gastos que el joven le había presentado, Harrison puso sobre la mesa una bolsa con dinero. Manuel protestó que era mucho, pero él lo cortó.

—Pierda cuidado, doctor Cáceres; le pediré cuentas hasta del último penique.

Cuando Harrison se retiró, Manuel se dejó caer sobre el sillón de su padre, algo aturdido. Si ganaba aquel juicio, no sólo cobraría suculentos honorarios, sino que se haría de cierta fama, beneficiosa para su futuro y el de su familia, que desde la muerte de su padre dependía de él.

Reverentemente tomó la bolsa y la sopesó. Tanto como le pareció pero... ¿oro o plata? Volcó las monedas sobre la palma de su mano: ¡Oro!

Asaltado de súbita alegría, pegó un brinco y a carcajadas lanzó las monedas al aire; su madre y sus hermanas, que habían esperado que se cerrara la puerta de calle tras el inglés, entraron y contemplaron, alarmadas, aquello. Manuel, sin dejar de reír, las tomó una a una y danzó con ellas sobre las brillantes onzas de oro.

—Ustedes sabían cuánto me preocupaba yo por esa negra —dijo doña Mercedes—. ¡Si hasta quise llevármela y la muy sonsa no quiso!

La Superiora trató de justificarse:

—Pero, misia Mercedes, ¿cómo podíamos imaginar...?

—¿No les pedí miramientos hasta que Luz regresara? Veo —agregó haciendo hocicos— que soy tan escuchada como la última peona de esta ciudad.

—¿¡Cómo dice eso, cuando bien sabe...!?

—A ver, ¿qué es lo que sé? Que esa devota servidora, que crió a dos generaciones de una ilustrísima casa —y no porque esté yo emparentada—, esa alma de Dios que sacó adelante un hogar destruido por la tragedia, fue encerrada en un agujero inmundo y después arrojada a la fosa como si fuera una mendiga.

—Solamente me hago cargo de lo primero, que lo segundo corre por cuenta de su sobrina de usted. Y aquello fue impremeditado... el error de una novicia con demasiado celo disciplinario —se defendió la monja—. Ya ha sido castigada; no creo que pueda achacársenos…

—Pues a Luz María se le ha puesto que su nodriza murió por el rigor del castigo y está juntando testimonios. Y no se haga ilusiones: el juicio se llevará a término. ¡Si hasta el obispo Lazcano, que está al caer, lo aconseja! ¿Qué le dije yo a usted, ah, cuando esa chiflada —no me lo niegue, esa chiquilla Isabel es medio opa—, qué les dije cuando Isabel empezó con eso de las donaciones? —la señora dio una palmada en el sillón y el pañuelo se le escapó de las manos—. Prudencia, dije. Prudencia y más prudencia.

—¿Cómo íbamos a imaginar, si todo parecía legal y ella insistía en…? ¡Santa Madre de Dios y su Sierva Catalina, un juicio y nosotras en el tapete! ¡Cómeme tierra, trágame agua! ¿Qué no harán con eso los cismáticos, los herejes, los ateos, los desconfiados?

—Ustedes se lo buscaron —dijo la matrona, implacable—. Yo les aseguré que Carmen seguía tan malita como el primer día, que lo del médico era una patraña… Piense usted en la impresión que ese borracho… y disimule la palabra, causará al declarar que fue él el competente para decirla cuerda.

Preocupada porque la matrona se negaba a mirarla desde el comienzo de la conversación, la religiosa se opuso:

—Pero nosotras ignorábamos que él… que bebiera.

—No es lo que dice Benigna…

—Cría cuervos… —murmuró la monja.

—… ella asegura que hasta en el convento se hacía broma de Canseco. Pero, claro, nadie quiso llevarme el apunte. Estaban encandiladas con los disparates de la chinita regalando lo que no era suyo.

Doña Mercedes, aún sin dar los ojos, levantó el pañuelo y lo sacudió como si espantara moscas.

—Si nosotras supiéramos qué desea doña Luz… Todo ha sido un lamentable error.

—Sí, no dejo de entenderlas, no crea —aflojó la señora el rigor—. Tan encerraditas ustedes… Pero debieron oírme. ¿No las he asistido en cuanto problema han tenido?

—Bien se lo agradecemos, no nos crea flacas de memoria.

La señora le clavó la vista con un dejo de altanería y la religiosa respiró: ahora empezarían a entenderse.

—Luz María quiere que su hermana comparezca ante el juez.

—No es posible. Doña Isabel, por pertenecer a la orden…

—Comenzamos mal —la cortó doña Mercedes, volviendo a sacudir, como señal de peligro, el pañuelo. Y suavizando el tono, le palmeó la mano—. Vamos, Madre, si no ha pronunciado los votos…

En silencio, ambas estudiaron sus posiciones.

—Isabel ha robado —no me ponga esa cara, robado es la palabra— a sus hermanos. Y entregó a su madre a los delirios de un depravado. Intrigó a más para burlar lo dictado por el juez a la muerte de su padre… Deje usted de protegerla. Por el bien del convento se lo aconsejo.

—Sólo en eso pienso —aseguró la religiosa con énfasis.

—Entonces, distánciese de las malas obras de Isabel —remachó la señora—. Yo seré llamada a atestiguar y no será su merced quien me pida que falte al Mandamiento negando que les advertí lo que estaba pasando, ¿no? A la muerte de Carlos, el Comandante y yo tenemos obligaciones con esos niños, que de ahora en más dependerán, almitas de Dios, de la caridad de su cuñado. —Y ante el silencio de la otra, añadió, conciliadora—: Mande usted comparecer a Isabel y yo veré que ustedes salgan libradas lo más lucidamente posible.

Se puso de pie con un bufido e hizo señas a la indiecita que la aguardaba jugueteando con el agua del bebedero de pájaros. Luego, majestuosamente, la señora se acomodó la toca y mientras caminaba a buen paso por la galería, aconsejó:

—Sería conveniente que mandaran a lo de Luz María lo que les trajo esa lunática. Menos la dote, claro. —E hizo ademán de advertencia—: Que nunca faltan malintencionados que desparraman a los cuatro vientos que nuestros conventos se enriquecen despojando huérfanos o ingenuos.

Ya en plan de tratativas, la Superiora se atrevió:

—Me quedaría más tranquila si usted me asegurara que lo del castigo a Severa… Sabe usted que estamos en contra, en realidad…

—Luz quiere que se selle el sótano.

—Justamente, la hermana Eufrasia, que tiene habilidad para la albañilería, lo está haciendo.

—… y que la novata que ordenó el castigo sea desterrada de Córdoba.

La monja endureció el gesto y doña Mercedes se alzó de hombros.

—Queda en vuestras manos, por sabido. Pero me enteré de que esa chinitilla ni siquiera es hija de familia; apenas entenada de unos empobrecidos de Caminiaga o de por ahí.

Parangonando las limosnas que se podían obtener de unos y otros, la Superiora cedió.

—En verdad, habíamos pensado que mejor se hallaría en otra provincia, lejos de los ecos de su error. Ya le hemos atrasado la entrega del velo.

En el zaguán, se enfrentaron expectantes.

—Hablaré con el padre consejero —dijo la religiosa—. Por supuesto, los bienes de familia serán devueltos. Usted nos favorecerá explicando a doña Luz...

Aquella tarde, después de haber sido llamada a comparecer ante la Directora en privado, Isabel tuvo su primer ataque de convulsiones.

—Pero misia Francisquita, usted sabe que en estos tiempos de anarquía, la prensa y la opinión pública se ensañan con las familias ilustres que no son federales. Créame, hay sabiduría en aquel viejo dicho que aconseja que los trapos sucios se lavan mejor en casa que en la plaza.

—Permítame, su Ilustrísima, señalarle que perseguimos se juzgue un delito, no una riña doméstica —puntualizó la anciana adelantando el bélico mentón que flotaba entre golillas de encaje añejo—. Un delito avalado por las más elevadas testas de este gobierno nuestro, criadero de malhechores y protectorado de malvivientes.

El religioso, recelando de lo que pretendía aquella beata dispendiosa, guardó silencio. En principio supuso que venía a asegurarle que se mantendría —como correspondía— a la Curia fuera del escándalo. Ahora no estaba tan seguro.

—¿Ha reflexionado vuestra sobrina sobre las consecuencias, si...?

—Sepa, su Paternidad, que yo tenía mis dudas, así que le escribí al obispo de Comanen —cuando Sabela comenzó el embrollo—, quien me aconsejó los pasos a seguir. Yo vine a usted para interiorizarlo, ¿recuerda?

El prelado hizo memoria.

—Lo siento... ¿Cuándo dice que fue?

—Cuando usted no quiso recibirme —puntualizó la anciana muy oronda.

—¡Oh, vamos! Seguramente estaría yo ocupado... Nunca he dejado de atenderla, en siéndome posible.

—Pues es una pena, porque vine varias veces y nada. Nuestro desterrado Pastor le dedicaba a usted unos cuantos consejos. Le confiaré que, por entonces, malicié que no quería usted verme. No, no diga nada; han de ser ideas mías. Claro que, como coincidió con las disparatadas donaciones de mi sobrina, pensé... no sé, cosas de vieja... que prefería no oírme —concluyó misia Francisquita con una sonrisa socarrona.

—Pura coincidencia, apreciada señora, pura coincidencia.

—Ya veo. ¿Y sabe que el hijo de don Prudencio —algo jacobino el mozo para mi gusto, pero ellos sabrán— ha conseguido que se fije fecha para la audiencia? —inclinada, susurró bajo el abanico—: Y don López Quebracho va a recibir la gobernación en bandeja. Según el esposo de Luz, que trajo en mano los partes, Rosas le ha rogado a Manuel que acepte el cargo, por el bien de la patria. ¿Qué me dice? Luz María está de parabienes, porque don Quebracho es su padrino de bautismo y quiere mucho el hombre a mi ahijada. Somos compadres don Manuel y yo, para que sepa —y se calzó el monóculo para dispensarle una penetrante mirada.

El sacerdote, el codo sobre el sillón, el índice en la sien, dijo calmosamente:

—Ignoraba ese detalle.

—Y le tengo otra buena noticia, que seguramente usted ya sabrá: nuestro extrañado Vicario me ha escrito... por acá tengo la carta. Lea, lea —insistió sacudiendo la misiva—. Dice que muy pronto andará por acá, enderezando entuertos. Imagínese, en cuanto supe lo de Quebracho, le mandé chasque. Y me ha contestado que no bien pise suelo cordobés, enjuiciará a esos bandoleros de los Reynafé y también a la caterva de obsecuentes. Lea, lea: por su puño me asegura que Rosas le ha prometido exterminar a esos cismáticos y restituirlo a su diócesis. Y todas las trapisondas saldrán a relucir. No perdonará ni esto —y la anciana hizo sonar las uñas despectivamente—. Bueno, no sé qué le cuento, si usted ya bien conoce —y a veces hasta sufrió— ese modo tan de él, ¿no?

—Oh, don Benito siempre ha tenido su genio, no se puede negar.

—Vocación de mártir, siempre lo digo. No hallo las horas de verlo por aquí.

—Él se complacería en saberlo.

Como si hubieran llegado a tablas, guardaron silencio.

—Bueno —suspiró la anciana—, lo libero de mi fastidiosa persona. Usted tendrá mucho que hacer...

Golpeó el suelo con el bastón y Martina, en el rincón más alejado de la vasta sala, se apresuró a acercarse y ayudarla a ponerse de pie.

—A propósito —dijo el sacerdote—, he mandado reunir los objetos valiosos que fueron dejados en custodia por la señorita Isabel. Ahora que doña Luz ha regresado, no tiene sentido que carguemos con esa responsabilidad.

—Claro, claro; demasiados problemas tienen ustedes —suspiró la beata apoyándose en el robusto brazo de la negra. Y camino a la salida, habló sobre el hombro—: Lo que más urge a Lucita es la escritura... el acta de donación, que —como es evidente— no tiene validez.

—Nunca lo perdimos de vista, evitando tomar posesión de la propiedad, como usted sabe. Por cierto que ha habido gastos...

—No lo dudo.

—... que consideraremos pagados con ciertas sumas que doña Isabel nos entregó en concepto de dádivas.

—Con el metálico no hay problema.

—Mañana enviaremos los objetos y los documentos, ahora que sabemos que hay quien los guarde.

La anciana se detuvo en el patio de naranjos, descansando el cuerpo en el bastón. Besó obedientemente la mano que le era extendida y suspiró:

—¿Qué sería de nosotros, pobres corderos, si los pastores no velaran por el rebaño? Luz les está muy agradecida por haber actuado con tanta sabiduría —concluyó, interpretando liberalmente los desafueros de la sobrina.

—Si conseguimos que restituyan el solar, me daré por satisfecho —dijo Harrison, observando a Luz que se trenzaba el cabello para acostarse—. Pero tienes que estar preparada para perder. La Iglesia es muy fuerte en Córdoba; mucho más que en Buenos Aires.

—No voy a perder.

—¿Qué significas con eso?

—Que no voy a perder porque lo que pretendo es escándalo y escándalo obtendré. Quiero destruir la reputación de Isabel; quiero aplastar a esa escoria humana que se confabuló para esta intriga. Y te diré... todavía no sé, no sé si voy a acusarlos de sus crímenes puntuales.

—¿Qué quieres decir? —se alarmó Harrison.

—¿No sería justicia poética que fueran condenados por lo abstracto de sus delitos? —y lo miró con una sonrisa que no le iluminaba los ojos—. La venganza es dulce, Harri. Y es más dulce si puedes vestirla con el ropaje de la Ley.

Porque aquella mañana había pedido a Manuel el legajo de la familia para estudiarlo. Harrison había salido con Farrell a elegir algunos muebles para suplir los que se había llevado la Sandoval y ella, encerrada en el despacho de su padre, ante el escritorio de Edmundo que tía Francis-quita le había mandado, repasó la documentación.

Encontró la nota de su madre exigiendo a Manuel el legajo y además la comunicación de Borja, adosada al certificado de cordura extendido por Canseco. Letras horribles, espantosa redacción, depravada ortogra-fía, calibró Luz al repasar los papeles. En complicidad con alguien del Juzgado, Manuel había obtenido copias de las peticiones de éstos a la Justicia, a nombre de doña Carmen, quien había traspasado —una abe-rración legal— la mayoría de los bienes a Isabel. Muchas donaciones lle-vaban la firma de su madre. Luz leyó y leyó hasta que una helada sensa-tez suplantó a la furia que la cegaba. Buscó papel para poner en orden sus ideas y al abrir el cajón del mueble de su primo, dio con unas hojas ama-rillentas y dobladas: eran los intentos, en confabulación con Edmundo, de las notas fraguadas para engañar a tía Amalia, al bedel, a su preceptor. Sonrió ante el recuerdo, tomó la pluma y destapó el tintero. Escribió el nombre de su primo con mano de pendolista —así llamaban a los calígrafos— y observó con satisfacción lo escrito. La tinta lucía muy fres-ca sobre el papel avejentado… y entonces otro recuerdo la asaltó: Sebastián le había dicho una vez que podía usarse ceniza para darle un toque de antigüedad; Saint-Jacques hasta le había contado de una estafa que…

—¡Dios mío! —exclamó, soltando la pluma y cubriéndose los ojos con los puños. Al rato murmuró: "¿Y por qué no?".

Y tomando nuevamente la pluma, escribió: "Querida hija…" mien-tras pensaba que no debía cometer el error de conservar los ensayos.

Una hora después Harrison la había encontrado en el dormitorio, tren-zándose el cabello.

—No quiero irregularidades, Luz —le advirtió.

Ella se echó en la cama, las manos bajo la nuca, y él se sentó a su lado, quitándose las botas.

—Si fueras un caballero, de esos de tus relatos, ¿sabes qué escribiría en tu escudo?

Él la observó, inflexible.

—Amor y Honor —declaró ella, tirando de la camisa de su esposo hasta tenerlo recostado sobre ella.

Aun en tan promisoria postura, él no cedió. —Cursi —declaró—, y aunque me halaga no permitiré, en rigor, que te metas en problemas.

Le tomó la cara entre las manos, preocupado.

—Deja todo bajo el dominio de Manuel y mío. Obedéceme aunque más no sea una vez, querida.

Y al verle la mirada inconmovible, preguntó con exasperación:

—¿Es que no le temes a nada?

—Sí —respondió Luz, ceñuda—. A mí misma.

Harrison miró aquel rostro joven y orgulloso; no vio en él presunción, sino una suprema confianza en sus capacidades.

—¿Qué voy a hacer contigo?

—Amarme —le sonrió ella, abrazándolo por el cuello y atrayéndolo hacia sí.

Afuera y abajo, se oían las voces cantarinas y despreocupadas de Fe y Nombre de Dios, además de las de algunos libertos de la abuela Adelaida. Resultó que habían llegado las cosas que mandaban del convento. Las de la Curia no se demoraron mucho más en llegar.

Manuel levantó la vista del papel, impresionado.

—¿Dónde encontró esta carta, doña Luz?

—En una petaca de Severa que me mandaron ayer las monjitas, junto con las cosas de la familia.

La carta decía así: "Querida hija, te escribo ésta que ni siquiera sé si llegará a tus manos para reconocer mi equivocación al juzgarte. Por designio de Dios escuché a Isabel confesar que por celos contra ti inventó aquella perversa historia que tanta vergüenza trajo a nosotros. Ahora comprendo qué razón llevaba tu padre al negarse a dar oídos a lo que aquella al parecer inocente decía haber visto.

"Sé que voy a morir. Los remedios que me administran me hacen mucho daño y he pedido a Severa que llame al doctor Pizarro, pero la intrusa malintencionada que tiene seducida a tu hermana se lo impidió, aconsejándole que confíen en ese miserable que me ha impuesto como médico el nuevo apoderado aprovechándose de mi postración. Me han obligado con amenazas de privarme de Severa, única en quien puedo fiar a merced de esta gentuza que ha invadido mi casa. Como Severa se ha negado a darme el digital que quieren por fuerza, Isabel ha llegado a extremosos recursos sobre la fiel si resisto sus órdenes. Severa me ha dicho en uno de los raros momentos que escapamos a la vigilancia de la llamada Sandoval que oyó a la tal presionar a Borja para que junto con Canseco tomen a tres las riendas porque urge salirse de la provincia. Es de ver cómo nos mantienen encerradas cada vez que alguien llega sin que podamos hacer nada para comunicarnos con…".

—No encontré la otra hoja —aclaró Luz.

—Pero... ¡es terrible! —exclamó Manuel, paseándose por el cuarto con la carta en la mano—. Se podría decir que es la evidencia de... hasta se pudiera suponer... un crimen.

—Si consideramos que mi madre estaba en su sano juicio —señaló la joven—, pero como sabemos que en realidad continuaba loca...

—Aun así, podemos usarla para intimidarlos. Preferirán reconocer que cometieron fraude a insistir en que doña Carmen estaba en facultades —difícil de probar, le aseguro, en uno u otro sentido para nosotros— y, por ende, afrontar acusaciones gravísimas.

Pensativa, Luz parecía negar la evidencia al señalarla:

—Debe ser el producto de una mente en delirio. Desgraciadamente, sólo Severa podría atestiguar si mi madre tenía momentos de lucidez —mientras estuvimos en Los Algarrobos sucedía de tanto en tanto, inspirándonos esperanzas después frustradas—; en fin, deseo que muestre usted esta carta a Isabel.

—Pero entonces no contaríamos con la sorpresa, doña Luz.

—No digo que se la dé a leer; sólo quiero que ella confirme que es letra de mi madre, no sea que después impugne su autoría.

Manuel revolvió el legajo.

—Mire usted la nota que seguramente dictaron los malvados a su madre: los mismos rasgos, la misma utilización de los espacios, el uso casi nulo de comas...

Luz sacó otra carta de su bolso.

—Traje esto que en su momento me mandó Borja. ¡No me reprenda, Manuel! Cuando vine a verlo estaba tan aturdida que no hilvané esta comunicación con el resto de los hechos. Luego recordé que tomé las cartas antes de salir para Córdoba. De su lectura comprenderá por qué la olvidé; parecía una notificación corriente de su padre.

Manuel tomó la carta y leyó a media voz: "A mi mui digna Dñ Luz Ossorio de Járrison: en respuesta a la remitida por VM. a D. Isabel por el estado de la persona de su madre, respondo y por su intermedio a Dn B. Haryson —albacea— que por mandato de Dn Prudencio Cáceres, mui digno letrado de quien tengo a honor ser Pribado en su dolencia que ha vuelto a aquexarle y la digo: todo está como dispuso su Exmo. Esposo Su Señora Madre igual, que sí no ha sido la peor, tampoco la mejoría, siendo asistida por su dedicada hermana de usted bajo la previsión del Dr. Olivares, prestigioso, que se ha unido a socorrerla ha los tan Ilustres Doctores. Tantos dichos facultativos como don Prudencio quieres tranquilizar su ánimo y decirle no es necesario biaje ha esta (salbo que su filial afecto lo demande no es necesario)

S.S.S.
Antonio Borja Marín, letrado
(Que Besa Su Mano)

Querida hermana: escribo al pie de página diciéndote que mamá está muy buena. Yo siempre con mis devociones y nuestra Inés me dice que pronto bajará a Córdoba. D. Prudencio y su familia, bien.
Te saluda, Isabel".

—Mire la fecha —señaló el joven con amargura—; mi padre ya había fallecido, doña Carmen agonizaba y Severa tenía un pie en el convento.
—Serénese, amigo mío.
—¿Serenarme? ¡Ese malhechor, hacerse pasar por secretario de papá! Todas esas mentiras... ¡Pizarro había huido de Córdoba y a Gordon le impedían la entrada en casa de ustedes! —Furioso, el joven se aflojó el corbatín—. He sido manipulado y engañado. Se ha usado el nombre de mi honorable padre para esta maquinación. Quiero ser testigo de cargo. Tendremos que buscar otro letrado. Pero no se preocupe, Luz —y, con el arrebato, se atrevió a poner su mano sobre la de ella—. Ya sé a quién acudiré.
—Oh, Manuel. Nosotros confiamos tanto en usted.
—Se trata de un gran amigo mío, un brillante aunque..., ¡ejem!, algo excéntrico colega a quien ya había pensado consultar.

43. UN LETRADO MUY PARTICULAR

CÓRDOBA
AGOSTO DE 1835

Al caducar el mandato de Reynafé, el ministro de Hacienda de Córdoba, don Pedro Nolasco Rodríguez —que había figurado otrora en las filas del general Paz—, fue designado en su reemplazo. Era hombre honrado y decidido, con muchas vinculaciones en la provincia y crédito en la opinión pública. Su primer acto de gobierno fue decretar la prisión de los integrantes del clan Reynafé, pero salvo José Vicente, los demás estaban prófugos.

La tormenta de Santa Rosa se adelantó con una lluvia torrencial sobre el suelo curtido por tres años de sequía. Manuel no se dejó arredrar por esto y, afligiendo a doña Carmela, fue hasta la casa de su amigo letrado, cerca del río, donde se temía que llegara la crecida del Suquía.

Era una zona humilde pero no desprestigiada, donde vivían empleados administrativos de poca monta, negros libertos dedicados a trabajos honestos y artesanos —santeros, zapateros o tallistas— de mérito.

El joven llegó hasta la casa, ató las riendas al palenque —una estaca clavada en tierra para tal fin— y echó una tela encerada sobre la montura, ajustándola bajo la carona. Atravesó el barro entre maldiciones, subió los escalones —las construcciones, por allí, se levantaban sobre veredas de un metro de alto— y llamó a la puerta con la fusta. La lluvia lo empapaba, cayendo desde el informe sombrero por el capote de su padre, un hombre mucho más robusto que él.

Un joven alto y desgarbado, vestido más a lo criollo que a la europea, le abrió.

—Vaya, vaya —dijo burlonamente—. Uno de los ilustres procuradores de la Docta en mi umbral.

Se hizo a un lado con una reverencia, la diestra sobre el corazón:

—Mi casa es su casa, doctor.

—¿Nunca dejas las bufonadas? —se molestó Manuel, pasando junto a él.

—Eres tan formal, que exacerbas mi odioso sentido de la comicidad.

Dieron tres pasos por el angosto y oscuro zaguán y entraron en la salita que hacía de despacho.

—¿Está Petronila en casa? —receló Manuel, viendo las manchas de barro que dejaba tras de sí.

—Anda suelta por el fondo. Dame esa reliquia —tomó el capote empapado y salió con él.

Manuel, entumecido, buscó con qué secarse, pero ya su amigo volvía y le arrojaba una toalla de lienzo.

—Arrímate al fogón —y le indicó el brasero que olía a quebracho; una pava tiznada silbaba sobre él—. ¿Un mate? Estaba por comenzarlo. ¿Qué traes ahí? —señaló la bolsa que el visitante sacaba de bajo su camisa.

—Clarita hizo pan de leche y sabiendo que venía…

—Mi fiel Clarita. Es la única niña de Córdoba que me encuentra atractivo.

—No te burles de mi hermana —le advirtió Manuel.

—¿Burlarme? La aprecio por demás. ¿Y por qué estás tan tieso?

—Desearía que Clara no me metiera en estos bretes. Si traje el bendito pan fue porque sospeché que no tendrías nada para hincar el diente.

—Muy atinado —dijo el abogado probándolo con apetito.

Manuel miró de reojo a José Críspulo Medina Aguirre, letrado brillante, de madre cordobesa y padre santiagueño, ambos de familias apenas más que modestas. Rondaba los veintiocho años, feo pero simpático, pelambre motosa y rostro tocado por la viruela, aunque no hasta el punto de ser desagradable. Era moreno e indudablemente un africano se había filtrado en su masa sanguínea.

José comenzó a cebar mientras Manuel hacía a un lado libros y manuscritos, más algún poncho rotoso, para ubicarse en el sillón.

—¿Es que Petronila no ordena nunca esta habitación?

—Perdería carácter —contestó José, pasándole el mate.

En aquel momento, sobresaltándolos, una furia negra, entrada en años, apareció vociferando.

—¿Y cuál jodido ha venido ahorita a embostar lo que una fregó? ¿Qué se creerán, que voy a sacar la roña de nuevo? ¡Barros por todos lados, mierda de misericordia!

—¡Cállese, atrevida! —ordenó José—. ¡Y vaya, que para eso se le paga!

—Mi trabajo terminó y me rajo. ¡Habráse visto, chupasangres, así son todos estos señoritos a la nata!

—Disculpe, yo... —tartamudeó Manuel.

—¡Cierre la jeta, so pendejo! —le levantó la otra la mano.

—¡A la cucha! —rugió José, señalando hacia el patio—. ¡La libertad les queda grande a ustedes!

—¿Libertá? Igual nos rompemos el culo, pero con lo que nos pagan, ni pa comer hay. ¡En cueros andaremos dentro e poco y los curas de juro nos azotan, porque diz que somos putas y no mendigas!

Y se fue haciendo temblar la casa de un portazo.

—¡Jesús! —suspiró Manuel—. ¿Es necesario que se insulten así?

—Bah; mañana, santos amigos. Desde que soy chico es lo mismo. Sólo a mi madre respetaba, y la santa jamás le levantó la voz, pero mi pobre viejo tenía que correrla con un chicote hasta el río. Y te aclaro que le pago generosamente... sin contar con que le aguanto sus lunes tristes de domingos alegres, amén de apadrinarle los guachitos de todas sus hijas. Pronto comenzaré con los de las nietas. Pero la curiosidad me muerde: ¿a qué has venido y con semejante tiempo?

Manuel aceptó el trozo de pan que el otro le tendía.

—Necesito tu colaboración en un juicio.

—Imposible. Estoy tapado de demandas contra los Reynafé. Los despojados, los maltratados, los cesanteados arbitrariamente quieren querellarlos. Y ya sabes que las injusticias políticas son mis casos preferidos. Alimentan a la democracia.

—En cierta medida, el mío encuadra. Verás... —Y detenidamente contó a José el asunto, insistiendo en su deseo de salir de testigo. El otro se mostró interesado.

—¿Será la propietaria de un magnífico carruaje que he visto en lo del comandante Farrell?

—Sí. ¿Reparaste en la dueña? —y Manuel enrojeció.

—Ay, caramba; ¿de nuevo con uno de tus enamoramientos platónicos?

—Hablemos seriamente. ¿Me ayudarás?

Devorando el último trozo de pan, José lo observó en silencio.

—¿Es que no almorzaste hoy? —se irritó Cáceres, arrepintiéndose de inmediato: su amigo ganaba bien, pero el dinero desaparecía en Santiago del Estero, donde un padre enfermo y un montón de hermanos menores subsistían y estudiaban gracias a su asistencia.

—Desde anoche que estoy a mate —confesó Medina Aguirre—. Ol-

374

vidé darle a Petronila el dinero para las compras y hoy, con el aguacero, me pareció una maldad hacerla salir.

Se acodó en el escritorio, un mueble decrépito cubierto de carpetas, papeles y jarros con restos de café o vino.

—¿Sabías que hago estudios sobre la vida y el origen de mis clientes? Quiero demostrar un paralelismo entre medio social y tipo de delito en que incurren.

Pensativo, se acarició los labios con el pulgar.

—Reconozco que me has intrigado, Manuel. Tu caso parece una trama isabelina —¡qué sabrás tú de eso!— y casi hay tema para un novelón.

—¿Aceptas, entonces? —se impacientó Cáceres.

—Voy por mi capote y nos corremos a lo de tu cliente.

—¿Con este diluvio? —y pensando en Luz, dijo con espanto—: ¡José, tendremos unas fachas!

—La lluvia nos garantiza que los encontraremos en casa.

—Además, no tienes caballo. Me niego a atravesar la ciudad montados los dos en mi matungo.

—No seas quisquilloso. Mi vecina de enfrente, viuda enamorada, me prestará el suyo —y salió a la calle cantando, sin cuidarse de la mojadura.

Cuando ambos se presentaron en el solar, Luz no pudo reprimir una sonrisa al ver el estado en que llegaban: Manuel encogido y avergonzado, José erguido y desenvuelto y ambos empapados.

Cáceres presentó a su colega entre miradas admonitorias dirigidas a frenar sus desbordes. Luego de tomar asiento junto a la mesita preparada para el té, Medina Aguirre admitió:

—Espléndida propiedad, señora. Cada vez que pasaba por el frente me preguntaba de quién sería.

—¿Usted no es de Córdoba? —preguntó Luz.

—¿Lo pregunta porque no conozco a su ilustre familia?

—No; fue por su tonada —se sonrió Luz.

—Santiagueña —suspiró el joven—. No tengo mucho interés en desprenderme de ella.

Y mirando a Harrison que permanecía de pie, las manos en los bolsillos del pantalón, lo enfrentó directamente:

—Aquí, mi amigo y colega me pide colaboración en el proceso —las largas manos sobre los muslos, involucró a Luz en la pregunta—: ¿Están ustedes de acuerdo?

Harrison sopesó —con mirada de mercader— al joven vestido lasti-
mosamente; algunas de sus características físicas lo llevaron a pensar que
tenía un antepasado negro. En aquella Córdoba insistente en su "limpieza de sangre", Medina Aguirre no parecía preocupado por esa desventaja.
Su carácter independiente —le recordaba a Simón— lo elevaba sobre su
apariencia. En una ciudad que Harrison consideraba de hermosos tipos
humanos, muy españoles, el joven aquel no tenía de qué envanecerse, salvo
de su inteligencia —una virtud no desdeñada por allí—, y los ojos que le
sostuvieron la mirada no permitieron al inglés equivocarse: aquel hombre tenía una capacidad poco común. Cáceres, a su lado, pasaba por bachiller.

—Tomemos el té mientras tanto —propuso Luz para romper la ten-
sión, comenzando a servirlo.

—Perfecto —aceptó José, arrimando la silla y olfateando la fuente cubierta que Fe había depositado en la mesa—. ¿Qué huele tan apetito-
samente? —preguntó cerrando los ojos y turbando a Manuel.

—Scones. Masitas inglesas. Las hice yo misma —se ufanó Luz, a quien
el joven le había caído muy bien.

—Caramba, caramba —dijo José recibiendo la taza—; no sabía que
nuestras damas cocinaran. Con tanta servidumbre disponible, la mayoría
de las señoras no tienen que pasar del primer patio, supongo.

—No es mi caso; a veces me levanto al alba y preparo riñones al jerez
para el desayuno de mi esposo.

—¿Dónde cursó usted sus estudios? —los interrumpió Harrison.

—En Córdoba, cuando la Universidad no era lo que en tiempos de
los jesuitas, pero todavía era de respetar.

—Ahora está muy desmedrada —se lamentó Manuel, sirviéndose
masitas con algo de melindre.

—Y empeorará —acotó José— si el gaucho de Pampayasta se regala
con la gobernación, según oí por los claustros.

—Don Quebracho López es padrino de mi esposa y especial amigo
de la familia —puntualizó Harrison con la intención de intimidarlo.

—Muy conveniente para nosotros si deseamos llevar el juicio a buen
terruño —respondió Medina sin amilanarse. Y se volvió hacia Luz, des-
lumbrado—: ¿Riñones al jerez, dijo? ¿Para el desayuno? Mr. Harrison
debe ser el más feliz casado de cuantos conozco.

Y no dando tiempo para que el nombrado se molestara, agregó:

—Tenemos infinidad de cargos para acumular sobre esa gente. Estu-
diaremos sobre cuáles conviene poner énfasis. A propósito, ha sido un

logro que el convento y la Curia devolvieran lo donado por la señorita Isabel, aunque lo más relevante es haber conseguido que la presentaran ante el juez. Hubiera apostado a que se resistirían tenazmente; la Iglesia es muy celosa de sus fueros. ¿Cómo lo consiguieron?

—Se lo debemos en gran parte a misia Francisquita y a doña Mercedes de Farrell —dijo Manuel ante el estupor de Harrison, que ignoraba aquellos tejes y manejes.

—¿Y con qué extraordinarios argumentos consiguieron sus objetivos? —preguntó éste, clavando la mirada en Manuel, que a su vez miró furtivamente a Luz.

—Oh, Brian; ya sabes cómo son las cosas en Córdoba —contestó ella evasivamente.

—No lo sé. Me gustaría que me lo explicaras.

—Doña Luz se refiere a que nuestras dignas matronas mantienen una relación simbiótica —parafraseando a Jussieu— con la Iglesia: ésta no funciona aceitadamente sin ellas; y ellas se sirven de la Iglesia para su vida espiritual tanto como social. ¿Es así? —se inclinó José hacia la joven.

—Muy graciosamente expresado —confirmó Luz.

—Supongo que todo habrá sido correcto —dijo Harrison, suspicaz.

—¿Acaso supones que mis tías...?

—Todo está bien si bien acaba —sentenció Medina Aguirre.

—¿Lee usted a Shakespeare, doctor Medina?

—Sí, señor. Es un buen tratado sobre el alma humana, junto con las tragedias griegas —y volviéndose a Luz, insistió—: Pero ustedes habrán tenido que ceder en algo.

Se hizo un silencio incómodo.

—¿Qué fue, Luz? —presionó Harrison, cada vez más molesto.

—Benigna no se presentará a declarar.

—Magnífico. Eso quiere decir que las religiosas ya saben que estaba dispuesta a hacerlo —dijo él con acritud—. Y es de suponer que la considerarán, en el mejor de los casos, ingrata; y en el peor, enemiga.

Luz lo miró con firmeza.

—¿Me crees capaz de dejar a una pobre mujer en ese aprieto sólo por conseguir lo que persigo?

Confundido, Harrison reconoció:

—Perdón. Tengo la certeza de que no serías tan irresponsable.

—Tía Mercedes necesitaba ayuda en la Casa de Huérfanos, así que les compró a Benigna, le dio la libertad y un salario; y después les hicimos saber que estábamos dispuestas a llevarla a declarar ante el juez.

—Eso se parece desagradablemente a un chantaje.

—Opino que fue una impecable maniobra que nos despeja el camino —y ante la atención de Harrison, aclaró—: Después de todo, el meollo de este entuerto no son las rémoras esclavistas.

Harrison se dirigió a Luz.

—Imagino que con métodos semejantes conseguiste que la Curia devolviera el solar y los demás bienes.

—Según se vea, ellos sólo protegieron nuestros intereses en ausencia, por consejo del obispo Lazcano. Tía Francisquita conserva la carta.

—No lo dudo —respondió Harrison con mordacidad.

—El dinero no será recuperado —intervino Manuel—. Y tampoco las joyas y demás objetos que enajenaron la señorita Isabel y la Sandoval.

—No se preocupe, joven; estoy seguro de que mi querida esposa encontrará la forma de cobrarse su libra de carne —dejó caer Harrison.

—Y algunas gotas de sangre si me fuera posible —replicó Luz, impávida.

—La Sandoval ya está en viaje hacia Córdoba; y Borja y Canseco detenidos.

—Manuel, acompáñeme al despacho. Luz, atiende al doctor Medina. ¿Nos disculpan?

Al quedar solos, José habló como para sí:

—Quizás este proceso no sea sólo por unos cuantos bienes enajenados, y tampoco —aunque sí en gran medida— por una servidora inhumanamente tratada.

Hizo una pausa teatral, paseándose con las manos en los bolsillos de la chaqueta.

—Quizás éste sea un proceso a toda una ciudad, contra sus prejuicios, su fanatismo, sus debilidades crónicas. Todas esas fallas que signaron a gran parte de su gente...

—¿Siempre es tan brillante? —preguntó Luz, irónica.

—A veces soy peor —respondió él sosteniéndole la mirada desde su altura.

Cuando se retiraron, había dejado de llover y el anochecer se asentaba sobre una corona de nubarrones en las sierras que bordeaban el oeste.

—Manuel —dijo José después de cabalgar unas cuadras en silencio—; ¿qué hay en el pasado de esa mujer?

Teniendo en su poder la carta de doña Carmen, Manuel se atrevió a contarle lo que el otro ignoraba, puesto que no frecuentaban los mismos círculos.

—Todo debió ser verdad —dijo José cuando el otro terminó con su relato.

—¡Por Cristo! —saltó Manuel—. ¿Acaso crees a Harrison tan ingenuo o a ella tan infame como para haberlo engañado?

—Intuyo que ella es muy capaz de haber tenido amores prohibidos. Sostengo que debió reconocerlos ante él y que a ese caballero —todo un carácter— le importaron un bledo. Su astuta mente anglosajona no podía pasar por alto los beneficios: se ganaría para siempre la estima y la confianza de una mujer excepcional. Y ahora goza de su compañía, lealtad y belleza por sécula seculórum, amén.

—Lo que supones es injurioso —se amoscó Manuel mientras enfilaban para su casa—. Ella es toda una dama.

—Y con una moral más elevada que lo que tú y otros imaginan.

—Explícate.

—Ahora no —se impacientó el mayor—; deberíamos revisar nuestros conceptos hasta dar con un código común.

—¡Siempre con tus galimatías! —rezongó Manuel, pero preguntó confidencialmente—: ¿Cómo puede amar a ese hombre? Es mucho más joven que él, ¡y tan hermosa! Una criatura etérea, como su nombre...

—Y de fuego, no lo olvides. Además, ¿qué te piensas? ¿Que sólo la juventud y la perfección despiertan amor?

El caballo de Manuel se detuvo y el de José lo imitó. Habían llegado, pero no descabalgaron porque Medina redondeaba su parecer.

—Ella lo ama —mal que te pese— porque él es uno de los pocos varones que conoce su verdadera naturaleza y la acepta tal cual es, aunque sus buenos sofocos se ha de llevar el *gentleman*. Harrison no cree, ni por un segundo, que ella sea indefensa o frágil. Es más, hasta le teme un poco cuando se le da por lanzarse detrás de algo. Diré en favor de nuestra heroína que su índole es benévola, aunque no de las que presentan la otra mejilla.

Ataron las riendas a la reja de la casa de Manuel y mientras entraban, José reflexionó:

—Hará una buena figura en el tribunal. Su hermana parecerá una Gorgona y ella una virgen de altar. Todos en la Corte pensarán lo que tú: que es una inocente víctima de las "Fuerzas de la Oscuridad".

Al entrar al estrecho zaguán, se quitó el capote y al pasar al patio, llamó:

—¡Doña Carmela, aténgase a recibir al mentor de su primogénito! ¡Clarita, amiga mía, no se esconda como una ninfa entre las flores! Debo agradecerle no haber perecido de hambre en el día de hoy. ¿Y no habrá sobrado locro del mediodía? ¿Unas empanaditas del sábado? ¿Un pucherito flor?

—No te sobrepases —gruñó Manuel, arrebatándole el abrigo.

Doña Carmela se adelantó moviendo admonitoriamente la mano, presentando, no obstante, la mejilla a sus besos. José la abrazó con atrevimiento a pesar de sus melindres; Clarita, tímidamente, salió de atrás de una arcada. Eran muchas las bromas que soportaba por el amor que sentía hacia el extravagante amigo de su hermano.

44. SOMETER LA VENGANZA

"En el corto período de Rodríguez, la seguridad fue constantemente respetada; no se incurrió en la más leve infracción de las leyes constitucionales; derogó los hechos y derechos que arbitrariamente había impuesto Reynafé."

Ramón J. Cárcano
Juan Facundo Quiroga

CÓRDOBA
AGOSTO DE 1835

Don Pedro Nolasco Rodríguez intentó gobernar con la ayuda de la Sala de Representantes, cuyo presidente, Santiago Derqui, hacía esfuerzos por conseguir la buena disposición de las provincias limítrofes. Pero muy pronto Rosas y Estanislao López hicieron oír su voz a Ibarra, de Santiago del Estero, y a otros hombres igualmente poderosos del Interior. Córdoba quedó aislada, pagando por un crimen que no había avalado.

A partir del 11 de julio, Buenos Aires había cortado las comunicaciones con ella y ésta no recibía ya el Correo Ordinario, al mismo tiempo que se clausuraron las comunicaciones postales con las demás provincias, que eligieron imitar a la metrópolis. Nadie quería hablar con los representantes cordobeses hasta que no hubieran apresado a los presuntos asesinos y sus cómplices; y además quedara aclarada la magnitud de la conjura.

Pero, en lo doméstico, la decisión del Gobernador Delegado de acabar con los privilegios abusivos concedidos por los Reynafé dio al litigio de los Osorio la posibilidad de un juicio imparcial.

ACTAS

I

"... y al efecto de tomar declaración e indagatoria al Dr. Venancio Canseco Olivares y habiendo sido llamado al efecto por primera, segun-

da y hasta quarta vez, se ha resistido a su comparencia diciendo se hallaba enfermo y haviéndose prevenido lo acreditase mandó decir según lo
expresa el portero, que estaba con incordios y otras expresiones indecorosas
a este Ilustre Cuerpo y en consecuencia y usando prudencia, se le mandó
llamar con el Señor Alguacil Mayor y como no hubo caso, tuvo que echarse
mano a la fuerza de policía, y habiendo comparecido y héchole los cargos
de que se le acusa más los de su incomparencia, dio satisfacciones y
haviendo oydo los señores, pero notando el preso estaba en ebriedad, se
decidió remitirlo al calabozo hasta su compostura, pasando al día de
mañana, martes, con el apercibimiento de que se tomaran las providen-
cias que ha lugar y lo firman, de que doy fé…"

II

"… resolviendo los Señores que por paso previo se anoticie al letrado
Antonio Borja y Marín y exijirse al propio una razón de sus actos como
supuesto encargado de los bienes de la Familia Osorio (Herederos y Menores de D. Carlos Osorio y Luna y Dñ. Ma. del Carmen Núñez del
Prado), del ingreso havido, su imberción y existencia actual de bienes,
para contestar lo que corresponda y firman…"

III

"… que para dar principios de una vez al Juicio, se ordena al Asesor
de la Orden de las Carmelitas Descalzas asistan a deste despacho cuando
se les llame. Y mandado uno de los ministros de Justicia para que ocurra,
dixieron las monjas que la novicia Isabel Osorio estaba prevenida, pero a
causa de súbito malestar no pudo comparescerse pero lo hará quando esté
pronta, al otro día…"

IV

"Antonio Borja Merino (test. Marín) siéndole dicho que la escritura
havía sido reconoscida por Dñ Isabel Osorio y volvió el edil a preguntar:
'¿Reconoce U. ser esta letra de la difunta D. María del C. Núñez?' y disce
'Sí, pues, y acabáramos'. Entonces se le leyó el papel y él cayó en afirmar
no era verdad, eran alucinaciones de la loca y al enfrentársele el poder

que la que él llamaba loca havía firmado a su favor, confesó el plan fraguado con la llamada Rosario (o Remedios no recuerda) Sandobal, original de Salta y el Dr. V. Canseco con anuencia completa de Dñ Isabel de O. para hacerse y disponer de los bienes de dicha familia..."

V

"La cómplice Remedios Sandoval Sarría, detenida por la policía de S. Fé y entregada por buena voluntad de su Justicia y Gobierno a una delegación de ésta Córdoba para ser presa a causa de innumerables delitos y por denuncia del albacea legal de los bienes de la familia Osorio, D. Briano Járrison, natural de Inglaterra, dicha acusada intentó abandonar la finca por los fondos, pero estaba prevenido el alguacil y hubo de regresar al interior donde intentó corromper a los encargados de apre-enderla ofreciéndoles objetos de plata y joyas, acumulando otros delitos registrados in-situ. Y apersonándose como veedor el Comandante Dn Eduardo Farrell con el escribiente de justicia, se levantó acta, haciendo constar los numerosos bienes ajenos y objetos de gran valor que la susodicha Sandoval havía hecho acopio. Fueron también reconocidas muchas alhajas por actas testamentarias pertenecientes a la familia Núñez del Prado y Osorio asimismo, y hasta retratos déstos, que por un fámulo se supo hacía desir eran parientes della, y cuadros óleos estimables y también vestidos que fueron de Dña Carmen de Osorio y mucha librería con las rúbricas (doy fé) de ambas dichas familias querellantes.

"Todo fue cargado en carretas junto con la acusada y la justicia de S. Fé escoltólas hasta la frontera límite, donde fue dexada en propios a la partida de esta muy noble ciudad de Córdoba. Se dexa así-mismo confían (testado: constancia) del encargado de la partida y de D. Eduardo Farrell que a pocas leguas de Quebracho Herrado debieron amarrar fuertemente a la rea porque intentó sobradas veces escapar de las manos, dándoles muchos afanes a todos y..."

VI

"... Canseco, comparesciendo al fin a instancias sextas, reconoció haver dictaminado la cordura de Dñ Carmen de Ossorio por una suma convenida con Borja y Sandobal (Remedios). Dixo así mesmo que la dicha señora Ossorio 'estaba más loca que una cabra y que su hija talmente, puesto que Dñ Isabel daba porfía con quella havía obrado milagro sobre su madre antedicha matrona, curándola con oraciones de los males que la aquexaban. Al preguntársele si él no creía acaso en milagros, dixo Sí, pero no pensaba que Dios Nuestro Señor, a causa de sus múltiples pecados, fuera a obrar uno en su fabor, pues lo común era que los pocos pacientes que conseguía se le murieran, con lo que el letrado José Críspulo Medina Aguirre dixo interviniendo que él daba segura fé de aquesto…"

VII

"Al ser conminada muchas veces a comparescer en esta Corte y al no apersonarse Dñ Isabel Osorio por enfermedad dictaminada por el médico del convento como 'Trastornos múltiples por estado de enervación, vómitos, incapacidad motora, llanto, insomnio, estado exasperante de deposiciones, mudez y otras manifec-taciones Hystéricas', fue concedido por la Orden y el Asesor de la misma se la interrogue a dicha novicia en la misma celda de dicho Convento de las Descalzas. Al serle mostrada la carta dixo ser letra sin duda de su fallecida madre. Entonces procedió a leérsela por voz del letrado D. José M. de Aguirre de nuestro fuero y otro que obliga la ley y entonces rompió en llanto la acusada dixiendo que su madre jamáses huviera escrito dicha infamia y pidió saber dónde hallóla y al decírsele que en el (la) petaca de la difunda esclava llamada Severa expresó la susodicha Dñ Isabel que seguro fuera escrito por la negra para vengarse della por retirarla del solar, y cayó la dicha novicia en estado de crisis y la Superiora expresó a la Justicia que evidentemente sabía ella que la malograda negra no sabía nunca de excrituras. Como se agravara el estado eccitación de la acusada, hubo de retirarse la gente de justicia y no y se pospuso…"

—Mira, Luz —dijo doña Mercedes, encontrando a su sobrina en la galería, entretenida en tejer para Tristán—. Ya tienes cuanto puedes conseguir. Deja en paz a tu hermana, ¿sí? —y volvió la cabeza, siempre con el peinado a punto de desmoronarse—. Está muy malita, querida; ha quedado hilacha y nunca fue robusta. No la pueden dejar sola, así que nadie duerme en la Casa. No retiene nada en la panza, dale que vómitos y si no, por cólicos. Ni alcanza a llegar a la bacinilla y las hermanitas deben… ya sabes, limpiar la porquería, porque está ella tan débil que ni puede asearse. Es una gran miseria, hijita, para esa pobre que siempre fue tan limpita; extremosa le decía yo. ¡Se siente tan avergonzada! porque hiede, ¡ay! ni que chiquero…

Calló, desalentada ante la inexpresividad de su sobrina.

—Temo por su vida —concluyó con un pesaroso suspiro.

—Nadie muere de una conciencia culpable, salvo que se suicide. Y no me caben dudas respecto a que Isabel no flaquea por ese lado. Es una persona de mucha fe —declaró Luz mordazmente.

—De… ni hablar —se santiguó la señora, espantada ante el único pecado que, decían, el Todopoderoso no perdonaba.

—Pero te digo que ha empeorado; no creo conveniente presionarla tanto. Tú sabes que vengo enconada con ella desde que comenzó a juntarse con esos malvados, que seguramente se aprovecharon de su ingenuidad. Temo por ella, querida. En serio te lo digo.

—Vamos, tía; Isabel no ha estado enferma un solo día de su vida. Está jugando a la gata muerta. Ya se repondrá.

En aquel momento Nombre de Dios anunció al doctor Medina Aguirre y no bien José tomó asiento, doña Mercedes lo instó:

—Dígale, dígale usted, doctor, que la ha visto, cómo está esa criatura, a ver si le cree más a usía que a mí.

—El malestar de la señorita Isabel es producto de un intento desesperado por eludir a la Corte… y a doña Luz —dijo el joven realistamente.

—Vamos, José, no se me plante. Cuéntele, cuéntele en qué estado la halló cuando fueron a tomarle declaración.

—Misia Mercedes, esa joven confía en inspirar lástima para salir mejor librada, cargando la responsabilidad sobre los otros —y meneó el índice hacia ella—. Veo que lo está consiguiendo.

—¡Oh, no me mire así usted! No soy ninguna sonsa, tengo…

—… un enorme y bondadoso corazón —terminó Luz—. Sin embargo, opino como el señor letrado. Canseco, Borja y la Sandoval no han tenido tiempo de ponerse de acuerdo y por sus declaraciones, parece evidente que esa "criatura" como usted la llama, tía, confesó a esa mujer que quería despojarnos de todo, engañándola incluso a ella con el cuento de que nos habíamos radicado en Inglaterra y no pensábamos regresar… ¡porque Harrison estaba sentenciado a muerte!, haciéndole creer a aquella aventurera que jamás podríamos regresar y que impunemente podía pretender que su maldad no fuera denunciada. Isabel aseguró a la Sandoval que no veía forma de hacerse con la herencia, pues don Prudencio se lo impedía. La tentó con la promesa —que bien cumplió— de entregarle cosas valiosas si ella encontraba a la gente que pudiera resolverle aquel problema, gente a la que pagaría bien…

—Quizá mientan para echarle a la pobre toda la culpa —y doña Mercedes miró a Luz con tristeza—. Antes mostrabas mejores sentimientos, Lucita —le reprochó suavemente.

—Mi madre no me amaba —declaró la joven con brusquedad— y yo sólo conseguí temerle primero, despreciarla después y por fin ignorarla. Pero mamá adoraba a Inés y a Isabel; eran sus "niñas". Sin embargo, cuando enfermó, Inés ni siquiera apareció a verla, viviendo aquí, a pocas leguas, e Isabel la puso en manos de esos ruines —y con la mano en el corazón, aseguró—: no me duele ya la muerte de papá; nos la cobramos con sangre y él nos dejó un ejemplo a seguir. Tampoco me desvela lo que nos robaron o destruyeron los santafesinos, porque eso nos señala como enemigos de cuidado. Pero Isabel, Isabel —y la mano se cerró en un puño—, Isabel logró más que todos nuestros adversarios juntos, ya que intentó cortar nuestras raíces y, aun siendo de nuestra carne y sangre, se convirtió en el instrumento que pulverizó el pasado, asfixió el presente e intentó convertir a nuestra familia en mero recuerdo. ¡De eso la acuso! ¡Y no hay convento ni orden que mi odio, como la merced divina, no pueda trasponer para alcanzarla!

Aturdida ante la vehemencia de su sobrina, doña Mercedes volvió a poner en peligro la arquitectura de los rodetes.

—¡Qué te diré! Siempre consideré a esa chiquilla medio chalada, así, como loquita. Tú, en cambio, ¡eres tan fuerte, tan inteligente! ¿No puedes apiadarte de ella? Esta actitud te resta méritos, querida —se dolió la señora.

Luz pareció ceder a sus ruegos.

—Está bien; que firme lo que la Ley mande y considere necesario. Pero si bien la excuso de acudir a la Corte, deberá recibirme... y a solas.

—¿Pero, para qué? —se alarmó la señora—. Cerrarán el camino a una posible reconciliación y...

—Quiero verla por última vez en la vida —exigió Luz, caminando hasta la fuente y sentándose allí a jugar con el agua—. Pero dígale también que si las monjitas no la consideran ya presencia grata, yo le daré cobijo.

—No accederá; te teme sobremanera.

—Entonces, nos veremos ante el juez —y con la mirada color acero, aclaró—: Sea como sea, estoy determinada a verla.

—¡Dios Santísimo, ablanda este pedernal! —suplicó la señora.

—¿Ahora resulta que yo soy la malvada? —se enfureció Luz—. Tía, ¿por qué no hace un esfuerzo y recuerda a Severa muriendo como un animal abandonado después de dedicar su existencia a una familia que le pagó con la fosa común? Piense en que Isabel le negó a mamá la asistencia de un facultativo, que es posible que ella haya fallecido a causa de medicamentos mal administrados. Piense en Oroncio, tía y en los Cepeda —tres familias que por generaciones nos fueron leales—, librados a su suerte porque esa loca decidió canalizar sus sueldos en donativos disparatados. Y hablemos de los retratos de nuestros ponderados antepasados, regalados a esa aventurera. ¿Fue estupidez, ingenuidad... o maldad? ¿Por qué no se los entregó a tío Felipe, a ustedes? ¿Y las joyas de las bisabuelas? ¡Anita no podrá lucir, al entrar en sociedad, nada más que alhajas regaladas por Harrison!

—¡Basta, no sigas! —sollozó doña Mercedes, cubriéndose los oídos—. ¡Es todo tan malvado, tan...!

—Y falta mencionar a Fe y Nombre de Dios, dos chicas criadas con decencia que prácticamente fueron lanzadas a la mala vida por falta de recursos y abandono. ¿A esto se le llama cristianismo? ¿Es justo que sea pasado por alto, perdonado?

Sonándose ruidosamente, ya deshecho el peinado, doña Mercedes murmuró:

—Tienes razón; exigiré que te reciba.

Luz le arregló el cabello y luego la abrazó, besándola con afecto.

Cuando se oyó la puerta de calle cerrarse tras la señora, José aplaudió blandamente. Luz tomó un almohadón y lo arrojó lejos, dejándose caer en el sillón de mimbre.

—Y debo añadir que por esa desatinada, no he podido estar al lado de mi hijo cuando cumplió su primer año de vida. También le cobraré esa deuda; y con intereses.

—Su libra de carne —murmuró José, recordando las palabras de Harrison.

45. LA RONDA DE LAS ÁNIMAS

"Desperté, y persignéme con mi mano alzada: tenía, Dios
lo sabe, la voluntad cambiada."

Gonzalo de Berceo

CÓRDOBA
SEPTIEMBRE DE 1835

Alguien la había llamado en la oscuridad, pero al despertar, el peso
del cuerpo de su esposo, absolutamente dormido, la desconcertó. Se
quedó inmóvil, atenta a no sabía qué, con la intuición de una gran
respiración ocupando las tinieblas que la rodeaban. Entonces fue que oyó
nuevamente pronunciar su nombre y la voz le llegaba desde lejos, en oleadas
que avanzaban como por un túnel irreconocible. Pero la voz… ¡esa voz! Se
incorporó en la cama, perdida por un segundo en los años de su infancia, en
los terrores nocturnos siempre aplacados por la dueña de aquella voz.

—¡Severa!

Sobre la luna del espejo, vio dibujarse una claridad crepuscular que
iba tomando una forma indefinida pero reconocible. La invadió una oleada
de afecto y sugestión…

Apenas después, Harrison se despertó sobresaltado. Tanteó en la negrura que lo envolvía, buscando a su esposa. Al dar con ella, la sintió estremecida por fuertes temblores. Y sudaba. Maldiciendo al notar una creciente frialdad en el aire, tanteó por el yesquero, dio con la palmatoria y
encendió la vela.

Luz estaba sentada en la cama, las piernas recogidas bajo el mentón,
las rodillas enlazadas con los brazos, la cabeza enterrada en ellas, me-
ciéndose como autómata.

—Querida… ¿qué tienes? ¿Te sientes mal? —y al no recibir respuesta, pensó que había tenido una pesadilla y la abrazó para tranquilizarla,
buscando abrigarla.

—Vamos, toma un poco de agua… A ver, así… recuéstate contra mí.

Aspirando desesperadamente aire, ella le anunció, consternada:

—Estoy embarazada de nuevo… esta vez de una niña.

Creyéndola fuera de sí, Harrison no se atrevió a hacer ningún comentario. Tenía que llevársela a Buenos Aires antes de que las tragedias familiares la desquiciaran, decidió.

Para sorpresa de él, que creía a Luz atrincherada en su propósito, cuando doña Mercedes llegó a media mañana, la joven le comunicó:

—Que Isabel se quede en paz; no la veré. Mi hermana ha encontrado una abogada que no se merece.

—¡Hijita! —gorjeó la señora y al abrazarla, interrogó con la mirada a Harrison, que se encogió de hombros—. El Corazón de Jesús te lo recompensará en dones para tus hijos —aseguró confiadamente a su sobrina.

Mientras bebían café —Harrison no tomaba mate—, la señora de Farrell se explayó asegurando que sus preces habían obrado para que Luz siguiera el camino del perdón y no el de la venganza.

—Una de nuestras más profundas falencias —respondió la joven amargamente— es llamar venganza a la justicia y justicia a la venganza.

—Hoy sí que hablas en turco —se quejó la tía.

—En fin, que te tranquilice saber que hago… lo que Severa me hubiera aconsejado.

—Sí, sí; ella siempre fue como el Ángel Tutelar de tu familia —aprobó la señora.

De pronto, una sonrisa iluminó las demacradas facciones de Luz.

—Tía, estoy encinta de nuevo —le confió—. Y esta vez será una mujercita.

Y apretando la mano de Harrison, que sostenía la suya, aclaró: —Y la llamaremos Amanda, ¿verdad, Harri?

Harrison la miraba con preocupación, fingiendo una sonrisa cuando se encontraban sus ojos. Doña Mercedes, prudente, eligió las palabras antes de expresarse.

—Ojalá se realicen tus deseos y sea una niñita; así tendréis el casalito, como dicen en el campo. Pero no debes ilusionarte demasiado. Sólo Dios sabe qué semilla ha plantado en tu seno, si la rosa o el clavel.

La llegada de los abogados interrumpió la conversación. Venían ambos muy satisfechos: Isabel había firmado las declaraciones y ahora todos se acusaban mutuamente. Varias cabezas del gobierno anterior habían quedado seriamente involucradas. Sólo restaba que se fundamentara la sentencia y se diera a conocer, aunque no se esperaban sorpresas. Manuel sostenía que, con todo, Isabel saldría bien librada, como jovencita de escasas entendederas sugestionada por una mujer mayor y amoral que la había dominado.

—Mejor así —gruñó Harrison—. Lo que no comprendo es cómo esa aventurera, la Sandoval, pudo infiltrarse en tan altos círculos.

—Apareció en Córdoba sin un peso y con sus modos de beata se ganó a las monjas, haciéndoles creer que era pariente del obispo de Salta. Aseguró que traía cartas de privilegio que le fueron robadas en el camino, junto con el equipaje. Vivió miserablemente hasta que trabó amistad con la señorita Isabel y luego un mal llamado caballero la tomó bajo su protección. Por él conoció a Borja y de pronto comenzó a pagar deudas que había contraído en poquísimo tiempo, para desaparecer cuando, al morir doña Carmen, la señorita Isabel puso en práctica lo que decía era el anhelo de la difunta. Aparece después en Santa Fe, con salones de punta en blanco y aires de gran dama. Usted recuerda, misia Mercedes —continuó José, que exponía el caso—, que esta mujer solía decir que andaba a la espera de la venta de una hijuela, en Rosario de Lerma; a otros aseguró que por fin los hermanos de su extinto esposo iban a entregarle ciertos bienes. Ahora bien, en Santa Fe se hizo pasar por la hija de un acaudalado bodeguero mendocino. Si de algo no podemos acusarla —se sonrió el abogado— es de falta de inventiva.

Doña Mercedes aprovechó la pausa para despedirse y correr al convento a tranquilizar a su otra sobrina.

Harrison se dispuso a conversar con los abogados, pero al llegar a las puertas del despacho, se detuvo; José interpretó su preocupación y ofreció:

—¿Desea que haga compañía a su señora esposa, Mr. Harrison?

—Se lo agradecería, doctor Medina. Anoche tuvo una pesadilla y no he logrado que la olvide.

Cuando José regresó a la sala, observó a la joven desde el umbral. La confusión y la desdicha reflejadas en su rostro lo tocaron casi físicamente.

—¿Puedo acompañarla, doña Luz? —preguntó sin rastro de su habitual desenvoltura.

Ella le indicó el asiento a su lado y en tres zancadas José estaba sentado allí.

—¿Cree en aparecidos, José?

—¿Aparecidos? —se desconcertó él.

—Nuestros muertos queridos que vienen a advertirnos, a aconsejarnos... quizás hasta a consolarnos.

390

—Tengo una mente realista, doña Luz —respondió el joven, pero tras un momento de duda, reconoció—: Sin embargo, una vez me sucedió algo que sólo puedo catalogar como inexplicable. En vida de mi madre —estando mi familia en Santiago y yo estudiando aquí—, una noche soñé que ella se me acercaba estrujándose las manos y llorando. Dijo varias veces: "¿Qué será de tus hermanitos y de tu pobre padre cuando yo les falte, estando mi Ramón tan enfermo?"; debo aclarar que los ingresos de mi familia dependían en gran medida de las habilidades de mi madre —dijo José, acariciándose la nariz—. Bien, yo le contesté en sueños: "Pero mamá, qué se preocupa usted, si sabe que yo siempre cuidaré de ellos". Mi madre me besó —recuerdo vívidamente aquel beso— y dijo: "Gracias, hijo; que San José te bendiga". Y desperté.

El abogado pareció reflexionar unos segundos y continuó:

—Esa mañana era Domingo de Pentecostés, me lo dijo la mujer que trabaja en casa; como no soy muy observante, lo había pasado por alto. Días después llegó un primo mío a avisarme que mi madre había fallecido al amanecer de aquella festividad. Mi primo me contó que se había mostrado muy desasosegada por la suerte de los suyos, pero —me consoló Ignacio— había expirado bendiciéndome: momentos antes del trance les aseguró que se marchaba de este mundo sin preocupaciones porque yo le había prometido encargarme de ellos. Y ahora, Luz, dígame usted qué fue aquello.

—Su santa madre, José, velando por los que amaba.

Y poniéndole la mano en el brazo, confió al abogado lo sucedido la noche anterior.

—Ni siquiera estoy segura de haber escuchado la voz de Severa, pero entendí claramente el consejo: no es bueno odiar cuando se lleva una vida en el vientre. Por esa hija que ya latía en mis entrañas, debía dejar en paz a Isabel y esperar que la última palabra la dijera la justicia… —con las manos protegiendo su vientre, Luz aspiró profundamente. Luego se volvió hacia él rogándole que no comentara aquello con nadie.

—No se lo he querido decir a mi esposo, porque tal vez crea que estoy tan loca como mi madre o mi hermana —se justificó—. Él no entiende de estas cosas, aunque Dios sabe que me tiene una paciencia infinita. Prefiero no alarmarlo.

Viéndola tranquilizada después de haber compartido con alguien aquella vivencia, José, las manos entrelazadas, las piernas cruzadas, sonriente la mirada, dijo sin sombra de dudas:

—¿Así que tendrá una niñita? ¿Y qué nombre le pondrá?

Aquella tarde, Luz fue con sus tías a encargar una novena por el alma de Severa; a San Francisco, puesto que la negra, en vida, era devota de los Seráficos.

Misia Francisquita insistió durante el trayecto en que Luz había sido demasiado blanda con Isabel; doña Mercedes oponía que la joven había adoptado una actitud cristiana que le sería recompensada desde el Cielo.

—Ya —dijo la anciana—. El menos indicado a obligarnos a ser tan mansos es Dios Padre (¡perdón, Señor!), pues castigó con tinieblas y terremotos a Jerusalén cuando le crucificaron al Hijo —y como estaba por reglas rígidas de castigos y recompensas, antes de andar repartiendo perdones sin ton ni son, aclaró—: ¡Prefiero el Viejo Testamento: "Ojo por ojo y diente por diente"!

Dejando pesar el cuerpo sobre el brazo de Luz, comenzó con su monomanía: que era una desgracia que hubieran expulsado a los jesuitas.

—Con ellos aquí era otra cosa, mamá siempre lo dice. Había majestad en los oficios y más moral en el pueblo. Y los indios y los negros bien sujetos, pero con normas, no con huasca —que era otra forma de decir riendas o látigos—. ¡Y mamá, que se ha propuesto no irse de este mundo hasta que los padrecitos regresen!

—¡Por la hostia, Panchita! —le reprochó doña Mercedes—. ¡Ni que quisieras que Adelaida se nos vaya!

—No; por mí que quede para semillas la santa. Morirá en olor de santidad, ya verás. Pero está cansada, Mercedes, con Carlos muerto y los muchachos huidos… Yo creo que ha notado las ausencias porque no ha vuelto a preguntar por ellos. ¿Te preguntó a ti, Luz?

—No tiíta, pero le conté de Tristán y de mi nuevo embarazo y se puso muy contenta. Me ha dado el vestido de bautismo de papá, bajo promesa de guardarlo para la próxima generación. "Lástima que tus rorros no llevarán nuestro apellido", se dolió, pero cuando le conté que Fernando ya tiene un hijo… —se le escapó a Luz.

—¿Y quién se habrá atrevido con el salvaje? —inquirió la anciana y espiando el perfil de Luz la codeó—: Anda, dínoslo, que algo te guardas en el buche, bien lo veo.

—¡¿Y qué he de saber yo, viviendo en Buenos Aires y el Payo… vaya a saber dónde!? Me enteré por un mensaje que me mandó con un soldado.

—Siempre han sido culo y calzón tú y ese desaforado —desconfió su tía y como si hubiera abierto una puerta secreta murmuró con voz joven y tímida—: Fernando me recuerda... cosas del pasado.

—¿Algún amor inolvidable... tal vez? —preguntó Luz en el oído de la anciana.

—¡Sí, sí! —se animó la señora.

—¿Y qué pasó? ¡Cuénteme!

—Oh, en casa no lo querían —y haciendo gala del carácter batallador de los Osorio, reconoció—: Pero casi, casi que me escapo con él —e hizo señas a Luz para que se distanciaran de doña Mercedes y las criadas.

—Fue una primavera, en Los Algarrobos —y le flaqueó la voz—. Él llegó con su padre, desde Chile, por las mulas. ¡Era tan guapo, Luz! Pelo retinto, largo como de mujer y lleno de bucles; rosado de tez y ojos... ¡unos ojos, chiquilla, como ascuas! ¡Virgen Santa, fue mirarme y encenderme! Se quedaron un mes, pero en tan poco tiempo Santiago —así se llamaba— me robó el corazón. Llegó el tiempo de que regresaran con las recuas a su tierra y el pícaro hizo como que seguía a su padre, pero se quedó en el monte, como habíamos convenido. Y después...

La anciana se detuvo en medio de la calle perdida en el pasado, las dudas y el desconcierto pintados —seguramente como en aquel entonces— en su rostro.

—Fue tan raro, hija. Mira: la noche en que pensábamos huir él debía esperarme escondido en la cripta del oratorio, así que llegada la hora, alcé mi bultito y con los botines en las manos bajé a la capilla. Allí (¡herejes!) debíamos encontrarnos, porque yo estaba empeñada en que me diera palabra de esposo ante el altar. Pero... alguien había puesto candado a la sacristía, por la parte que da a la galería. Entonces corrí a la cocina y lo mismo. Regresé al patio principal pensando en salir por la puerta de honor...

La sonrisa se había ido borrando del semblante de Luz al intuir el final —ignorado por su tía— de aquel hombre.

—... y me encuentro a mamá, la trenza hasta el tobillo, tan blancas la cara y la bata, que me petrifiqué pensando era el ánima de la Ahorcada —la primera esposa del fundador— que las criadas decían haber visto siempre para aquellas mismas fechas. En una mano llevaba la palmatoria y en la otra la vara de disciplinar (a modo de alcaldesa, porque jamás nos tocó). Yo amagué hacia la salida, pero me cortó el paso dando con la vara en las losas y así me arreó, como a baguala, escaleras arriba y me encerró en el cuarto aquel del Cristo, que de tantos amores desdichados ha sabido. Y poniendo la llave por fuera, me dijo a través de la puerta: "No con un cuico que lleva el apellido por siniestra" y ésa fue la primera noticia que tuve de que Santiago era bastardo; papá había estado enterándose.

—¿Y entonces?

—Entonces oí un resuello en la escalera.

—¿Del abuelo Lorenzo?

—No, de Ignacio, nuestro hermano mayor, el que murió cuando Felipe aún era un niño. Ignacio era alto y pesado, siempre le faltaba el aire cuando subía amanecido de holgar con las negras, que eran su debilidad. No lo delataba el pie, no, que en eso parecía gato. Pero el resuello... Y al oírlo me dije: "¿Tan temprano? No; éste vuelve de alguna comisión encargada por mamá" y ya no me importó que me metieran a monja de clausura; sólo le pedí a Dios que no me lo hubiera matado. Me arrodillé a rezar —ya sabes, en el nicho— y al rato nos despertaron a todos con la novedad de que regresábamos así, de estampida, a Córdoba.

La anciana, como aturdida, se había detenido nuevamente. Luz insistió:

—¿Y después?

—Esperé por meses un mensaje, que Santiago se apareciera por la ciudad. Ni coraje ni audacia le faltaban, me decía yo. Y estaba lista para irme con él, aunque con lo puesto fuera, en la grupa de su caballo. Pero nunca, nunca más supe de él.

Luz le tomó la mano con fuerza y la sintió temblar de pies a cabeza.

—Bien, me dije; cuando regresemos en primavera me enteraré de algo, porque si Nacho lo había matado, no era de andar escondiendo muertos. Fue aquel invierno que mamá mandó desconsagrar la capilla, supongo que pensando que la usábamos para nuestros encuentros. Pero no éramos tan atrevidos. ¿Sabes dónde nos veíamos? Atrás del cementerio, en esa quebradita tan linda y reparada. A mí me tapaba una mulata —que luego mamá vendió a unos peruanos en represalia—. ¡Cómo lloramos las dos cuando nos separaron! Con Valentina, a la siesta, en vez de dormir, hurtábamos libros a papá y mientras yo leía en voz alta ella memorizaba las poesías en un periquete... Sabes, fue cuando la vendieron a ella que mamá mandó a venir a Severa de Santa Catalina, por Ascochinga, que allí estaba con la abuela Ana —tu bisabuela sería— y ya se quedó con nosotros...

—¿Y qué supo de ese Santiago cuando regresaron al campo?

—Nada, porque ese año por San Jerónimo mamá anunció que no iríamos a Los Algarrobos; que sólo papá y los muchachos viajarían.

394

—¿Y qué fue de tío Ignacio? Apenas hemos oído hablar de él.

—¡Ay, hija, tuvo un final atroz! Lo apresaron unos bandoleros chilenos y le dieron tormento; sería creyendo, como no llevaba dinero encima y pintaba de hidalgo, que lo habría enterrado para volver luego con los peones a buscarlo. No sé, pero que algo querían indagarle es seguro. Unos cabreros más medrosos que sus chivas los vieron, pero no hicieron nada salvo andar contando después que Ignacio despachó a tres antes de que lo redujeran. Videla —no Oroncio, sino su padre— oyó la historia y se alucinó con que debía tratarse de mi hermano, que ya nos tenía preocupados con su ausencia. Así que con los Cepeda —los tíos de éstos— salió a buscarlo. ¡Pobre Ignacio!, recién le perdoné haberme espantado el pretendiente —para los dos años iba— porque aquellos maleantes no tuvieron la misericordia de despenarlo y lo dejaron colgar de las muñecas, con lo grandote que era, así como el Payo... ¡Ay Dios!, que cuando lo encontraron, un tigre se había alimentado de él por días... Pobre hermano mío —se condolió la anciana, la mano sobre el pecho y el rosario enredado en ella—. Se parecía mucho a Fernando. En todo.

—¿Y los chilenos se escaparon?

—¿Alguna vez hemos dejado dormir las deudas de sangre? ¡No! Mientras las mujeres velábamos lo que quedaba del cuerpo, papá con Carlos y Felipe —que era un rapaz— juntó a los Videla, que eran como cinco o seis, ya no me acuerdo; y a los Cepeda, que ésos me acuerdo eran doce, puesto que les decían los Apóstoles, y con algunos peones los siguieron hasta dar con ellos en el camino a Cuyo, bien adelantados. Los trajeron a lazo hasta el linde de nuestras tierras y allí los colgaron. Tampoco de ellos quedó mucho —yo me escapé con Leonor a verlos, ¿puedes creer?— y también a ellos se los comieron las alimañas. Yo siempre dije: ojo por ojo no es mala ley.

Y retomando el paso, misia Francisquita dijo con orgullosa amargura:

—Callé por años la historia, satisfecha al menos de haber guardado las apariencias de la dignidad.

—¿Y si Santiago hubiera sido asesinado?

—¡Pero qué, hija! Con la hermana mayor de Oroncio, que como de mi edad era y muy leal, estuvimos haciendo averiguaciones. Nadie sabía nada; no se había encontrado ningún muerto; su padre —¡no puedo decirte cuánto lo quería!— no vino a interesarse. No, Luci. Aquel "cuico" como lo llamaba mi madre prefirió volverse sin líos a su tierra. ¡San Judas me ampare, qué vergüenza!

—¿Vergüenza de haber amado a un bastardo, de haber sido luego abandonada por él?

—¡Nada de eso! —y furiosa misia Francisquita golpeó el empedrado con el bastón—. Me avergonzaba y me avergüenzo aún, aunque te parezca mentira, de haber perdido la razón por un ruin sin cojones. Eso, sin cojones. Siempre quise decir en voz alta la palabra. Y así fue que cuando aquel badulaque florentino puso tanto brío en convencer a Leonor para que huyera con él, yo los ayudé. Ni mamá lo supo, pero ya que ando en airear sudarios...

No sabiendo cómo comunicar a la anciana el hallazgo de los restos en la cripta, Luz calló hasta pensarlo mejor. Se extrañó, no obstante, de que ninguno de los varones de la familia hubiera alardeado de aquel crimen...

Las campanas la sobresaltaron. Doña Mercedes, que las esperaba en las puertas de la iglesia, se llevó perentoriamente el índice a los labios.

Luz se dijo que, en verdad, no parecía una venganza de hombres dejar a un infeliz encerrado para que muriera como un animal, sin tocarlo ni lastimarlo —podía recordar la voz de Benito diciendo: "No murió largando sangre, de seguro" y a Silverio: "Mire, niña, no hay manchas en las paredes ni en los suelos"—. Un muy extraño asesinato para ser perpetrado por varones sanguinarios, dados al uso de la fuerza, del filo o la pistola. Más bien parecía obra de una mujer...

No bien pensar aquello supo la respuesta. Tuvo que dejarse caer de rodillas en el reclinatorio. "¡Abuela Adelaida!", murmuró y se le enfrió la sangre.

Arrellanado en el sillón de la sala, repasando el proceso, Harrison se dijo que aquel día, a pesar de haber comenzado tan mal, había mejorado notablemente. ¿Estaría realmente Luz embarazada? ¡Ojalá fuera así! ¡Nada deseaba él más que otro hijo!

En aquel momento, la hora cruzó el instante mágico que va de la claridad al crepúsculo; las campanas tocaron a completas con un sonido grave, llamando a recogimiento.

Al levantar la vista, alcanzó a ver a una morena robusta que se escabullía por el patio. Molesto de que anduvieran fisgoneando, salió a la galería y la divisó en la última arcada.

—Oiga usted —la interpeló, pero ella pasó detrás de los jazmines y cruzó el cancel sin hacerlo chirriar. Cuando Harrison llegó a él, le costó trabajo abrirlo. Tampoco en el segundo patio se veía a nadie así que se dirigió apresuradamente hacia el tercero y el resplandor de la cocina le hizo pensar que seguramente sería una "comadre" de las sirvientas.

Levantó la estera de la puerta. Owen y Fe, sentados a la mesa, lo miraron con sorpresa. El muchacho se puso de pie, el mate en la mano, como esperando órdenes. Sin una palabra, Harrison alzó el candil y revisó los rincones más oscuros.

—¿Buscaba algo, señor? —preguntó el galés intrigado.

—No, no: sólo que me pareció ver una mujer —y preguntó a la chica—: ¿Ha venido Martina, quizá?

La jovencita, pálida, negó con la cabeza, persignándose varias veces y besando luego la cruceta de plata que le había regalado Luz.

—Pues hay una mujer merodeando por la casa; acabo de verla.

Owen dejó el mate sobre la mesa. —¿Quiere que recorra atrás, señor?

—Vamos; te acompaño.

En las barracas los hombres quedaron incomodados pues estaban jugando a los dados, cosa que Harrison les había prohibido; otros, al resplandor mortecino del candil, se acicalaban para una ronda por las pulperías.

—¿No vieron salir una mujer negra, robusta? —señaló Harrison hacia el portón.

A nadie habían visto.

Cuando se retiraban, Owen propuso registrar el piso superior. Subieron la escalera y abrieron las habitaciones en uso. Nada encontraron.

"¿Habré visto visiones?", se preguntaba él mientras el joven controlaba los candados.

Y al apoyarse en la balaustrada, miró hacia abajo y vio a la mujer, esta vez cerca del jacarandá.

—¡Pero si es Severa! —se tranquilizó, demorando en discernir que la negra había muerto y por lo tanto no podía estar allí, la cabeza en ángulo altivo, envueltos los hombros en un pañolón prolijamente ceñido, azulada la ropa de tan blanca, sonriéndole…

—Todo en orden, señor —anunció Owen.

Harrison se volvió, alterado:

—Ven acá, muchacho. Mira hacia abajo. ¿Ves algo?

El galés lo observó como sospechando se hubiera pasado de copas, pero obedeció.

—Nada, señor —dijo después de tomarse su tiempo para recorrer con la vista todos los rincones.

—Bajemos —dijo él secamente.

—Encenderé las luces, Mr. Harrison. Ya está oscuro.

—Sí, sí; desde la puerta de calle al fondo, todas.

En la sala encendió los brazos del candelabro y se sirvió un brandy generosamente, comprobando, para disgusto, que le temblaban las manos.

—¡La condenada! —barbotó, bebiendo un largo trago—. ¡Está jugando conmigo! ¡Se ha dejado ver para asustarme!

Pero, ¿la había visto? Recordando el espanto de la criada, se preguntó si ella también, otras veces… ¡Bah, era imposible! Además él ni siquiera creía en el fantasma de Devon, siendo un genuino fantasma inglés, se dijo con humor. Pero sonriéndose meneó la cabeza. "¡Me miraba y se reía la muy pícara!"

Afuera, Owen y Fe encendían los faroles entre cuchicheos.

Acabó la bebida y decidió que no le diría nada a Luz; dada la agitación en que la había dejado el juicio, sumada al embarazo, podía hacerle daño.

Con un escalofrío, notó el silencio: las campanas habían enmudecido hasta el otro día a la hora de maitines.

46. LA TRAMA DE LOS CIELOS

"Mas ya me estás diciendo
Mientras lloras y ríes
Salgo a buscar ingratos
Que por ingratos vine."

Luis de Tejeda (1604-1680), Córdoba

CÓRDOBA
SEPTIEMBRE DE 1835

Con un viejo poncho sobre los hombros, por el cual sentía debilidad —había pertenecido a su abuelo santiagueño—, José repasaba las sentencias: Borja y Canseco presos y a disposición de las milicias de fronteras; la Sandoval sería transportada hasta el límite con Santiago del Estero y obligada a tomar la galera a Salta, sin más dinero que para alimentarse en el viaje (por caridad de Harrison) ni más bienes que lo puesto. La situación de Isabel era ambigua: seguiría en el convento, pero la sospecha de que padecía alguna debilidad mental signaría —seguramente por años— su vida, limitada, como le dijo confidencialmente el consejero de la orden, a trabajos sencillos y sin responsabilidades. Quizá nunca le entregaran el velo...

Aquella tarde José se sentía deprimido —solía sucederle al concluir un caso que había absorbido su interés— y de cuando en cuando se estremecía de frío.

Dejó las notas y fue por ascuas que agregó al brasero, colocando encima la pava. La casa estaba silenciosa: después de haber puesto todo "patas arriba" buscando una cinta roja para curar un empacho, Petronila se había ido cuando él le arrojó una moneda para que lo dejara en paz.

Volvía con la yerbera cuando oyó detenerse un coche en la calle. Se asomó a la ventana y vio la sopanda de los Harrison y a la mismísima Luz en ella. Comprendiendo que no tenía tiempo de mejorar ni su apariencia ni la pieza, se resignó a abrir la puerta.

—Creí que me había perdido —dijo Luz mientras él salvaba de un

399

tranco los escalones y la ayudaba a descender del coche. Una de las criadas bajó tras ella.

—Me honra su presencia, Luz, pero debo advertirle que usted se lo ha buscado.

—¿De qué habla? —preguntó ella recogiéndose la falda sobre el brazo para que no se le ensuciara con el barro, mientras el cochero —un extranjero fuerte y pelirrojo— miraba el lugar, la casa y el propietario, inseguro de que el patrón aprobara que la señora visitase aquellos andurriales.

—Verá usted que mi humilde morada no parece el habitáculo del más brillante procurador de esta doctoral ciudad —aclaró José cediéndole el paso—, sino el cubil de un anarquista.

—Entonces, no se preocupe, que nos entenderemos. Según Harrison soy una de ellos; y de la peor especie: ni siquiera tengo la excusa de haber nacido indigente.

—Siempre la sospeché libertaria —le besó él la muñeca.

—Muy perspicaz, ya que la mayoría de los hombres conciben ideas rarísimas respecto a mí; me estoy cansando de oler a azufre y si no a incienso para ellos. Cierra la puerta, Fe, que hace un frío terrible —y a José—: debe haber caído una de nuestras nevadas primaverales en las Sierras.

—¡Ah, me alegra saberlo! Llegué a creer que el santiagueño friolento se estaba imponiendo en mí al estoico cordobés —ironizó Medina Aguirre arrasando con lo que había sobre el sillón para hacerle lugar.

—Dicen que es mejor llegar a tiempo que ser invitado —bromeó Luz al escuchar el silbido de la pava, alcanzando la capa al dueño de casa que muy democráticamente tomó también la esclavina de la criada.

—Dele los cositos, señora, que tanto le gustan —dijo la morena, risueña, tendiéndole la canasta; José hizo muchos aspavientos al destaparlos, devorando un scone de inmediato.

Después, mientras la chica se comedía a cebar y José hacía vanos intentos por mejorar la habitación, Luz se asomó a la ventana y tuvo un breve diálogo en inglés con el cochero, al parecer muy interesado en la viuda del frente —la presunta enamorada del letrado— que barría muy hacendosamente su vereda.

—¿Por qué no emplea hijos del país? —rezongó José cuando Luz volvió a sentarse.

—En Buenos Aires es muy difícil conseguir criollos para el trabajo. O están alistados o prefieren el vagabundeo, pues son por demás independientes. En cambio los extranjeros desean asentarse y no están obligados al servicio de las armas. Pero no he venido a discutir de socialismo, querido amigo.

—Repítalo —exigió José—. Me hace sentir como un gentilhombre a pesar de mi poncho raído.

—José, yo diría que especialmente por ese poncho.

Y mientras disfrutaban del mate y las masitas, el abogado preguntó directamente:

—¿A qué ha venido, Luz? ¿A encargarme una misión secreta?

—¿Es que nada se le puede esconder? —protestó ella—. Y bien, tiene razón. Quiero que haga algo por mí, algo que demorará en llevar a cabo más tiempo que mi estadía en Córdoba, que ya tiene los días contados —suspiró. Y al verlo ponerse serio se apresuró a agregar—: No se preocupe usted, que a Manuel no se le quitarán obligaciones ni privilegios. Es un asunto de familia que...

—Debe encargárselo a él —la interrumpió el letrado, terminante.

—Concédame ser escuchada —rogó Luz—. El problema estriba en que nuestro común amigo no entiende ni aprecia las pasiones; sólo las virtudes le son comprensibles.

—Cada vez entiendo menos, Luz, así que hable sin tapujos.

—Quiero que investigue el paradero y la condición de mi hermano Fernando.

—Querida amiga, Manuel ha demostrado habilidad e ingenio al dar con la Sandoval. No quiero ni remotamente que él piense...

—Déjeme concluir; estoy segura de que usted me dará la razón.

—Una razón es buena si puede expresarse brevemente.

—¡Jesús, qué genio! En fin, Fernando se ha casado o amancebado, no estoy segura, con una joven que creció como esclava de mi familia.

Asombrado, José parpadeó. Ya sin dudar fue al escritorio y comenzó a tomar nota de las referencias que Luz iba aportando.

—¿Y el verdadero nombre de esa mujer? Porque Calandria es, evidentemente, un apodo. No conozco cura que la habría bautizado así.

—Rosalinda —intervino tímidamente Fe; y ante la sorpresa de Luz, que lo ignoraba, explicó—: Severa me lo supo confiar.

Luz le dio las descripciones y los últimos informes que le había proporcionado Indarte.

—¿Y qué debo hacer cuando los encuentre?

—Me escribe a Buenos Aires y si demoro en responder, insista, pues entonces será que no recibí la carta. Sea prudente; no aclare parentescos ni los llame por sus nombres o motes, puede ser peligroso para ellos. Esto va por el hecho de que de tanto en tanto se incautan los sacos de correo o son asaltados los chasques, y dado lo cambiante de nuestra política... En fin, usted se dará maña, que le veo uñas de guitarrero. Le entregará a Fernando la hijuela y algo más de mi parte. Si se negara a recibirlo, déselo por bajo la mesa a Calandria, que ella es mujer y no la obligan esas taras masculinas. Le daré una carta de presentación y otra para ellos. También debe averiguar muy, muy discretamente, si hay orden de captura contra él en esta provincia, ya que los Reynafé le habían abierto causa, imagino que bajo el apodo de guerrilla: Chañarito. El comandante Farrell seguramente podrá aconsejarlo en esto y hasta abrirle algunos legajos...

—Confíe en mi experiencia. En cuanto los ubique iré personalmente a hablar con su hermano. Tengo contactos en La Rioja.

—Señora, lo otro —susurró Fe.

—No te preocupes, que no se me ha olvidado. José, está usted invitado para pasado mañana de tarde, a casa. Conversaremos un rato, tomaremos un buen vino y después cenaremos entre amigos. Vendrán los Farrell, Manuel, José María...

—¿Y ese personaje tenebroso que sigue a Achával como una sombra?

—De Bracy; a pedido de mi amigo y de tía Mercedes he debido invitarlo. Y para su regocijo, estará tía Francisquita, así que podrá usted echarle los perros de su ingenio... sin exagerar, por supuesto.

—¿Y estará presente el egregio doctor De la Mota, que tanto nos ayudó en el juicio? —indagó el joven, que gozaba irritando al anciano tío de Achával, caballero de mucha prosapia y mayor empaque.

—Por supuesto que no faltará, como tampoco Jeromita Carranza con su esposo, que por fin ha llegado de Mendoza. Estamos esperando a tío Felipe y a Laura, con mis primitos, que han tenido una emergencia en Santa Catalina y se están demorando. Ruego para que lleguen; no querría irme sin verlos.

Luz recogió el bolso y puso sobre el escritorio un saquito con monedas.

—Para las diligencias en La Rioja —aclaró—. Mañana arreglaremos los mandamientos legales. Y le advierto, muy señor mío, que el doctor Gordon, que también está invitado, llevará a su linda hermana, jovencita que contará con buenos recursos el día que decida desposarse. Un joven con aspiraciones, solitario y brillante —como usted—, debería tenerlo en cuenta.

—¿De gala?

—¡Por Dios, hombre! En Córdoba, a la santa llaneza, como decía mi abuelo. No son tiempos ni es mi estilo. Eso lo guardo para los intereses de mi esposo en Buenos Aires o Gran Bretaña. Aquí, discreción e hidalguía, como siempre ha sido.

—La adoro. Pero conseguiré algo para mejorar mi apariencia, especialmente si se ha propuesto usted enredarme con una heredera de la rubia Albión. Sáqueme la curiosidad —se inclinó hacia ella—: ¿No va a invitar a la madre y a las hermanas de Manuel?

—¿En son de requerimiento o de chismorreo me lo pregunta?

—Chismorreo.

—No, no pienso invitarlas. Los varones Cáceres me han sido siempre muy leales. Pero las hembras de esa familia no han parado mientes en calumniarme. Antes de que Inés se casara, solían invitarlas a ella y a mamá… pero a mí me excluían. ¿Puede usted creer, amigo mío, que hasta se han cruzado de vereda —por aquellos mis amargos días— para no tropezarse conmigo? Bien, ahora las cosas han cambiado: ellas no son lo que eran y yo ya no soy una indeseable… pero adolezco de una excelente memoria. ¿Contesta eso su curiosidad?

—Cabalmente. Una vez lo dije: usted no es de las que presentan la otra mejilla.

—Téngalo por seguro.

En el zaguán, mientras Luz se calzaba los guantes y José le colocaba galantemente la capa, ella le advirtió:

—Si alguna vez debe explicar a Manuel —no quiero por nada del mundo ofenderlo— cómo trabó contacto con Fernando, puede usar el nombre del comandante Gaspar Indarte, gran amigo de mi hermano y mío también.

José se dio una palmada en la frente.

—La trama celeste —murmuró.

—¿Qué significa eso?

—Mi madre usaba esa frase para explicar las relaciones que van anudando nuestro destino, al parecer fortuitamente, con el de otros. Ya ve usted, el tal Indarte es el "protector" de un primo mío, Ignacio de la Torre —aquel que me trajo la noticia del fallecimiento de mamá—. Ella sostenía que había un esquema divino en esos hilos reunidos al parecer accidentalmente, sin objeto aparente.

—A través de las cosas que he vivido, siempre he tenido la impresión de que nada sucede por casualidad.

Salieron al exterior y pudieron observar cómo el escocés, que apenas hablaba español, se las había ingeniado para trabar amistad con la mentada viuda, que muy solícitamente le alcanzaba un vaso de vino y no debía ser el primero, puesto que el hombre sostenía una empanada a medio comer en la otra mano.

—Pero, ¡ella es mi enamorada! —protestó José.

—Lo era, José; lo era —se burló Luz—. Recuerde que la curiosidad de Eva precipitó a la humanidad en este valle de lágrimas.

Y recordando algo súbitamente se volvió para decirle:

—¿Sabe, José, lo que contó Farrell al regresar de Santa Fe? Parece que al general Paz lo han trasladado a la cárcel de Luján... Y se ha casado nomás con su sobrina Margarita. ¿La recuerda?

—¡Cómo olvidarla! —suspiró él—. Margarita Weild... Siendo estudiante, iba a misa a Santo Domingo sólo por verla, ocasionalmente compartir la pila de agua bendita... ¡y aspirar el perfume a rosas añejas que despedía su cabellera!

—Pues ahora viven juntos en la prisión los pobrecitos.

—¡Y todavía hay quienes creen que heroísmo es sinónimo de virilidad! ¿Cómo puede ella haberse avenido a afrontar semejante vida?

47. LA GUARDIANA DEL ATARDECER

"Discurriendo en la casa desierta
Ha grabado el silencio profundo
Sobre el arco frontal de la puerta:
¡Así pasa la gloria del mundo!"

Ataliva Herrera

CÓRDOBA
OCTUBRE DE 1835

La noche en que Luz visitó, de tarde, a Medina Aguirre, Harrison se mostró malhumorado y como reacio a hablar.

—Está bien —dijo Luz después de la cena, mientras tomaban el oporto—. ¿Qué es lo que te tiene mal?

—¿Por qué fuiste sola a ver al doctor Medina? ¿Por qué no me avisaste, al menos, que irías?

—¿Son celos, o estás preocupado por el "qué dirán"?

—Celos no —negó él categóricamente—. No es tu tipo este abogado genial y extrovertido, por más brillante que sea. A ti te gustan menos intelectuales y más apuestos.

—¿Estás buscando pelea? —preguntó Luz, divertida.

—No, pero no alcanzo a entender por qué no confiaste en mí. No te hubiera negado la visita… si es que alguien tiene el poder de negarte algo y que tú obedezcas. Lo que me ha disgustado es que maniobraras para ir sin avisarme. Como quien dice, a mis espaldas.

—No maniobré a tus espaldas. Fui siguiendo una idea repentina; tú no estabas en casa, simplemente. Y si hubieras estado, después de escucharme me habrías dado la razón.

—¿Y qué razón tenías?

—Quería pedirle que buscara a Fernando.

—¿Y por qué Manuel no puede ocuparse de ello?

—¿Te olvidas de Calandria? Manuel se escandalizaría; en cambio, dudo que nada llegue a sorprender a José.

405

Y apartándole el mechón de pelo que solía caerle sobre la frente, agregó:

—Quería mantener en reserva la situación de mi hermano. Después de todo, si él deseara que se supiera, lo habría gritado a los cuatro vientos. Y no lo ha hecho. Además pretendía dejarte al margen de ese problema. Sé cuánto te disgusta.

Harrison terminó emitiendo sonidos aprobatorios.

—Creo que has actuado con prudencia —y observándola—; pronto dejarás de ser una joven impulsiva y... —calló como ante algo impronunciable.

—Sigue —lo alentó ella.

—... ¿y qué sucederá cuando te conviertas en una decidida mujer?

Luz lo miró sin entender el significado de aquello.

—Estoy pensando cuando tú tomes fuerzas y las mías declinen —dejó él ver su inquietud—. Me obsesiona el saber si seguirás siendo mi amiga... cuando yo ya no pueda ser tu amante.

—Harri, a veces me irritas más que las personas a quienes detesto —se molestó Luz, intentando retirarle la mano, pero Harrison se la retuvo colocándosela sobre el corazón. Aquel recurso, al que su esposo acudía cuando le faltaban las palabras, la aplacó.

—Tienes que recordar, en beneficio de nuestra relación, que primero fuimos cómplices y después amantes. Y como tengo un deseo tan grande de días tranquilos, de hijos, de tardes pasadas en tu compañía y de noches en que conversaremos en la cama interminablemente de naderías, creo que tales cosas pueden darnos muchos, muchísimos años de entretenimiento. Así que déjate de convocar a las malas estrellas.

—Pues acabas de echarles un conjuro —y tranquilizado, con un hondo suspiro, Harrison preguntó—: Y nuestro talentoso letrado ¿aceptó?

—Sí. He escrito una carta para Fernando y Manuel avisará a su turno a Inés por lo de su hijuela. Y quiero agradecerte que compraras el solar para que cada uno reciba lo suyo. No hubiera soportado que se viniera abajo de abandono, o que pasara a manos de extraños. Tengo la esperanza de que algún día...

—... vengamos a vivir aquí; ya ves que recuerdo las promesas que te hice, Luz. Sacaremos la estancia adelante, con Carlos al frente, como quería tu padre —y algo pensativo, reconoció—: No me disgustaría vivir en esta ciudad... Cuando la política se estabilice, claro está.

—Y yo te confesaré que amo esta tierra por sobre cualquier otra. La considero, más que mi provincia, mi país. Creo que eso es lo que nos pasa a todos los provincianos y que de ello proviene el que no podamos constituirnos todavía.

—Después de semejante declaración, no me dejas alternativa: tendremos que mudarnos en cuanto nos sea posible.

—¡Oh, mi esposo adorado, mi más cumplido amante!

—¡Por el Todopoderoso, Luz, suéltame! ¡Podría entrar la criada, llegar visitas... la puerta de calle está abierta todavía! ¿Qué van a pensar si...?

—Que me tienes loca de amor —se burló ella con fingida vehemencia, dándole un largo beso.

—Basta —se impuso Harrison en cuanto pudo respirar—. Hablemos de cosas prácticas. ¿Has decidido qué haremos, mientras tanto, con el solar y las criadas?

—Las chicas quedarán con tía Francisquita. En cuanto a la casa... ¿qué propones?

—Si don Manuel López acepta la gobernación, podemos dejarla cerrada bajo la vigilancia de tus tíos. Nosotros vendremos al menos una vez al año —y con un suspiro, reflexionó—: Me preocupan los objetos de valor, pero doña Mercedes me dijo que pueden depositarse en la Curia, a modo de banco; mañana arreglaremos con Cáceres un documento que en el futuro nos permita recuperarlos sin que se produzcan malentendidos.

—¿Sabes qué sugirió Eduardo Farrell? Que rentáramos el solar a viajeros que van de paso o quedan por un tiempo en Córdoba, ya que no hay en la ciudad alojamiento para personas acostumbradas a mejores hospedajes. Y el dinero obtenido servirá para pagar los gravámenes fiscales. ¿Qué dices?

—Estoy admirado; te estás convirtiendo en una mujer de empresa.

—Todo se contagia, señor. Mírese usted... hasta se ha acostumbrado a dormir la siesta. ¡Qué reprochable lo considerarían sus amigos británicos!

—La siesta es muy saludable en este clima —se justificó él; y acercando la botella—: Creo que se impone un brindis... aunque sea con oporto.

Luz recibió su copa y propuso con buen ánimo:

—Por el bendito porvenir.

Él chocó su copa con la de ella:

—Por el feliz destino de la buena gente y de los leales amigos. Para que aun en tiempos de espanto, podamos tener nuestro salario de felicidad.

—¿Quién dijo que los ingleses no eran románticos?

—Alguien que, evidentemente, no se tomó el trabajo de conocernos.

Bebieron y Luz recorrió la sala, deteniendo la mirada en cuadros y candelabros, cristales y porcelanas, dolida al ver algún hueco, espacio vacío de lo perdido irremediablemente.

—Vamos, ánimo —la alentó él, volviendo a servir las copas—. Todo estará bien.

—Es verdad —reconoció ella y le aclaró—: Esta casa tiene un Ángel Tutelar, como dice tía Mercedes.

Recordando la aparición, alucinación o lo que fuera, de Severa, Harrison escondió su turbación en un trago compulsivo.

—¿No tienes dudas respecto de tu embarazo?

—No; y ya verás, será una niña. Nuestra Amanda.

—Dios te bendiga —y abarcándola en un abrazo, la besó en las mejillas. De pronto la apartó, recordando algo.

—El roble que plantamos en la estancia debe haber dado los primeros brotes argentinos. Iremos allá en cuanto lleguemos a Buenos Aires. Tenemos que llevar a Tristán. Mrs. Payne se ha quejado, en nombre de todos, de que aún no conocen al niño.

Hizo una pausa teatral, mirando el fondo de su copa.

—Y es hora de que le demos un nombre a aquel lugar. Estuve pensando... ¿qué te parece si lo llamamos "La Severa"?

Y ante el silencio conmovido de Luz, a quien los ojos se le habían llenado de lágrimas, se ufanó:

—Bueno, bueno; veo que aún conservo la facultad de sorprenderte. No está mal para seis años de matrimonio...

La reunión llegó y pasó con alegría algo empañada por la tristeza de la partida de Luz y Harrison hacia Buenos Aires. En aquella ocasión, parientes y amigos —con la sola ausencia de Jeromita, que debió viajar a Jesús María, pues tenía su suegra enferma— se convocaron para agasajarlos por el juicio ganado.

Mientras tanto, la cárcel se iba llenando de cómplices o presuntos cómplices de los Reynafé, aunque Santos Pérez continuaba esquivando a los Regulares con una parsimonia suicida.

Los bienes del clan eran saqueados y muchos de sus adeptos acorralados y muertos en redadas que se practicaban en toda la provincia.

El día siguiente del agasajo a los Harrison —el de la partida— fue de un constante ir y venir: de los abogados con los documentos, de los vecinos con mensajes, de los parientes con encargos.

Apenas pasado el almuerzo, el padre Iñaki se apersonó con su provisión de agua bendita y oraciones, el séquito formado por todas las mujeres de la familia. Más tarde comenzaron a llegar, de uno en uno, el resto de los amigos.

Luz los atendió cordialmente, se encargó de que Fe y Nombre de Dios distribuyeran café, mate o chocolate —según gustos—, pero ella se escabulló a encerrarse, sola, en la sala grande.

Sentada ante la ventana que daba a la fuente, mirando el jacarandá florecido, sintió que la invadía una conocida nostalgia por Los Algarrobos, llenándola de melancolía en el momento en que debía regresar a Buenos Aires, a su hijo, a otra vida... dejando atrás los restos de una familia y una fortuna deshecha por las circunstancias de la Historia.

Le vino entonces a la memoria un poema de Jorge Manrique, autor que, siendo soltera, solía leer todas las noches como quien lee su breviario.

Decía aquél:

> "Pues la sangre de los godos,
> y el linaje y la nobleza
> tan crecida,
> ¡por cuántas vías y modos
> se pierde su gran alteza
> en esta vida!"

La entristecía perder de vista las viejas torres y sus campanarios, las construcciones blanqueadas, los muros de piedra de la Compañía de Jesús, con ese aire grave, que trascendía los siglos. Le dolía dejar atrás a los ancianos y los niños de la familia, los amigos fieles, los cordiales vecinos, las criadas... Y tanto como a ellos, la sepultura de los muertos amados.

Con una sabiduría lacerante, comprendió cuán bondadoso había sido el destino con ella. Y mirando por las desgracias ajenas, pensó que Dios la había condenado a la alegría mientras debía contemplar, impotente, cómo el mundo en que creció se rompía en pedazos y los seres queridos se hundían en la catástrofe.

Todo resultaba lo bastante desgarrador como para que intentara una plegaria. Y los codos sobre la mesilla, las manos unidas a la altura de la frente y ésta apoyada en aquéllas, rogó con los ojos cerrados: "Ojalá encontremos un punto de confluencia para que el país se pacifique; ojalá que las cosas que nos separan se vuelvan irrelevantes ante las cosas que nos unen...".

Que, con los años, pudieran sentarse a la misma mesa con Sebastián, con Edmundo, con Fernando y también con Calandria.

"Que no falten mis otros primos —Martín y Gonzalo— porque son las ausencias las que desheredan..."

Que pudiera ella cabalgar con sus hijos por la Sierra de Las Peñas...

"Que pueda yo regresar pronto con Tristán y Amanda, para que abuela y tía Francisquita alcancen a conocerlos..."

Por más que se estaba poniendo sentimental, guardaba aún bastante resentimiento contra Inés e Isabel para invocarlas.

Hizo un esfuerzo por controlarse y pensó en Severa y en Simón Viejo con un ruego mudo: "Protejan estas paredes hasta el momento del regreso, porque así lo prometieron a nuestros abuelos".

Oyó a Harrison en el umbral, remiso a adentrarse en el santuario de sus recuerdos.

"Y la lápida de Enmanuel", se santiguó, recordando las circunstancias que la habían llevado a su esposo.

Un leve roce en el chaleco de él y el "clic" del reloj de cadena:

—Debemos partir, querida; el coche está listo.

—Sí, Harri; concédeme unos minutos más.

Luz oyó el "clac" con que cerró la tapa y sus pasos acercándose. Luego, sus manos le acariciaron los hombros, un gesto llamado a tranquilizar al animal montaraz —a duras penas domesticado— que perduraba en ella. No se volvió a mirarlo, temiendo mostrar una expresión que no podía controlar.

—Tus tíos esperan y Laura quiere hablarte —la voz de Harrison sonó preocupada—. No irás a llorar, espero.

—Por supuesto que voy a llorar —y secándose una lágrima con el nudillo, le indicó—: Dile a Laura que pase y déjanos un momento a solas, ¿quieres?

Y cuando él, después de darle un ligero beso, se retiraba, le rogó:

—Que no cierren el solar delante de mí, Harri. Quiero verlo abierto hasta que doblemos por San Francisco.

—Lo supuse y he pedido a todos que se queden por aquí, brindando por nuestro pronto regreso.

Cuando Laura entró, Luz se había puesto de pie. Se abrazaron largo rato, sin palabras —¡cuánto había crecido aquella muchachita, ahora más alta que Luz!—, y apenas conteniendo las lágrimas, le preguntó:

—¿Tienes bien guardada la carta para tía Francisquita? ¿Recuerdas mis instrucciones?

Laura asintió con la cabeza y preguntó a su vez:

—¿Me escribirás pronto?

—En cuanto llegue a Buenos Aires. Y tú contéstame de inmediato dándome noticias de las viejitas, lo mismo que cuanto sepas de tu hermano y Sebastián. Y dile a Jeromita que me escriba, o no la perdonaré de por vida.

Laura volvió a asentir, esta vez apoyando la frente en la de Luz. Abrazadas por la cintura, salieron a la galería, donde el padre Iñaki ordenó a todos arrodillarse y asperjó agua bendita a troche y moche, además de algunos latines.

Cuando aquello concluyó, Farrell, sensible al estado de ánimo de las jóvenes, las conminó:

—¡Vamos, muchachas! A mal tiempo, buena cara. Y tú, Luz, recuerda que los cordobeses somos un pueblo decidido a sobrevivir. Y si lo dudas, piensa en José María Paz, haciendo un hogar de su prisión.

Y entre recomendaciones, votos y abrazos, Luz y Harrison subieron a la sopanda, que se puso en marcha con gran ruido de caballería en el empedrado.

La escolta se dividió en dos grupos: Owen tuvo que resignarse a cabalgar con el suyo detrás del carruaje y el otro, más aguerrido, abrió la marcha al grito del baqueano de Farrell que, ufano de su protagonismo —al ver tantos vecinos curioseando la partida—, lanzó el grito: "¡Paso a doña Luz de Osorio!", para admiración de cuantos mirones observaban las maniobras.

Las mujeres de la familia lloraban desembozadamente mientras los varones mantenían rígidas las quijadas. Don Felipe recordó otra despedida, cuando vivía aún su hermano Carlos y partía la recién casada Luz, dejando desolado el corazón del padre.

—¿Sabes? —dijo aceptando el cigarro que le ofrecía Farrell—; creo que Carlos se hubiera mostrado satisfecho con el marido de Luz María. El gringo resultó de ley.

—Así es, compadre. Señoras —instó el comandante a su mujer y a sus infaltables cuñadas, a misia Francisquita y a Laura—; señores —y allí iban Cáceres, Medina Aguirre, Achával, el doctor De la Mota, que había quedado en la vereda discurriendo con el sacerdote, como feligreses en misa—. Entremos a brindar, que lo prometido es deuda.

Y tomando del brazo a Laura, su preferida, hizo una seña a las criadas para que pasaran con los niños. Como notó que Camargo, su ayudante, se quedaba rezagado, lo instó:

—No se haga rogar, hombre, que le debemos lo suyo.

Afuera, Córdoba, anegada en engañosa calma, esperando con inquietud la llegada de Quebracho López, quien sería gobernador por recomendación del gobernador de Santa Fe e imposición de don Juan Manuel de Rosas.

Pero aquella tarde de octubre, mientras las mujeres se consagraban a rezar el rosario y los hombres comentaban en voz baja los acontecimientos, Córdoba parecía soñar envuelta en el azul de su atmósfera.

Y mucho más tarde, solitario y cerrado al mundo el solar, mientras las campanas doblaban a completas, se oyó en los patios un canturreo bajito que fue recorriendo escaleras y galerías, recovecos y altillos, para adormecerse luego —una luminosidad de vagos contornos— bajo el jacarandá florecido...

ÍNDICE

Esta edición de 7.000 ejemplares
se terminó de imprimir en
Verlap S.A.,
Comandante Spurr 653, Avellaneda, Bs. As.,
en el mes de julio de 2004.